S0-BJB-100

NOMBRAR A LOS MUERTOS

Ian Rankin

NOMBRAR A LOS MUERTOS

Traducción de Francisco Martín Arribas

Título original: *The Naming of the Dead*
Autor: Ian Rankin

Pérez Galdós, 36 - 08012 Barcelona
rba-libros@rba.es / www.rbalibros.com

Primera edición: noviembre 2007

Ref.: OAFI244
ISBN: 978-84-7901-646-3
Depósito legal: B-49.108-2007
Composición: David Anglès
Impreso por Novagràfik (Barcelona)

A todos los que estaban en Edimburgo el 2 de julio de 2005

«En nuestra mano está intentar un nuevo mundo, decir lo que sabemos de la verdad y hacer algo todos los días.»

A. L. Kennedy, en su escrito sobre la marcha a Gleneagles

«Escríbannos un capítulo del que estemos orgullosos.»

Bono en un mensaje al G8

CARA UNO

LA SANGRE OBLIGA

VIERNES 1 DE JULIO DE 2005

1

En lugar de himno al final se oyó la música de *Love Reign O'er Me* de The Who. Rebus lo reconoció nada más empezar, al tiempo que los truenos y una intensa lluvia sacudían la iglesia. Estaba en el primer banco: Chrissie se había empeñado. Él habría preferido situarse atrás del todo, su lugar habitual en los funerales. Tenía sentados a su lado al hijo y a la hija de Chrissie. Lesley consolaba a su madre llorosa pasándole un brazo por los hombros. Kenny miraba fijamente al frente, conteniendo sus emociones para más tarde. Aquella mañana, en la casa, Rebus le había preguntado qué edad tenía. Iba a cumplir treinta años el próximo mes. Lesley tenía dos años menos. Hermano y hermana se parecían a la madre, y Rebus recordó que la gente decía lo mismo de Michael y él: «Sois el vivo retrato de vuestra mamá». Michael... Mickey si lo preferís. Su hermano más joven estaba allí muerto, en un ataúd reluciente, con cincuenta y cuatro años; la tasa de mortalidad de Escocia era igual a la de un país tercermundista. El estilo de vida, la dieta, los genes... Muchas teorías. Aún no se conocían los resultados de la autopsia. Chrissie le había dicho a Rebus por teléfono derrame cerebral masivo, añadiendo que había sido «súbito», como si eso cambiara algo.

Súbito significaba que Rebus no había podido despedirle. Significaba que lo último que le había dicho a Michael hacía tres meses y por teléfono era un chiste simplón sobre su adorado equipo de fútbol Raith Rovers. Junto con las coronas, habían puesto sobre el féretro un pañuelo de los Raith blanco y azul marino. Kenny lucía una corbata de su padre con el escudo del Raith, un extraño animal sujetando una hebilla de cinturón. Rebus le preguntó qué significaba, pero Kenny se había encogido de hombros. Rebus miró a lo largo del banco y vio que, a un gesto del oficiante, todos se ponían de pie. Chrissie echó a andar por la nave lateral flanqueada por sus hijos. El oficiante miró a Rebus, pero él no se movió del sitio. Volvió a sentarse para dar a entender a los demás que no le esperasen. La canción iba ya por un poco más de la mitad. Era la última de *Quadrophenia*. Michael era un gran admirador de The Who, mientras que él, Rebus, prefería los Stones, aunque tenía que admitir que en álbumes como *Tommy* y *Quadrophenia*, The Who hacían una música de la que los Stones nunca habrían sido capaces. Daltrey daba alaridos pidiendo un trago. Rebus no podía estar más de acuerdo, pero había que tener en cuenta la vuelta en coche a Edimburgo.

Habían alquilado la sala de actos de un hotel de la localidad. Estaban todos invitados, tal como había dicho el sacerdote desde el púlpito. Habría whisky y té, y sándwiches. Se contarían anécdotas, se hablaría de recuerdos, con sonrisas, frenando con el dedo alguna lágrima furtiva, todo sin levantar la voz, y los camareros se moverían sin hacer ruido, con respeto. Rebus trataba de preparar mentalmente frases, las palabras con que iba a excusarse.

«Tengo que volver, Chrissie. Hay mucho trabajo.»

Podía mentir y alegar lo de la reunión del G-8. Aquella mañana, en la casa, Lesley había comentado que tendría que estar ocupado con el dispositivo de organización. Podría haberle dicho: «Soy el único policía que por lo visto está de más». Iban a recibirse refuerzos de agentes de todas partes. Sólo de Londres se esperaban quinientos. Y, sin embargo, el inspector John Rebus estaba excedente. Alguien tenía que tomar el timón del barco: eso había dicho el inspector jefe James Macrae, mientras por encima de su hombro sonreía satisfecho su acólito, el inspector Derek Starr, que se consideraba candidato indiscutible al trono de Macrae. Algún día dirigiría la comisaría de policía de Gayfield Square. John Rebus no era rival para nadie al quedarle apenas un año para la jubilación. El propio Starr lo había comentado: «Nadie te reprocha que te lo tomes con calma, John. A tu edad, es lo normal». Tal vez, pero los Stones eran más viejos que él; y Daltrey y Townshend, también. Y todavía tocaban, todavía salían de gira.

La canción estaba a punto de terminar, y Rebus volvió a ponerse en pie. Estaba solo en la iglesia. Echó una última mirada al biombo de terciopelo morado. Tal vez el féretro seguía detrás; o quizás lo habían trasladado a otro lugar del crematorio. Pensó en la adolescencia; dos hermanos que compartían habitación, que ponían discos de 45 comprados en High Street de Kirkcaldy. *My Generation* y *Substitute*. Mickey le preguntó un día sobre aquel tartamudeo de Daltrey en el primero, y él le contestó que había leído que era por las drogas. La única droga que habían probado ellos dos era el alcohol en tragos robados de las botellas de la despensa o una lata de cerveza dulzona compartida después de apagar las luces en casa. Los dos parados en el paseo marítimo de Kirkcaldy, mirando el mar, y Mickey cantando *I Can See For Miles*. Pero ¿había sucedido realmente aquello? El disco salió en el 66 o el 67, y él entonces estaba en el ejército. Tuvo que ser durante algún permiso en casa. Sí, los dos: Mickey con su pelo largo hasta los hombros, imitando a Daltrey, y él, con el corte militar al rape, inventándose historias para que la vida de cuartel pareciera más emocionante, cuando aún no había ido a Irlanda del Norte.

En aquella época estaban muy unidos, y él le escribía cartas y postales; su padre se sentía orgulloso de él, orgulloso de los chicos.

«El vivo retrato de vuestra mamá.»

Salió fuera. Llevaba ya en la mano la cajetilla abierta. Había más gente fumando. Le dirigieron inclinaciones de cabeza, cambiando el peso del cuerpo de una pierna a otra. Ahora las coronas y las tarjetas estaban en fila junto a la puerta y la concurrencia las miraba. Se oirían las palabras de rigor «pésame», «pérdida» y «dolor», «os acompañamos en el sentimiento», a la familia. No se pronunciaría el nombre de Michael. La muerte tiene su protocolo. Los más jóvenes comprobaban si tenían mensajes en el móvil. Rebus sacó el suyo del bolsillo y lo encendió. Cinco llamadas, todas del mismo número. Se lo sabía de memoria; pulsó los botones y se acercó el aparato al oído. La sargento Siobhan Clarke contestó de inmediato.

—Te he estado llamando toda la mañana —dijo dolida.

—Lo tenía apagado.

—Bueno, pero ¿dónde estás?

—Sigo en Kirkcaldy.

Se oyó un hondo suspiro.

—Hostia, John, lo había olvidado totalmente.

—No te preocupes.

Vio a Kenny abrir la puerta del coche a Chrissie. Lesley le hizo seña de que iban al hotel. El coche era un BMW, pues a Kenny le iba muy bien como ingeniero mecánico. No estaba casado; tenía novia, pero ella no había podido asistir al funeral. Lesley estaba divorciada y sus hijos, chico y chica, de vacaciones con el padre. Rebus asintió con la cabeza y ella subió al asiento de atrás.

—Pensé que era la semana que viene —dijo Siobhan.

—O sea que llamabas para regodearte —replicó Rebus echando a andar hacia su Saab.

Siobhan llevaba dos días en Perthshire acompañando a Macrae para un reconocimiento de seguridad sobre el G-8. Macrae era muy amigo del subcomisario de Tayside y lo que menos deseaba era que su solícito amigo metiera la nariz en todo. La reunión de los líderes del G-8 se celebraría en el Hotel de Gleneagles, en las afueras de Auchterarder, aislado en la campiña y rodeado de un perímetro de vallas de seguridad. La prensa abundaba en artículos sobre el riesgo de amenazas y los tres mil marines estadounidenses preparados para desembarcar en Escocia y proteger a su presidente. Mencionaban una conjura anarquista para bloquear carreteras y puentes con camiones tomados en autostop. Bob Geldof quería que invadiera Edimburgo un millón de manifestantes que la gente alojaría en sus habitaciones de invitados, cocheras y jardines; se enviarían barcos a Francia para recoger manifestantes. Grupos con nombres como Ya Basta y el Black Bloc sembrarían el caos, y la People's Golfing Association pretendía romper el cordón de seguridad y jugar unos hoyos en el famoso campo de Gleneagles.

—Son dos días con el inspector jefe Macrae —dijo Siobhan—. ¿Qué regodeo ves tú?

Rebus abrió la portezuela del coche y se inclinó para poner la llave de contacto. Volvió a estirarse, dio una última calada al cigarrillo y tiró la colilla a la calzada. Siobhan decía algo sobre un equipo en el escenario del crimen.

—Un momento —le interrumpió Rebus—. ¿Cómo dices?

—Es igual. Tú ya tienes bastante sin esto.

—¿Sin qué?

—¿Te acuerdas de Cyril Colliar?

—A pesar de mi edad no he perdido la memoria.

—Ha sucedido algo muy extraño.

—¿El qué?

—Creo que he encontrado la pieza que faltaba.

—¿De qué?
—De la chaqueta.
—No lo entiendo —dijo Rebus, percatándose de que ya estaba sentado.
—Yo tampoco —replicó Siobhan con una risita nerviosa.
—¿Dónde estás en este momento?
—En Auchterarder.
—¿Y es ahí donde ha aparecido la chaqueta?
—Por así decir.
Rebus metió las piernas en el coche y cerró la portezuela.
—Pues voy a echar un vistazo. ¿Está ahí Macrae?
—Se ha ido al centro de control del G-8 en Glenrothes —hizo una pausa—. ¿Tú crees que puedes intervenir en esto?
—Primero tengo que dar el pésame —respondió Rebus encendiendo el motor—, pero puedo estar ahí antes de una hora. ¿Se puede llegar a Auchterarder sin problemas?
—En estos momentos se vive la calma que precede a la tormenta. Cuando cruces el pueblo busca el indicador de la Fuente Clootie.
—¿De la qué?
—Mejor será que vengas y lo veas tú mismo.
—Eso es lo que voy a hacer. ¿Está en camino el equipo de la científica?
—Sí.
—Lo que significa que correrá la noticia.
—¿Se lo comunico al inspector jefe?
—Decídelo tú —respondió Rebus, sujetando el móvil entre el hombro y la mejilla para tomar el laberíntico camino hacia las puertas del crematorio.
—Rompes la camaradería —dijo Siobhan.
«No, si puedo evitarlo», pensó Rebus.

A Cyril Colliar lo habían asesinado seis semanas antes. Tenía veinte años y había sido encarcelado con una condena de diez años por violación con saña. Cumplida la sentencia le habían puesto en libertad pese a las reservas de la dirección de la cárcel, la policía y los servicios sociales. Sabían que seguía siendo un gran peligro, pues no mostraba remordimientos y negaba su culpabilidad pese a las pruebas del ADN. Colliar regresó a su Edimburgo natal. Toda la gimnasia que había hecho en la cárcel le vino bien, pues trabajó de gorila por la noche y de matón por el día. Su jefe en ambas especialidades era Morris Gerald Cafferty. Big Ger era un viejo malhechor, y fue Rebus quien tuvo que inquirir sobre su reciente empleado.

—¿A mí qué me cuenta? —había replicado Cafferty.

—Es peligroso.

—Tiene más paciencia que un santo para aguantar su acoso.

Cafferty se balanceaba de un lado a otro en su sillón giratorio de cuero tras la mesa de MGC Lettings. A Rebus le constaba que si alguien se demoraba en pagar el alquiler mensual de alguna de las viviendas de Cafferty, era Colliar quien entraba en juego. Cafferty era igualmente propietario de minitaxis y de al menos tres bares de bronca en las zonas menos salubres de la ciudad. Trabajo de sobra para Cyril Colliar.

Hasta la noche en que apareció muerto. Con el cráneo fracturado; un golpe por detrás. El forense creía que había muerto como consecuencia del mismo, pero para mayor seguridad le habían inyectado una jeringuilla de heroína pura. No había pruebas de que el finado fuese heroinómano. «Finado» era la palabra que emplearon, aunque entre dientes, la mayoría de los policías que intervinieron en el caso. Nadie utilizó el término «víctima». Ni nadie fue capaz de decir en voz alta: «El cabrón tuvo lo que se merecía». Ahora eso no se hacía.

Pero no por eso dejaban de pensarlo, compartiéndolo con miradas y asintiendo con la cabeza. Rebus y Siobhan habían trabajado en el caso, pero como en uno de tantos. Había pocas pistas y demasiados sospechosos; interrogaron a la víctima de la violación, a su familia y a su novio de entonces. Y cuando se hablaba del fin de Colliar todos coincidían en un vocablo: «Estupendo».

El cadáver apareció junto al coche en una bocacalle cerca del bar donde trabajaba. No había testigos ni pruebas en el escenario del crimen. Sólo algo curioso: de aquella característica cazadora de nailon habían recortado el emblema CC Rider de la espalda con un filo aguzado, dejando al descubierto el forro interior. No abundaban las hipótesis. Se trataba de un torpe intento de enmascarar la identidad del muerto, o en el forro había habido algo escondido. Los análisis sobre restos de droga fueron negativos, y los policías se encogieron de hombros y se rascaron la cabeza.

A Rebus le pareció una venganza. Colliar se había hecho algún enemigo; o alguien enviaba un aviso a Cafferty. Pero en las diversas entrevistas con el jefe del muerto no había sacado nada en claro.

—Mala cosa para mi reputación —fue la única reacción de Cafferty—. Porque o atrapa a quien lo hizo...

—¿O?

Pero Cafferty no necesitaba contestar. Y si Cafferty aparecía como el principal culpable, se la había jugado para siempre.

En ambos casos era mal asunto. La indagación quedó atascada casi por las mismas fechas en que los preparativos del G-8 comenzaban a distraer la atención de todos —en su mayoría animados ante la perspectiva de las horas extra— hacia otros emplazamientos. Y, además, habían surgido otros casos con víctimas, víctimas de verdad, y el equipo que investigaba el homicidio de Colliar quedó disuelto.

Rebus bajó el cristal de la ventanilla, agradecido por la fresca brisa. No sabía cuál era el camino más rápido para Auchterarder; le constaba que a Gleneagles se iba por Kinross y hacia allí se dirigió. Dos meses atrás había comprado un navegador para el coche, pero no había tenido tiempo de leer las instrucciones. Lo llevaba en el asiento del pasajero con la pantalla apagada. Un día de éstos iría al taller donde le habían instalado el reproductor de compactos. Su inspección ocular del asiento trasero, suelos y maletero no le había revelado nada de The Who, y por eso escuchaba a Elbow, una recomendación de Siobhan. Le gustaba la canción *Leaders of the Free World.* Apretó el botón de repetir: el cantante pensaba que algo se había estropeado después de los años sesenta. Rebus estaba básicamente de acuerdo, aunque lo viera desde diferente perspectiva. Sabía que al cantante le habría gustado más cambio, un mundo dirigido por Greenpeace y los antinucleares, en el que no hubiera pobreza. Él también había participado en alguna manifestación en los sesenta, antes y después de alistarse en el ejército. Era una manera de conocer chicas, cuando menos, y después, generalmente, siempre había una fiesta en algún sitio. Pero ahora, él veía los sesenta como el final de algo. Un admirador de los Stones había sido apuñalado en uno de sus conciertos en 1969 y la década echó el cierre. Loa años sesenta habían sido para la juventud una experiencia de rebeldía; no creían en el viejo orden, ni sentían por él el menor respeto. Pensó en los miles que acudirían a Gleneagles y en los enfrentamientos que se producirían.

Costaba imaginarlo en aquel paisaje de granjas y colinas, ríos y *glens* o vallecitos. Sabía que el emplazamiento aislado de Gleneagles había sido determinante a la hora de elegir la sede de la reunión. Los mandatarios del mundo libre estarían allí seguros para firmar sus decisiones previas. El grupo del disco entonaba un tema sobre un terremoto. La imagen se le quedó grabada a Rebus hasta las afueras de Auchterarder.

No había estado allí nunca. Pero era como si conociera el lugar. Un típico pueblo escocés con una calle principal bien definida, con sus bocacalles, construido según el criterio de que la gente fuese a comprar a los comercios a pie. Tiendas pequeñas, independientes, desde luego; nada susceptible de exacerbar a los manifestantes antiglobalización. En la panadería vendían incluso alguna tarta anti G-8.

Se acordó de que las buenas gentes de Auchterarder habían sido sometidas a investigación, encubierta bajo el pretexto de proveerles de una tarjeta de identidad para cruzar las barreras. Pero tal como le había comentado Siobhan, reinaba una extraña tranquilidad en el pueblo. Sólo se veía a algunas personas de compras y un carpintero que debía de estar midiendo escaparates para instalar tableros de protección. Los coches eran todoterrenos embarrados que probablemente habían rodado más tiempo por pistas rurales que por carreteras. Una mujer al volante de uno de ellos se cubría la cabeza con un pañuelo, algo que Rebus no veía desde hacía tiempo. Al cabo de un par de minutos estaba en el otro extremo del pueblo camino de la A9. Dio una vuelta casi en redondo, bien atento a cualquier indicador. El que buscaba estaba junto a un pub y señalaba un camino. Puso el intermitente y entró por el desvío, cruzando setos y entradas de coches hasta una urbanización nueva. Ante él se extendía un paisaje con colinas en el horizonte. De pronto se encontró fuera ya del pueblo, rodando entre setos bien recortados que le arañarían el coche si tenía que arrimarse para ceder paso a un tractor o una furgoneta. Había un bosque a la izquierda, y gracias a otro indicador vio que por allí se iba a la Fuente Clootie. Aquella palabra escocesa le recordaba un postre, envuelto en «paño», que hacía su madre, de sabor muy parecido al pudín de Navidad. Su estómago le dio un aviso recordándole que hacía horas que no comía. Había hecho un breve alto en el hotel para decirle algunas palabras en voz baja a Chrissie. Ella le dio un abrazo, igual que por la mañana en la casa. Con tanto tiempo como hacía que la conocía, qué pocos abrazos se habían dado. Al principio, en realidad, a él le gustaba; extraño, dadas las circunstancias, parecía que ella lo había notado. Luego, él fue el padrino de boda, y cuando la sacó a bailar, ella le susurró maliciosa al oído. Después, en las pocas ocasiones en que se habían visto tras separarse de Mickey, Rebus se había puesto de parte de su hermano. Se imaginaba que habría podido llamarla, decirle algo, pero no lo había hecho. Y cuando Mickey se metió en aquel asunto y acabó en la cárcel, él no fue a verla tampoco. La verdad es que tampoco había ido muchas veces a visitar a Mickey, ni a la cárcel ni después.

Había más historia: cuando él y su esposa se separaron, Chrissie se lo reprochó a él exclusivamente. Ella se llevaba bien con Rhona y después del divorcio las dos se mantuvieron en contacto. Eso era la familia. Tácticas, campañas y diplomacia: la política era más fácil en comparación.

En el hotel, Lesley siguió el ejemplo de su madre y le abrazó también. Kenny dudó un instante pero Rebus le sacó de apuros tendiéndole una mano. Se preguntaba si habría algún altercado, cosa frecuente en los funerales. El dolor acarrea reproches y resentimientos. Mejor no haberse quedado. En el terreno del enfrentamiento, John Rebus tenía más empuje de lo que daba a entender su no desdeñable corpulencia.

Había un aparcamiento junto a la carretera. Parecía recién construido, habían talado árboles y en tierra quedaban restos de corteza. Había espacio para cuatro coches, pero no había más que uno. Siobhan Clarke estaba recostada en él y cruzada de brazos. Rebus echó el freno y se bajó del Saab.

—Bonito paraje —dijo.

—Llevo un siglo aquí —replicó ella.

—Pues no me parecía haber conducido tan despacio.

Ella se limitó a fruncir ligeramente los labios y se encaminó hacia el bosque con los brazos cruzados. Iba vestida más formalmente que de costumbre: falda negra hasta la rodilla con leotardos negros. Tenía los zapatos manchados de barro de recorrer aquella senda.

—Fue ayer cuando vi el indicador —dijo ella—. El de la calle principal. Y decidí echar un vistazo.

—Bueno, entre esto y Glenrothes, la elección...

—Hay un panel informativo en el claro, que explica la historia del lugar. Toda clase de brujerías a lo largo de los años. —Subían por una cuesta que rodeaba una gruesa encina retorcida—. La gente del pueblo concluyó que lo habitaban duendes, porque se oían gritos en la oscuridad y ese tipo de cosas.

—Seguramente serían los jornaleros —aventuró Rebus.

Siobhan asintió con la cabeza.

—En cualquier caso, empezaron a dejar ofrendas —añadió mirando en derredor—. Tú que eres el único escocés presente, ¿sabes lo que significa «clootie»?

A Rebus le vino a la mente la imagen de su madre sacando el pudín de la cazuela. El pudín envuelto en...

—Paño —respondió.

—Y ropa —dijo ella en el momento en que entraban en otro claro.

Se detuvieron y Rebus respiró hondo. Paño mojado..., húmedo, paño podrido. Hacía medio minuto que lo olía. Era el olor que desprendían en la casa de su infancia los paños tendidos si se enmohecían. De los árboles del paraje pendían trapos y jirones de tela y había trozos en el suelo pudriéndose en una especie de mantillo.

—Según la tradición —añadió Siobhan con voz queda—, los dejaban aquí para propiciar la buena suerte. Abrigan a los duendes y ellos impiden las maldades. Otra tradición dice que cuando moría un niño los padres dejaban algo aquí a modo de recuerdo —añadió con voz apagada y aclarándose la garganta.

—No soy tan frágil —dijo Rebus—. Puedes decir palabras como «recuerdo», que no voy a echarme a llorar.

Siobhan asintió de nuevo con la cabeza. Rebus dio la vuelta al claro. Pisaba hojas y musgo blando, se oía el rumor de un arroyo y un sordo borboteo de agua, y había velas y monedas en las orillas.

—No es gran cosa como fuente —comentó.

Ella se encogió de hombros.

—Estuve aquí hace unos minutos y no me gustó el ambiente. Pero advertí que hay algunas prendas nuevas.

Rebus las vio inmediatamente. De las ramas de los árboles colgaban un chal, un mono, un pañuelo rojo moteado y una zapatilla de deporte casi nueva con los cordones fuera. Incluso ropa interior y algo que parecían unos leotardos de niño.

—Dios, Siobhan —musitó Rebus sin saber qué decir. El olor aumentaba. Tuvo otro fogonazo del pasado: después de una borrachera de diez días, hacía muchos años... al descubrir que se había dejado la ropa en la lavadora sin tender, cuando al abrirla le asaltó aquel mismo olor. Lo volvió a lavar todo, pero tuvo que tirarlo—. ¿Y la cazadora?

Siobhan se limitó a señalarla. Rebus se acercó despacio al árbol. El nailon estaba atravesado en una rama corta y el viento lo agitaba suavemente. Estaba deshilachada, pero se veía perfectamente la marca.

—CC Rider —musitó Rebus mientras Siobhan se pasaba las manos por el pelo. Imaginó que se habría estado planteando preguntas, dándoles vueltas en la cabeza mientras estaba esperando—. Bien. ¿Qué hacemos? —añadió.

—Es el escenario de un crimen —respondió ella—. Va a venir un equipo de la científica de Stirling. Hay que precintar el lugar y peinar la zona en busca de pruebas. Habrá que reunir el equipo originario de homicidios y comenzar a preguntar puerta a puerta en la localidad.

—¿Incluyendo Gleneagles? —interrumpió Rebus—. ¿Tú sabes las veces que han investigado al personal del hotel? ¿Cómo vamos a ir preguntando de puerta en puerta en plena semana de manifestaciones? Aislar el lugar no será un problema; ten en cuenta que dispondremos de los agentes secretos que queramos...

Naturalmente, ella habría considerado todas aquellas circunstancias. Se dio cuenta y dejó de hablar.

—Lo mantendremos sin publicidad hasta que acabe la semana —dijo ella.

—Me gusta —añadió él.

—Sólo porque te da a ti una buena posición de salida —comentó ella sonriendo.

Él lo corroboró con un guiño.

—Hay que decírselo a Macrae —dijo Siobhan con un suspiro—. Lo que significa que él se lo comunicará a la policía de Tayside.

—Pero el equipo de la científica viene de Stirling —replicó Rebus— y Stirling es de la comandancia de la Zona Central.

—Así que serán tres departamentos de policía a los que deberemos informar... No habrá ningún problema en mantenerlo reservado.

—Si al menos pudiésemos hacer un examen y tomar fotos —dijo Rebus echando un vistazo a su alrededor— y llevar la prenda al laboratorio...

—¿Antes de que comiencen los festejos?

Rebus lanzó un bufido.

—Empiezan el miércoles, ¿no?

—El G-8 sí, pero mañana es la Marcha contra la Pobreza y hay otra prevista para el lunes.

—En Edimburgo, no en Auchterarder...

En aquel momento comprendió a lo que ella se refería: incluso con la prueba en el laboratorio, todos los lugares estarían en estado de sitio y para ir de Gayfield Square al laboratorio de Howdenhall había que cruzar Edimburgo. Eso contando con que los técnicos pudiesen llegar a su trabajo.

—¿Por qué lo dejarían aquí? —inquirió Siobhan, escrutando otra vez el trozo de tela—. ¿Como una especie de trofeo?

—Y si es así, ¿por qué aquí concretamente?

—Tal vez sea uno del pueblo. ¿Existirá alguna relación con la familia en esta zona?

—Creo que Colliar era de Edimburgo.

Ella le miró.

—Me refería a la víctima de la violación.

Rebus hizo una O con la boca.

—Es algo a considerar —añadió ella. Hizo una pausa—. ¿Qué es ese ruido?

Rebus se dio unas palmaditas en el estómago.

—Hace un buen rato que no he comido. ¿Crees que en Gleneagles habrá algún sitio abierto para merendar?

—En función de tu cuenta corriente, no, pero los habrá en el pueblo. Uno de los dos tiene que quedarse hasta que llegue la científica.

—Será mejor que te quedes tú. No quiero que me acusen de protagonismo. De hecho, creo que mereces una invitación a una buena taza de té de Auchterarder —dijo él, dándose la vuelta para irse, pero ella le detuvo.

—¿Por qué yo? ¿Por qué ahora? —dijo abriendo los brazos.

—¿Por qué no? —respondió él—. Digamos que es el destino.

—Ya sabes a lo que me refiero.

Él se volvió hacia ella.

—Lo que quiero decir —añadió Siobhan despacio— es que no estoy segura, si quiero que los detengan. Si los detienen y ha sido por mi intervención...

—Si los detienen, Shiv, será por su jodido crimen —dijo Rebus señalando la senda—. Eso, y tal vez cierto trabajo en equipo...

Al equipo de Escenario del Crimen no le hizo mucha gracia que Rebus y Siobhan hubiesen entrado en el paraje. Habría que tomar huellas de sus pisadas, para eliminarlas, y muestras de pelo.

—Con cuidado —dijo Rebus—. No puedo prescindir de mucho.

El de la científica se excusó.

—Tengo que sacarlos con raíz, si no, no sirven para el ADN.

Al tercer intento con las pinzas lo consiguió. Uno de sus colegas casi había terminado con el vídeo del escenario, otro continuaba haciendo fotos y un cuarto preguntaba a Siobhan qué otros trozos de tela había que retirar para el laboratorio.

—Sólo los más recientes —contestó ella mirando a Rebus.

Él asintió con la cabeza, de acuerdo con su planteamiento mental. Aunque lo de Colliar fuera un aviso para Cafferty, no era óbice para que hubiese otros mensajes.

—Las camisetas tienen marca —comentó el de la científica.

—Más fácil para su trabajo —dijo Siobhan sonriente.

—Mi trabajo es recoger. El resto es de su competencia.

—A propósito —terció Rebus—, ¿podríamos llevarlo todo a Edimburgo en vez de a Stirling?

El de la científica se puso rígido. Rebus no le conocía pero sabía la clase de individuo que era: casi cincuentón y con años de experiencia. Existía mucha rivalidad en la policía entre las diversas zonas, claro. Alzó las manos en gesto de conciliación.

—Lo que quiero decir es que se trata de un caso de Edimburgo y es lógico que no tengamos que estar yendo y viniendo a Stirling cada vez que los jefes pidan algo.

Siobhan sonrió otra vez, por la mención a los jefes, pero asintió ligeramente con la cabeza, admitiendo la habilidad de Rebus.

—Y más ahora —añadió él—, con las manifestaciones y todo lo demás.

Alzó la vista hacia un helicóptero que volaba en círculo. Tenía que ser la vigilancia de Gleneagles. Les había llamado la atención que hubieran aparecido de pronto en la Fuente Clootie dos coches y dos furgonetas blancas sin distintivo. Volvió los ojos hacia el de la científica y comprendió que el helicóptero había sido determinante. En semejantes circunstancias la colaboración era fundamental. Se lo habían machacado en un memorando tras otro. El propio Macrae lo había estado repitiendo en las últimas diez o doce reuniones en la comisaría. «Sean amables. Colaboren. Ayuden a los demás. Porque en estos pocos días el mundo tiene puestos los ojos en nosotros.»

Tal vez el de la científica hubiera asistido también a ese tipo de reuniones, porque asintió despacio con la cabeza y dio media vuelta para proseguir su trabajo. Rebus y Siobhan intercambiaron otra mirada, y él se metió la mano en el bolsillo para sacar el tabaco.

—No pise el terreno, por favor —comentó otro del equipo científico.

Rebus se retiró hacia el aparcamiento. Estaba encendiendo el pitillo cuando llegó otro coche. «Cuantos más, más divertido», dijo para sus adentros mirando al inspector jefe Macrae bajar de un salto. Llevaba traje nuevo, corbata nueva y camisa blanca impecable. Tenía pelo canoso escaso, cara fofa y nariz bulbosa con venillas rojas.

«Teniendo mi misma edad, ¿por qué parece más viejo?», pensó Rebus.

—Buenas tardes, señor —dijo.

—Creí que estaba en un funeral —comentó Macrae en tono de reproche como si Rebus se hubiera inventado lo del fallecimiento para tener el viernes libre.

—La sargento Clarke interrumpió la ceremonia —respondió Rebus— y yo he venido voluntariamente —añadió en un tono como de sacrificio, que ejerció su efecto, porque Macrae relajó un tanto la tensión de la mandíbula.

«Tengo buena racha —pensó Rebus—. Primero el de la científica y ahora el jefe.» En realidad, Macrae se había portado bien y en cuanto llegó la noticia de la muerte de Mickey le había dado luz verde diciéndole que se tomase un día libre, añadiendo que «se fuera a la mierda» —la manera escocesa de tratar las defunciones—, y Rebus no se hizo rogar. Se vio en una parte de la ciudad que no conocía, adonde había llegado sin saber cómo, y entró en una farmacia a que le orientaran: estaba en Colinton Village. En agradecimiento compró aspirinas.

—Lo siento, John —dijo Macrae con un profundo suspiro—. ¿Qué tal ha ido? —añadió haciéndose el preocupado.

—Bien —replicó Rebus lacónico. Miró el helicóptero bajar en picado, ostensiblemente rumbo a la base.

—Espero por todos los santos que no sea la televisión —comentó Macrae.

—No hay mucho que ver, aun suponiendo que fuese. Perdone que le hayamos hecho venir de Glenrothes, señor. ¿Qué tal va Sorbus?

Operación Sorbus: el dispositivo policial para la semana del G-8. A Rebus le había sonado como un producto que echan al té en lugar de azúcar los que hacen dieta, pero Siobhan le explicó que era un tipo de árbol.

—Estamos preparados para cualquier eventualidad —replicó Macrae enérgico.

—Salvo ésta, quizá —se sintió obligado a añadir Rebus.

—Todo puede esperar hasta la próxima semana, John —musitó su jefe.

Macrae siguió la mirada de Rebus y vio que se aproximaba un coche. Un Mercedes plateado con cristal opaco en las ventanillas traseras.

—Probablemente el helicóptero no era de la televisión —comentó Rebus para información de Macrae.

Estiró el brazo hasta el asiento del pasajero de su coche y cogió los restos de un panecillo relleno. Jamón con ensalada. El jamón se lo había tragado.

—¿Qué demonios es esto? —exclamó Macrae entre dientes.

El Mercedes frenó junto a una de las furgonetas de la científica. Se abrió la puerta del conductor, bajó éste, dio la vuelta al coche y abrió la portezuela del lado del pasajero. El recién llegado tardó unos instantes en bajar. Era alto y delgado y ocultaba sus ojos con gafas de sol. Mientras se abrochaba los tres botones de la chaqueta escrutó las dos furgonetas blancas y los tres coches sin distintivo de la policía. Finalmente, alzó la vista al cielo, dijo algo al chófer y se alejó del coche, pero en vez de ir hacia Rebus y Macrae se acercó al tablero de información turística sobre la Fuente Clootie, mientras el conductor volvía a sentarse al volante sin dejar de mirar a Rebus y a Macrae. Rebus hizo una mueca y le lanzó un besito como de satisfacción por quedar a la espera de que el recién llegado se dignara presentarse. También en este caso sabía de qué clase de individuo se trataba: frío y calculador, haciendo gala de su poder. Tenía que ser de algún departamento de seguridad en respuesta al aviso del helicóptero.

Macrae estalló al cabo de unos segundos. Se dirigió a zancadas hacia el desconocido y le preguntó quién era.

—Soy del SO12, ¿quién demonios es usted? —replicó el hombre en tono mesurado.

Tal vez no había asistido a las reuniones sobre colaboración amistosa. Tenía acento inglés, advirtió Rebus. Era lógico. El SO12 era un departamento especial con sede en Londres. Puerta con puerta con el de los espías.

—Vamos a ver —prosiguió, sin dejar de simular que estaba leyendo el cartel—, yo sé quién es usted. Es de Homicidios. Y esas furgonetas son de la científica, y en ese claro hay unos hombres con mono blanco protector efectuando un minucioso examen de los árboles y el suelo. —Se volvió finalmente hacia Macrae, se llevó la mano a la cara y se quitó las gafas de sol—. ¿Voy bien?

Macrae había enrojecido de furor. Durante toda la jornada le habían tratado con la deferencia que merecía y ahora, aquello.

—¿Me permite ver su tarjeta de identidad? —espetó.

El hombre le miró fijamente y esbozó una sonrisa torcida como diciendo: «¿Eso es cuanto tiene que decir?». Mientras metía la mano en el bolsillo interior sin molestarse en desabrocharse la chaqueta, desvió la mirada de Macrae hacia Rebus sin dejar de sonreír, como invitándole a que captara el mensaje, y esgrimió una cartera de cuero negra, que abrió para que Macrae la viera.

—Ahí tiene —dijo cerrándola de golpe—. Ahora ya sabe cuanto tiene que saber de mí.

—Es usted Steelforth —dijo Macrae con un carraspeo. Derrotado, se volvió hacia Rebus—. El comandante Steelforth está al mando de la seguridad del G-8 —dijo. Pero Rebus ya se lo había imaginado. Macrae se volvió hacia Steelforth—. Estuve esta mañana en Glenrothes invitado por el subdirector Finnigan. Y, ayer en Gleneagles... —añadió, dejando la frase en el aire al ver que Steelforth se apartaba y se acercaba a Rebus.

—No interrumpiré su tasa de colesterol, ¿verdad? —inquirió mirando el panecillo.

Rebus lanzó el eructo que creyó adecuado a la pregunta, y Steelforth le miró con ojos como ranuras.

—No todos podemos permitirnos un almuerzo a costa del contribuyente —replicó Rebus—. Por cierto, ¿qué tal se come en Gleneagles?

—No creo que tenga oportunidad de comprobarlo, sargento.

—No se equivoca, señor, pero su vista le engaña.

—Le presento al inspector Rebus —terció Macrae—. Yo soy el inspector jefe Macrae de Lothian y Borders.

—¿De qué comisaría? —preguntó Steelforth.

—De Gayfield Square —contestó Macrae.

—De Edimburgo —añadió Rebus.

—Están muy lejos de su demarcación, caballeros —comentó Steelforth echando a andar por la senda.

—Mataron a un hombre en Edimburgo —dijo Rebus— y en la fuente se ha encontrado ropa suya.

—¿Sabemos por qué?

—Voy a tratar de seguir la pista, comandante —añadió Macrae—. Cuando terminen los de la científica intervendremos de inmediato.

Iba pisando los talones a Steelforth y Rebus le seguía a la zaga.

—¿No entra en el programa que algún presidente o primer ministro venga a hacer una ofrenda? —dijo Rebus.

Steelforth, en lugar de replicar, entró en el claro, pero el encargado del equipo de la científica le detuvo poniéndole la mano en el pecho.

—Ya está bien de pisotearlo todo —dijo con un gruñido.

—¿Sabe quién soy? —replicó Steelforth mirando enfurecido aquella mano.

—Me importa un huevo, amigo. Si me deshace el escenario del crimen, aténgase a las consecuencias.

El del Departamento Especial se lo pensó un instante, pero finalmente retrocedió unos pasos hasta el borde del claro, mirando satisfecho lo que hacían. Sonó su móvil y contestó, apartándose de ellos para que no lo oyeran. Siobhan hizo un gesto inquisitivo y Rebus articuló sin voz «después» y sacó del bolsillo un billete de diez libras.

—Tenga —dijo dándoselo al del equipo científico.

—¿Esto por qué?

Rebus hizo un guiño y el hombre se guardó el dinero, con un discreto «gracias».

—Siempre doy propina por servicios más allá del deber —comentó Rebus a Macrae.

Éste asintió con la cabeza, metió la mano en el bolsillo y le dio un billete de cinco libras.

—Vamos a medias —dijo el inspector jefe.

Steelforth volvió del claro.

—Asuntos más importantes me reclaman. ¿Cuándo habrán terminado aquí?

—Dentro de media hora —contestó uno de los del equipo científico.

—O más si es necesario —añadió la bestia negra de Steelforth—. El escenario del crimen es el escenario del crimen, al margen de cualquier otra consideración.

Igual que Rebus momentos antes, había comprendido enseguida el papel de Steelforth.

El del Departamento Especial se volvió hacia Macrae.

—Informaré al subdirector Finnigan y le diré que cuento con su plena colaboración y aquiescencia, ¿le parece?

—Lo que usted crea, señor.

Steelforth ablandó un tanto la expresión de su rostro y dio un codazo a Macrae.

—Me atrevería a decir que no ha visto todo lo que hay que ver. Pásese por Gleneagles cuando haya acabado aquí y yo le brindaré un recorrido «de verdad».

Macrae se derritió de gusto, como un crío el día de Navidad, pero recobró la compostura y se puso firme.

—Gracias, mi comandante.

—David para usted.

Agachado, como si estuviera buscando pruebas, a cierta distancia detrás de Steelforth, el encargado del equipo de la científica hizo un gesto exagerado metiéndose un dedo en la boca como si se atragantara.

La vuelta a Edimburgo la harían en tres coches. Rebus tembló pensando en lo que dirían los ecologistas. El primero en largarse fue Macrae, camino de Gleneagles. Rebus había pasado ya por delante del hotel. Mucho antes de llegar a Auchterarder, desde Kinross, se veían el edificio y los terrenos circundantes; miles de hectáreas con pocos indicios de vigilancia, salvo un tramo de valla que atisbó al llamarle la atención una estructura improvisada que imaginó que sería una torre de observación.

Rebus se colocó detrás de Macrae y el jefe hizo sonar el claxon al entrar en el camino privado del hotel. Siobhan optó por la ruta de Perth como más rápida, pero él decidió seguir el mismo recorrido que a la ida y luego tomar la M90. Aún estaba azul el cielo. Los veranos en Escocia eran una bendición, un premio después del largo invierno crepuscular. Bajó el volumen de la música y llamó al móvil de Siobhan.

—Manos libres, espero —dijo ella.

—No seas lista.

—De lo contrario, das mal ejemplo.

—Antes que nada: ¿qué te ha parecido el amigo de Londres?

—Yo, a diferencia de ti, no tengo esas manías.

—¿Qué manías?

—Con la jerarquía... con los ingleses... con... —Hizo una pausa—. ¿Sigo?

—Oye, si no recuerdo mal, todavía soy tu superior.

—¿Y bien?

—Que podría dar parte por insubordinación.

—¿Para que los jefes se carcajearan?

Hubo un silencio más que elocuente. O ella empezaba a irse de la lengua con los años o él se hacía viejo. Las dos cosas probablemente.

—¿Crees que podremos convencer a los cerebritos del laboratorio de que trabajen el sábado? —preguntó.

—Depende.

—¿Qué me dices de Ray Duff? Una palabra tuya y seguro que accede.

—Y a cambio yo tendré que pasarme todo un día con él, rulando en ese coche viejo que apesta.

—Es un modelo clásico.

—Sí, no se cansa de decírmelo.

—Reconstruido a partir de cero.

Oyó su profundo suspiro.

—¿Y los forenses? —añadió ella—. Todos tienen sus hobbies.

—¿Se lo pedirás?

—Se lo pediré. ¿Sales de pubs esta noche?

—Tengo turno de noche.

—¿El mismo día del funeral?

—Alguien tiene que hacerlo.

—Me apuesto algo a que insististe en hacerlo.

Rebus no contestó y le preguntó qué planes tenía ella.

—Descansar. Quiero tener la cabeza despejada para levantarme temprano para la marcha.

—¿Qué servicio te ha tocado?

Siobhan se echó a reír.

—No tengo servicio, John... Voy porque quiero.

—Hostias.

—Tú también deberías venir.

—Sí, claro. Como si yo fuera imprescindible. Prefiero quedarme en casa para protestar.

—¿De qué?

—Del puto Bob Geldof. —Oyó que se reía—. Porque si acuden tantos como él quiere, parecerá que ha sido cosa suya. Eso no lo aguanto, Siobhan. Piénsatelo antes de unirte a la causa.

—Voy a ir, John. Porque además tengo que estar con mis padres...

—¿Tus padres...?

—Vienen de Londres, y no por lo que haya dicho Geldof.

—¿Vienen a la marcha?

—Sí.

—¿Me los presentarás?

—No.

—¿Por qué no?

—Porque tú eres la clase de policía que temen que acabe siendo yo.

Se suponía que tenía que reírse, pero era una broma sólo a medias.

—Muy acertado —contestó.

—¿Te has librado del jefe? —Un cambio de tema muy adecuado.

—Le dejé en ese aparcamiento con mayordomo.

—No te rías. En Gleneagles lo hay. ¿Tocó el claxon como despedida?

—¿Tú qué crees?

—Sabía que lo haría. Este viaje le ha quitado años de encima.

—Y le ha escaqueado de la comisaría.

—Así todos salen ganando —Hizo una pausa—. Piensas que es tu gran oportunidad, ¿verdad?

—¿A qué te refieres?

—A Cyril Colliar. La semana que viene no habrá quien te meta en cintura.

—No sabía que ocupara tan alto puesto en la escala de tu estima.

—John, te falta un año para la jubilación. Y sé que quieres dar el último envite a Cafferty.

—Por lo visto, además, soy transparente.

—Escucha, sólo quería...

—Lo sé; me conmueves.

—¿Crees de verdad que Cafferty puede andar detrás de esto?

—Si no lo está él, irá a por quien lo esté. Escucha, si te pone nerviosa que conozca a tus padres... —¿quién cambiaba de tema ahora?—, mándame un mensaje de texto y tomamos una copa.

—De acuerdo, lo haré. Ya puedes subir el volumen del CD de Elbow.

—Ah, te has dado cuenta. Hasta luego.

Rebus cortó la comunicación y le dio al botón siguiendo el consejo de Siobhan.

2

Estaban montando las barreras. Los obreros las colocaban ya en el puente George IV y en Princes Street. De las obras en las calles y en los edificios en construcción habían retirado andamios y pasarelas para evitar que se desmontaran y sirvieran de proyectil. Habían sellado los buzones y reforzado las tiendas. Se había dado aviso a las instituciones financieras para que el personal no acudiera trajeado en prevención de ser identificado. Para ser viernes por la tarde, la ciudad estaba tranquila. Furgonetas de la policía patrullaban las calles del centro con protectores de tela metálica en el parabrisas y había más furgonetas discretamente aparcadas en las bocacalles, dentro de las cuales agentes con equipo antidisturbios bromeaban contándose historias de anteriores enfrentamientos. Algunos veteranos habían intervenido en la última ola de las huelgas mineras, y otros trataban de integrar en sus historias anécdotas de refriegas futbolísticas, manifestaciones contra los impuestos municipales o de protesta por la circunvalación de Newbury. Y se intercambiaban rumores sobre la previsible magnitud del contingente de anarquistas italianos.

—Génova los endureció.

—Como a nosotros nos gusta, ¿eh, chicos?

Bravatas, nervios y camaradería. Las conversaciones se interrumpían cada vez que crepitaban los transmisores.

En la estación de ferrocarril patrullaban policías con chaqueta amarilla reflectante. También allí levantaban barreras y bloqueaban los accesos, dejando sólo una vía de entrada y salida, y había agentes con cámaras para fotografiar a los pasajeros que llegaban en los trenes de Londres; habían dispuesto vagones especiales para los manifestantes para identificarlos mejor, aunque apenas era necesario porque desembarcaban cantando, con sus mochilas, y era fácil distinguirlos por las insignias, camisetas y muñequeras, las banderas que enarbolaban y la indumentaria: pantalones desgastados, chaquetas de camuflaje y botas de excursionismo. Los informes de Inteligencia señalaban que del sur de Inglaterra habían salido autobuses repletos; según los primeros cálculos, cincuenta mil personas, pero de acuerdo con los últimos, más de cien mil. Lo que, añadido a los turistas estivales, incrementaría sobremanera la población de Edimburgo.

Se había convocado una concentración en algún punto de la ciudad para anunciar el programa de actos alternativos al G-8, una semana de marchas y reuniones. Allí habría más policía. Y en caso necesario, agentes a caballo y un buen número con perros, cuatro de ellos en Waverley Station. El plan era sencillo: exhibición de fuerza. Que los alborotadores vieran a lo que se exponían. Viseras, porras y esposas; caballos, perros y furgonetas de patrulla.

La fuerza numérica. Las herramientas del oficio. La táctica.

En los primeros tiempos de la historia de Edimburgo, la población, presa fácil de invasiones, se refugiaba tras las murallas, y si el enemigo abría brecha en ellas se retiraba a las madrigueras del subsuelo del castillo y de High Street, dejando al invasor una ciudad vacía, una victoria huera. Era un recurso que los ciudadanos seguían repitiendo en el Festival de Agosto anual. Cuando la población aumentaba, los naturales se diluían en el entorno. El hecho explicaría también ese apego de Edimburgo por industrias incorpóreas como la banca y los seguros. Hasta no hace mucho se decía que St. Andrews Square era el lugar más rico de Europa por ser la sede central de grandes corporaciones. Pero la plusvalía del espacio, la construcción de nuevos edificios había desplazado la zona a Lothian Road y en dirección oeste hacia el aeropuerto. La sede del Royal Bank en Gogarburn era uno de ellos, recién terminado y considerado uno de los blancos de las protestas, así como los edificios de Standard Life y Scottish Widows. Circulando por las calles para matar el tiempo, Siobhan se dijo que Edimburgo iba a enfrentarse en los próximos días a una situación nueva en su historia.

La adelantó un convoy de coches de policía haciendo sonar la sirena. Era evidente la sonrisa pueril de entusiasmo del conductor, encantado de tener Edimburgo por pista de carreras particular. Lo seguía un Nissan rojo chupando rueda y cargado de jovenzuelos. Siobhan le dio diez segundos y puso el intermitente para volver a incorporarse al tráfico. Iba camino de un campamento provisional en Niddrie, una de las zonas menos agradables de Edimburgo, donde se recomendaba a los participantes de la marcha plantar sus tiendas para que no lo hicieran en los jardines privados.

El ayuntamiento había designado una pradera contigua al centro Jack Kane. Esperaban unos diez mil campistas, tal vez quince mil, y habían instalado váteres portátiles, duchas, y de la seguridad del recinto se encargaba una firma privada; probablemente para disuadir a las pandillas locales y no por los manifestantes, pensó Siobhan. En el barrio se decía en broma que aquella semana se trapichearía en torno a los pubs no pocas tiendas y artículos de acampada. Siobhan había ofrecido el piso a sus padres. Lógico, pues ellos la habían ayudado a comprarlo. Dormirían en su cama y ella se las arreglaría en el sofá. Pero no había habido manera: ellos se empeñaron en viajar en autobús y acampar «con los demás». Estudiantes en la década de los sesenta, era una pareja que no había roto los vínculos con aquella época. Su padre, aunque cerca ya de los sesenta años —la generación de Rebus—, aún llevaba el pelo recogido atrás, en una especie de cola de caballo, y su madre solía ponerse un caftán de vez en cuando. Siobhan pensó en lo que le había dicho a Rebus: «Tú eres la clase de policía que temen que acabe siendo yo». La verdad era que, en parte, se había alistado en la policía más que nada porque sabía que a ellos no les iba a gustar. Después de todos los cuidados y el cariño que había recibido tenía que rebelarse; hacérselo pagar por las veces que por su profesión de maestros había cambiado de casa y de colegio. Hacérselo pagar por la sencilla razón de que podía. Cuando se lo dijo, por la cara que pusieron estuvo a punto de arrepentirse, pero habría sido muestra de debilidad. Ellos, claro, no se habían opuesto, aunque le dieron a entender que la profesión de policía tal vez no fuese lo más adecuado para «realizarse». Y eso fue lo que más la decidió a mantenerse en sus trece.

Se hizo policía. No en Londres, donde ellos vivían, sino en Escocia, un lugar que ella conocía únicamente por haber estudiado en la universidad. Un último ruego de sus padres: «Donde quieras menos en Glasgow».

Glasgow: con su imagen de hombres duros y puñaladas, su sectarismo. Sin embargo, a ella le parecía un lugar genial para ir de compras. Un sitio adonde iba a veces con sus amigas, en esas salidas de chicas solas que las llevaban a pasar allí la noche en algún hotel de diseño, degustando la vida nocturna, evitando los bares de entrada vigilada por gorilas, un protocolo convenido entre ella y Rebus cuando iban a tomar copas. Edimburgo, por el contrario, había resultado más peligroso de lo que sus padres habrían podido imaginar.

Eso no iba a decírselo, claro. Cuando les llamaba los domingos trataba de eludir las preguntas de su madre y era ella quien preguntaba. Se había ofrecido a esperarlos a la llegada del autobús, pero ellos tenían que montar la tienda. Detenida ante el semáforo, la imagen la hizo sonreír. Una pareja de casi sesenta años montando una tienda de campaña. Se habían prejubilado hacía un año y tenían una casa bastante grande en Forest Hill con la hipoteca pagada. Siempre le estaban diciendo si necesitaba dinero...

«Yo os pago un hotel», les había dicho ella por teléfono, pero le dijeron que ni hablar. Al arrancar en el semáforo pensó si no sería cosa de demencia senil.

Aparcó ante The Wisp, sin hacer caso de los conos naranja de tráfico, y puso el cartón de «policía de servicio» por dentro del parabrisas. Al oír su motor al ralentí, se acercó un vigilante de seguridad con chaqueta amarilla, que le hizo un gesto negativo con la cabeza señalando el cartón, cruzando su garganta con el dedo y señalando con la barbilla el bloque más cercano.

Siobhan quitó el cartón pero dejó allí el coche.

—Aquí hay pandillas —dijo el vigilante— y un letrero como ése es como un trapo rojo ante un toro —añadió metiendo las manos en los bolsillos—. ¿Qué le trae por aquí, agente?

Tenía el cráneo rapado, pero lucía una buena barba negra y cejas pobladas.

—Obligaciones sociales, en realidad —contestó Siobhan, enseñándole la tarjeta de policía—. Busco a un matrimonio llamado Clarke con quien tengo que hablar.

—Pues entre —dijo el vigilante cruzando la puerta de la valla.

El recinto era una especie de Gleneagles en miniatura. Había incluso algo parecido a una torre de observación y un vigilante cada diez metros aproximadamente a lo largo de la valla.

—Tenga, póngase esto —añadió su nuevo amigo, entregándole una muñequera— y pasará más inadvertida. Con ello mantenemos mejor vigilados a nuestros alegres campistas.

—Y que lo diga —dijo ella cogiendo la muñequera—. ¿Qué tal va todo de momento?

—A los jóvenes de la localidad no les hace mucha gracia. Por ahora se han contentado con acercarse —dijo, encogiéndose de hombros.

Caminaban por un paso de metal y tuvieron que apartarse para hacer sitio a una niña en patines a quien su madre observaba con las piernas cruzadas delante de la tienda de campaña.

—¿Cuántos acampados hay? —preguntó Siobhan ante la dificultad de hacer un cálculo.

—Mil tal vez. Mañana habrá más.

—¿No registran a los que entran?

—Ni apuntamos los nombres... Así que no sé cómo va a encontrar a sus amigos. Lo único que estamos autorizados a exigir es la cuota de acampada.

Siobhan miró a su alrededor. Tras el seco verano la tierra que pisaban era sólida. Más allá de los bloques y las casas se veían otras moles más antiguas: Holyrood Park y el Arthur's Seat. Sonaban canciones en voz baja y alguna guitarra y flautas de baratillo; niños riendo y un bebé llorando de hambre; aplausos y charlas, que cesaron de pronto al oírse por el megáfono a un hombre de voluminosa pelambrera a guisa de sombrero, con pantalones de patchwork a la altura de la rodilla y chancletas.

—En la tienda blanca grande se sirve arroz con verduras, a cuatro libras, por gentileza de la mezquita local. Sólo cuatro libras.

—A lo mejor los encuentra ahí —dijo el guía de Siobhan.

Ella le dio las gracias y el hombre regresó a su puesto.

La «tienda blanca grande» era un entoldado que debía de hacer la función de centro de reunión general. Otra persona anunciaba que un grupo se disponía a ir al pueblo a tomar una copa: el punto de reunión en cinco minutos junto a la bandera roja. Siobhan dejó atrás una fila de váteres portátiles, grifos y duchas. Únicamente le faltaba mirar en las tiendas. La cola para la comida era ordenada. Le ofrecieron una cuchara de plástico y nada más negar con la cabeza recordó que hacía un buen rato que no comía nada. Con el plato de plástico bien lleno, decidió dar una vuelta despacio por el campamento. Vio gente cocinando en hornillos, y un individuo la señaló con el dedo.

—¿Se acuerda de mí de Glastonbury? —gritó.

Siobhan se limitó a negar con la cabeza. Y en ese momento vio a sus padres y sonrió. Estaban acampados a lo grande con una tienda espaciosa, roja, con ventanas y porche cubierto, mesa y sillas plegables y una botella de vino tinto con vasos de cristal. Se levantaron al verla y se dieron abrazos y besos, disculpándose ellos por no haber llevado más que dos sillas.

—Me sentaré en la hierba —dijo ella decidida.

Había otra mujer joven sentada así, que no se había movido al verla llegar.

—Estábamos contándole cosas de ti a Santal —dijo la madre de Siobhan.

Eve Clarke aparentaba menos edad de la que tenía, sólo las arrugas de la sonrisa delataban sus años. Del padre, Teddy, no podía decirse lo mismo: había echado panza, le colgaba la piel, tenía menos pelo y su cola de caballo era más escuálida y gris que nunca. Volvió a llenar los vasos con entusiasmo sin dejar de mirar la botella.

—Seguro que a Santal le habrá fascinado —comentó Siobhan aceptando un vaso.

La joven hizo un leve esbozo de sonrisa. Llevaba el pelo rubio ceniza, con fijador o mal peinado, cortado a la altura del cuello y alborotado en mechones y trenzas. No iba maquillada, pero exhibía múltiples perforaciones en las orejas y otra en el lateral de la nariz. Su camiseta sin mangas dejaba ver unos tatuajes celtas en los hombros y en su estómago al descubierto destacaba otro piercing en el ombligo. Lucía numerosos colgantes en el cuello y debajo de ellos pendía lo que parecía una cámara digital de vídeo.

—Usted es Siobhan —dijo con una especie de ceceo.

—Eso me temo —contestó Siobhan brindando por los presentes.

Habían sacado otro vaso y una botella más de vino de una cesta.

—No te pases, Teddy —dijo Eve Clarke.

—Tengo que rellenar a Santal —replicó el padre, aunque Siobhan no pudo por menos de advertir que el vaso de Santal estaba casi tan lleno como el suyo.

—¿Habéis viajado los tres juntos? —preguntó.

—Santal hizo autostop desde Aylesbury —le comentó Teddy Clarke—. Después del viajecito que hemos tenido en autobús, creo que la próxima vez haré como ella —añadió poniendo los ojos en blanco y rebulléndose en la silla, disponiéndose a abrir la botella de vino—. Vino de tapón de rosca, Santal. No digas que el mundo moderno no tiene sus ventajas.

Santal no dijo nada. Siobhan no se explicaba su súbito desagrado por la desconocida salvo por el simple hecho de que fuera una desconocida, y de lo que ella tenía ganas era de estar a solas con sus padres. Ellos tres.

—Santal tiene la tienda de al lado —dijo Eve—. Menos mal que nos echó una mano...

Su marido se echó a reír de pronto con ganas y se rellenó el vaso.

—Hacía tiempo que no íbamos de acampada —añadió.

—Es una tienda nueva —comentó Siobhan.

—Nos la prestaron unos vecinos —dijo su madre en voz baja.

—Tengo que irme —terció Santal levantándose.

—Por nosotros no lo hagas —replicó Teddy Clarke.

—Es que vamos en grupo a un pub.

—Qué cámara tan bonita —comentó Siobhan.

—Si un poli me hace una foto, yo se la hago también. Es justo, ¿no? —dijo con una mirada penetrante que exigía conformidad.

Siobhan se volvió hacia su padre.

—Le habéis hablado de mí —comentó imperturbable.

—Y no se avergüenza, ¿verdad? —añadió Santal escupiendo las palabras.

—Todo lo contrario, en realidad —replicó Siobhan mirando sucesivamente a su padre y a su madre.

Ambos, de pronto, no apartaban la vista de la botella de vino. Cuando volvió a mirar a Santal vio que la enfocaba con la cámara.

—Una foto para el álbum familiar —dijo—. Se la enviaré en un archivo de imagen.

—Gracias —respondió Siobhan con frialdad—. Santal es un nombre raro, ¿no es cierto?

—Significa madera de sándalo —terció Eve Clarke.

—Y al menos es fácil de escribir —añadió Santal.

Teddy Clarke se echó a reír.

—Le conté a Santal que te hicimos cargar con un nombre que nadie es capaz de pronunciar en el sur —dijo.

—¿Le habéis contado alguna historia más de familia? —le espetó Siobhan—. ¿Alguna cosa embarazosa sobre la que deba estar prevenida?

—Qué suspicaz —comentó Santal a la madre de Siobhan.

—Es que a nosotros no nos gustaba que fuese... —añadió Eve Clarke dejando la frase en el aire.

—¡Mamá, por Dios bendito! —exclamó Siobhan.

Pero su protesta quedó interrumpida de pronto por ruidos procedentes de la valla y vieron que unos vigilantes corrían hacia aquel lugar. Fuera del recinto, unos jóvenes vestidos con anoraks militares negros y capucha hacían el saludo nazi diciendo a gritos a los vigilantes que echaran de allí a «aquella basura hippy».

—¡Aquí ensayan la revolución! —gritó uno de ellos—. ¡Al paredón con esos capullos!

—¡Patético! —dijo entre dientes la madre de Siobhan.

Comenzaron a volar proyectiles por el cielo del atardecer.

—Agachaos —les previno Siobhan, empujando a su madre dentro de la tienda, no muy segura de que ofreciera protección contra aquella lluvia de piedras y botellas.

Su padre dio dos pasos en dirección al altercado, pero ella le retuvo. Santal, sin moverse del sitio, enfocaba la escena con su cámara.

—¡No sois más que turistas! —gritó otro de los alborotadores—. ¡Largaos a casa en los carricoches en que habéis venido!

Hubo risotadas, abucheos y aspavientos. Los acampados no salían pero querían que lo hicieran los vigilantes, quienes no estaban por la labor. El que había acompañado a Siobhan pidió refuerzos por radio. Una situación como aquélla podía apagarse en cuestión de segundos o degenerar en batalla campal. El vigilante vio por encima del hombro que Siobhan se le había acercado.

—No se preocupe —dijo—. Supongo que tendrá seguro.

Ella tardó un segundo en comprender a qué se refería.

—¡Mi coche! —exclamó dirigiéndose a la salida.

Tuvo que abrirse paso a codazos entre otros vigilantes y echó a correr por la calle. Tenía el capó abollado y rayado, y la ventanilla trasera rota. Habían pintado con spray EJN. Equipo Joven Niddrie.

Y la miraban, en fila, riéndose de ella. Uno de ellos alzó el móvil para hacer una foto.

—Haz todas las fotos que quieras —dijo ella—. Será incluso más fácil para identificarte.

—¡Polis de mierda! —espetó otro que estaba en el centro, flanqueado por dos lugartenientes.

El cabecilla.

—Los polis están muy bien —replicó ella—. Con diez minutos en la comisaría de Craigmillar sabré más cosas de ti que tu propia madre —añadió señalándole con el dedo para mayor énfasis.

Pero el jovenzuelo hizo un gesto de desdén. Sólo se le veía un tercio de la cara, pero a Siobhan no se le olvidaría. Llegó un coche con tres hombres y ella reconoció al del asiento de atrás: un concejal de la localidad.

—¡Largaos! —gritó el hombre al bajarse, agitando los brazos como quien mete ovejas en un redil.

El jefecillo hizo un remedo de tembleque, pero Siobhan vio que su tropa parecía indecisa. Acudieron media docena de vigilantes de seguridad del recinto con el de barba en cabeza, al tiempo que se oía el ulular de sirenas aproximándose.

—¡Largo de aquí, joder! —insistió el concejal.

—Ese campamento está lleno de tortis y maricas —replicó con un gruñido el cabecilla—. ¿Y quién lo paga todo? ¿Eh?

—Dudo mucho que seas tú, hijo —replicó el concejal, a quien flanquearon sus dos acompañantes, dos tipos robustos que probablemente no se habían arredrado en su vida ante una pelea. La clase de recaudadores de votos ideales para un político de Niddrie.

El cabecilla escupió en el suelo, dio media vuelta y se alejó.

—Gracias por su intervención —dijo Siobhan tendiendo la mano al concejal.

—No hay de qué —replicó éste, como dispuesto a olvidar el incidente.

Siobhan se acercó a estrechar la mano del de la barba, a quien, evidentemente, conocía.

—¿No ha sucedido nada aparte de eso? —preguntó el concejal.

El vigilante contuvo la risa.

—¿Qué le trae por aquí, señor Tench?

El concejal miró a su alrededor.

—He creído conveniente acercarme para decir a esta encantadora gente que mi distrito electoral apoya firmemente su lucha contra la pobreza y la injusticia en el mundo. —Ya se había congregado medio centenar de campistas al otro lado de la valla—. En esta zona de Edimburgo sabemos bien lo que son esas dos cosas —añadió a voces—, pero eso no quiere decir que olvidemos a quienes están peor que nosotros; quiero creer en nuestro gran corazón. —Vio que Siobhan examinaba los desperfectos del coche—. Desconsiderados no faltan, claro, pero ¿dónde no los hay? —añadió sonriendo y abriendo a continuación los brazos como un predicador exaltado—. ¡Bienvenidos a Niddrie! ¡Bienvenidos todos!

Rebus estaba solo en el DIC. Había tardado media hora en encontrar las notas de la investigación sobre el homicidio: cuatro cajas y varias carpetas, más disquetes flexibles y un solo CD. Dejó estos últimos en la estantería del archivo y desplegó parte de la documentación sobre media docena de mesas, despejadas de sus respectivas bandejas de entrada de correspondencia y teclados de ordenador. Así, yendo de un extremo al otro de la sala podía examinar las diversas fases de la investigación; desde el escenario del crimen hasta los primeros interrogatorios; el perfil de la víctima y los interrogatorios sucesivos; el expediente de la cárcel; su relación con Cafferty, la autopsia y los análisis de toxicología. El teléfono del compartimento del inspector titular había sonado un par de veces pero no contestó; no era él quien tenía ese cargo, sino Derek Starr. En viernes por la noche, el zalamero cabrón andaría por ahí en Edimburgo, según explicaba él mismo a todo quisque los lunes por la mañana: un par de copas en el Hallion Club, y luego a casa, darse una ducha y cambiarse para volver a salir y de nuevo al Hallion si estaba animado, pero a continuación e inexorablemente, a George Street, al Opal Lounge, el Candy Bar y el Living Room. Última copa en el Indigo Yard si la suerte no le había acompañado en el periplo. Estaba prevista la apertura de un nuevo local de jazz en Queen Street, propiedad de Jools Holland, y Starr ya había hecho indagaciones para enterarse de las condiciones para ser socio.

Volvió a sonar el teléfono, pero Rebus no hizo caso. Si era urgente, llamarían a Starr al móvil, y si era una llamada a través de recepción, sabían perfectamente que estaba trabajando; lo lógico es que pasasen la llamada al DIC y no a Starr. Quizá pretendieran tomarle el pelo. Rebus conocía perfectamente el lugar que ocupaba en la cadena de alimentación: él se situaba en los aledaños del plancton; en premio a años de insubordinación y conducta temeraria. No importaba que hubiese conseguido éxitos también; lo único que contaba para los jefazos actuales era «la manera» de obtener los buenos resultados; la eficiencia y la contabilidad, la percepción del público, las reglas estrictas y el reglamento.

El código de Rebus era no pillarse los dedos.

Se detuvo ante una carpeta con fotografías, de la cual había sacado ya unas cuantas que tenía esparcidas sobre la mesa. Examinó el resto. Historia pública de Cyril Colliar: recortes de prensa, polaroids de la familia y amigos, fotos oficiales de su detención y el juicio. Alguien había tomado una no muy nítida de su estancia en la cárcel, tumbado en la cama y con las manos en la nuca mirando la tele; era la que había publicado en primera página la prensa amarilla: «¿Habrá vida más cómoda para la fiera violadora?».

Pero había acabado su vida.

Siguiente mesa: datos sobre la familia de la víctima de la violación y su nombre no revelado al público. Se trataba de Victoria Jensen, de dieciocho años en el momento de la agresión. Vicky para los íntimos. La habían seguido al salir de una discoteca cuando se dirigía con dos amigas a la parada de autobús y, a quinientos metros escasos de su domicilio, él se lanzó sobre ella, le tapó la boca con la mano y la arrastró hasta un callejón.

En las imágenes de las cámaras de seguridad se le veía salir de la discoteca detrás de ella, subir al autobús y sentarse. Las muestras de ADN de la agresión fueron determinantes. Al juicio habían asistido algunos amigos suyos que amenazaron a la familia de la víctima. No hubo denuncia.

El padre de Vicky era veterinario y su esposa trabajaba en Standard Life. El propio Rebus había dado la noticia de la muerte de Cyril Colliar a los padres, residentes en Leith.

—Gracias por decírnoslo —añadió el padre—. Se lo comunicaré a Vicky.

—No me entiende, señor —replico Rebus—. Tengo que hacerle unas preguntas.

«¿Lo hizo usted?»

«¿Lo encargó a algún sicario?»

«¿Sabe de alguien que haya podido hacerlo?»

Los veterinarios tenían acceso a drogas. Tal vez no a heroína, pero sí a fármacos que podían cambiarse por heroína. Los camellos vendían ketamina a los discotequeros —era una observación del propio Starr— y los veterinarios la usaban en el tratamiento de caballos. A Vicky la habían violado en un callejón y a Colliar lo habían matado en otro. Thomas Jensen se mostró ofendido por las insinuaciones.

—¿De verdad que nunca pensó en hacerlo, señor? ¿No pensó en alguna clase de venganza?

Naturalmente que sí: había fantaseado con escenas de Colliar pudriéndose en el calabozo y ardiendo en el infierno.

—Pero eso nunca sucede, ¿verdad, inspector? Al menos en este mundo.

Habían interrogado también a las amigas de Vicky, pero ninguna declaró nada.

Rebus pasó a la siguiente mesa. Morris Gerald Cafferty le miraba desde unas fotografías y transcripciones de entrevistas. Rebus tuvo que dar explicaciones para que Macrae le dejara intervenir en aquel caso porque reinaba la impresión de que entre el gángster y él existía una relación ambigua, y, aunque había quienes sabían que eran enemigos irreconciliables, no faltaban otros que pensaban que eran tal para cual y demasiado amigos. Starr en cierta ocasión expresó su preocupación delante de Rebus y el inspector jefe Macrae, y Rebus agarró con un gruñido a su colega por la pechera de la camisa.

—Otro de tus numeritos, John —comentó Macrae después del incidente.

Cafferty era hábil y andaba mezclado en numerosos asuntos delictivos. Saunas y protección; matones e intimidación. Y en drogas; por lo que tendría acceso a la heroína. Y si no personalmente, seguro que los gorilas compañeros de Colliar sí. No era de extrañar que clausuraran discotecas al descubrir que los supuestos porteros controlaban el flujo de droga en el local. Cualquiera de ellos podría haber decidido deshacerse de la «fiera violadora», o incluso podría tratarse de un asunto personal, por un comentario ofensivo, por un desaire a una novia. Se habían analizado los muchos y variados posibles móviles, pero superficialmente, y a ello siguió una investigación de libro de texto; eso no se podía negar. Sin embargo... Rebus era consciente de que el equipo investigador no se lo había tomado con interés. Había esporádicas omisiones de ciertas preguntas y no se habían indagado algunas pistas. Eran notas mecanografiadas con negligencia, algo que sólo alguien muy al corriente del caso podía detectar. Los esfuerzos se habían dirigido exclusivamente a demostrar lo que pensaban los agentes de la «víctima».

La autopsia, por el contrario, había sido escrupulosa. No era la primera vez que el profesor Gates lo decía: a él le tenía sin cuidado de quién fuese el cadáver que tenía en la mesa de disección. Todos eran seres humanos, hijos o hijas de alguien.

—Nadie ha nacido malo, John —musitó inclinado, escalpelo en mano.

—Pero nadie les obliga tampoco a ser malos —replicó Rebus.

—Ah, esa es la incógnita que han tratado de desentrañar durante siglos y siglos cerebros más privilegiados que el nuestro —admitió Gates—. ¿Qué impulsa al ser humano a cometer contra sus semejantes atrocidades como ésta?

Él no contestó. Pero aún resonaba en su mente otra frase del profesor cuando se acercó a la mesa de Siobhan a por las fotos de la autopsia de Colliar. «En la muerte todos regresamos a la inocencia, John.» Era cierto que Colliar presentaba un rostro sereno, como exento de preocupaciones.

El teléfono sonó de nuevo en el despacho de Starr. Rebus dejó que sonara y cogió el de la mesa de Siobhan. En el lateral del disco duro había un papelito adhesivo con nombres y números, pero sabía que no era cuestión de llamar al laboratorio, por lo que marcó un número de móvil.

Ray Duff respondió casi de inmediato.

—Ray. Soy el inspector Rebus.

—¿Para hacerme la rosca invitándome a copas un viernes por la noche? —Ante el silencio de Rebus lanzó un suspiro—. ¿Por qué no me sorprende?

—A mí sí que me sorprendes, Ray, rehuyendo tu deber.

—No duermo en el laboratorio, ¿sabe?

—A los dos nos consta que es mentira.

—Okay, me quedo alguna tarde.

—Y eso es lo que me gusta de ti, Ray. Ya ves, a los dos nos anima la misma pasión por el trabajo.

—Una pasión que iré a olvidar esta noche participando en el concurso de preguntas de mi pub habitual.

—No es asunto mío juzgarte, Ray. Sólo quería saber cómo iba esa prueba de Colliar.

Rebus oyó una leve risita contenida y cansada al otro extremo de la línea.

—No para nunca, ¿verdad?

—Yo nunca, Ray. Estoy echando una mano a Siobhan. Y esto podría ser un paso importante en su carrera si lo resuelve, pues fue ella quien descubrió el trozo de tela.

—No hace ni tres horas que hemos recibido la prueba...

—¿Sabes eso de que hay que machacar el hierro cuando está caliente?

—La cerveza que tengo delante está bien fría, John.

—Siobhan te lo agradecería mucho. Está deseando que ganes el premio.

—¿Qué premio?

—La posibilidad de que le enseñes tu coche. Un día en el campo, los dos, por esas tortuosas carreteras. Quién sabe, tal vez una habitación de hotel al final de la excursión si sabes jugar bien tus bazas. —Rebus hizo una pausa—. ¿Qué es esa música que suena?

—Hay que acertarla con diez preguntas.

—Parece Steely Dan. *Reeling in the Years.*

—Pero ¿de dónde tomó el nombre el grupo?

—De un consolador de una novela de William Burroughs. Bien, asegúrame que después irás directamente al laboratorio.

Más que satisfecho con el resultado, Rebus se ofreció una taza de café mientras estiraba las piernas. El edificio estaba tranquilo. Había sustituido al sargento de recepción un joven agente que Rebus no conocía, pero le saludó con una inclinación de cabeza.

—Intento pasar una llamada al DIC y no responden —dijo el agente, aflojándose con el dedo la presión del cuello de la camisa, donde su piel presentaba acné o algún tipo de erupción.

—Entonces es para mí —dijo Rebus—. ¿Qué ocurre?

—Problemas en el castillo, señor.

—¿Ya han comenzado las protestas?

El agente negó con la cabeza.

—Comunican que se han oído gritos y que desde la muralla ha caído un cuerpo al parque de Princes Street.

—A esta hora no está abierto el castillo —dijo Rebus frunciendo el ceño.

—Celebran en él una cena de capitostes.

—Ah. ¿Y quién es el que ha caído?

El agente se encogió de hombros.

—¿Digo que aquí no hay nadie?

—No seas tonto, hijo —replicó Rebus echando a andar y recogiendo su chaqueta.

Aparte de importante atracción turística, el castillo de Edimburgo servía de puesto de operaciones. Así se lo recalcó el comandante David Steelforth a Rebus nada más interceptarle frente al rastrillo.

—Qué movilidad la suya —dijo Rebus por toda respuesta.

El hombre del Departamento Especial iba vestido de gala: pajarita, fajín, esmoquin y zapatos de charol.

—Lo cual significa en concreto que está bajo la égida de las fuerzas armadas.

—No sé muy bien qué quiere decir «égida», comandante.

—Quiere decir —replicó Steelforth entre dientes, exasperado— que será la Policía Militar quien se encargue de investigar las circunstancias de lo ocurrido.

—¿Ha cenado bien? —dijo Rebus sin dejar de caminar.

El sendero ascendía y los dos estaban sufriendo el azote de las rachas de viento.

—Inspector Rebus, los comensales son gente importante.

En ese preciso momento, por una especie de túnel, surgió un coche camino de la salida que obligó a Rebus y a Steelforth a apartarse. Rebus atisbó un rostro en el asiento de atrás y un brillo de gafas con montura de metal; era un rostro delgado, pálido, con aire de preocupación. La verdad es que el secretario de Asuntos Exteriores siempre parecía preocupado, como le comentó a Steelforth. El del Departamento Especial frunció el ceño, fastidiado porque Rebus le hubiera reconocido.

—Espero no tener que interrogarle —añadió Rebus.

—Escuche, inspector...

Pero Rebus ya echaba a andar.

—Resulta, comandante —dijo por encima del hombro—, que la víctima ha caído o ha saltado, o las «circunstancias» que sean, y no le discuto que fuese asunto del ejército en el momento de ocurrir, pero ha aterrizado en los jardines de Princes Street y el caso es de mi competencia —añadió con una sonrisa.

Siguió andando, tratando de recordar la última vez que había estado en las murallas del castillo. Sí, había llevado a su hija allí, pero hacía más de veinte años. El castillo dominaba Edimburgo y se veía desde Bruntsfield e Inverleith. Aproximándose a la ciudad desde el aeropuerto aparecía como una guarida siniestra de Transilvania que hacía pensar a quien lo contemplaba si no sufría un deterioro de la visión cromática. Desde Princes Street, Lothian Road y Johnston Terrace, sus laderas volcánicas aparecían cortadas a pico e inexpugnables, como históricamente se había demostrado, mientras que desde Lawnmarket, su acceso era una pendiente suave que no impedía hacerse una buena idea de la monumentalidad.

Poco había faltado para que Rebus quedara detenido en el trayecto en coche desde Gayfield Square. Agentes uniformados le impedían cruzar el puente de Waverley, donde ya colocaban entre chirridos y ruidos metálicos unas barreras en previsión de la marcha del día siguiente. Él tocó insistentemente el claxon ajeno a los aspavientos de que se desviara, y cuando se le acercó un agente, bajó el cristal de la ventanilla y enseñó el carné de policía.

—Está cerrado —replicó el hombre, con acento inglés, tal vez de Lancashire.

—Soy del Departamento de Investigación Criminal —alegó Rebus—. Y detrás de mí va a llegar una ambulancia, el forense y una furgoneta de la científica. ¿Va a decirles lo mismo?

—¿Qué ha ocurrido?

—Uno que ha aterrizado en el parque —contestó Rebus señalando con la barbilla hacia el castillo.

—Malditos manifestantes. Ayer uno se quedó bloqueado en las rocas y tuvieron que bajarle los bomberos.

—Bien, por mucho que me encante la cháchara...

El agente le miró furioso pero le abrió la barrera.

Y ahora se encontraba con otra barrera: el comandante David Steelforth.

—Éste es un juego peligroso, inspector. Mejor es que nos lo deje a los expertos en Inteligencia.

Rebus entrecerró los ojos.

—¿Me está llamando burro?

—Ni mucho menos —replicó Steelforth con una carcajada seca.

—Ah, bueno —dijo Rebus prosiguiendo camino a donde tenía que llegar. Ya había miembros de la policía militar inclinados sobre el parapeto de la muralla y un grupo de hombres mayores de aspecto distinguido vestidos de etiqueta, merodeando cerca y fumando puros.

—¿Cayó desde aquí? —preguntó Rebus a los soldados, con el carné preparado, aunque decidió no identificarse como policía civil.

—Más o menos —contestó uno.

—¿Alguien lo vio?

Varios negaron con la cabeza.

—No es el primer incidente —añadió el mismo soldado—. Un idiota se quedó bloqueado subiendo por las rocas y nos han advertido que a lo mejor hay más que lo intentan.

—¿Y?

—Y el soldado Andrews dice que le pareció ver algo en la muralla del otro lado.

—Pero no es seguro —alegó el tal Andrews.

—¿Y todos salisteis pitando para el lado contrario? —dijo Rebus haciendo una aparatosa inspiración—. En mis tiempos eso se llamaba «deserción de puesto».

—El inspector Rebus no tiene jurisdicción en el castillo —dijo Steelforth al grupo.

—Y habría sido considerado traición —sentenció Rebus.

—¿Se sabe quién falta? —preguntó uno de los hombres mayores.

Rebus oyó que se aproximaba otro coche al rastrillo y vio en la muralla las sombras fantasmagóricas que proyectaban sus faros.

—Es difícil saberlo si todo el mundo se escaquea —dijo en voz baja.

—Nadie se «escaquea» —espetó Steelforth.

—Sí, claro, será que todos tienen que acudir a otro compromiso —añadió Rebus.

—Son gente muy ocupada, inspector, y están adoptando decisiones que pueden cambiar el mundo.

—No cambiarán lo que le ocurrió al infeliz de ahí abajo —replicó Rebus señalando con la barbilla hacia la muralla y volviéndose hacia Steelforth—. ¿Qué se resolvía aquí esta noche, comandante?

—Era una cena de trabajo, previa a la ratificación.

—Buenas noticias para todo quisque. ¿Quiénes son los comensales?

—Representantes del G-8, ministros de Asuntos Exteriores, personal de seguridad y altos funcionarios.

—Sí, seguro que no les habrán servido pizza con un par de cajas de cerveza.

—En estas reuniones se solventan muchos asuntos.

Rebus se asomó a la muralla. Nunca le habían gustado las alturas y se limitó a echar una breve ojeada.

—No se ve nada —comentó.

—Nosotros le oímos —dijo un soldado.

—¿El qué exactamente? —preguntó Rebus.

—El grito que dio al caer —contestó el soldado mirando a sus compañeros como buscando confirmación.

Uno de ellos asintió con la cabeza.

—No dejó de gritar mientras caía —dijo con un estremecimiento.

—No sé si eso descarta el suicidio —especuló Rebus—. ¿Qué cree usted, comandante?

—Creo que usted no tiene nada que averiguar aquí, inspector. Y creo que es extraño que aparezca tan de repente en donde acaba de ocurrir un hecho tan luctuoso.

—Tiene gracia, yo estaba pensando lo mismo —replicó Rebus mirando a Steelforth a los ojos— de usted.

Con el equipo de rescate colaboraron agentes con chaqueta amarilla del servicio de barreras y, gracias a las linternas, dieron pronto con el cadáver. Los auxiliares médicos afirmaron que estaba muerto, cosa que habría podido decir cualquiera. Tenía el cuello torcido de un modo antinatural, una pierna doblada en dos por efecto del impacto y el cráneo lleno de sangre. Había perdido un zapato en la caída y la camisa estaba totalmente desgarrada, quizá por haber rozado con un saliente.

La jefatura había enviado un equipo de la policía científica, que fotografiaba los restos.

—¿Apostamos algo sobre la causa de la muerte? —preguntó uno del equipo a Rebus.

—Ni hablar, Tam.

El tal Tam no había perdido la apuesta en similares ocasiones cincuenta veces sobre sesenta.

—Saltó o le empujaron. ¿Es eso lo que está pensando?

—Lees el pensamiento, Tam. ¿Se te dan tan bien las huellas dactilares?

—No, pero les hago fotos. —Para demostrarlo se acercó a una mano de la víctima—. Las muescas y arañazos pueden ser muy útiles, John. ¿Sabe por qué?

—A ver, ¿por qué?

—Si le empujaron intentaría aferrarse y se habrá escoriado las uñas con la piedra.

—Añade algo que yo no sepa.

El de la científica tomó otra foto con un fogonazo del flash.

—Se llama Ben Webster —añadió, volviéndose para ver la reacción de Rebus y contento con el resultado—. Lo he reconocido por la cara; bueno, lo que queda de ella.

—¿Le conocías?

—Sé quién era. Un miembro del Parlamento, natural de Dundee.

—¿Del Parlamento de Escocia?

El hombre negó con la cabeza.

—De Londres. Se ocupa de algo relacionado con Desarrollo Internacional... al menos la última vez que lo vi.

—Tam... —dijo Rebus en tono exasperado—. ¿Cómo demonios sabes todo eso?

—John, tiene que ponerse al día en política. Es lo que mueve el mundo. Y, además, nuestro joven amigo tiene el mismo nombre que mi tenor preferido.

Rebus bajaba ya a saltitos por la cuesta de césped. El cadáver había aterrizado en una repisa a unos cinco metros de los senderos que serpenteaban por la base de la antigua afloración volcánica. Steelforth, que estaba allí en el sendero, hablando por el móvil, lo cerró de golpe al ver llegar a Rebus.

—¿Recuerda que vimos al secretario de Asuntos Exteriores saliendo en coche con chófer? Es curioso que se marchara sin uno de sus ayudantes.

—Ben Webster —dijo Steelforth—. Acabo de hablar con el castillo, y él es el único que falta.

—Desarrollo Internacional.

—Está muy bien informado, inspector —comentó Steelforth mirando a Rebus de arriba abajo con aire de admiración—. A lo mejor le he subestimado. Pero Desarrollo Internacional es un departamento que no pertenece a Asuntos Exteriores. Webster era SPP, secretario privado del Parlamento.

—Lo que quiere decir...

—Que era la mano derecha del ministro.

—Perdone mi ignorancia.

—No tiene importancia. Aún no salgo de mi asombro.

—¿Y ahora va a engatusarme para que me quite de en medio?

—No suele haber necesidad —replicó Steelforth sonriente.

—Tal vez en mi caso sí.

Pero Steelforth negó con la cabeza.

—Dudo mucho que se le pueda disuadir de esa manera. No obstante, sabemos los dos que en pocas horas le habrán arrancado este caso de las manos. ¿A qué perder el tiempo? Los batalladores como usted suelen saber cuándo es el momento de retirarse a recuperar fuerzas.

—¿Me está invitando al Gran Hall a un oporto con puro?

—Le estoy diciendo la pura verdad.

Rebus vio que por la calzada inferior al lugar en que estaban subía otra furgoneta. Sería del depósito de cadáveres para recoger al muerto. Otro trabajo para el profesor Gates y su equipo.

—¿Sabe lo que yo creo que en realidad le molesta a usted, inspector? —añadió Steelforth acercándose un paso mientras sonaba el móvil sin que él contestara—. Que considera todo esto una intromisión porque Edimburgo es «su ciudad» y está deseando que nos larguemos. ¿No es eso?

—Más o menos —replicó Rebus sin pensárselo dos veces.

—Dentro de unos días habrá acabado todo y sólo habrá sido un mal sueño. Pero mientras tanto... se aguanta —añadió casi susurrando al oído de Rebus y alejándose.

—No parece mal tipo —comentó Tam irónico.

Rebus se volvió hacia él.

—¿Hace rato que estás aquí?

—No mucho.

—¿Puedes decirme algo?

—Ya se lo dirá el forense.

Rebus asintió despacio con la cabeza.

—Claro; es que pensé...

—No hay ningún indicio en contra del suicidio.

—Pero cayó gritando hasta estrellarse. ¿Crees que un suicida haría eso?

—Yo sí lo haría. Pero, claro, es que padezco vértigo.

Rebus se frotó el maxilar y miró hacia arriba al castillo.

—Así que se cayó o se tiró.

—O le empujaron de pronto sin que le diera tiempo a pensar en agarrarse a algo —añadió Tam.

—Gracias por decirlo.

—Tal vez animaba la cena música de gaita y se le quitaron las ganas de vivir.

—Eres un fanático del jazz, Tam.

—Y que lo diga.

—¿En la chaqueta no llevaba ningún papel?

Tam negó con la cabeza.

—Pero no sé si darle esto o no —añadió tendiéndole una carterita de cartón—. Por lo visto se alojaba en el Balmoral.

—Gracias mil —dijo Rebus abriendo la carterita, que contenía una tarjeta-llave. La cerró y miró la firma de Webster y el número de habitación.

—Tal vez encuentre allí alguna nota de despedida —le comentó Tam.

—Sólo hay una manera de saberlo —contestó Rebus, guardándose la llave en el bolsillo—. Gracias, Tam.

—No olvide que fue usted quien la encontró. No quiero líos.

—Entendido.

Permanecieron un instante en silencio. Eran dos veteranos del cuerpo que habían visto de todo en su profesión. Llegaron los del depósito de cadáveres, uno de ellos con una gran bolsa al efecto.

—Hace una buena noche —comentó—. ¿Has acabado ya, Tam?
—Pero el médico aún no ha venido.
El empleado miró su reloj.
—¿Tú crees que tardará?
—Depende de quien esté de guardia —contestó Tam encogiéndose de hombros.
—Esta noche sí que acabaremos tarde —añadió el del depósito de cadáveres expulsando aire.
—Bien tarde —repitió su compañero.
—¿Sabe que nos han hecho despejar el depósito de cadáveres?
—¿Y eso por qué? —preguntó Rebus.
—Han vaciado también los calabozos de los juzgados —añadió Tam.
—Intervención y Emergencia están alerta —añadió su compañero.
—Habláis como si fuese *Apocalypse Now* —dijo Rebus.
Sonó su móvil y se apartó unos pasos. Era Siobhan.
—¿Qué se te ofrece? —dijo Rebus.
—Necesito tomar una copa.
—¿Has tenido problemas con los del barrio?
—Me han estropeado el coche.
—¿Les sorprendiste en el acto?
—En cierto modo. Bueno, ¿qué te parece el Bar Oxford?
—Me gustaría, pero estoy con algo. ¿Y si en vez de eso...?
—¿Qué?
—Podríamos quedar en el Balmoral.
—¿Vas a gastarte las horas extra?
—Podrás juzgar por ti misma.
—¿Dentro de veinte minutos?
—Muy bien —dijo él cerrando el móvil.
—La tragedia se ceba en esta familia —comentó Tam.
—¿En cuál?
El de la científica señaló hacia el cadáver con la barbilla.
—La madre fue víctima hace unos años de una agresión a consecuencia de la cual murió. —Hizo una pausa—. Tal vez a raíz de eso algo le estuvo reconcomiendo...
—A veces basta con un simple detonante —añadió otro de los empleados del depósito.

Rebus se dijo para sus adentros que todos se las daban de psicólogos.

Decidió dejar el coche allí e ir andando. Era más rápido que volver a discutir en las barreras.

Al cabo de dos minutos estaba en Waverley, aunque tuvo que superar un par de obstáculos. Unos desafortunados turistas que acababan de llegar en tren, ante la ausencia de taxis, aguardaban aturdidos y desamparados tras la barandilla de la estación. Los esquivó, giró en la esquina hacia Princes Street y llegó al Hotel Balmoral. Había quien todavía lo llamaba North British pese a haber cambiado de nombre hacía años; el gran reloj luminoso de su torre iba unos minutos adelantado para que los viajeros no perdieran los trenes. Un portero uniformado acompañó a Rebus al vestíbulo, donde un conserje de mirada sagaz lo caracterizó de inmediato como posible problema.

—Buenas noches, señor. ¿En qué puedo servirle?

Rebus le enseñó el carné de policía con una mano y la carterita de cartón con la otra.

—Tengo que hacer una inspección en esta habitación —dijo.

—¿Por qué motivo, inspector?

—Porque el huésped se marchó antes de lo previsto.

—Lo lamento.

—Y me da la impresión de que alguien querrá pagar su cuenta. En realidad, usted podría comprobarlo.

—Tengo que consultarlo con el director de guardia. Serán dos minutos...

Rebus le siguió hasta el mostrador de recepción.

—Sara, ¿está en el hotel Angela?

—Creo que ha subido a una planta. La llamo por el busca.

—Y yo miraré en la oficina —le dijo el conserje.

Le dejó junto al mostrador viendo cómo la recepcionista tecleaba los números en el teléfono y a continuación colgaba. Alzó la vista hacia él y sonrió. Sabía que ocurría algo y quería enterarse.

—Es un cliente que acaba de morir —dijo Rebus.

—Qué tragedia —comentó ella con ojos muy abiertos.

—El señor Webster de la habitación 214. ¿Se alojaba solo?

La mujer manipuló sobre el teclado.

—Es una habitación doble; se entregó una sola llave. No creo recordarle...

—¿Tiene indicada la dirección de su domicilio?

—Londres —contestó ella.

Rebus se imaginó que sería una segunda vivienda para los días laborables. Se inclinó sobre el mostrador como quien no quiere la cosa pensando en qué preguntas haría para sonsacarla.

—¿Pagaba con tarjeta de crédito, Sara?

La mujer miró la pantalla.

—Con cargo a... —Dejó la frase en el aire al advertir que se acercaba el conserje.

—¿Con cargo a...? —repitió Rebus.

—Inspector —dijo alzando la voz el conserje, percatándose de que algo tramaba.

Sonó el teléfono de Sara y la mujer lo cogió.

—Recepción —gorjeó—. Ah, hola, Angela. Aquí hay otro policía...

«¿Otro?»

—¿Baja o le hago subir?

El conserje llegó junto a Rebus.

—Yo acompaño al inspector —dijo a Sara.

«Otro policía arriba.» A Rebus le dio mala espina y en cuanto oyó el ruido de apertura de las puertas del ascensor se dio la vuelta y vio salir a David Steelforth. El hombre del Departamento Especial esbozó una leve sonrisa y meneó despacio la cabeza de un lado a otro. El significado no podía estar más claro. Amiguito, tú no vas a entrar en la habitación 214. Rebus se volvió hacia el mostrador y giró hacia sí la pantalla del ordenador. El conserje le hizo una llave en el brazo, Sara lanzó un grito al teléfono que probablemente ensordecería a la directora, y, mientras, Steelforth llegó hasta ellos en dos zancadas.

—Esto es inconcebible —dijo entre dientes el conserje.

Le apretaba con la fuerza de un torniquete, y Rebus, comprendiendo que debía de haber sido hombre de acción, optó por ceder. Soltó la pantalla, que Sara hizo girar hacia dentro.

—Suelte ya —dijo, y el conserje así lo hizo.

Sara le miraba estupefacta con el teléfono en la mano. Rebus se volvió hacia Steelforth.

—Va a decirme que no puedo inspeccionar la habitación 214.

—Yo no —replicó Steelforth con una amplia sonrisa—. Al fin y al cabo eso es potestad de la directora.

Como movida por un resorte, Sara se acercó el teléfono al oído.

—Ahora mismo viene —dijo.

—Ya me lo imagino —rezongó Rebus, que no apartaba la vista de Steelforth.

Detrás de él vio otra figura: Siobhan.

—El bar sigue abierto, ¿no? —preguntó al conserje.

El hombre habría deseado con toda su alma decir que no, pero habría sido una flagrante mentira.

—No es para invitarle a usted —añadió Rebus, dirigiéndose a Steelforth.

Se apartó de ambos, subió la escalinata del Palm Court y, mientras se apoyaba en la barra esperando la llegada de Siobhan, lanzó un profundo suspiro y echó mano al bolsillo para coger un pitillo.

—¿Tenías problemitas con la dirección? —preguntó Siobhan.

—¿Has visto a nuestro amigo del SO12?

—Vaya chollo que tienen los del Departamento Especial.

—No sé si él se aloja aquí, pero un tal Ben Webster sí que tenía una habitación.

—¿El diputado laborista?

—Exacto.

—Tengo la impresión de que andas en alguna historia.

Rebus advirtió que hundía levemente los hombros y recordó que ella también había tenido aquella tarde sus aventuras.

—Cuenta la tuya primero —dijo.

El camarero puso ante ellos un cuenco con algo para picar.

—Un Highland Park para mí y vodka con tónica para la señorita —dijo Rebus.

Siobhan asintió con la cabeza. Al alejarse el camarero, Rebus cogió una servilleta de papel, sacó un bolígrafo del bolsillo y escribió algo. Siobhan inclinó la cabeza para ver mejor.

—¿Qué es eso de Pennen Industries?

—No lo sé, pero tienen dinero y un código postal de Londres.

Con el rabillo del ojo vio que Steelforth observaba desde la puerta; le dijo adiós con un gesto exagerado agitando la servilleta, después la dobló y la guardó en el bolsillo.

—Bueno, ¿quién la tomó con tu coche, los de la campaña antinuclear, Greenpeace o los pacifistas?

—Niddrie —respondió Siobhan—. El Equipo Joven de Niddrie, concretamente.

—¿Crees que podremos convencer al G-8 para que los incluya en la lista de células terroristas?

—Unos miles de marines arreglarían este asunto divinamente.

—Pero, lamentablemente, en Niddrie no hay petróleo —dijo Rebus estirando el brazo para coger el vaso de whisky, notando tan sólo un levísimo temblor.

Brindó por su Siobhan, el G-8 y los marines, y hasta lo habría hecho por Steelforth.

Pero ya no había nadie en la puerta.

SÁBADO 2 DE JULIO

3

Rebus se despertó a la primera luz y comprobó que no había corrido las cortinas por la noche. El televisor daba el primer informativo; la principal noticia era el concierto de Hyde Park, y entrevistaban a los organizadores sin mencionar Edimburgo. Lo apagó y fue al dormitorio. Se quitó la ropa de la víspera y se puso una camisa de manga corta y pantalones amplios de algodón. Tras echarse agua en la cara, miró los resultados en el espejo y comprendió que necesitaba algo más. Cogió las llaves y el móvil —lo había puesto a recargar por la noche, así que no debía de llegar muy borracho— y salió del piso. Dos tramos de escalera hasta el portal. El barrio en que vivía —Marchmont— era zona de estudiantes y su ventaja era la tranquilidad en verano cuando a finales de junio levantaban el campamento, cargando de cosas sus coches o los de los padres, forzando los edredones en los resquicios posibles. Previamente habían tenido sus fiestas celebrando el final de los exámenes. La consecuencia de estos acontecimientos era que, dos veces al año, Rebus tenía que quitar conos de tráfico del techo de su coche. Se detuvo en la calzada a respirar el escaso frescor remanente de la noche y acto seguido se encaminó a Marchmont Road, donde acababa de abrir la tienda de prensa. Al pasar dos ruidosos autobuses de un piso, pensó que se habrían equivocado de itinerario, pero enseguida recordó el motivo cuando empezaron a sonar los martillos neumáticos: estaban arreglando un circuito de altavoces. Pagó al tendero y abrió la botella de Irn-Bru, que despachó de un trago; daba igual porque había comprado una de reserva. Abrió la piel del plátano y se lo fue comiendo por el camino. No fue directamente a casa, sino hasta el final de Marchmont Road, que desembocaba en los Meadows. Siglos atrás los Meadows eran prados a las afueras de Edimburgo, y el propio Marchmont, una simple granja entre campos de labor. En la actualidad se utilizaban para jugar al fútbol y al críquet, correr y hacer picnic.

Aquel día no. Melville Drive estaba ya cortada y la importante arteria urbana era aparcamiento de autobuses. Había docenas; la fila llegaba hasta más allá de la curva, con tres en batería en algunos tramos. Procedían de Derby, Macclesfield y Hull, Swansea y Ripon, Carlisle, Epping. De ellos descendía gente vestida de blanco. Blanco: Rebus recordó que habían anunciado que todos acudieran vestidos igual para configurar una inmensa cinta bien visible cuando la marcha cruzara la ciudad. Miró su propio atuendo: iba con unos pantalones color café con leche y camisa azul claro. Menos mal.

Muchos de los viajeros eran gente mayor, algunos casi provectos ancianos. Pero llevaban todos su respectiva muñequera y la camisa con el emblema. Se veían pancartas caseras y se notaba que estaban encantados de encontrarse allí. Más allá había entoldados y comenzaban a llegar las furgonetas de venta de patatas fritas y hamburguesas vegetarianas a las masas hambrientas. Habían levantado escenarios e instalado una exposición de piezas gigantes de rompecabezas junto a una serie de grúas. Tardó unos segundos en leer las palabras ACABAD CON LA POBREZA. Había policías de uniforme por los alrededores, pero ninguno que él conociera. Seguramente ni serían de Edimburgo. Miró el reloj. Las nueve pasadas, tres horas hasta el cambio de turno; y apenas había una nube en el cielo. Un furgón policial decidió que lo más rápido era subirse al bordillo y Rebus tuvo que apartarse pisando el césped. Miró furioso al conductor, que sostuvo la mirada y bajó el cristal de la ventanilla.

—¿Pasa algo, abuelo?

Rebus le hizo el gesto obsceno de levantar dos dedos para ver si se detenía y podía cruzar unas palabritas con él. Pero el del furgón siguió su camino. Ya había terminado el plátano y estuvo a punto de tirar la piel, pero pensó en las normas ecológicas y de reciclaje y se dirigió a un contenedor.

—Tenga —dijo una joven tendiéndole una bolsa.

Rebus miró en el interior y vio un par de pegatinas y una camiseta con el lema «Ayuda a los ancianos».

—¿Para qué demonios me da esto a mí? —gruñó.

La joven retiró la bolsa tratando de recomponer su aire risueño.

Rebus se alejó abriendo la Irn-Bru de reserva. Se sentía más despejado, pero advirtió que le sudaba la espalda. Un recuerdo difuso trataba de abrirse paso en su mente, y de pronto cristalizó: Mickey y él en las excursiones de catequesis a Burntisland, en autobuses, ondeando banderines en la ventanilla; la hilera de autobuses aguardando al regreso después de la excursión; los concursos de carreras por la hierba... Mickey siempre le ganaba y él al final había desistido. Su única arma contra el pertinaz tesón físico de su hermano... La caja de cartón con el almuerzo: bocadillo de jamón, pastel helado y a veces un huevo duro; el huevo duro siempre se lo dejaban.

Aquellos fines de semana estivales eran interminables y monótonos. Ahora Rebus los odiaba. Odiaba que fueran tan monótonos. Los lunes representaban su verdadera liberación del sofá, el taburete del bar, el supermercado y el restaurante indio. Sus colegas volvían al trabajo contando cosas, hablando de compras estupendas, partidos de fútbol, paseos en bicicleta con los niños. Siobhan habría ido a Glasgow o Dundee para no perder contacto con sus amigas; habrían ido al cine o a dar un paseo en Leith a la orilla del mar. A él ya nadie le preguntaba cómo había pasado el fin de semana. Sabían que se encogería de hombros.

«Nadie te reprocha que te lo tomes con calma.»

Pero precisamente él no tenía tiempo para tomárselo con calma. Sin su profesión era como si dejara de existir. Por eso marcó un número en el móvil y aguardó hasta oír la señal del contestador.

—Buenos días, Ray —dijo en cuanto cesó—. Aquí el despertador. Te llamaré cada hora hasta que contestes. Hasta luego.

A continuación hizo otra llamada y dejó el mismo mensaje en el contestador automático del teléfono del domicilio de Ray Duff. Cubiertos los expedientes del móvil y el fijo, lo único que podía hacer era esperar. El concierto de Live 8 empezaba hacia las dos, pero se imaginaba que The Who y Pink Floyd no actuarían hasta más tarde. Tenía tiempo de sobra para repasar las notas del caso Colliar, continuar con el de Ben Webster y apurar el sábado hasta que fuese domingo.

Estaba convencido de que aguantaría.

Los únicos datos que obtuvo del listín sobre Pennen Industries fueron el número de teléfono y una dirección del centro de Londres. Llamó, pero el contestador le respondió que la centralita no atendía llamadas hasta el lunes por la mañana. Tenía un recurso mejor y llamó al cuartel general de Operación Sorbus en Glenrothes.

—Aquí el Departamento de Investigación Criminal, división B de Edimburgo —dijo cruzando el cuarto de estar y mirando por la ventana. Un matrimonio, con niños con la cara pintada, se dirigía a los Meadows—. Hemos oído rumores sobre una tal Clown Army que por lo visto ha puesto sus miras en una empresa llamada... —Hizo una pausa efectista, como si consultase un documento—. Pennen Industries. Estamos en blanco y hemos pensado si sus cerebros grises podrían aclararnos algo.

—¿Pennen?

Rebus lo deletreó.

—Y usted es...

—El inspector Starr... Derek Starr —mintió Rebus alegremente. Sin imaginarse que fuera a enterarse Steelforth.

—Espere diez minutos.

Rebus iba a dar las gracias, pero habían colgado. Había contestado una voz masculina, con un fondo de sonidos de un centro informativo en plena actividad, y comprendió por qué no había tenido necesidad de preguntarle el número de teléfono, que habría aparecido sobre alguna pantalla o dispositivo, quedando registrado. Y localizable.

—Ay —musitó en voz baja, yendo hacia la cocina para tomarse un café.

Recordó que Siobhan le había dejado en el Balmoral después de tomar dos copas y que él tomó otra más y luego cruzó la calle para rematar la noche con una última en el Café Royal. Vio que tenía vinagre en los dedos, indicio de que había comido patatas fritas camino de casa. Sí, recordó que el taxista le dejó al final de los Meadows porque él le dijo que seguiría a pie. Pensó en llamar a Siobhan para saber si había llegado bien; pero a ella le molestaba que lo hiciera. Seguramente habría salido ya para reunirse con sus padres en la marcha. Tenía muchas ganas de ver a Eddie Izzard y a Gael García Bernal, y había otros que harían discursos: Bianca Jagger, Sharleen Spiteri... Siobhan hablaba de aquello como si fuese una fiesta de carnaval. Esperaba que así fuera.

Además, ella tenía que llevar el coche al taller de reparaciones. Rebus conocía al concejal Tench; bueno, sabía cosas de él. Era una especie de predicador laico que solía situarse en un mismo lugar al pie de la montaña del castillo instando a los compradores del fin de semana al arrepentimiento. Solía verlo allí cuando iba camino del Oxford a almorzar. Tenía buena fama en Niddrie por conseguir fondos para el municipio, las organizaciones de beneficencia y hasta la UE. Se lo había comentado a Siobhan antes de darle el número de teléfono de un chapista de Buccleuch Street, un especialista en Volkswagen que le debía un favor.

Sonó el teléfono. Se llevó el café a la sala de estar y contestó.

—Usted no está en la comisaría —dijo desde Glenrothes la misma voz de antes.

—Estoy en casa.

Oyó el sonido de un helicóptero a través de la ventana. Tal vez la vigilancia o la televisión. ¿O sería Bono lanzándose en paracaídas para dar un sermón?

—Pennen no tiene oficinas en Escocia —añadió la voz.

—Entonces no hay problema —dijo Rebus, como sin darle importancia—. En las circunstancias actuales la rumorología hace horas extra, igual que nosotros —añadió riendo, y estaba a punto de hacer un comentario impertinente, pero la voz lo evitó.

—Son contratistas de Defensa, así que los rumores pueden merecer consideración.

—¿De Defensa?

—Era una empresa del ministerio pero la vendieron hace unos años.

—Sí, creo recordarlo —comentó Rebus con énfasis—. ¿No está en Londres la central?

—Sí. Pero el director se encuentra ahora aquí.

—Un posible objetivo —comentó Rebus con un silbido.

—De todos modos figura en la lista de individuos con riesgo y estará seguro —dijo el joven sin gran aplomo.

Rebus comprendió que le habían aleccionado con la fórmula no hacía mucho.

Tal vez Steelforth.

—Se aloja en el Balmoral, ¿cierto? —preguntó Rebus.

—¿Cómo lo sabe?

—Son rumores. Pero ¿dice que tiene protección?

—*Sí.*

—¿Propia o nuestra?

El del centro de Operación Sorbus hizo una pausa antes de contestar.

—¿Por qué quiere saberlo?

—Por cuenta del contribuyente —replicó Rebus riendo otra vez—. ¿Cree que deberíamos hablar con él? —añadió en tono de consulta como si su interlocutor fuera el jefe.

—Puedo pasar su aviso.

—Cuanto más tiempo esté en Edimburgo, más riesgo... —Rebus no completó la frase—. Además, ni siquiera sé su nombre —añadió.

De pronto intervino otra voz.

—¿Inspector Starr? ¿Es el inspector Starr quien está al habla?

Era Steelforth.

Rebus hizo una honda inspiración.

—Oiga —insistió Steelforth—. ¿Se ha quedado mudo?

Rebus cortó la comunicación. Se maldijo para sus adentros y marcó el número de la centralita de un periódico local.

—Póngame con redacción de artículos, por favor —dijo.

—Creo que no hay nadie —contestó la telefonista.

—¿Y en noticias?

—Ni un alma, dadas las circunstancias —replicó la mujer como si estuviera deseando ausentarse también ella, pero pasó la llamada, que tardaron un rato en contestar.

—Soy el inspector Rebus, del Departamento de Investigación Criminal de Gayfield.

—Encantado de hablar con un representante de la ley —contestó el periodista con voz jovial—. Oficial y extraoficialmente.

—No es para ninguna noticia, hijo. Sólo quiero hablar con Mairie Henderson.

—Ella trabaja por libre. Y es de artículos, no de noticias.

—Ah, sí, en primera página se publicó un artículo suyo sobre Big Cafferty, ¿no es cierto?

—Se me ocurrió a mí hace unos años, ¿sabe? —dijo el periodista como con ganas de charla—. No sólo de Cafferty, sino de entrevistas con todos los gángsteres de la costa este y oeste. Cómo habían empezado, sus códigos de conducta...

—Bien, gracias por explicármelo, pero es que he sintonizado con Parkinson ¿o qué?

El periodista lanzó un bufido.

—Sólo quería darle conversación.

—No me diga. Ahí no hay nadie, ¿verdad? ¿Están todos fuera portátil en mano, intentando convertir la marcha en elegante prosa? Bien, se trata de lo siguiente: anoche cayó un hombre desde las murallas del castillo y no he visto la menor mención de ello en su periódico esta mañana.

—Nos llegó la noticia demasiado tarde —contestó el periodista—. Un suicidio evidente, ¿no es eso?

—¿Usted qué cree?

—Yo he hecho la pregunta primero.

—En realidad, fui yo quien preguntó primero, pidiendo el número de teléfono de Mairie Henderson.

—¿Para qué?

—Deme su número y le diré algo que no le diré a ella.

El periodista pensó un instante y a continuación pidió que esperase. Volvió al cabo de medio minuto, tiempo durante el cual el aparato de Rebus emitió un zumbido indicador de que entraba una llamada. No hizo caso y anotó el número que le dio el periodista.

—Gracias —dijo.

—Bien, ¿y lo prometido?

—Plantéese lo siguiente: si es suicidio evidente, ¿por qué un tipo impresentable del Departamento Especial llamado Steelforth impide cualquier averiguación?

—¿Cómo se escribe Steelforth?

Pero Rebus había cortado la comunicación. Inmediatamente comenzó a sonar el teléfono. No contestó, pues de sobra se imaginaba quién sería. Operación Sorbus tenía el número y Steelforth no habría tardado ni un minuto en averiguar dirección y abonado. Y otro minuto para llamar a Derek Starr y comprobar que él no sabía nada del asunto.

Breeeep-breeeep-breeeep.

Rebus volvió a enchufar la tele y pulsó el botón de sin sonido en el mando a distancia. No había noticias, sólo programas para niños y vídeos pop. El helicóptero volvía a volar en círculo. Fue a comprobar que no fuera alrededor de su casa.

—John, no seas paranoico —musitó.

El teléfono dejó de sonar y él marcó el número de Mairie Henderson. Hacía unos años habían sido buenos amigos e intercambiaban información por artículos y datos por información. Luego, ella se desapegó y escribió la biografía de Cafferty, con la colaboración del gángster, y pidió una entrevista a Rebus, quien se negó. Al cabo de un tiempo volvió a pedírsela.

—Por lo que dice Big Ger de ti —alegó ella zalamera— pensé que debería conocer tu versión.

Rebus distaba mucho de pensar lo mismo.

Lo que no había impedido que el libro fuese un éxito sonado, no sólo en Escocia sino fuera de ella, en Estados Unidos, Canadá, Australia, amén de las traducciones a dieciséis idiomas. Durante cierto tiempo no podía leer el periódico sin tropezarse con el tema. Había obtenido un par de premios y espacio en programas de debate de la televisión. No bastaba con que Cafferty hubiera dedicado toda su vida a hacer mal a la gente y a la sociedad, a sembrar el terror, era un famoso en toda regla.

Ella le envió un ejemplar del libro, pero Rebus lo devolvió al remitente. Después, dos semanas más tarde salió a comprar uno a mitad de precio en Princes Street. Lo hojeó pero no tuvo ánimo de leerlo. Nada le daba más náuseas que el arrepentimiento.

—Diga.

—Mairie, soy John Rebus.

—Perdone, el John Rebus que yo conozco está muerto.

—Vamos, no es para tanto.

—¡Me devolviste el libro! ¡Después de que te lo había dedicado y todo!

—¿Me lo habías dedicado?

—¿Ni siquiera leíste la dedicatoria?

—¿Qué decía?

—Decía: «No sé qué querrás, pero que te zurzan».

—Lo siento, Mairie. Te ofrezco un desagravio.

—¿A cambio de un favor?

—¿Cómo lo has adivinado? —dijo sonriendo—. ¿Vas a la marcha?

—Me lo estoy pensando.

—Te invitaría a una hamburguesa sin carne.

—Hace tiempo que dejé de ser una cita tan barata —replicó ella con un bufido.

—Y a una taza de descafeinado.

—¿Qué demonios quieres, John? —preguntó con voz fría pero algo más condescendiente.

—Necesito datos sobre una firma llamada Pennen Industries. Era contratista del Ministerio de Defensa. Creo que esta semana están en Edimburgo.

—¿Y a mí qué me aporta?

—A ti no, pero a mí sí. —Hizo una pausa para encender un cigarrillo y expulsó humo mientras hablaba—. ¿Te has enterado de lo del amigo de Cafferty?

—¿Qué amigo? —replicó ella como haciéndose la desinteresada.

—Cyril Colliar. Ha aparecido el trozo que faltaba de su cazadora.

—¿Con la confesión escrita? Ya me dijo Cafferty que tú nunca abandonas.

—Pensé que debía decírtelo. No es de dominio público.

Ella guardó silencio un instante.

—¿Y Pennen Industries?

—Eso es algo totalmente distinto. ¿Has oído hablar de Ben Webster?

—He leído la noticia.

—Pennen pagaba su estancia en el Balmoral.

—¿Y?

—Y me gustaría saber algo más sobre esa empresa.

—El nombre del director es Richard Pennen —dijo ella riendo, imaginándose su estupor—. ¿Has oído hablar de Google?

—¿Lo has buscado mientras hablábamos?

—¿Tú tienes ordenador en casa?

—Me he comprado un portátil.

—Pues tendrás Internet.

—En teoría —admitió él—. Pero sólo soy especialista en jugar a Minesweeper.

Ella se echó a reír otra vez y Rebus comprendió que iba a restablecerse la relación. Oyó un silbido y entrechocar de copas de ruido de fondo.

—¿En qué café estás? —preguntó.

—En el Montpelier. La calle está llena de gente vestida de blanco.

El Montpelier estaba en Bruntsfield, a cinco minutos en coche.

—Puedo acercarme y te invito a ese café que he dicho. Y me enseñas cómo funciona el portátil.

—Yo ya me marcho. ¿Quieres que nos veamos después en los Meadows?

—No especialmente. ¿Y si tomamos una copa?

—Quizás. Veré lo que puedo averiguar sobre Pennen y te llamaré cuando lo tenga.

—Eres un sol, Mairie.

—Y una superventas por añadidura —Hizo una pausa—. Oye, Cafferty entregó sus haberes a obras de beneficencia.

—Bien se puede permitir ser generoso. Hasta luego.

Cortó la comunicación y optó por comprobar los mensajes. Sólo tenía uno. La voz de Steelforth mascculló una docena de palabras y Rebus cerró el aparato. La amenaza truncada resonó en su cabeza mientras se acercaba al tocadiscos para llenar el cuarto con música de los Groundhogs.

«No se las dé de listo conmigo, Rebus, o acabará con...»

—«... Los huesos principales rotos» —dijo el profesor Gates, encogiéndose de hombros—. Con semejante caída ¿qué puede esperarse?

Estaba practicando la autopsia porque Ben Webster era noticia y un caso urgente que todos deseaban ver cerrado lo antes posible.

—Un claro dictamen de suicidio —había dicho momentos antes Gates.

Le secundaba en la autopsia el doctor Curt, pues, según la ley escocesa, era necesaria la presencia de dos patólogos para corroborar los resultados y que todo estuviera claro ante el juez. Gates era el más robusto de los dos, con un rostro marcado por venillas, nariz deforme por su pasión juvenil por el rugby —según su versión— o alguna pelea estudiantil adversa. Curt, cuatro o cinco años más joven que él, era algo más alto y mucho más delgado. Ambos eran catedráticos de la Universidad de Edimburgo. Ahora, terminado el curso, habrían podido estado tomando el sol en cualquier lugar, pero nunca se les había visto de vacaciones, como si tanto uno como otro lo hubiesen considerado signo de debilidad.

—¿No va a la marcha, John? —preguntó Curt.

Estaban los tres en torno a una mesa de acero en el depósito de cadáveres de Cowgate. Detrás de ellos, un ayudante movía recipientes e instrumentos metálicos que emitían diversos ruidos y chirridos.

—Para mí tiene poco aliciente —contestó Rebus—. El lunes sí que me echaré a la calle.

—Con los demás anarquistas —añadió Gates, haciendo una incisión al cadáver.

El depósito tenía una zona de espectadores algo más retirada y separada por un panel de metacrilato, donde se situaba habitualmente Rebus, pero Gates había dicho que «como era fin de semana, podían prescindir de formalismos». No era la primera vez que Rebus veía las interioridades de un cadáver, pero, de todos modos, desvió la mirada.

—¿Qué edad tenía, treinta y cuatro o treinta y cinco años? —preguntó Gates.

—Treinta y cuatro —confirmó el ayudante.

—Y bastante bien llevados, teniendo en cuenta...

—La hermana comentó que era aficionado a correr y a nadar y que iba al gimnasio.

—¿Es ella quien le ha identificado? —preguntó Rebus.

—Sus padres han muerto.

—Lo publicaron los periódicos, ¿verdad? —añadió Curt arrastrando las palabras sin quitar ojo de las manipulaciones de su colega—. ¿Está bien afilado el escalpelo, Sandy?

Gates no contestó.

—La madre murió cuando entraron a robar a la casa. Una verdadera desgracia. Y el padre fue incapaz de vivir sin ella.

—Se dejó morir, ¿verdad? —añadió Curt—. ¿Quieres que siga yo, Sandy? No me extraña que estés cansado con la semana que hemos tenido.

—Deja de dar la lata.

Curt lanzó un suspiro y se encogió de hombros mirando a Rebus.

—¿La hermana vino desde Dundee? —le preguntó Rebus al ayudante.

—Trabaja en Londres. Es policía y muy guapa, no como otros.

—Te quedas sin regalo del día de San Valentín —espetó Rebus.

—Mejorando lo presente, por supuesto.

—Pobre muchacha —comentó Curt—. Perder a toda la familia...

—¿Estaban muy unidos? —añadió Rebus sin poder evitar la pregunta, que causó extrañeza en Gates, quien alzó la vista; pero Rebus permaneció imperturbable.

—Creo que últimamente no se veían mucho —dijo el ayudante.

«Como Michael y yo.»

—En cualquier caso, se encuentra muy afectada.

—Pero no habrá venido sola, ¿verdad? —inquirió Rebus.

—No había nadie con ella en la identificación —respondió el ayudante como si no tuviera importancia—. Después, la acompañé yo a la sala de espera y le ofrecí una taza de té.

—¡No seguirá allí todavía...! —espetó Gates.

El ayudante miró a su alrededor sin saber qué mal había hecho.

—Yo tenía que preparar las cizallas —dijo.

—No hay nadie en el depósito aparte de nosotros —ladró Gates—. Ve a ver si se encuentra bien.

—Iré yo —dijo Rebus.

Gates se volvió hacia él con las manos llenas de relucientes entrañas.

—¿Qué ocurre, John? ¿Se le ha revuelto el estómago?

En la sala de espera no había nadie. Únicamente, en el suelo, junto a una silla, una taza vacía con la insignia de Glasgow Rangers FC. Rebus la tocó y vio que estaba tibia. Fue a la entrada principal, aunque la del público era por un callejón de Cowgate, y miró en la calle de arriba abajo, pero no vio a nadie. Dobló la esquina de Cowgate y la vio sentada en el murete que rodeaba el edificio del depósito, observando la guardería de la otra acera. Rebus se detuvo frente a ella.

—¿Tiene un cigarrillo? —preguntó la mujer.

—¿Quiere uno?

—Es una ocasión como cualquier otra.

—Lo que quiere decir que no fuma.

—¿Y qué?

—No estoy dispuesto a enviciarla.

Ella le miró. Era rubia con el pelo corto y un rostro redondo de barbilla prominente. Llevaba falda hasta la rodilla y dejaba ver dos centímetros de pierna por encima de unas botas marrones con reborde de pelo animal. En el murete, a su lado, tenía un bolsón, seguramente con lo que había recogido aprisa y al azar para salir corriendo hacia el norte.

—Soy el inspector Rebus —dijo—. Siento lo de su hermano.

Ella asintió con la cabeza despacio, volviendo la vista hacia la guardería.

—¿Ese establecimiento funciona? —preguntó haciendo un gesto en dirección al edificio.

—Que yo sepa, sí. Hoy no está abierto, por supuesto.

—Una guardería... Justo enfrente de «esto» —añadió ella, volviéndose a mirar el depósito, a su espalda—. Muy cerca, ¿no, inspector Rebus?

—Sí, tiene razón. Siento no haber estado presente cuando identificó el cadáver.

—¿Por qué? ¿Conocía a Ben?

—No... Lo decía por... ¿Cómo no la ha acompañado nadie?

—¿Nadie, de dónde?

—De su distrito electoral... Del partido.

—¿Cree que al Partido Laborista le importa algo él ahora? —replicó ella con una risita sarcástica—. Estarán todos encabezando esa mierda de marcha, atentos a salir en la foto. Ben no dejaba de hablar de lo cerca que estaba de llegar al poder. De poco le ha servido.

—Ojo con lo que dice —la interrumpió Rebus—. Parece más bien simpatizante de la marcha. —Ella lanzó un resoplido, pero no replicó—. ¿Tiene idea de por qué...? —añadió Rebus, dejando la pregunta en el aire—. ¿Sabe que es mi obligación?

—Soy policía, como usted —contestó ella mirando cómo sacaba la cajetilla—. Sólo uno —suplicó.

No podía negarse. Encendió dos y se recostó en la pared a su lado.

—No pasa ningún coche —comentó ella.

—La ciudad está sitiada —dijo él—. Será difícil encontrar taxi, pero tengo el coche...

—Iré a pie —le interrumpió ella—. No dejó ninguna nota —añadió—, si es eso lo que quería saber. Anoche parecía estar bien, muy relajado, etcétera. Los colegas no se lo explican... No tenía problemas en su trabajo. —Hizo una pausa y levantó la vista hacia el cielo—. Pero «siempre» tenía problemas en el trabajo.

—¿Debo entender que estaban muy unidos?

—Él pasaba en Londres los días laborables. Llevábamos sin vernos quizás un mes, bueno, tal vez dos, pero nos enviábamos mensajes de texto, correos electrónicos... —añadió dando una calada al cigarrillo.

—¿Tenía problemas en su trabajo? —inquirió Rebus.

—Trabajaba en el sector de ayuda al tercer mundo, intervenía en las decisiones de disposición de ayuda a algún decrépito dictador africano.

—Eso explica su presencia en Edimburgo —dijo Rebus casi para sus adentros.

Ella asintió despacio con la cabeza, tristemente.

—Camino del poder, en un banquete en el castillo para hablar de los pobres y los hambrientos del mundo.

—¿Él era consciente de la ironía? —aventuró Rebus.

—Oh, sí.

—¿Y de la futilidad?

Ella le miró a los ojos.

—Jamás —respondió en voz queda—. No era propio de Ben. —Pestañeó para contener las lágrimas, sorbió por la nariz y suspiró, tirando el cigarrillo casi entero al suelo—. Tengo que irme —añadió sacando una cartera del bolso que llevaba en bandolera y entregándole una tarjeta en la que sólo figuraba su nombre y el número de un teléfono móvil.

—¿Cuánto tiempo lleva en la policía, Stacey?

—Ocho años. Los tres últimos en Scotland Yard —dijo mirándole a los ojos—. Tendrá que interrogarme, ¿no? Si Ben tenía enemigos, problemas económicos, si se había enemistado con alguien... Pero más tarde, por favor. Deme un día o dos y llámeme.

—De acuerdo.

—¿No hay indicios de que...? —Le costaba pronunciar la palabra, y aspiró aire para hacerlo—. ¿No hay indicios de que no se arrojara él?

—Si había tomado un par de vasos de vino, a lo mejor estaba mareado.

—¿No hay testigos?

Rebus se encogió de hombros.

—¿De verdad que no quiere que la lleve en mi coche?

—Necesito caminar —replicó ella, negando con la cabeza.

—Un consejo: no se acerque al itinerario de la marcha. Quizás volvamos a vernos... Siento de verdad lo de Ben.

—Lo dice en serio, como si lo sintiera —replicó ella mirándole de hito en hito.

Él estuvo a punto de sincerarse con ella —«Ayer mismo despedí a mi hermano en un féretro»— pero sólo respondió con un rictus nervioso, temiendo que le preguntase: «¿Estaban muy unidos?» «¿Se encuentra muy afectado?». Vio cómo emprendía su largo y solitario paseo por Cowgate y entró al depósito para asistir al final de la autopsia.

4

Cuando Siobhan llegó a los Meadows, la cola de los que se incorporaban a la marcha llegaba hasta el lateral del antiguo hospital y llenaba los campos de juego junto a la fila de casas. Uno, provisto de un megáfono, advertía a quienes la formaban que tal vez tardaran un par de horas en comenzar a moverse.

—Es por la bofia —comentó alguien—. Sólo dejan avanzar en grupos de cuarenta o cincuenta.

Siobhan estuvo a punto de salir en defensa de aquella táctica, pero se habría delatado. Avanzó despacio al paso de la masa pensando en cómo encontrar a sus padres. Habría cien mil personas, quizás el doble. Nunca había visto tanta gente; en el concierto del festival T in the Park cupieron sesenta mil; un partido de los dos equipos locales, si hacía buen día, atraería a unas dieciocho mil, y en nochevieja, en torno a Hogmanay y Princes Street se congregaban casi cien mil personas.

Allí había más.

Y todos con la sonrisa en los labios.

Apenas se veía policía de uniforme ni servicio de orden. Había un aluvión de familias de Morningside, Tollcross y Newington y se había tropezado con media docena de conocidos y vecinos. El alcalde iba en cabeza. Se decía que también estaba Gordon Brown y que más tarde se dirigiría a la multitud, abrigado por la Patrulla de Protección de la policía, aunque él, en la Operación Sorbus, era un personaje conceptuado «de bajo riesgo» por sus fervientes declaraciones a favor de la paz y del comercio justo. A Siobhan le habían enseñado una lista de famosos que tenían anunciada su llegada a Edimburgo: Geldof y Bono, naturalmente; tal vez incluso Ewan McGregor —que, de todos modos, tenía que asistir a un acto en Dunblane—; Julie Christie; Claudia Schiffer; George Clooney; Susan Sarandon...

Después de abrirse paso entre la muchedumbre desde delante hacia atrás, se dirigió al escenario principal. Tocaba una banda y había gente bailando con entusiasmo, pero la mayoría miraba sentada en el césped. En el pequeño campamento de tiendas de campaña instalado allí mismo había actividades infantiles, botiquín, mesa de firmas y exposiciones, se vendían productos de artesanía y se repartían octavillas. Por lo visto, un tabloide había distribuido carteles de «Acabad con la Pobreza» y la gente recortaba el encabezamiento suprimiendo la mancha del rotativo. Globos hinchados con helio surcaban el cielo, una improvisada banda de metal daba la vuelta al campo seguida de otra de percusión africana. Más bailes, más sonrisas. Siobhan comprendió que no iba a pasar nada. Que en aquella marcha no habría disturbios.

Miró el móvil. No tenía mensajes. Había llamado dos veces a sus padres pero no contestaban. Decidió dar otra vuelta al recinto. Junto a la caja de un camión habían levantado un pequeño escenario con cámaras de televisión donde hacían entrevistas a la gente. Reconoció a Peter Postlewhaite y a Billy Boyd y en un momento dado vio a Billy Bragg. Ella quería ver a Gael García Bernal para comprobar si en persona era tan estupendo.

Las colas en las camionetas de comida vegetariana eran más largas que las de las hamburguesas. También ella había sido vegetariana, pero lo abandonó años atrás por culpa —decía— de Rebus y los panecillos de tocino que se zampaba en su presencia. Pensó en mandarle un mensaje de texto para que fuera. ¿Qué otra cosa tendría que hacer que tumbarse en el sofá o sentarse a la barra del Oxford? Pero lo que hizo fue enviar un mensaje de texto a sus padres y volver a mirar en las colas. Ahora, con las pancartas en alto, tocaban silbatos y redoblaban tambores. Tanta energía en el aire... Rebus diría que era un despilfarro. Había comentado que los acuerdos políticos ya estaban adoptados y tenía razón; era lo mismo que habían dicho los del cuartel general de Sorbus. Gleneagles era para las alianzas secretas y para salir en la foto. La verdadera negociación la habían llevado a cabo previamente personajes menos conocidos, y el principal entre ellos, el ministro de Hacienda. Se había preparado todo sin publicidad para la ratificación de las ocho firmas el último día de la reunión del G-8.

«¿Cuánto costará todo esto?», pensó Siobhan.

—Ciento cincuenta mil millones, más o menos.

La respuesta se produjo con una profunda aspiración de sorpresa del inspector jefe Macrae. Siobhan frunció los labios sin decir nada.

—Sé lo que estás pensando —prosiguió su interlocutor—. Que con esa cantidad se pueden comprar muchas vacunas.

Todos los paseos de los Meadows estaban ya abarrotados de filas de manifestantes de cuatro en fondo y se había formado otra cola de espera que llegaba hasta las canchas de tenis y Buccleuch Street. Mientras se abría paso entre la gente sin rastro de sus padres, vio de reojo algo de color que se movía. Eran chaquetas amarillo brillante avanzando deprisa por Meadow Lane. Vio como daban la vuelta a la esquina de Buccleuch Place y se quedó de piedra.

Había unos sesenta manifestantes acorralados por el doble de policías. Los manifestantes emitían un sonido quejumbroso y ensordecedor con sus bocinas, llevaban gafas de sol y pañuelos negros cubriéndoles la cara y algunos se tapaban con capucha; vestían pantalones negros de combate, botas, unos cuantos se cubrían con casco. Aquel grupo no llevaba pancartas ni esgrimía sonrisas. Entre ellos y la policía sólo se interponían los escudos transparentes antidisturbios, en uno de los cuales alguien había pintado con spray el símbolo anarquista. La masa de manifestantes trataba de abrirse paso hacia los Meadows, pero la policía aplicaba inflexible la táctica de la contención a toda costa. Un manifestante contenido era un manifestante neutralizado. Siobhan quedó impresionada: sus colegas debían saber que aquel grupo de protesta iba camino de aquel lugar concreto por la rapidez con que habían tomado posición para impedir que los hechos fueran a más. Había mirones, indecisos entre quedarse o unirse a la marcha, y vio que algunos sacaban los móviles con cámara. Miró a su alrededor para asegurarse de que no aparecieran más antidisturbios y quedar bloqueada. Del grupo acorralado surgían voces que parecían extranjeras, gritos en español o italiano. Ella conocía alguno de aquellos colectivos, Ya Basta y Black Bloc, pero no veía allí nada estrafalario como en el caso de los Wombles o de la Rebel Clown Army.

Metió la mano en el bolsillo y apretó su carné de policía, dispuesta a tenerlo preparado y enseñarlo si las cosas se ponían feas. Oyó un helicóptero sobrevolando el lugar y vio a un policía que filmaba con vídeo desde la escalinata de los edificios de la universidad barriendo la calle con la cámara; la fijó en ella un instante y volvió a enfocar al resto de los curiosos. Pero de pronto llamó su atención otra cámara que la enfocaba directamente.

Era Santal, que, al otro lado del cordón policial, lo filmaba todo con su vídeo digital. Iba vestida como los demás, con una mochila colgada al hombro y ensimismada en su tarea, sin secundar cantos ni consignas. Los manifestantes también querían grabar aquella escena para verlo después y reconocerse, aprender las tácticas de la policía y saber contrarrestarlas, y por si se producían —quizás deseándolos— malos tratos. Estaban versados en técnicas de comunicación y tenían abogados entre los activistas. La película de Génova había causado sensación en todo el mundo y sin duda una filmación reciente sobre acción policial violenta sería igualmente eficaz.

Siobhan se percató de que Santal la había visto. Ahora enfocaba la cámara hacia ella y, bajo el visor, su boca era un rictus de furor. Pensó que no era precisamente el momento de acercarse a preguntarle si había visto a sus padres. Oyó el zumbido del móvil indicándole que entraba una llamada y miró el número, pero no lo conocía.

—Siobhan Clarke —dijo llevándose el aparato al oído.

—¿Shiv? Soy Ray Duff. Que sepas que me estoy ganando a pulso esa excursión.

—¿Qué excursión?

—La que me debes. —Hizo una pausa—. A menos que no sea eso lo que has convenido con Rebus.

Siobhan se echó a reír.

—Depende. ¿Estás en el laboratorio?

—Trabajando como un burro por ti.

—¿En la muestra de la Fuente Clootie?

—A lo mejor tengo algo que te interesa, aunque no sé si te gustará. ¿Cuánto tardarás en llegar?

—Media hora —contestó ella volviendo la cabeza al oír de pronto un bocinazo.

—No hace falta que me digas dónde estás —añadió Duff—. Lo estoy viendo en el noticiario.

—¿La marcha o la manifestación?

—La manifestación, por supuesto. Los felices y legales caminantes de la marcha apenas son noticia, a pesar de que suman un cuarto de millón.

—¿Un cuarto de millón?

—Eso dicen. Nos vemos dentro de media hora.

—Adiós, Ray.

Cortó la comunicación. Vaya cifra... Más de la mitad de la población de Edimburgo y equiparable a tres millones en las calles de Londres. Y sólo sesenta individuos vestidos de negro acaparando las noticias en las dos horas siguientes aproximadamente.

Porque a continuación, todos los ojos se volverían hacia el concierto Live 8 de Londres.

«No, no, no —pensó—, eres demasiado cínica, Siobhan; piensas como el maldito John Rebus. Nadie puede ignorar una cadena humana que rodea la ciudad, una cinta blanca llena de pasión y esperanza.»

Ella sí.

¿Había pensado realmente en incorporar su humilde ser a la cifra estadística? Ahora ya era tarde. Ya se disculparía después con sus padres. De momento, tenía que alejarse de los Meadows. Lo mejor era llegar a St. Leonard, la comisaría más próxima, y que la llevara un coche patrulla, o hacer autostop si era preciso, porque tenía su coche en aquel taller que le había recomendado Rebus y el mecánico le había dicho que llamase el lunes. Recordó que el dueño de un 4x4 lo había sacado de la ciudad mientras durase aquello, en previsión de destrozos. Otra noticia agorera; al menos es lo que había pensado ella.

Santal no pareció percatarse de que se marchaba.

—... No se puede ni echar cartas —dijo Ray Duff—. Han precintado los buzones en previsión de que metan alguna bomba.

—En Princes Street hay escaparates protegidos con tableros —añadió Siobhan.

—Bueno, ¿vamos al grano? —terció Rebus.

—Ya veo que teme perderse el gran acontecimiento —comentó Duff con un resoplido.

—¿Qué gran acontecimiento? —dijo Siobhan mirando a Rebus.

—Pink Floyd —respondió él—. Pero si hay algo como McCartney y U2, paso.

Estaban los tres en uno de los laboratorios de la Unidad Científica

Forense de Lothian y Borders de Howdenhall Road. Duff, con treinta años cumplidos, pelo castaño y un pronunciado pico de viuda, se limpiaba las gafas con un extremo de su bata blanca. En opinión de Rebus, el éxito televisivo de *CSI* había ejercido un efecto nocivo en los cerebritos de Howdenhall. Pese a su carencia de recursos, glamour y banda sonora estridente, todos parecían creerse actores. Además, algunos inspectores jefe habían comenzado a aceptarlo y les pedían que imitaran las técnicas forenses más enrevesadas de las películas de la tele. Por lo visto, Duff había decidido adoptar el papel de genio excéntrico y, en consecuencia, había prescindido de sus lentes de contacto, volvía a usar gafas tipo Seguridad Social con montura de Eric Morecambe y aumentaba visiblemente el surtido de rotuladores de color en el bolsillo superior de la bata. Y, además, en la solapa, llevaba una batería de gruesos clips. Tal como Rebus había comentado nada más entrar, parecía salido de un vídeo de Devo.

Y ahora les iba encarrilando hacia la información.

—Cuando quieras —dijo Rebus.

Estaban delante de un banco de trabajo con varios trozos de tela a los que Duff había adosado unos cuadraditos numerados, disponiendo otros más pequeños —al parecer, según un código de colores— junto a las manchas o deterioros de cada pieza.

—Cuanto antes terminemos, antes podrás volver a sacar brillo al cromado de tu MG.

—Por cierto —terció Siobhan—, gracias por ofrecerme a Ray.

—Tendrías que haber visto a la del primer premio —musitó Rebus—. ¿Qué es todo eso, profesor?

—Barro y mierda de pájaro la mayor parte —contestó Duff apoyando las manos en la cadera—. Marrón lo primero y gris lo segundo —añadió señalando con la barbilla los cuadrados.

—Y el azul y el rosa...

—El azul es algo que requiere más análisis.

—No me digas que el rosa es de pintalabios —dijo Siobhan con voz queda.

—De sangre —replicó Duff con gesto teatral.

—Ah, bien —comentó Rebus mirando a Siobhan—. ¿Cuántas manchas hay?

—De momento, dos... Número uno y número dos. Uno, en unos

pantalones de pana marrón. La sangre resulta muy difícil de distinguir sobre fondo marrón, porque parece óxido. Y dos, en una camiseta de deporte, amarillo claro, como puede ver.

—No la veo —dijo Rebus inclinándose para mirar más de cerca. La camiseta estaba toda sucia—. ¿Qué es eso de la izquierda de la pechera, una insignia?

—Dice exactamente Talleres Keogh. La salpicadura de sangre está por detrás.

—¿Salpicadura?

Duff asintió con la cabeza.

—Que coincide con un golpe en la cabeza con algo parecido a un martillo que hace contacto, rompe la piel y, al retirarlo, la sangre brota en todas direcciones.

—¿Talleres Keogh? —preguntó Siobhan a Rebus, quien se encogió de hombros, pero Duff carraspeó.

—No aparece en el listín telefónico de Perthshire. Ni en el de Edimburgo.

—Ha sido un trabajo rápido, Ray —comentó Siobhan con gesto de aprobación.

—Ray, aquí hay otro punto marrón —dijo Rebus con un guiño—. ¿Relacionado con el número uno?

Duff asintió con la cabeza.

—Pero éste no es de salpicadura. Es un pegote en la pernera derecha, a la altura de la rodilla. Cuando alguien recibe un golpe en la cabeza se producen gotas como ésa.

—O sea, que tenemos tres víctimas, ¿y un solo agresor?

Duff se encogió de hombros.

—No se puede demostrar, por supuesto. Pero ¿qué posibilidades hay de que sean pruebas relativas a tres víctimas y a tres agresores distintos que vayan a parar a tan extraño lugar?

—Tienes razón, Ray —dijo Rebus.

—Así que se trata de un asesino en serie —añadió Siobhan—. Supongo que serán grupos sanguíneos distintos —añadió mirando a Duff—. ¿Tienes idea del orden en que murieron?

—La muestra del CC Rider es la más reciente. Y creo que la de la camiseta deportiva es la más antigua.

—¿No hay ninguna pista en la del pantalón?

Duff negó con la cabeza despacio y a continuación metió la mano en el bolsillo de su bata y sacó una bolsita de plástico.

—A menos que se tenga esto en cuenta, claro.

—¿Qué es eso? —preguntó Siobhan.

—Una tarjeta de cajero automático —respondió Duff, recreándose un instante—. A nombre de Trevor Guest. Así que no me digas que no me he ganado el premio.

En la calle, Rebus encendió un cigarrillo, mientras Siobhan paseaba a lo largo del aparcamiento con los brazos cruzados.

—Un asesino —dijo.

—Pues sí.

—Dos víctimas con nombre y la tercera un mecánico.

—O un vendedor de coches —dijo Rebus pensativo—. O alguien con una camiseta con el anuncio de un taller.

—Gracias por ampliar el campo de investigación.

Él se encogió de hombros.

—Si hubiéramos encontrado un pañuelo del Hibs, ¿nos concentraríamos en el equipo de fútbol?

—De acuerdo; entendido —dijo ella deteniéndose de pronto—. ¿Tienes que volver a la autopsia?

Rebus negó con la cabeza.

—Uno de los dos tendrá que darle la noticia a Macrae —dijo.

Siobhan asintió con la cabeza.

—Lo haré yo —dijo.

—Hoy poco más se puede hacer.

—Entonces, ¿vas a ver el concierto Live 8?

Rebus alzó los hombros.

—¿Y tú vas a los Meadows? —preguntó.

Ella asintió con la cabeza pensando en otra cosa.

—¿Por qué habrá tenido que ocurrir en una semana como ésta?

—Para eso nos pagan una pasta —dijo Rebus aspirando con fruición la nicotina.

Un gran paquete aguardaba a Rebus a la puerta de su piso. Le había dicho a Siobhan que después de los Meadows pasara por su casa a tomar una copa. Advirtió que la sala de estar necesitaba ventilarse y abrió de par en par la ventana. Llegaban ruidos de la marcha y voces de megáfono, tambores y silbatos. La tele retransmitía ya el Live 8, pero no había ningún grupo que él conociera. Bajó el volumen y abrió el paquete; dentro había una nota de Mairie —NO TE LO MERECES— seguida de páginas y páginas impresas: noticias sobre Pennen Industries a partir de su segregación del Ministerio de Defensa, recortes de las páginas de negocios con datos sobre aumentos de beneficios, perfiles con elogios y fotos de Richard Pennen. El perfecto hombre de negocios: acicalado, bien vestido, bien peinado, pelo canoso a pesar de sus escasos cuarenta y tantos años, gafas de montura metálica y una mandíbula cuadrada bajo una dentadura impecable.

Richard Pennen había sido empleado del ministerio, algo así como un as del microchip y de los programas de ordenador, insistía en que su empresa no vendía armas sino simplemente componentes para hacerlas lo más eficaces posible, y citaban su afirmación: «Que en resumen es la mejor alternativa para todos». Rebus hojeó rápidamente entrevistas y datos sobre antecedentes. No había nada que vinculase a Pennen con Ben Webster, salvo que los dos eran del ámbito del «comercio». No era nada extraño que la empresa pagase a un parlamentario un hotel de cinco estrellas. Cogió otro grupo de páginas grapadas y dirigió un «gracias» silencioso a Mairie. La periodista le adjuntaba hojas y más hojas sobre Ben Webster. No incluían mucho sobre su carrera parlamentaria, pero cinco años atrás la prensa había dedicado atención a la familia tras la extraña agresión a la madre de Webster. Ella y el marido pasaban unas vacaciones en Borders, en un chalé alquilado cerca de Kelso; una tarde el padre salió al pueblo a comprar y a su regreso se encontró con que habían allanado el chalé y a su mujer estrangulada con un cordón de las persianas venecianas; agredida pero sin violación. Nada más faltaba dinero del bolso y el móvil.

Calderilla y un teléfono. Y la vida de una mujer.

La investigación se había alargado varias semanas. Rebus miró las fotos del chalé, la víctima, el dolido esposo y los hijos, Ben y Stacey. Sacó del bolsillo la tarjeta que Stacey le había dado y pasó los dedos por los bordes mientras proseguía la lectura. Ben era diputado por Dundee Norte; Stacey, agente de policía de Londres, calificada por sus colegas de «diligente y muy apreciada»; el chalé estaba en el linde de unos bosques, en terreno de colinas ondulantes y sin vecinos a la vista. Al matrimonio le gustaba dar largos paseos y se mencionaba su presencia regular en bares y restaurantes de Kelso. Pasaban sus vacaciones en aquella comarca hacía años. Los concejales de la zona hacían hincapié en que en Borders «casi no se cometen crímenes y es un remanso de paz». Por no espantar al turismo.

No se descubrió al culpable, y el caso saltó de la primera página a las interiores y luego a las de atrás, hasta reaparecer esporádicamente en algún párrafo de los perfiles de Ben Webster. Había una amplia entrevista de la época en que pasó a ocupar el cargo de secretario privado del Parlamento, pero en ella se negó a hablar del trágico acontecimiento.

Trágicos, en realidad; en plural, porque el padre no había sobrevivido mucho al asesinato de su esposa. Muerto por causas naturales. «Había perdido las ganas de vivir. Ahora está en paz con el amor de su esposa», decía un vecino de Broughty Ferry.

Rebus volvió a mirar la foto de Stacey el día del funeral de la madre. Al parecer, había salido en televisión para hacer un llamamiento a quien pudiera dar alguna pista. Era más fuerte que su hermano, que no quiso acompañarla en la conferencia de prensa; Rebus esperaba que conservara esa fortaleza.

El suicidio parecía la conclusión definitiva: la pena había podido finalmente con el hijo huérfano. Salvo que Ben Webster cayó gritando y los soldados de guardia habían advertido la presencia de algún intruso. Además, ¿por qué precisamente aquella noche? ¿En aquel lugar? Con todos los medios de comunicación mundiales en Edimburgo...

Era un gesto público.

Y Steelforth... Sí, Steelforth quería echar tierra al asunto. Que nada distrajera la atención del G-8, que no se perturbase la estancia de las delegaciones. Rebus, muy a su pesar, tenía que reconocer que la insistencia por aferrarse al caso era simplemente por fastidiar al hombre del Departamento Especial. Se levantó de la mesa y fue a la cocina, se hizo un café cargado y se lo llevó a la sala de estar. Cambió el canal de la televisión pero no encontró noticias sobre la marcha. La multitud de Hyde Park parecía pasarlo bien, aunque había un recinto justo delante del escenario medio vacío. Sería seguramente para los miembros de seguridad, o para los medios. Geldof no pedía dinero esta vez; Live 8 pretendía centrar mentes y corazones. Rebus pensó cuántos asistentes al concierto responderían al llamamiento y se desplazarían seiscientos kilómetros hasta Escocia. Encendió un cigarrillo y se sentó en un sillón mirando la pantalla con el café en la mano. Volvió a pensar en la Fuente Clootie y el ritual del paraje. Si Ray Duff estaba en lo cierto, había al menos tres víctimas, y un asesino había erigido una especie de santuario. ¿Tendría alguna relación con la localidad? ¿Hasta qué punto era conocida la Fuente Clootie fuera de Auchterarder? ¿Figuraba en las guías de viaje o en los folletos turísticos? ¿Lo habían elegido por su proximidad a la cumbre del G-8, porque el asesino pensó que con tal número de policías patrullando era muy probable que descubrieran su siniestra ofrenda? En cuyo caso, ¿había ya acabado de matar?

Tres víctimas. Aquello no podrían ocultárselo a los periodistas. CC Rider, Talleres Keogh y una tarjeta de banco... El asesino se lo ponía fácil; quería que supieran que andaba rondando. La prensa mundial estaba concentrada en Escocia como nunca en la historia y ello le procuraba un protagonismo global. Y Macrae se relamería ante la oportunidad, presentándose ante los periodistas, sacando pecho al contestar a sus preguntas, acompañado de Derek Starr.

Había quedado con Siobhan en que ella llamaría a Macrae desde la marcha para comunicarle los hallazgos del laboratorio. Ray Duff, mientras tanto, proseguiría sus análisis para ver si hallaba restos de ADN en la sangre, tratando de aislar algún pelo, alguna fibra que identificar. Rebus pensó de nuevo en Cyril Colliar. No podía decirse que fuera la típica víctima. Los asesinos en serie solían atacar a los débiles y a los marginados. ¿Sería la casualidad de haberse encontrado en el lugar que no debía en el momento menos oportuno? Lo habían matado en Edimburgo, pero el trozo de la cazadora había ido a parar al bosque de Auchterarder, justo cuando se iniciaba la operación Sorbus. Sorbus: una especie de árbol, el trozo del CC Rider dejado en el claro de un bosque... Si había alguna relación con el G-8, sabía que los de espionaje les arrebatarían el caso a Siobhan y a él. Steelforth no cedería. Mientras, el asesino se burlaba de ellos y les dejaba tarjetas de visita.

Llamaron a la puerta. Tenía que ser Siobhan. Apagó la colilla, se levantó y echó un vistazo a la habitación; no estaba muy desordenada ni había latas de cerveza vacías ni envases de pizza; recogió la botella de whisky, que estaba junto al sillón, y la puso en la repisa de la chimenea. Cambió el canal de la televisión y fue a la puerta. La abrió de par en par y al ver aquella cara se le encogió el estómago.

—Se te ha removido la conciencia, ¿no? —dijo fingiendo indiferencia.

—La tengo más limpia que la puta nieve, Rebus. ¿Puede decir lo mismo?

No era Siobhan. Era Morris Gerald Cafferty, con la camiseta blanca del emblema «Acabad con la pobreza» y las manos metidas en los bolsillos del pantalón, que sacó despacio, alzándolas para que se viera que iba desarmado. Su cabeza era del tamaño de una esfera de jugar a los bolos, brillante y casi sin pelo, con ojillos hundidos y labios relucientes y apenas sin cuello. Rebus hizo gesto de cerrarle la puerta pero Cafferty lo impidió con la mano.

—¿Son esas maneras de tratar a un viejo amigo?

—Vete al infierno.

—Ya veo que me ha superado. ¿Le ha quitado esa camisa a un espantapájaros?

—¿Y a ti quién te viste, Trinity & Susannah?

Cafferty lanzó un resoplido.

—Pues en realidad las conocí en un desayuno de la tele. ¿No es mejor que charlemos un ratito?

Rebus ya no intentaba cerrar la puerta.

—¿Qué demonios quieres, Cafferty?

Cafferty se miró la palma de las manos y se limpió una mugre inexistente.

—¿Cuánto hace que vive aquí, Rebus? Por lo menos treinta años.

—¿Y qué?

—¿No ha oído hablar de la jerarquía habitacional?

—Dios, no vendrás ahora con lo de «Inmejorable situación. Se alquila».

—No hace nada por mejorar su situación, y no lo entiendo.

—Tal vez debería escribir un libro explicándolo.

Cafferty sonrió.

—Y yo podría escribir una continuación contando algunos de nuestros pequeños «desacuerdos».

—¿A eso has venido? Quieres refrescar vivencias, ¿verdad?

—He venido por lo de mi muchacho, Cyril —replicó Cafferty con rostro sombrío.

—¿Qué pasa?

—Me he enterado de que la investigación progresa. Y quería saber.

—¿Quién te lo ha dicho?

—¿Así que es cierto?

—¿Y crees que iba a contarte algo si así fuese?

Cafferty profirió un gruñido, estiró los brazos y empujó a Rebus hacia el pasillo, haciéndole chocar contra la pared, y volvió a agarrarlo, enseñando los dientes, pero Rebus, superada la sorpresa, logró asirle de la camiseta. Forcejearon, zarandeándose y dando vueltas, impulsados por la inercia pasillo adelante hasta la puerta de la sala de estar sin decir palabra: sólo hablaban los ojos y la fuerza corporal. Pero Cafferty miró al cuarto y se quedó de piedra.

—Dios bendito —exclamó mirando las dos cajas del sofá.

Eran las notas del caso Colliar que Rebus se había llevado la noche anterior de la comisaría de Gayfield. Encima estaban las fotos de la autopsia, y por debajo de ellas asomaba una vieja foto del propio Cafferty.

—¿Por qué tiene aquí todo esto? —preguntó Cafferty jadeante.

—No es asunto tuyo.

—No renuncia a tratar de hundirme.

—Ahora ya no tanto —respondió Rebus. Fue hasta la repisa de la chimenea a coger la botella de whisky; recogió el vaso del suelo y se sirvió—. Pronto se hará pública la noticia —añadió, haciendo una pausa para beber—. Creemos que Colliar no es la única víctima.

Cafferty entrecerró los ojos tratando de comprender.

—¿Quién más? —preguntó.

Rebus negó con la cabeza.

—Ahora lárgate —dijo.

—Yo puedo ayudar —dijo Cafferty—. Conozco gente.

—¿Ah, sí? ¿Te suena Trevor Guest?

Cafferty reflexionó un instante y al cabo dijo que no.

—¿Y Talleres Keogh?

Cafferty cuadró los hombros.

—Puedo averiguarlo, Rebus. Tengo contactos en lugares que le harían temblar.

—Todo lo tuyo me hace temblar, Cafferty; por miedo a la contaminación, supongo. ¿Por qué te sulfuras tanto por lo de Colliar?

Cafferty miró hacia la botella de whisky.

—¿Hay otro vaso? —preguntó.

Rebus fue a buscarlo a la cocina. Cuando volvió, Cafferty leía la nota de Mairie.

—Ya veo que la señorita Henderson le echa una mano —dijo con fría sonrisa—. Conozco su escritura.

Rebus, sin replicar, sirvió un poco de whisky en el vaso.

—Preferiría malta —dijo Cafferty en tono de reproche balanceando el whisky bajo la nariz—. ¿A qué viene ese interés por Pennen Industries?

—Ibas a hablarme de Cyril Colliar —replicó Rebus.

Cafferty se dirigió al sofá.

—No te sientes —ordenó Rebus—. No vas a estar mucho tiempo.

Cafferty apuró el whisky y dejó el vaso en la mesa.

—No es en realidad Cyril en sí quien me interesa —dijo—. Es que cuando ocurre algo así... empiezan a correr rumores. Rumores de una venganza. Y eso no es bueno para el negocio. Como bien sabe, Rebus, tuve enemigos en mis tiempos.

—Sí, de quienes ya no veo ni rastro, curiosamente.

—Hay por ahí muchos chacales deseando repartirse los despojos; mis despojos —añadió señalándose con un dedo el pecho.

—Te estás volviendo viejo, Cafferty.

—Igual que usted. Pero en mi tipo de negocio no hay pensión.

—¿Y entretanto, aparecen chacales más jóvenes y hambrientos? —aventuró Rebus—. Y tú tienes que demostrar quién eres.

—Yo nunca me he arrugado, Rebus. No pienso hacerlo.

—Pronto se hará público, Cafferty. Si no existe relación entre las otras víctimas y tú ya no habrá motivos de venganza.

—Pero mientras tanto...

—Mientras tanto, ¿qué?

—Talleres Keogh y Trevor Guest —añadió Cafferty con un guiño.

—Déjanoslo a nosotros, Cafferty.

—Quién sabe, Rebus. A lo mejor miro a ver qué puedo averiguar sobre Pennen Industries —dijo Cafferty echando a andar hacia el pasillo—. Gracias por la copa y la gimnasia. Creo que me uniré a la cola de la marcha. La pobreza siempre me ha preocupado mucho. —Hizo una pausa en el vestíbulo, mirando a su alrededor—. Pero nunca había visto una tan flagrante —añadió saliendo al rellano.

5

El muy honorable Gordon Brown, ministro de Hacienda, ya había iniciado su intervención cuando entró Siobhan. Novecientas personas se habían congregado en la Sala de Asambleas en la cumbre de The Mound. La última vez que ella había pisado aquel local era aún sede provisional del Parlamento de Escocia, que ahora albergaba un nuevo y lujoso edificio en Holyrood frente a la residencia de la reina, por lo que la Sala de Asambleas era de nuevo propiedad de la Iglesia de Escocia, organizadora de aquel acto vespertino a medias con Christian Aid.

Siobhan acudía al encuentro del jefe de la policía de Edimburgo, James Corbyn, que ocupaba el cargo hacía poco más de un año en sustitución de sir David Strathern. Un nombramiento que había sido objeto de murmuraciones. Era inglés, un jefe «obsesionado por los números» y «demasiado joven», pero había demostrado ser un policía entregado que hacía visitas habituales a primera línea. Vio que estaba sentado en una de las primeras filas de atrás, con uniforme de gala y la gorra en el regazo; Siobhan sabía que la esperaba y se situó cerca de la entrada, conformándose con escuchar desde allí las cuitas y promesas del ministro de Hacienda. Cuando dijo que a los treinta y ocho países más pobres de África se les cancelaría la deuda hubo un aplauso unánime en la sala, pero al cesar los aplausos, Siobhan oyó una voz disidente. La de un único descontento que, puesto en pie, alzó su falda escocesa y enseñó una foto de Tony Blair en los calzoncillos. Los ujieres entraron rápidamente en acción secundados por el público cercano al hombre, y mientras le arrastraban hacia la salida, recibieron otro unánime aplauso. El ministro, ocupado en el lapsus en ordenar sus notas, prosiguió su parlamento en el punto en que había sido interrumpido.

Pero el incidente sirvió de oportuna excusa a James Corbyn para abandonar la sala. Siobhan le siguió al vestíbulo y se presentó. Ya no había rastro del alborotador ni de sus captores, sólo algunos funcionarios, a la espera de que su jefe concluyera el discurso, que paseaban de arriba abajo con carpetas de documentación y móviles y cara de agotados por los acontecimientos de la jornada.

—Me ha dicho el inspector jefe que tenemos un problema —afirmó Corbyn sin andarse con rodeos ni preámbulos.

Pasaba de los cuarenta y llevaba el pelo negro con raya a la izquierda; era de complexión robusta y de más de un metro ochenta de alto y con un gran lunar en la mejilla derecha, a propósito del cual Siobhan iba prevenida.

«Es muy difícil mirarle a los ojos con esa maldita mancha en el campo visual», le había dicho Macrae.

—Es posible que haya tres víctimas —dijo Siobhan.

—¿Y un escenario del crimen puerta con puerta del G-8? —espetó Corbyn.

—No exactamente, señor. No creo que allí encontremos cadáveres; sólo restos de evidencia.

—El viernes se marchan de Gleneagles. Podemos aplazar la investigación hasta ese día.

—Pero por otro lado —insinuó Siobhan—, los mandatarios no llegan hasta el miércoles, lo cual nos da tres días.

—¿Cuál es su plan?

—Mantener el asunto discretamente y trabajar cuanto podamos. Para entonces, los forenses habrán hecho un examen completo. La única víctima confirmada es competencia de Edimburgo y no hay necesidad de importunar a los mandatarios.

Corbyn la miró un instante.

—Es usted sargento, ¿verdad?

Siobhan asintió con la cabeza.

—Es un poco joven para encargarse de un caso como éste —añadió Corbyn sin tono de crítica sino como simple constatación.

—Me acompaña un inspector de la comisaría, señor, que trabajó conmigo en la investigación inicial.

—¿Cuántos agentes necesitará?

—Me temo que no habrá muchos disponibles.

—La situación es muy delicada estos días, sargento Clarke —dijo Corbyn sonriente.

—Lo sé.

—No me cabe la menor duda. Y ese inspector que dice... ¿es de confianza?

Siobhan asintió con la cabeza sin dejar de mirarle a los ojos sin pestañear, mientras pensaba: «Tal vez sea demasiado nuevo en la plaza para haber oído hablar de John Rebus».

—¿Le gusta trabajar en domingo? —inquirió Corbyn.

—A mí sí, pero no estoy tan segura respecto al equipo forense.

—Le servirá de ayuda que yo diga una palabra. No ha habido incidentes en la marcha —añadió pensativo— y tal vez resulte todo más fácil de lo que pensábamos.

—Sí, señor.

Corbyn volvió a mirarla con atención.

—Su acento es inglés —comentó.

—Sí, señor.

—¿Le ha causado algún problema?

—Burlas esporádicas.

Él asintió con la cabeza.

—Muy bien —añadió poniéndose firme—. Haga lo que pueda antes del miércoles. Si surge cualquier problema, comuníquemelo. Pero no pise el terreno a nadie —añadió mirando hacia los funcionarios.

—Señor, hay un funcionario del SO12 llamado Steelforth que tal vez plantee alguna objeción.

Corbyn miró su reloj.

—Remítale a mi despacho —dijo calándose su gorra con galones—. Ya tenía que estar en otro sitio. ¿Se da cuenta de la enorme responsabilidad que...?

—Sí, señor.

—Que su colega se haga cargo igualmente.

—Lo entenderá, señor.

—Muy bien —dijo Corbyn tendiéndole la mano—. Suerte, sargento Clarke.

Se estrecharon la mano.

Por la radio emitieron un reportaje sobre la marcha y al final, en un añadido, dieron la noticia de la muerte del secretario de Desarrollo Internacional Ben Webster comentando que «se consideraba un trágico accidente». Pero la noticia más importante era el concierto de Hyde Park. Siobhan había oído numerosas quejas de la muchedumbre reunida en los Meadows comentando que los artistas pop iban a hacer sombra a los actos de Edimburgo.

—Publicidad y venta de discos, eso es lo que buscan. Son unos hijos de mala madre, egocentristas —comentó un hombre.

Los últimos datos sobre el número de concurrentes a la marcha eran de doscientos veinticinco mil. Siobhan no sabía cuántos asistirían al concierto de Londres, pero dudaba mucho que llegasen a la mitad de esa cifra.

Ya era de noche y se veían las calles llenas de coches y peatones, y muchos autobuses saliendo de la ciudad en dirección sur. Vio al pasar tiendas y restaurantes con carteles de «Apoyamos a Acabad con la pobreza», «Sólo vendemos productos de comercio justo», «Pequeño comercio detallista», «Bienvenidos los de la marcha». También había pintadas: símbolos anarquistas y mensajes instando a los peatones a «Activistas 8, Agitadores 8, Manifestantes 8». Una de ellas rezaba: «No se saqueó Roma en un día». Pensó que ojalá no se equivocara el jefe de policía; pero quedaban muchos días por delante.

Fuera del campamento de Niddrie habían aparcado autobuses. El poblado de tiendas de campaña había crecido y estaba de servicio el vigilante de la víspera. Siobhan le preguntó su nombre.

—Bobby Greig.

—Me llamo Siobhan, Bobby. Sí que hay movimiento esta noche.

Él se encogió de hombros.

—Unos dos mil, quizás. Seguro que no habrá más.

—Lo dice como decepcionado.

—El ayuntamiento ha gastado un millón en las instalaciones, y con esa suma podía haberles pagado un hotel en vez de aparcarlos en pleno campo. Ya veo que trae vehículo de sustitución —añadió señalando con la cabeza el coche que acababa de cerrar.

—Es del parque móvil de St. Leonard. ¿Ha habido más conflictos con los pandilleros?

—No han vuelto a molestar —contestó el vigilante—. Pero tenga en cuenta que ahora es de noche y es cuando salen. ¿Sabe lo que parece esto? —añadió mirando al recinto—. Una de esas películas de zombis.

Siobhan sonrió.

—Eso le convierte a usted en la última esperanza de la humanidad, Bobby. Debería sentirse halagado.

—¡Yo acabo el turno a medianoche! —gritó a su espalda mientras se dirigía a la tienda de sus padres.

No había nadie. Abrió la cremallera de la entrada y miró al interior. La mesa y las sillas estaban plegadas y los sacos de dormir enrollados. Arrancó una hoja de su libreta y dejó un mensaje. Como en las tiendas contiguas tampoco vio signos de vida, pensó si habrían ido con Santal a tomar una copa.

Santal: la última vez la había visto entre los manifestantes de Buccleuch Place, lo que significaba que podría dar problemas..., buscarse problemas.

«¿Te das cuenta de lo que estás pensando? Tienes miedo de que tus padres se hayan dejado embaucar...».

Se dijo que era una tonta y decidió matar el tiempo dando una vuelta por el campamento. Había cambiado poco desde el día anterior: un rasgueo de guitarra, un corro de cantores sentados con las piernas cruzadas, niños jugando descalzos en el césped, colas para la comida barata del entoldado. A los recién llegados, cansados de la marcha, les entregaban la muñequera indicándoles dónde plantar la tienda. Aún había en el cielo una luz crepuscular y se divisaba una extraña silueta del Arthur's Seat. Pensó que a lo mejor subiría allí al día siguiente; se tomaría una hora de asueto. La vista desde arriba era estupenda. Suponiendo que pudiera tomarse una hora libre. Tenía que llamar a Rebus para ver cómo iban a enfocar el caso. Probablemente estaría en casa viendo la tele. Tenía tiempo de sobra para hablarlo con él.

—Bueno, es sábado por la noche —dijo Bobby Greig, detrás de ella, con una linterna y su emisor-receptor—. ¿No debería estar por ahí, divirtiéndose?

—Por lo visto debe de ser lo que hacen mis amigos —replicó ella señalando con la cabeza la tienda de sus padres.

—Yo voy a tomar una copa cuando termine —insinuó él.

—Yo tengo que trabajar mañana.

—Espero que sean horas extra.

—De todos modos, gracias por... Tal vez otro día.

Él se encogió de hombros.

—Era por no sentirme fuera de servicio. —Su transmisor cobró vida con un chasquido de parásitos y él se lo acercó a la boca—. Repite, torre.

—Ahí vuelven —se oyó decir a una voz distorsionada.

Siobhan miró hacia la valla, pero no veía nada. Siguió a Bobby Greig hasta la puerta. Sí; eran una docena de jóvenes, con cazadora de capucha bien ajustada a la cara y los ojos en sombra bajo las viseras de sus gorras de béisbol. Sin armas, aparte de un botellón que se pasaban unos a otros. Media docena de vigilantes se habían congregado junto a la puerta por dentro del recinto esperando a que llegara Greig. Éste volvió la cabeza como fastidiado por la aparición.

—¿Llamamos a la policía? —preguntó uno de los vigilantes de seguridad.

—No llevan armas —replicó Greig—. Podemos solventarlo.

La pandilla se fue acercando a la valla. Siobhan reconoció en el centro al cabecilla del viernes. El mecánico del taller que le había recomendado Rebus había calculado una reparación de unas seiscientas libras.

—Puede que el seguro pague una parte —añadió como único consuelo. Ella le preguntó si le sonaba el nombre de Talleres Keogh, pero el hombre negó con la cabeza.

—¿Lo puede preguntar a alguien más?

El mecánico dijo que lo haría y a continuación le pidió una señal y ella tuvo que sacar cien libras de la cuenta del banco; le quedaban quinientas por pagar y ahora allí estaban los culpables, a menos de tres metros. Deseó tener la cámara de Santal para tomar unas instantáneas y ver si en la comisaría de Craigmillar podían poner nombres a las caras. Allí, en Niddrie, seguro que había videovigilancia en algún lugar. Quizá podría...

Claro que podía, pero no iba a hacerlo.

—Largaos —dijo Bobby Greig con voz firme.

—Niddrie es nuestro —espetó el cabecilla—. ¡Largaos vosotros!

—Te entiendo, pero no podemos.

—Te crees muy importante, haciendo de canguro de un montón de hippies de mierda, ¿eh?

—Gracias por decírnoslo —fue el comentario de Bobby Greig.

El cabecilla soltó una carcajada, uno de ellos escupió en la valla y otro le secundó.

—Podemos cogerlos, Bobby —comentó uno de los vigilantes en voz baja.

—No hay necesidad.

—Gordo, hijo de puta —exclamó el cabecilla provocativo.

—Gordo mariconazo —añadió uno de sus lugartenientes.

—Pedófilo.

—Borracho.

—Calvorota de ojos saltones, lameculos.

Greig miraba fijamente a Siobhan, como dispuesto a tomar una decisión. Ella meneó despacio la cabeza: «Que no se salgan con la suya».

—Enganchado.

—Barbudo.

—Gordinflón grasiento.

Bobby Greig volvió la cabeza hacia el vigilante que estaba a su lado y asintió levemente con la cabeza.

—Cuenta hasta tres —añadió en voz baja.

—No vale la pena, Bobby —dijo el vigilante llegándose a la puerta seguido por sus compañeros.

La pandilla se dispersó pero se reagrupó al otro lado de la calle.

—¡Venga, venid aquí!

—¡Cuando queráis!

—Aquí estamos.

Siobhan sabía lo que pretendían. Querían que los vigilantes les persiguieran por el laberinto de calles. Guerrilla urbana en la que el dominio del terreno podía prevalecer sobre la capacidad de fuego. Tal vez tuvieran armas, preparadas o improvisadas, o a lo mejor había más pandillas ocultas tras los setos y en los callejones sin luz. Y, mientras, el campamento se quedaba sin vigilantes.

No lo dudó más y llamó por el móvil. «Agente pidiendo ayuda.» Dio las indicaciones sobre dónde se encontraba. Llegarían en dos o tres minutos. La comisaría de Craigmillar no estaba tan lejos. El cabecilla se agachó dando la espalda a Bobby Greig y le mostró el trasero. Uno de los vigilantes respondió por él a la afrenta y echó a correr hacia el jefecillo, que hizo lo que Siobhan temía: retroceder por el paseo hacia el centro de los bloques.

—¡Cuidado! —le advirtió ella.

Pero nadie escuchaba. Se volvió y vio que algunos de los acampados miraban la escena.

—La policía está a punto de llegar —les dijo.

—Cerdos —comentó uno de los acampados con visible disgusto.

Siobhan echó a correr hacia el paseo. La pandilla se había dispersado; al menos eso parecía. Siguió por el camino que había tomado Bobby Greig hacia un recodo sin salida. Eran bloques de poca altura en una de las últimas calles, vieja y desastrada; en la calzada había un esqueleto de bicicleta, y junto al bordillo, los restos de un carrito de supermercado. Sombras, discusiones, gritos y el ruido de cristales rotos; era una pelea pero no veía nada. Aquellos jardincillos traseros servían de campo de batalla, igual que las escaleras de los edificios. Vio caras en las ventanas que se ocultaban rápido, quedando sólo en las habitaciones el resplandor azulado, frío, de los televisores. Continuó, mirando a derecha e izquierda, preguntándose si Greig habría reaccionado de aquel modo si ella no hubiera estado presente. Malditos hombres y su maldito machismo.

Final de la calle: nada. Giró a la izquierda y después a la derecha. En un jardín delantero había un coche sobre soportes de ladrillos y un poste de alumbrado con la caja de inspección rota y los cables arrancados. Aquello era un laberinto. ¿Por qué no se oían ya las malditas sirenas? Tampoco oía ya gritos, sólo una discusión aislada en uno de los bloques. Un crío en monopatín —diez u once años como mucho— iba hacia ella sin dejar de mirarla descaradamente hasta que la rebasó. Pensó que doblando a la izquierda saldría a la calle principal, pero fue a meterse en otro callejón y lanzó una maldición para sus adentros: no se veía ni la acera. Sabía que la ruta más rápida sería dar la vuelta a la última casa de la hilera y saltar la valla. Un bloque más y estaría en el punto de partida.

Tal vez.

—De perdidos al río —dijo continuando por las losetas rotas de la calzada.

Pero después de la hilera de casas no había más que malas hierbas y abrojos y los restos de un tendedero rotatorio. La valla estaba vencida y se podía pasar a la siguiente hilera de patios traseros.

—Este parterre es mío —dijo una voz con fingido tono de protesta.

Siobhan se dio la vuelta y se vio cara a cara con el cabecilla, que la miraba con sus ojos azul lechoso.

—¡Estás buenísima! —añadió recorriendo con la vista su cuerpo de arriba abajo.

—¿Qué quieres, buscarte más líos? —inquirió ella.

—¿De qué líos hablas?

—Del coche que me estropeaste ayer.

—No sé a qué te refieres —replicó él dando un paso hacia ella.

A su espalda, a derecha e izquierda, Siobhan vio dos siluetas.

—Lo mejor que podéis hacer es largaros —les dijo.

Ellos respondieron con risas sordas.

—Soy policía, y si sucede algo lo pagaréis de por vida —añadió, con la angustia de que no le temblara la voz.

—¿Ah sí? ¿Y por qué tiemblas tanto?

Siobhan no se había movido ni había retrocedido un centímetro y ya casi se tocaban las caras. Lo tenía a tiro de un rodillazo en el bajo vientre y sintió que recuperaba entereza.

—Lárgate —dijo en voz baja.

—Será si quiero.

—A lo mejor sí —tronó una voz profunda.

Siobhan miró a su espalda y vio al concejal Tench, con las manos cruzadas y las piernas levemente separadas, llenando su campo visual.

—Con usted no va nada —replicó el cabecilla esgrimiendo un dedo en dirección al concejal.

—Todo lo que sucede aquí tiene algo que ver conmigo. Quien me conoce lo sabe. Ahora largaos a vuestras madrigueras y a callar.

—Se cree un tío importante —dijo despectivo uno de la pandilla.

—El único tío grande de mi mundo, hijo, está ahí arriba —replicó Tench señalando al cielo.

—Siga soñando, predicador —dijo el cabecilla; pero dio media vuelta y se perdió en la oscuridad con sus acólitos.

Tench separó las manos y relajó los hombros.

—Podría haber ocurrido algo grave —dijo.

—Podría —dijo Siobhan, presentándose.

—Ya lo pensé el otro día: esta joven debe de ser policía.

—Se diría que hace usted su patrulla de pacificación habitual —añadió Siobhan.

El concejal hizo un ademán de modestia, como quitándose importancia.

—Es rara la noche que ocurre algo, pero ha venido usted en una mala semana.

Se oyó una sirena que se aproximaba.

—¿Llamó a la caballería? —comentó Tench echando a andar hacia el campamento.

El coche que le habían prestado en St. Leonard ostentaba una pintada con las siglas EJN.

—Esto es el colmo —musitó Siobhan entre dientes, y le preguntó a Tench si podía darle nombres.

—Nombres no —respondió él.

—Pero sabe quiénes son.

—¿Y qué lograría?

Ella se volvió hacia los agentes uniformados de Craigmillar y les dio la descripción de la estatura, la ropa y los ojos del cabecilla, pero ellos negaron con la cabeza despacio.

—En el campamento no ha ocurrido nada —comentó uno de ellos—. Eso es lo que cuenta —añadió en un tono que daba a entender que era ella quien les había llamado y allí no tenían nada que ver ni hacer; simplemente se habían producido insultos y algunas bravuconadas —supuestas— y no había vigilantes heridos, circunstancia por la que parecían eufóricos, por tratarse de compañeros de fatigas; el campamento no corría peligro y no se apreciaban daños. Salvo su coche, pensó Siobhan.

En resumen: viaje en vano.

Tench iba de tienda en tienda presentándose y estrechando manos y acariciando cabezas de niños y hasta aceptó una taza de infusión. Bobby Greig se curaba unos nudillos magullados, que lo único que habían golpeado, a decir de uno de los vigilantes, era una pared.

—Para animar un poco el ambiente, ¿no? —comentó a Siobhan.

Ella no respondió. Se acercó al entoldado y le dieron una taza de manzanilla. Se fue con ella en la mano soplando el líquido cuando vio junto a Tench a una mujer con una grabadora portátil. Conocía a aquella periodista, amiga de Rebus y que se llamaba... Mairie Henderson. Se acercó y oyó que Tench discurseaba sobre el barrio.

—El G-8 está muy bien, pero el gobierno debería prestar más atención a su propio país. Los muchachos aquí no ven ningún futuro. Inversiones, infraestructuras e industria es lo que haría falta para recuperar una comunidad hecha trizas. Esto es un barrio depauperado, pero la depauperación puede atajarse y, con un programa de ayuda, estos chicos tendrían algo de qué enorgullecerse, algo que los mantuviera ocupados y productivos. Tal como dice el eslogan es muy bonito pensar en términos globales... pero no debe desatenderse la intervención local. Muchas gracias.

Tras sus declaraciones, continuó recorriendo el campamento, estrechando manos y acariciando la cabeza de algún niño. La periodista vio a Siobhan y se acercó a ella, grabadora en mano.

—¿Le importaría añadir algún comentario desde la perspectiva policial, sargento Clarke?

—Pues sí.

—Me he enterado de que ha estado aquí dos noches seguidas... ¿Debido a qué?

—No estoy de humor, Mairie —dijo Siobhan—. ¿Va a escribir realmente un artículo sobre esto?

—El mundo tiene los ojos puestos en nosotros —respondió la periodista apagando la grabadora—. Dígale a John que espero que haya recibido el paquete.

—¿Qué paquete?

—Uno con información sobre Pennen Industries y Ben Webster. No sé si le servirá para sacar algo en limpio.

—Algo encontrará.

Mairie asintió con la cabeza.

—Espero que no me olvide si así es —añadió mirando la taza de Siobhan—. ¿Eso es té? Estoy rabiando por tomar uno.

—Ahí, en el entoldado —dijo Siobhan señalando con la cabeza—. Es algo flojo. Diga que se lo sirvan fuerte.

—Gracias —dijo la periodista, alejándose.

—No hay de qué —respondió Siobhan tirando la infusión al suelo.

En el último noticiero de la noche informaron sobe el concierto Live 8. No sólo Londres, también en Filadelfia, el Eden Project y en otras localidades. Se calculaba una asistencia de cientos de miles y se temía que, si se prolongaban las actuaciones, las multitudes tuvieran que dormir aquella noche a la intemperie.

—¡Vaya! —comentó Rebus apurando los restos de la última lata de cerveza.

Apareció en pantalla la marcha de Acabad con la Pobreza y un famoso afirmó vociferante que había creído necesario «estar allí, haciendo historia y contribuyendo a que la pobreza fuera cosa del pasado». Rebus cambió al canal 5: «Ley y orden: Unidad de víctimas especiales». No comprendía aquel título. ¿No eran todas las víctimas algo especial? Pero pensó en Cyril Colliar y admitió que la respuesta era «no».

Cyril Colliar, matón de Big Cafferty, que en principio parecía una víctima específica y ahora ya no tanto: estaría donde no debía en el momento menos adecuado.

Trevor Guest; de momento era sólo un trozo de plástico, pero por los números del código averiguarían su identidad; él había buscado en el listín telefónico y los apellidados Guest totalizaban una veintena; llamó a la mitad, sólo contestaron cuatro y ninguno de ellos conocía a nadie llamado Trevor.

Talleres Keogh. En el listín de Edimburgo figuraban una docena de Keogh, pero Rebus había descartado el criterio de que las tres víctimas fuesen de Edimburgo. Trazando un amplio círculo en torno a Auchterarder se situaban Dundee y Stirling, además de Edimburgo, e incluso, ¿por qué no?, Glasgow y Aberdeen. Las víctimas podrían ser de cualquier procedencia. Hasta el lunes no podía hacer nada más.

Nada, salvo estar sentado en casa, triste, bebiendo una cerveza tras otra, con una escapada a la tienda de la esquina a por un plato preparado de salchichas de Lincolnshire con salsa de cebolla y parmesano y otras cuatro cervezas. La gente que hacía cola en la caja le sonrió. No se habían quitado las camisetas blancas y le comentaron «qué tarde tan fantástica».

Rebus asintió con la cabeza.

La autopsia de un diputado y tres víctimas de un misterioso asesino.

A él no acaba de parecerle tan «fantástica».

CARA DOS

BAILANDO CON EL DIABLO

DOMINGO 3 DE JULIO

6

—¿Y qué tal The Who? —preguntó Siobhan.

Era ya media mañana del domingo y había invitado a Rebus al almuerzo. Su aportación: un paquete de salchichas y cuatro panecillos blandos. Ella lo dejó aparte y preparó huevos revueltos, a los que añadió ya en el plato lonchas de salmón ahumado y alcaparras.

—The Who estuvo bien —contestó Rebus apartando las alcaparras con el tenedor al borde del plato.

—Prueba una al menos —le reconvino ella, pero él arrugó la nariz y no lo hizo.

—Los Floyd también estuvieron bien —añadió él—. No hubo grandes fallos.

Estaban sentados cara a cara en una pequeña mesa plegable de la sala de estar. Siobhan vivía en un piso en Broughton Street, a cinco minutos a pie de Gayfield Square.

—¿Y tú? —preguntó él echando una mirada a la habitación—. No veo señales del desenfreno del sábado por la noche.

—Qué más quisiera yo —replicó ella con una sonrisa que se desvaneció al contarle lo de Niddrie.

—Suerte que saliste indemne —comentó Rebus.

—Vi allí a tu amiga Mairie que cubría un artículo sobre el concejal Tench, y me mencionó algo sobre unas notas que ella te había enviado.

—Sobre Richard Pennen y Ben Webster —asintió él.

—¿Sacaste algo en claro?

—Algo he profundizado, Shiv. Probé también a llamar a unos cuantos Guest y Keogh, pero sin resultado. Más me habría valido andar persiguiendo encapuchados por los bloques. —Limpió el plato, dejando a un lado las alcaparras, y se arrellanó en el asiento. Tenía ganas de un cigarrillo, pero había que esperar a que ella terminase de comer—. Ah, y, por cierto, tuve un encuentro interesante.

Le contó lo de Cafferty y cuando acabó vio que ella tenía ya el plato limpio.

—Sólo nos faltaba ése —comentó Siobhan levantándose.

Rebus hizo gesto de ofrecerse a retirar la mesa, pero ella le señaló la ventana con la barbilla. Sonriendo, Rebus se acercó a abrirla; entró aire fresco y él se inclinó para encender el pitillo y echar el humo hacia la calle, manteniéndolo fuera entre calada y calada. Era el reglamento de Siobhan.

—¿Quieres más café? —preguntó ella alzando la voz.

—Sí, vale —contestó él.

Ella llevó de la cocina café recién hecho.

—Más tarde hay otra marcha de Abajo la Coalición de Guerra —comentó.

—A buenas horas, diría yo.

—Y hay actos alternativos al G-8. Va a hablar George Galloway.

Rebus dio un resoplido y aplastó la colilla en el alféizar de la ventana. Siobhan había limpiado la mesa, y puso en ella la caja que le había pedido a Rebus.

El caso de Cyril Colliar.

La oferta de paga doble —aprobada por James Corbyn— sirvió de acicate para que la científica organizase un equipo que se ocupara de la Fuente Clootie. Siobhan les recomendó que trabajaran con discreción: «Que no metan la nariz los de la comisaría local». Y al comentarles que dos días antes había examinado el lugar un equipo de Sterling, un miembro del equipo de Edimburgo esbozó una sonrisa.

—Los veteranos nos hacemos cargo —comentó.

Siobhan no tenía grandes esperanzas. Pero daba igual; lo del viernes no era más que una simple recogida en bolsas de plástico de pruebas de un crimen, pero ahora los indicios apuntaban a dos más. Valía la pena una nueva inspección y una selección.

Comenzó a vaciar los archivadores y carpetas de las cajas.

—¿Lo has repasado tú ya? —preguntó.

Rebus cerró la ventana.

—Y lo único que he sacado en claro es que Colliar era un gran hijo de puta y que es muy posible que tuviera más enemigos que amigos.

—¿Y en cuanto a la posibilidad de que fuera víctima de un homicidio casual?

—Escasa; eso ya lo sabemos.

—Pero parece que así ocurrió.

Rebus levantó un dedo.

—Estamos distorsionando dos simples trozos de tela de dueño desconocido.

—Yo traté de comprobar si el nombre de Trevor Guest figuraba entre los de personas desaparecidas.

—¿Y?

Siobhan negó con la cabeza.

—En los archivos locales no hay nada —dijo tirando la caja vacía sobre el sofá—. Es domingo por la mañana y julio, John. Poco podemos hacer hasta mañana.

Él asintió con la cabeza.

—¿Y la tarjeta bancaria de Guest?

—Es del HSBC, que sólo tiene una sucursal en Edimburgo y pocas más en toda Escocia.

—¿Eso es bueno o malo?

Siobhan lanzó un suspiro.

—Llamé a uno de sus teléfonos de información y me dijeron que hablara con la sucursal el lunes.

—¿La tarjeta tiene el número del código de la agencia?

Siobhan asintió con la cabeza.

—Pero esa información no la dan por teléfono.

—¿Y Talleres Keogh? —preguntó Rebus sentándose a la mesa.

—Lo buscaron en información de abonados, pero no figura en la red.

—Es un apellido irlandés.

—En el listín hay una docena de Keogh.

—Ah, ¿también miraste tú? —preguntó él sonriendo.

—En cuanto envié al equipo forense.

—Sí que has estado ocupada —comentó Rebus abriendo una carpeta que ya había revisado.

—Ray Duff me prometió ir hoy al laboratorio.

—Está encandilado con el premio.

Ella le miró seria y vació la última caja con cierto esfuerzo por el peso de los papeles.

—Así que día de descanso, ¿eh? —dijo Rebus.

Sonó un teléfono.

—Es el tuyo —dijo Siobhan. Él fue al sofá y sacó el móvil del bolsillo interior de su chaqueta.

—Rebus —contestó, escuchando un instante con cara de preocupación—. Eso es porque no estoy yo ahí. —Volvió a escuchar—. No, iré yo. ¿Dónde nos vemos? —Miró el reloj—. ¿Cuarenta minutos? Espérame ahí —añadió mirando a Siobhan y cerrando el móvil.

—¿Cafferty? —aventuró ella.

—¿Cómo lo sabes?

—Porque se te nota en la voz y en la cara. ¿Qué quiere?

—Ayer fue a mi piso y ahora dice que tengo que ver una cosa. No iba a consentir que se presentara aquí.

—Se te agradece.

—Está en tratos para la compra de un terreno y ha ido a verlo.

—Te acompaño.

Rebus no podía negarse.

Queen Street, Charlotte Square, Lothian Road. Iban en el Saab de Rebus; Siobhan de pasajera recelosa, agarrada al marco de la ventanilla con la mano izquierda. Les pararon en las barreras y tuvieron que enseñar el carné a varios agentes de uniforme. Aquel domingo llegaban más refuerzos a Edimburgo; era el día del gran desplazamiento de fuerza policial al norte; Siobhan se había enterado en aquellos dos días que había acompañado a Macrae y se lo dijo a Rebus.

—Ahora eres especialista en un nuevo tema para *Masterbore* —comentó él.

Mientras esperaban en el semáforo de Lothian Road vieron gente a la puerta del Usher Hall.

—Ahí se celebra la Cumbre Alternativa —dijo Siobhan—. Hablará Bianca Jagger.

Rebus puso los ojos en blanco y ella le propino un puñetazo en el muslo.

—¿Viste la marcha en la tele? ¡Doscientas mil personas!

—Un éxito para los interesados —comentó Rebus—. Pero no cambiará el mundo en que yo vivo —añadió mirándola—. ¿Y Niddrie, anoche? ¿Llegaron allí también las ondas de las buenas vibraciones?

—No eran más que una docena, contra dos mil en el campamento.

—Yo tengo claro por quién apostaría.

Continuaron en silencio hasta llegar a Fountainbridge.

Antigua zona de cervecerías, donde se había criado Sean Connery, Fountainbridge cambiaba a ojos vista. Las viejas industrias estaban a punto de desaparecer y en la zona se iba infiltrando el barrio financiero. Ya había bares elegantes y uno de los pubs preferidos de Rebus había sucumbido a la piqueta. Él estaba seguro de que el bingo de al lado —el llamado Palais de Danse— no tardaría en caer; habían limpiado el canal, poco menos que una alcantarilla en otra época, y ahora podrían pasear por él familias en bicicleta que echarían comida a los cisnes. Cerca del CineWorld destacaban las puertas cerradas de una decrépita cervecería. Rebus detuvo el coche y tocó el claxon. Un joven con traje apareció junto a la verja, abrió el candado y empujó una hoja de la puerta lo justo para dar paso al Saab.

—¿Es usted el señor Rebus? —preguntó junto a la ventanilla del conductor.

—Sí.

El joven aguardó a ver si Rebus presentaba a Siobhan y al cabo le dirigió una sonrisa nerviosa y le entregó un folleto. Rebus lo miró por encima y se lo dio a ella.

—¿Es agente de la propiedad?

—Trabajo para Bishop Solicitors, señor Rebus. Propiedad comercial. Le daré mi tarjeta —añadió metiendo la mano en el bolsillo.

—¿Dónde está Cafferty?

El tono en que Rebus hizo la pregunta puso más nervioso al joven.

—Está ahí estacionado; al doblar la esquina.

Rebus no preguntó más.

—Se cree que eres del equipo de Cafferty —dijo Siobhan—. Y por el sudor sobre el labio superior, yo diría que sabe quién es Cafferty.

—Al margen de lo que crea, es bueno que Cafferty haya llegado.

—¿Por qué?

—Porque así es menos probable que sea una trampa —contestó Rebus mirándola.

El coche de Cafferty era un Bentley GT azul oscuro, junto al que estaba, de pie, apretando sobre el capó un plano del terreno para impedir que volara.

—Sujete esa punta, ¿quiere? —dijo Cafferty a Siobhan, quien así lo hizo. Le dirigió una sonrisa—. Sargento Clarke, es un placer volver a verla. Poco debe faltarle para el ascenso, ¿eh? Y más ahora que el jefe de la policía le confía un caso tan importante.

Siobhan miró a Rebus, quien negó con la cabeza, dándole a entender que no era la fuente de información.

—Filtraciones del Departamento de Investigación Criminal, que es como un colador —añadió Cafferty—. Siempre lo ha sido y lo será.

—¿Qué es lo que le interesa de este lugar? —preguntó Siobhan intrigada.

Cafferty dio una palmada sobre el rebelde papel.

—Los terrenos, sargento Clarke. No nos damos bien cuenta del gran valor que representan en Edimburgo. Con el Firth of Forth al norte, el Mar del Norte al este y las montañas Pentland al sur, los promotores no paran de buscar solares para construir y de presionar al ayuntamiento para que recalifique el Cinturón Verde. Y esto es un terreno de veinte acres a escasos minutos a pie del barrio financiero.

—¿Y qué piensa hacer aquí?

—Aparte de —Rebus hizo una pausa— enterrar varios cadáveres en los cimientos.

Cafferty optó por reírse.

—Mi libro me ha dado algo de dinero y tenía que invertirlo.

—Mairie Henderson anda convencida de que destinaste tu parte a obras de caridad —comentó Rebus.

Cafferty hizo caso omiso.

—¿Lo ha leído, sargento Clarke? —preguntó.

Siobhan guardó silencio.

—¿Le gustó? —insistió Cafferty.

—La verdad, no me acuerdo.

—Hay un proyecto para hacer una película. De los primeros capítulos, en todo caso —añadió cogiendo el plano, doblándolo y tirándolo en el asiento del Bentley—. No estoy muy decidido con esta fábrica —continuó mirando a Rebus—. Ha hablado de cadáveres, y eso es precisamente lo que me hace pensar... Todos los que trabajaron aquí... muertos, y con ellos, la industria escocesa. En mi familia hubo muchos mineros. Me apuesto algo a que no lo sabía. —Hizo una pausa—. Rebus, usted es de Fife y seguro que se crió entre carbón. —Hizo otra pausa—. Siento lo de su hermano.

—La compasión del diablo[1] —dijo Rebus—. Lo que me faltaba.

—Un asesino con conciencia social —añadió Siobhan en voz baja.

—No sería el primero —dijo Cafferty como en un eco, restregándose por debajo de la nariz—. Bueno, tengo esto para ustedes —añadió estirando el brazo y abriendo la guantera, de donde sacó unos papeles enrollados que entregó a Siobhan.

—Dígame de qué se trata —dijo ella con las manos en las caderas.

—Se trata de su caso, sargento Clarke. Pruebas de que nos las vemos con un gran hijo de mala madre. Un malvado cabrón que va a por otros hijos de mala madre.

Ella cogió los papeles sin mirarlos.

—¿«Nos» las vemos? —inquirió mirándole.

Cafferty se volvió hacia Rebus.

—¿No sabe lo del trato? —preguntó refiriéndose a ella.

—Trato no hay ninguno —replicó Rebus.

—Lo quiera o no, yo en este caso estoy de su lado —añadió Cafferty mirando de nuevo a Siobhan—. Esos papeles me han costado mis buenos favores, pero si les sirven para capturarle, pues bien. Pero yo también intentaré cazarle; con ustedes o no.

—¿Y por qué nos ayuda?

Cafferty esbozó un rictus.

—Da emoción a la caza —replicó empujando el asiento del pasajero hacia delante—. Atrás hay espacio de sobra. Pónganse cómodos.

Rebus y Siobhan ocuparon el asiento trasero mientras Cafferty se sentaba al volante, observándoles para ver qué efecto causaba su información.

Rebus hizo verdaderos esfuerzos por no mostrarse impresionado; lo cierto era que más que impresionado estaba asombrado.

Talleres Keogh estaba en Carlisle y uno de los mecánicos, Edward Isley, había aparecido asesinado tres meses atrás en un basurero de las afueras de Edimburgo, con un golpe en la cabeza, una dosis mortal de

1 *Sympathy for the Devil.* Canción de Rolling Stones. (*N. del T.*)

heroína y desnudo de cintura para arriba. No había testigos, pistas ni sospechosos.

Siobhan miró a Rebus a los ojos.

—¿Tiene un hermano? —preguntó él.

—¿Es alguna referencia musical críptica? —aventuró ella.

—Lea, lea, Macduff —terció Cafferty.

Eran simplemente notas recuperadas de los archivos policiales en los que figuraba que Isley había trabajado poco más de un mes después de salir en libertad tras una condena de seis meses por agresión y violación. Las dos víctimas eran prostitutas: una recogida en Penrith y la otra más al sur, en Lancaster, donde trabajaban la M6 al acecho de camioneros; se mencionaba la posibilidad de más agredidas que no lo hubieran denunciado por temor a ser reconocidas.

—¿Cómo has conseguido esto? —inquirió de pronto Rebus, provocando una risita de Cafferty.

—Las redes son algo estupendo, Rebus. Debería saberlo.

—Sí, claro, habrás untado unas cuantas manos.

—Dios, John —exclamó Siobhan entre dientes—, mira esto.

Rebus volvió a la lectura. Las notas sobre Trevor Guest comenzaban con datos sobre el banco y el domicilio: Newcastle. Guest había estado sin trabajo desde su puesta en libertad tras una condena de tres años por repetidos robos con allanamiento de morada y agresión a un hombre a la puerta de un pub; en uno de los robos intentó agredir sexualmente a una canguro menor de veinte años.

—Otro buen elemento —musitó Rebus.

—Que siguió el mismo destino que los otros —comentó Siobhan señalando con el índice las palabras clave.

Cadáver tirado a orillas del Tynemouth, al este de Newcastle. Con la cabeza machacada... Dosis letal de heroína. Lo habían matado hacía dos meses.

—Llevaba fuera de la cárcel dos semanas...

Edward Isley: hacía tres meses.

Trevor Guest: dos.

Cyril Colliar: mes y medio.

—Al parecer Guest ofreció resistencia —comentó Siobhan.

Así era: cuatro dedos rotos; magulladuras en rostro y pecho y todo el cuerpo vapuleado.

—Así que se trata de un asesino que se carga a cabronazos —añadió Rebus a guisa de resumen.

—¿Y está pensando «pues que se cargue a más»? —aventuró Cafferty.

—Es un francotirador que nos limpia de violadores —añadió Siobhan.

—Nuestro amigo el ladrón no violó a nadie —se sintió impulsado a puntualizar Rebus.

—Pero lo intentó —dijo Cafferty—. Vamos a ver. ¿Todo eso le facilita el trabajo o se lo complica?

Siobhan se encogió de hombros.

—Actúa a intervalos regulares —comentó a Rebus.

—Tres meses, dos meses y mes y medio —añadió él—. Lo que significa que hay otro al caer.

—A lo mejor ya ha caído.

—Pero, ¿a cuento de qué las pistas de Auchterarder? —preguntó Cafferty.

Era una buena pregunta.

—A veces recogen trofeos.

—¿Y los cuelgan a la vista del público? —dijo Cafferty frunciendo el ceño.

—A la Fuente Clootie no acude mucha gente —añadió Siobhan pensativa, volviendo atrás a la primera página para releerla.

Rebus bajó del coche. El olor del cuero comenzaba a fastidiarle. Intentó encender un pitillo pero el viento apagaba la llama. Oyó que la portezuela del Bentley se abría y se cerraba.

—Tenga —dijo Cafferty tendiéndole el encendedor cromado.

Rebus lo cogió, encendió el cigarrillo y se lo devolvió con una imperceptible inclinación de cabeza.

—Rebus, siempre había buen rollo conmigo, en los viejos tiempos.

—Eso es un mito que os traéis todos los criminales. No olvides, Cafferty, que sé todo lo que le hacías a la gente.

—Era otro mundo —replicó Cafferty encogiéndose de hombros.

Rebus expulsó humo.

—De todos modos, puedes estar tranquilo. A tu hombre lo mataron, pero no por nada relacionado contigo.

—Quien lo hizo actuó por resentimiento.

—Y bien grande —asintió Rebus.

—Y tiene datos de los presos, cuándo los dejan en libertad y lo que hacen a continuación.

Rebus asintió con la cabeza, rascando con el tacón los surcos del asfalto.

—¿Va a echarle el guante? —preguntó Cafferty.

—Para eso me pagan.

—Usted nunca se ha movido por dinero, Rebus, como los que hacen un simple trabajo.

—Tú que sabes.

—Sí que lo sé —replicó Cafferty asintiendo con la cabeza—. Si no, habría podido tentarle con mi nómina, como a tantos de sus colegas todos estos años.

Rebus tiró el resto del cigarrillo al suelo y el viento hizo volar unas motas de ceniza hacia la chaqueta de Cafferty.

—¿En serio vas a comprar esta porquería? —preguntó.

—Probablemente no, pero podría permitírmelo —respondió Cafferty.

—¿Y eso te satisface?

—La mayoría de las cosas son alcanzables, Rebus. Pero lo que ocurre es que nos da miedo pensar lo que nos espera una vez conseguidas.

Siobhan bajó del coche, señalando con el dedo al final de la última hoja.

—¿Qué es esto? —preguntó mientras daba la vuelta al Bentley acercándose a ellos. Cafferty entornó los ojos, pensativo.

—Supongo que un sitio de Internet —dijo.

—Claro que es un sitio —espetó ella—. Del que proviene casi toda esta información —añadió agitando los papeles en los morros de Cafferty.

—¿Quiere decir que es una pista? —preguntó él con aire de suficiencia.

Ella le dio la espalda y se dirigió al Saab de Rebus, haciéndole un gesto con el brazo para indicarle que se iban.

—Se está adaptando muy bien al trabajo, ¿verdad? —dijo Cafferty en voz baja a Rebus.

Pero a él no le pareció un cumplido, sino una insinuación de que el mérito era suyo.

En el camino de vuelta a Edimburgo Rebus sintonizó otra emisora. En Dunblane se celebraba una cumbre alternativa infantil.

—No puedo oír ese nombre sin estremecerme —dijo Siobhan.

—Te diré un secreto: el profesor Gates fue uno de los forenses.

—Pues nunca se lo he oído decir.

—Él no habla de su trabajo —añadió Rebus, subiendo un poco el volumen de la radio. Bianca Jagger hablaba al público en el Usher Hall. «Han impulsado brillantemente nuestra campaña para poner fin a la pobreza...»

—Se refiere a Bono y compañía —dijo Siobhan.

Rebus asintió con la cabeza.

«Bob Geldof no sólo ha bailado con el diablo sino que ha dormido con él...»

Sonó un cerrado aplauso y Rebus redujo otra vez el volumen. El locutor decía que no parecía que el público de Hyde Park fuese a emprender la marcha hacia el norte. Efectivamente, muchos de los que habían acudido a la marcha del sábado de Edimburgo ya habían regresado.

—Baile con el diablo —comentó Rebus—. Es una canción de Cozy Powell, si no recuerdo mal.

Calló de pronto dando un frenazo y pisando el embrague. Un convoy de furgones blancos llegaba a toda velocidad hacia el Saab en dirección contraria haciendo señales con los faros pero sin tocar la sirena; tenían parabrisas con protector de alambre e invadieron el carril del Saab para adelantar a otros dos vehículos. A través de los vidrios vieron policías con equipo antidisturbios. El primer furgón, casi rozando el Saab, maniobró hacia el carril que le correspondía, seguido por los otros.

—Hostia —musitó Siobhan.

—Viva el estado policial —añadió Rebus. Se le había calado el motor y volvió a accionar la llave de contacto—. Habrás visto que habría aprobado el examen de frenazo de emergencia —comentó.

—¿Eran de los nuestros? —preguntó Siobhan volviéndose en el asiento, viendo alejarse el convoy.

—Yo no he visto ningún distintivo.

—¿Crees que habrá algún disturbio? —dijo ella, pensando en Niddrie.

Rebus negó con la cabeza.

—Me parece que volvían a sus alojamientos en Pollock Halls a tomar el té e hicieron el numerito porque pueden.

—Hablas de ellos como si no fuésemos en el mismo barco.

—Está por ver, Siobhan. ¿Te apetece un café? Necesito algo que reanime mi viejo corazón.

Había un Starbucks en la esquina de Lothian Road y Bread Street, pero sin sitio para aparcar. Rebus comentó que estaban muy cerca del Usher Hall y optó por dejar el coche en línea amarilla, poniendo el tarjetón de POLICÍA en el parabrisas. En el café, Siobhan preguntó al jovencísimo cajero si no tenía miedo de las manifestaciones. El muchacho se encogió de hombros.

—Nos han dado instrucciones.

Siobhan echó una moneda de una libra en el bote. Al llegar a la mesa sacó el portátil del bolso en bandolera y lo encendió.

—¿Vamos a dar clase? —dijo Rebus soplando la superficie de su café.

Optó por uno de filtro, quejándose de que por el precio de las ofertas más caras se pudiera comprar un tarro. Siobhan metió el dedo en la nata de su chocolate.

—¿Ves la pantalla? —preguntó, y Rebus asintió con la cabeza—. Pues mira esto.

Se puso a teclear nombres en una casilla: Edward Isley. Trevor Guest. Cyril Colliar.

—Hay muchas respuestas, pero sólo una con los tres nombres —dijo ella bajando el cursor por la página y volviendo al principio.

Hizo doble clic con el ratón y aguardó.

—Teníamos que haberlo comprobado, desde luego —comentó.

—Desde luego —repitió Rebus.

—Bueno... Alguno de nosotros debería haberlo hecho. Pero para ello habríamos tenido que tener el apellido Isley —dijo mirando a Rebus—. Cafferty nos ha ahorrado la tarea de un día.

—No por eso me voy a afiliar a su club de admiradores.

Apareció un portal de bienvenida. Siobhan lo examinó. Rebus se acercó un poco para ver mejor. El sitio se llamaba Vigilancia de la Bestia. Aparecían fotos granulosas hasta la altura de los hombros de media docena de hombres con un texto a la derecha.

—Escucha esto —dijo Siobhan siguiendo con el dedo las líneas de la pantalla—. «Como padres de una víctima de violación nos consideramos con perfecto derecho a saber por dónde anda el agresor tras salir de la cárcel. El propósito de este portal es dar la oportunidad a las familias y amigos —y a las propias víctimas— de enviar datos sobre la fecha de puesta en libertad, junto con fotos y descripciones, para mejor prevención de la comunidad adonde vaya la bestia...»

Su voz se fue apagando hasta vocalizar en silencio el resto de la introducción. Había vínculos de una galería de fotos llamada La Bestia a la Vista, un tablón de avisos y un grupo de debate, así como una ficha de afiliación en línea. Siobhan movió el cursor hasta la foto de Edward Isley e hizo clic. Apareció una página con datos en la que figuraba la fecha prevista de salida de la cárcel de Isley, su apodo —Fast Eddie— y las zonas que solía frecuentar.

—Dice «fecha de libertad prevista» —comentó Siobhan.

Rebus asintió con la cabeza.

—Y está muy al día, pero no parece que supieran dónde trabajaba.

—Pero señala que era mecánico de coches y también menciona Carlisle. Enviado por... —Siobhan buscó el remitente—. Sólo consta «Preocupado».

A continuación miró en Trevor Guest.

—El mismo procedimiento —comentó Rebus.

—Y remitente anónimo.

Siobhan volvió a la página principal e hizo clic en Cyril Colliar.

—Es la misma foto de nuestros archivos —dijo.

—Es la de los periódicos sensacionalistas —añadió Rebus, mirando otras fotos de Colliar que iban apareciendo.

Siobhan farfulló algo.

—¿Qué ocurre?

—Escucha: «Éste es el bestia que hizo sufrir a nuestra querida hija y que arruinó nuestras vidas. Pronto saldrá de la cárcel, sin dar muestras de arrepentimiento ni reconocer su culpabilidad a pesar de las pruebas. Nos ha conmocionado de tal modo tenerlo de nuevo entre nosotros, que quisimos hacer algo y esta página es el resultado. Queremos dar las gracias a cuantos nos alentaron. Creemos que debe de ser la primera de este tipo en Gran Bretaña, aunque en otros países ya existen, y han sido en particular nuestros amigos de Estados Unidos quienes en gran medida nos han ayudado a ponerla en funcionamiento».

—¿Son los padres de Vicky Jensen? —preguntó Rebus.

—Por lo visto.

—¿Y cómo no lo sabíamos?

Siobhan se encogió de hombros y siguió leyendo atentamente.

—El tío los selecciona ahí, ¿no es eso? —añadió Rebus.

—Él o ella —puntualizó Siobhan.

—Tenemos que saber quién ha entrado en esa página.

—Eric Bain de Fettes puede ayudarnos.

Rebus la miró.

—¿Te refieres a Cerebro? ¿Seguís hablándoos?

—Hace tiempo que no le he visto.

—¿Desde que le diste calabazas?

Ella le miró furiosa y él alzó las manos en gesto de paz.

—Vale la pena probar, de todos modos —añadió—. Si quieres se lo digo yo.

Ella se arrellanó en la silla y se cruzó de brazos.

—Te fastidia, ¿verdad? —inquirió.

—¿El qué?

—Que yo sea sargento y tú inspector y que Corbyn me haya encargado a mí el caso.

—A mí ni me va ni me viene —replicó Rebus tratando de no dar importancia al reproche.

—¿Estás seguro? Porque si vamos a trabajar juntos en esto...

—Simplemente te he dicho si querías que hablase yo con Cerebro —añadió Rebus ya un tanto irritado.

Siobhan desplegó los brazos y agachó la cabeza.

—Perdona, John.

—Menos mal que no has tomado un café solo —replicó él.

—Habría estado bien tener el día libre —dijo ella con una sonrisa.

—Bueno, pues vete a casa y descansa.

—¿O bien?

—Podríamos ir a hablar con el señor y la señora Jensen —dijo él acercando la mano al portátil—. A ver qué nos dicen de su modesta contribución a Internet.

Siobhan asintió despacio con la cabeza y volvió a meter el dedo en la nata.

—Pues probablemente haremos eso —dijo.

Los Jensen vivían en una casa de cuatro pisos con vistas al campo de golf de Leith. La planta baja era la vivienda de Vicky, con entrada propia a la que se accedía por una breve escalinata de piedra; la puerta tenía candado, unas rejas protegían las dos ventanas que la flanqueaban y había una pegatina advirtiendo a los intrusos de la existencia de un sistema de alarma. Medidas todas innecesarias antes de la agresión de Cyril Colliar, cuando Vicky era una buena alumna de dieciocho años de la Universidad de Napier. Al cabo de diez años seguía viviendo con sus padres.

Rebus permaneció parado frente a la puerta, indeciso.

—La diplomacia nunca ha sido mi fuerte —comentó a Siobhan.

—Pues hablaré yo —comentó ella estirando el brazo y tocando el timbre.

Thomas Jensen abrió quitándose las gafas de leer y al reconocer a Rebus se quedó atónito.

—¿Qué ha ocurrido?

—Nada que pueda preocuparle, señor Jensen —dijo Siobhan, enseñando el carné de policía—. Sólo queremos hacerle unas preguntas.

—¿Aún buscan al asesino? —aventuró Jensen. Era un hombre de estatura media de más de cincuenta años con las sienes plateadas. Vestía un jersey de cuello en pico nuevo y caro. Tal vez de cachemir—. ¿Por qué demonios piensan que iba yo a ayudarles?

—Nos interesa su página de Internet.

Jensen frunció el ceño.

—Es algo muy corriente en la actualidad, si uno es veteri...

—No la suya, señor —dijo Rebus.

—La de Vigilancia de la Bestia —añadió Siobhan.

—Ah, ésa —dijo Jensen, con un suspiro, bajando la vista—. Es un capricho de Dolly.

—¿Es su esposa?

—Sí, Dorothy.

—¿Está ella en casa, señor Jensen?

El hombre negó con la cabeza y miró más allá de ellos dos como observando la calle a ver si llegaba.

—Ha ido al Usher Hall.

Rebus asintió con la cabeza como si aquello lo aclarase todo.

—El caso es que tenemos un problema, señor.

—Dígame.

—En relación con esa página. Si lo permite —añadió Rebus señalando hacia el vestíbulo— lo podríamos hablar.

Jensen no parecía muy dispuesto a dejarles entrar, pero prevaleció la cortesía. Les hizo pasar a la sala de estar, anexa a un comedor con la mesa llena de periódicos.

—Me paso el día leyéndolos —dijo Jensen guardándose las gafas en el bolsillo.

Les invitó a sentarse y Siobhan se acomodó en el sofá mientras él ocupaba un sillón. Rebus permaneció de pie junto a las puertas cristaleras del comedor, observando a través de ellas los periódicos, pero no veía nada relevante: ni artículos ni párrafos marcados.

—El problema, señor Jensen, es el siguiente —dijo Siobhan con voz medida—: Cyril Colliar ha muerto, y ha sucedido lo mismo a otros dos hombres.

—No comprendo.

—Y creemos que se trata de un único culpable.

—Pero...

—Un culpable que puede haber seleccionado los nombres de las tres víctimas en su página de Internet.

—¿Qué tres?

—Edward Isley y Trevor Guest —recitó Rebus—. Y hay muchos más nombres en su galería de la infamia. No sé quién será el próximo.

—Debe tratarse de un error —dijo Jensen pálido.

—¿Conoce Auchterarder, señor? —inquirió Rebus.

—Pues... no, no.

—¿Y Gleneagles?

—Estuvimos una vez allí... en un congreso de veterinaria.

—¿No fueron tal vez en autobús a la Fuente Clootie?

Jensen negó con la cabeza.

—No hubo más que seminarios y una cena con baile —replicó aturdido—. Miren, creo que yo no puedo ayudarles.

—¿Lo de la página de Internet fue idea de su esposa? —preguntó Siobhan pausadamente.

—Fue un modo de tratar de... Entró en la red para buscar ayuda.

—¿Ayuda?

—De familias de víctimas. Quería saber cómo ayudar a Vicky. Y sobre la marcha se le ocurrió esa idea.

—¿Configuró ella misma la página?

—La encargamos a una empresa especializada.

—¿Y los otros sitios de Estados Unidos?

—Ah, sí, nos ayudaron a prepararla una vez configurada... —añadió Jensen encogiéndose de hombros—. Tengo entendido que prácticamente funciona sola.

—¿Hay suscriptores?

Jensen asintió con la cabeza.

—Los que quieren el boletín trimestral, sí. Pero no estoy seguro. Es Dolly quien lo lleva.

—Entonces, ¿existe una lista de suscriptores? —preguntó Rebus.

Siobhan le miró.

—No es necesario ser suscriptor para consultar la página —comentó ella.

—Una lista sí que debe de haber —dijo Jensen.

—¿Desde cuándo funciona? —inquirió Siobhan.

—Desde hace ocho o nueve meses. Faltaba poco para que a él le pusieran en libertad y Dolly estaba cada vez más angustiada. —Hizo una pausa—. Quiero decir por Vicky.

Como si fuera el momento justo, oyeron abrirse y cerrarse la puerta de la casa y desde el pasillo llegó una voz jadeante.

—¡Lo he conseguido, papá! ¡He llegado hasta la playa!

Era patente el sobrepeso de la mujer que hablaba desde el marco de la puerta con la cara enrojecida, quien, al ver que su padre no estaba solo, lanzó un chillido de sorpresa.

—Pasa, pasa, Vicky.

Pero ella dio media vuelta y desapareció. Oyeron sus pisadas bajando a su refugio de la planta baja. Thomas Jensen hundió los hombros abatido.

—Es incapaz de ir sola más allá de la playa —comentó.

Rebus asintió con la cabeza. La distancia apenas superaba el medio kilómetro. Ahora comprendía por qué Jensen estaba tan nervioso al llegar ellos oteando la calle.

—Pagamos a una persona que la acompaña entre semana —continuó Jensen con las manos en el regazo— y así podemos trabajar los dos.

—¿Le dijo usted que Colliar había muerto? —preguntó Rebus.

—Sí —contestó Jensen.

—¿La interrogaron sobre ello?

Jensen negó con la cabeza.

—El agente que vino a indagar fue muy comprensivo cuando le explicamos el estado de Vicky.

Rebus y Siobhan intercambiaron una mirada: «Actuar por inercia; sin esforzarse...».

—Nosotros no lo matamos, ¿sabe? Aunque lo hubiera tenido delante de mí... —Jensen miró aturdido al vacío— no creo que hubiera sido capaz.

—Los tres murieron por efecto de una inyección, señor Jensen —comentó Siobhan.

El veterinario parpadeó un par de veces, alzó una mano despacio y se pellizcó el puente de la nariz.

—Si van a acusarme de algo, quiero que esté presente mi abogado.

—Sólo queremos que nos ayude, señor.

Él la miró.

—Pues eso no lo pienso hacer —comentó.

—Tendremos que hablar con su esposa y su hija —dijo Siobhan.

Pero Jensen ya se había levantado.

—Váyanse ya. Tengo que cuidar de Vicky.

—Naturalmente, señor —dijo Rebus.

—Pero volveremos —añadió Siobhan—. Con abogado o sin abogado. Y recuerde, señor Jensen, que manipular pruebas puede llevarle a la cárcel —espetó echando a andar hacia el vestíbulo, seguida por Rebus.

En la calle, él encendió un cigarrillo mirando un partido de fútbol improvisado en el campo de golf.

—¿Ves lo que decía de que la diplomacia no es mi fuerte?

—¿Y qué?

—Cinco minutos más y le sacudes.

—No digas tonterías —replicó ella, ruborizada, con un resoplido, farfullando algo irritada.

—¿Qué quisiste decir con lo de manipular pruebas? —le preguntó Rebus.

—Que las páginas de Internet pueden eliminarse —respondió ella—. Y las listas de suscriptores pueden «perderse».

—Lo que quiere decir que cuanto antes hablemos con Cerebro, mucho mejor.

Eric Bain estaba viendo el concierto Live 8 en su ordenador; eso le pareció al menos a Rebus, pero él le sacó del error.

—En realidad, lo estoy editando.

—¿Descargándolo? —aventuró Siobhan, pero Bain negó con la cabeza.

—Lo pasé a DVD y ahora estoy eliminando lo que no me interesa.

—Eso llevará su tiempo —comentó Rebus.

—No es difícil si dominas el programa.

—Creo —terció Siobhan— que el inspector Rebus se refiere a que tendrás que eliminar muchas cosas.

Bain sonrió. No se había puesto en pie al entrar ellos y apenas había apartado la vista de la pantalla. Fue su novia, Molly, quien les abrió y les preguntó si querían una taza de té. Estaba en la cocina preparando el hervidor, mientras Bain proseguía su tarea en el cuarto de estar.

Era un último piso de un almacén rehabilitado de Slateford Road, que muy probablemente en el folleto de venta figurase como «ático». Las pequeñas ventanas ofrecían una buena panorámica, sobre todo de chimeneas y fábricas cerradas. A lo lejos se veía la cumbre de Corstorphine Hill. El orden de la habitación superaba las expectativas de Rebus, pues no se veían metros de cable, cajas de cartón, soldadores ni videoconsolas. Casi no parecía la vivienda de un fanático de los aparatos, como él mismo confesaba.

—¿Desde cuándo vives aquí, Eric? —preguntó Rebus.

—Desde hace un par de meses.

—¿Os habéis mudado juntos?

—Eso es lo que hay. Enseguida estoy con vosotros.

Rebus asintió con la cabeza y se sentó cómodamente en el sofá. Molly, rebosante de energía, entró con la bandeja del té. Iba en zapatillas, con unos vaqueros ceñidos de pernera hasta mitad de pantorrilla y una camiseta roja con la efigie del Che Guevara. Tenía un cuerpazo y pelo rubio largo, teñido, pero le sentaba bien. Rebus admitió para sus adentros que estaba impresionado. Miró varias veces a Siobhan, pero ella no dejaba de observar a Molly como un científico a un cobaya, pensando, evidentemente también, que Bain se había apuntado un éxito.

Y además había ejercido su influencia en Cerebro acostumbrándole al orden. ¿Cómo decía la canción de Elton John? «Casi me amarras con cuerdas...» En realidad era de Bernie Taupin, el original *Captain Fantastic and the Brown Dirt Cowboy*.

—Está muy bien este piso —dijo Rebus a Molly al recogerle la taza, ganando el premio de sus labios rosados con una sonrisa de dientes perfectos y blancos—. No he captado tu apellido —añadió.

—Clark —contestó ella.

—Igual que Siobhan —dijo él.

Molly miró a Siobhan como para recibir confirmación.

—El mío, con «e» final —dijo Siobhan.

—El mío no —replicó Molly sentándose en el sofá al lado de Rebus sin dejar de mover el trasero como si se sintiera incómoda.

—De todos modos, tenéis algo en común —añadió Rebus, guasón, ganándose una mirada furibunda de Siobhan—. ¿Cuánto tiempo hace que sois pareja?

—Quince semanas —contestó ella con afán—. No es mucho, ¿verdad? Pero hay veces que enseguida sabes...

Rebus asintió con la cabeza.

—Es lo que yo siempre le digo a Siobhan, que debería buscarse pareja fija. Es la manera de realizarte, ¿no, Molly?

Molly no parecía muy convencida, pero miró a Siobhan con gesto de pretendida simpatía.

—Ya lo creo —dijo.

Siobhan miró enfadada a Rebus y cogió la taza que le daba Molly.

—En realidad —prosiguió Rebus— hubo un momento en que parecía que Siobhan y Eric fueran a formar pareja.

—Éramos simples amigos —comentó Siobhan, forzando una carcajada.

Bain, como si se hubiera quedado de piedra, miraba la pantalla del ordenador con la mano paralizada sobre el ratón.

—¿No es así, Eric? —añadió Rebus.

—John está de broma —terció Siobhan dirigiéndose a Molly—. No le hagas caso.

Rebus lanzó un guiño a Molly, que no dejaba de rebullirse.

—Es un té muy bueno —comentó.

—Y perdonad que hayamos irrumpido así en domingo —añadió Siobhan—. Es que se trata de algo urgente.

Bain se levantó de la silla con un crujido. Rebus advirtió que había perdido bastante peso, tal vez seis kilos; conservaba su gorda cara pálida, pero había desaparecido la panza.

—¿Aún estás en el Departamento Forense Informático? —preguntó Siobhan.

—Sí —contestó él cogiendo su taza y sentándose al lado de Molly. Ella le pasó un brazo protector por los hombros, tensando la tela de la camiseta, acentuando aún más la forma de sus pechos. Rebus trató de fijar plenamente la atención en Bain.

—En este momento tengo trabajo con lo del G-8 en control de informes de Inteligencia —añadió Bain.

—¿Qué clase de informes? —preguntó Rebus, levantándose como para estirar las piernas porque, con Bain en el sofá, estaban apretados, y se acercó a pasitos al ordenador.

—Informes secretos —contestó Bain.

—¿Te has tropezado con el nombre de Steelforth?

—No. ¿Por qué?

—Es uno del SO12 que parece un mandamás.

Pero Bain negó con la cabeza despacio y les preguntó qué querían. Siobhan le tendió la hoja de papel.

—Es un sitio de Internet que tal vez no tarde en desaparecer —le comentó—, y queremos todo lo que puedas encontrar: lista de suscriptores y quien haya descargado información. A ver si puedes conseguir datos.

—Es un trabajito.

—Lo sé, Eric —replicó Siobhan, dando una entonación a su nombre que a él debió tocarle alguna fibra y le hizo levantarse para ir a la ventana; tal vez para que Molly no viese el rubor de su cuello.

Rebus cogió un papel que había junto al ordenador. Era una carta con membrete de Axios Systems, firmada por un tal Tasos Symeonides.

—¿Es un nombre griego? —preguntó.

Eric Bain vio el cielo abierto para cambiar de tema.

—Es una firma local de informática —dijo.

—Perdona que fisgue, Eric —dijo Rebus, agitando el papel delante de él.

—Es una oferta de trabajo —terció Molly—. Recibe muchas —añadió levantándose, acercándose a la ventana y pasándole el brazo por los hombros—. Y yo tengo que convencerle de que es imprescindible en la policía.

Rebus dejó la carta y volvió al sofá.

—¿Puedo tomar otro? —preguntó.

Molly se acercó encantada a servirle, momento que aprovechó Bain para mirar fijamente a Siobhan, transmitiéndole en segundos un montón de palabras.

—Ah, estupendo —añadió Rebus aceptando un poco de leche de Molly, que había vuelto a sentarse a su lado.

—¿Cuándo crees que tardarán en cerrarla? —preguntó Bain.

—No lo sé —contestó Siobhan.

—¿Esta noche?

—Más bien mañana.

Bain examinó el papel.

—De acuerdo —dijo.

—Qué bien, ¿no? —comentó Rebus como dirigiéndose a todos.

Pero Molly, que estaba en otra cosa, se palmeó la cara con las manos y abrió la boca.

—Se me olvidaron las galletas —dijo poniéndose en pie de un salto—. ¿Cómo seré tan tonta? Y todos callados... —añadió volviéndose hacia Bain—. ¡Podías habérmelo dicho! —exclamó ruborizada, saliendo del cuarto.

En ese momento, Rebus se dio cuenta de que la vivienda no estaba simplemente ordenada.

Era un orden neurótico.

7

Siobhan vio la marcha con sus cantos antibelicistas, sus pancartas y la policía cubriendo la carretera en previsión de disturbios. Notó el olor dulzón del cannabis, pero dudaba mucho que detuvieran a nadie por ello: así constaba en las instrucciones para la operación Sorbus.

«Si pasan fumando a su lado, deténganlos; si no, déjenlos...»

Quien eligiera a sus víctimas en la página Vigilancia de la Bestia tenía acceso a la heroína. Volvió a pensar en el aparentemente afable Thomas Jensen. Los veterinarios, aunque no tuvieran acceso a la heroína, podían cambiarla por otros productos.

Acceso a la heroína y rencor. Aquellas dos amigas de Vicky que fueron con ella a la discoteca y la acompañaron en el autobús... Tal vez convendría interrogarlas.

Y el golpe en la cabeza, siempre por detrás... Era alguien físicamente más débil que las víctimas, y las tumbaba previamente para ponerles la inyección. ¿Se habría ensañado con Trevor Guest por no haber logrado noquearlo? ¿O era prueba de que el asesino perdía los estribos, se hacía más sádico y le tomaba gusto al crimen?

Pero Guest era la segunda víctima; con la tercera, Cyril Colliar, no se había ensañado. ¿Sería porque tal vez de pronto apareció alguien y el asesino había huido sin darse esa satisfacción? ¿Habría vuelto a matar? En caso de..., Siobhan dio un chasquido con la lengua. «Él o ella», dijo para sus adentros.

«Bush, Blair, CIA, ¿cuántos niños habéis matado hoy?»

La multitud coreaba la consigna iniciando la subida a Calton Hill, y Siobhan siguió a aquellos miles de personas camino del punto de concentración. Hacía un viento frío que soplaba con ganas en la cumbre, donde la panorámica abarcaba Fife y la parte oeste de Edimburgo, Holyrood y el Parlamento al sur, acordonados día y noche. Siobhan recordó que Calton Hill era otro de los volcanes extinguidos de Edimburgo; el castillo se alzaba sobre uno de ellos, y el tercero era Arthur's Seat. Allí en la cumbre de Calton Hill había un observatorio y varios monumentos; el mejor de todos era el «fallo», el lateral de lo que había querido ser réplica del Partenón de Atenas y cuyo lunático mecenas había muerto sin concluir. Allí subía la gente de la marcha mientras el resto se congregaba alrededor para escuchar los discursos. Una joven, ajena a todo, bailaba canturreando y dando vueltas.

—No esperábamos verte aquí, cariño.

—Pues yo sí —dijo Siobhan abrazando a sus padres—. Ayer no conseguí dar con vosotros en los Meadows.

—¿A que fue estupendo?

El padre de Siobhan se echó a reír.

—Tu madre pasó todo el rato llorando de emoción —dijo.

—Fue impresionante —comentó ella.

—Fui por la noche a buscaros al campamento.

—Es que salimos a tomar una copa.

—¿Con Santal? —preguntó Siobhan como sin darle importancia y pasándose la mano por la cabeza tratando de borrar una voz interior: «¡Vuestra hija soy yo, no ella!».

—Vino con nosotros pero no estuvo mucho tiempo.

La multitud aplaudió y vitoreó al primer orador.

—Después hablará Billy Bragg —dijo Teddy Clarke.

—Podríamos ir a comer algo —dijo Siobhan—. Hay un restaurante en Waterloo Place.

—¿Tú tienes hambre, querido? —preguntó Eve Clarke a su esposo.

—Pues no.

—Yo tampoco.

Siobhan se encogió de hombros.

—Bueno; tal vez más tarde.

Su padre se llevó un dedo a los labios.

—Van a empezar —dijo en un susurro.

—¿El qué? —preguntó Siobhan.

—A nombrar a los muertos.

Efectivamente: comenzó la lectura de mil víctimas de la guerra de

Irak, gentes de todos los bandos implicados en el conflicto. Mil nombres que los oradores leerían por turnos mientras el público guardaba silencio. Incluso la joven dejó de bailar y permaneció inmóvil mirando al vacío. Siobhan retrocedió unos pasos en un momento dado al darse cuenta de que tenía encendido el móvil; lo sacó del bolsillo y lo conectó en modo de vibración, alejándose un poco más hasta donde aún se oía los nombres de la lista. Desde allí veía el estadio Hibernian a sus pies, vacío tras la temporada; el Mar del Norte estaba en calma y Berwick Law al este parecía otro volcán apagado. Y la ristra de nombres proseguía, haciendo surgir en ella una sonrisa sombría y triste.

Porque aquello era lo que hacía ella a lo largo de su vida laboral. Nombrar a los muertos; tomaba nota de los últimos datos de su vida y trataba de averiguar quiénes eran, por qué habían muerto, daba voz a los olvidados y a los desaparecidos en un mundo cargado de víctimas que confiaban en ella y otros policías. Como Rebus, que se atormentaba en cada uno de los casos; o que dejaba que le atormentasen; él nunca desistía, porque eso habría sido la última ofensa a aquellos nombres. Vibró su teléfono y se lo llevó al oído.

—Sí que fueron rápidos —dijo Eric Bain.

—¿Ya no está la página?

—No.

Siobhan lanzó una maldición para sus adentros.

—¿Has conseguido algo?

—Alguna cosilla. Pero no he podido trabajar mucho con la máquina que tengo en casa.

—¿No has podido recuperar ninguna lista de suscriptores?

—Me temo que no.

Otro orador había sustituido al anterior al micrófono y los nombres continuaban.

—¿Te queda algo más por intentar? —preguntó ella.

—Desde la oficina sí; tal vez un par de trucos.

—¿Mañana?

—Si no me copan los del G-8. —Hizo una pausa—. Me alegró verte, Siobhan. Siento que hayas tenido que ver a...

—Eric —dijo tajante—. No.

—¿No, qué?

—Todo y nada. Dejémoslo, ¿de acuerdo?

Se hizo un largo silencio al otro lado.

—¿Seguimos siendo amigos? —preguntó él finalmente.

—Por supuesto. Llámame mañana —dijo ella cortando la comunicación. Forzosamente, porque si no, no habría podido evitar decirle: «Que te aproveche tu novia nerviosa, melindres y pechugona... Seréis muy felices».

Cosas más raras se habían visto.

Contempló a sus padres por detrás. Se agarraban de la mano y su madre reclinaba la cabeza en el hombro de su padre. Casi se le saltaron las lágrimas, pero las contuvo. Recordó a Vicky Jensen echando a correr hacia su cuarto, y a Molly, avergonzándose. Las dos atemorizadas ante la vida. Cuando era adolescente, ella había echado a correr de muchas habitaciones donde estuvieran sus padres, por rabietas, rupturas, contiendas entre inteligencias, juegos de poder. Ahora, lo único que deseaba era estar allí detrás de ellos; lo deseaba, pero era incapaz. Se alejó cincuenta pasos más anhelando que volviesen la cabeza.

Pero sus padres sólo escuchaban nombres de personas desconocidas.

—Le agradezco que haya venido —dijo Steelforth levantándose, tendiendo la mano a Rebus.

Le aguardaba en el Hotel Balmoral, sentado, con las piernas cruzadas. Rebus le había hecho esperar un cuarto de hora, que dedicó a pasear de arriba abajo por delante del hotel, echando ojeadas al interior, receloso de alguna trampa. La marcha de Parad la Guerra había concluido, pero aún vio la cola avanzando despacio por Waterloo Place. Siobhan le había dicho que iba a ir a ver si encontraba a sus padres.

—Tienes poco tiempo que dedicarles —comentó él comprensivo.

—Y viceversa —musitó ella.

Había guardia de seguridad en la puerta del hotel; no el simple portero de librea y el conserje —distinto al de la noche anterior—, sino unos de paisano que supuso que serían agentes al mando de Steelforth. El del Departamento Especial estaba más acicalado que nunca, con traje de raya diplomática de chaqueta cruzada. Tras darle la mano hizo un gesto en dirección al Palm Court.

—¿Un whisky?

—Depende de quién pague.

—Permítamelo a mí.

—En ese caso —le previno Rebus—, tomaré uno doble.

Steelforth soltó una carcajada forzada. Encontraron mesa en un rincón y apareció una camarera como por arte de ensalmo.

—Carla —dijo Steelforth—, queremos un par de whiskys. Dobles —añadió mirando a Rebus.

—Laphroaig —dijo él—. Cuanta más solera, mejor.

Carla les dirigió una inclinación de cabeza y se fue. Steelforth se alisó la chaqueta en espera de que se hubiera alejado lo suficiente para iniciar la conversación. Pero Rebus optó por tomarle la delantera.

—¿Qué intenta, echar tierra sobre el diputado muerto? —preguntó en voz alta.

—¿A qué tengo que echar tierra?

—Dígamelo usted.

—Por lo que yo puedo determinar, inspector Rebus, su propia investigación hasta el momento no ha progresado más allá de una entrevista personal con la hermana del finado. —Tras dejar de alisarse la chaqueta, Steelforth cruzó las manos—. Una entrevista efectuada, además, lamentablemente apenas acababa ella de cumplir con el formalismo de la identificación. —Hizo una pausa teatral—. No pretendo ofenderle, inspector.

—No me considero ofendido, comandante.

—Por supuesto, es posible que se haya ocupado de otros menesteres. He sabido que dos periodistas han estado removiendo las brasas.

Rebus fingió sorpresa. Mairie Henderson y el de noticias del *Scotsman* con quien había hablado por teléfono. Les debía un favor.

—Bueno —dijo Rebus—, como no hay nada que ocultar, supongo que la prensa no llegará muy lejos. —Hizo una pausa—. Dijo que iban a arrebatarme la investigación, pero no parece que haya sido así.

Steelforth alzó los hombros.

—Porque no hay nada que investigar. Dictamen: muerte por accidente —añadió, separando las manos al ver que llegaban las bebidas con una jarrita de agua y un cuenco con cubitos de hielo.

—¿Desea dejar la cuenta abierta? —preguntó la camarera.

Steelforth miró a Rebus y negó con la cabeza.

—Sólo tomaremos uno —dijo firmando la nota con el número de habitación.

—¿Es a cargo del contribuyente —preguntó Rebus— o hay que agradecérselo al señor Pennen?

—Richard Pennen es título de honor para este país —replicó Steelforth sirviéndose agua en exceso—. La economía escocesa, en concreto, se resentiría sin su contribución.

—No sabía que el Balmoral fuese tan caro.

Steelforth entrecerró los ojos.

—Estoy hablando de puestos de trabajo en Defensa, como sabe de sobra.

—¿Y si le interrogo sobre el fallecimiento de Ben Webster?

Steelforth se inclinó sobre la mesa.

—Supongo que comprenderá que merece un trato deferente.

Rebus olfateó el aroma de la malta y se llevó el vaso a los labios.

—Salud —dijo Steelforth con un gruñido.

—*Slainte* —respondió Rebus.

—Tengo entendido que usted es amigo de su buen vaso de whisky —añadió Steelforth—. Quizá algo más que un simple vaso.

—Ha hablado con las personas adecuadas.

—A mí, que alguien beba no me importa... siempre que no afecte a su trabajo. Pero también he oído que afecta a su percepción.

—A mi percepción del carácter no —dijo Rebus dejando el vaso en la mesa—. Sobrio o curda, sé muy bien que es usted un cabronazo de primera.

Steelforth fingió un brindis con su vaso.

—Iba a ofrecerle algo para compensar su decepción —dijo.

—¿Le parezco decepcionado?

—En el caso de Ben Webster no va a llegar a ninguna parte; suicidio o no suicidio.

—¿De pronto habla ahora de suicidio? ¿Quiere eso decir que hay una nota?

—¡No hay ninguna maldita nota! —exclamó Steelforth perdiendo la paciencia—. No hay nada de nada.

—Un suicidio muy raro, ¿no cree?

—Muerte casual.

—Ésa es la versión oficial —comentó Rebus alzando de nuevo el vaso—. ¿Qué es lo que iba a ofrecerme?

Steelforth le miró un instante y contestó:

—Hombres a mis órdenes para ese caso de homicidio del que se encarga. He sabido que ya son tres víctimas, y me imagino que no dará abasto. En este momento sólo se ocupan de ello usted y la sargento Clarke, ¿no es así?

—Más o menos.

—Yo dispongo aquí de muchos hombres, Rebus. Muy buenos agentes y con diversidad de especialistas entre ellos.

—¿Y nos los va a prestar?

—Ésa era mi intención.

—¿Para que podamos concentrarnos en los homicidios y abandonemos el caso del parlamentario? —Rebus fingió exageradamente reflexionar sobre la propuesta, llegando incluso a juntar las manos y a apoyar la barbilla en la punta de los dedos—. Los centinelas del castillo dijeron que hubo un intruso —añadió en voz baja como si hablara consigo mismo.

—No hay pruebas de ello —replicó Steelforth, al quite.

—Tampoco se ha aclarado por qué estaba Webster en la muralla.

—Saldría a respirar aire fresco.

—¿Se disculpó por abandonar la sala del banquete?

—Estaría cargado. El oporto, los puros...

—¿Dijo que salía? —preguntó Rebus mirando a Steelforth.

—No concretamente. La gente se levantaba para ir a estirar las piernas.

—¿Ha interrogado a todo el mundo? —añadió Rebus.

—A casi todos —respondió el del Departamento Especial.

—¿Al secretario de Asuntos Exteriores? —añadió Rebus esperando una respuesta que no llegó—. No, creo que no. ¿Y a las delegaciones extranjeras?

—A algunas sí. He hecho bastante de lo que habría hecho usted, inspector.

—Usted no sabe lo que yo habría hecho.

Steelforth asintió con una leve inclinación de cabeza. No había tocado su bebida.

—¿Y no tiene dudas? —añadió Rebus—. ¿Ninguna pregunta que hacer?

—Ninguna.

—Pero no sabe por qué ocurrió —dijo Rebus meneando la cabeza despacio—. Usted, Steelforth, no tiene nada de policía, ¿sabe? Será un as estrechando manos y en reuniones informativas, pero en lo que a indagaciones respecta apuesto a que no tiene la menor idea. Es un adorno; nada más —añadió levantándose.

—¿Y qué es usted exactamente, inspector Rebus?

—¿Yo? —replicó Rebus pensativo un instante—. Yo soy el conserje, digamos; el que le sigue los pasos. —Hizo una pausa buscando cómo rematar la frase—. Le sigue los pasos y le corta el paso, si hace falta.

Mutis por la derecha del escenario.

Antes de abandonar el Balmoral, en el vestíbulo, fue a echar un vistazo al restaurante, cruzando la antesala como quien no quiere la cosa pese a los esfuerzos del personal. Estaba lleno, pero no vio a Richard Pennen en ninguna mesa. Subió la escalinata hasta Princes Street y decidió pasarse por el Café Royal. El pub estaba extrañamente tranquilo.

—Un día fatal —comentó el encargado—. A muchos clientes ni les veremos el pelo estos días.

Después de tomarse dos copas, Rebus caminó por George Street. Habían interrumpido las obras por orden del ayuntamiento y reordenaban la calle con un nuevo sistema de dirección única, complicando la confusión de los conductores. Hasta los agentes de tráfico pensaban que era una torpeza y no ponían gran empeño en hacer cumplir las señales de prohibido el paso. Ahora reinaba la tranquilidad y no quedaban miembros de las huestes de Geldof. Los gorilas de la entrada del Dome le dijeron que el local estaba casi vacío. En Young Street habían cambiado de lado el estrecho carril de una sola dirección. Rebus empujó la puerta del Bar Oxford sonriendo por un comentario que había oído sobre el cambio de direcciones.

«Lo hacen por fases: puedes ir un rato en una dirección y otro en otra.»

—Una pinta de IPA, Harry —dijo sacando el tabaco.

—Quedan ocho meses —musitó Harry, tirando de la palanca de presión.

—No me lo recuerdes.

Harry llevaba la cuenta de los meses que faltaban para que entrase en vigor la ley antitabaco en Escocia.

—¿Sucede algo en la calle? —dijo uno de los clientes habituales.

Rebus negó con la cabeza, consciente de que en el mundo cerrado de aquel hombre un asesino en serie no entraba en la categoría de suceso.

—¿No había una marcha? —añadió Harry.

—Es en Calton Hill —dijo otro cliente—. Con el dinero que se están gastando podrían comprarles una cesta de Jenner's a todos los niños africanos.

—Marcando un tanto para Escocia en la escena mundial —añadió Harry señalando con la cabeza hacia Charlotte Square, residencia del primer ministro—. Un precio que Jack piensa que vale la pena.

—Porque el dinero no es suyo —gruñó el cliente—. Mi mujer trabaja en la nueva zapatería de Frederick Street y dice que más les valdría cerrar toda la semana.

—El Royal Bank no abre mañana —añadió Harry.

—Sí, mañana será el peor día —musitó el cliente.

—Y pensar que yo he venido a alegrarme un rato —dijo Rebus.

—De sobra debería saber que no, John —comentó Harry mirándole extrañado—. ¿Otra?

Rebus no estaba muy decidido, pero asintió con la cabeza.

Tras dos pintas más y devorar el último panecillo relleno que quedaba en el expositor, decidió irse a casa. Había leído el *Evening News*, visto las noticias del Tour de Francia en la tele y escuchado nuevas protestas por la reordenación de la calle.

—Si no la dejan como antes, mi mujer dice que más vale que cierren la tienda donde trabaja. ¿Se lo he comentado? Está empleada en esa nueva zapatería de Frederick Street.

Harry puso los ojos en blanco y Rebus fue hacia la puerta. La alternativa era ir a casa andando o llamar a Gayfield para ver si había algún coche patrulla de servicio que le recogiera. Muchos taxis evitaban el centro, pero ante el Hotel Roxburghe podría intentarlo tratando de hacerse pasar por turista pudiente.

Oyó abrirse las puertas pero tardó en darse la vuelta. Sintió que le agarraban de los brazos y tiraban de él hacia atrás.

—¿Unas copas de más? —ladró una voz—. No te vendrá mal una noche en el calabozo, hijo.

—¡Soltadme! —replicó Rebus retorciéndose inútilmente.

Sintió las esposas de plástico rodearle las muñecas, bien prietas para impedir la circulación, de aquellas que no había manera de aflojar una vez puestas si no era cortándolas.

—¿Qué demonios es esto? —exclamó entre dientes—. Soy del DIC.

—No me lo pareces —replicó la voz—. Apestas a cerveza y a tabaco, y vistes como un pordiosero.

Era acento inglés; tal vez de Londres. Rebus vio un uniforme y otros dos a continuación. Eran rostros sombríos, o morenos quizá, pero angulosos y decididos. Tenían una furgoneta pequeña y sin distintivos, con las puertas traseras abiertas, y le empujaron dentro.

—Llevo el carné del DIC en el bolsillo —dijo, sentándose en un banco.

Las ventanillas estaban pintadas de negro, protegidas por fuera con rejilla metálica, y olía ligeramente a vómito. Otra rejilla separaba la parte de atrás de los asientos delanteros con un tablero de contrachapado que impedía el paso.

—¡Es un grave error! —exclamó Rebus.

—A otro perro con ese hueso —respondió uno.

La furgoneta se puso en marcha. Rebus vio unos faros por la ventanilla de atrás. Era lógico: tres no cabían delante; irían en otro vehículo. Daba igual que le llevaran a Gayfield Square, al West End o a St. Leonard, porque allí le conocían; no había por qué preocuparse, salvo por los dedos hinchados y la falta de circulación. Sentía también un dolor tremendo en los hombros, forzados hacia atrás por las esposas, y durante el trayecto tuvo que abrir las piernas para no caerse; iban tal vez a noventa y sin parar en los semáforos. Oyó chillar a dos peatones. Circulaban sin sirena, pero la luz del techo lanzaba destellos, aunque el coche que les seguía rodaba sin sirena ni luz de destellos. Por tanto no era un coche patrulla y aquello tampoco era precisamente un vehículo según las ordenanzas. Le dio la impresión de que iban en dirección este, hacia Gayfield, pero de pronto doblaron bruscamente a la izquierda hacia la Ciudad Nueva, traqueteando cuesta abajo, y se dio con la cabeza en el techo.

«¿Dónde demonios...?» Si había estado borracho, ahora ya iba sereno. El único destino que se le ocurría era Fettes, pero era la jefatura; no iban a llevar a borrachos a dormir la mona a la sede de los jefazos, James Corbyn y sus amigotes. Bien; giraban a la izquierda en Ferry Road, pero no doblaban en dirección a Fettes.

Sólo quedaba la comisaría de Drylaw; un baluarte perdido al norte de Edimburgo. Precinto Trece, la llamaban algunos. Un triste cobertizo. Pararon en la puerta, lo sacaron de mala manera y le hicieron entrar. No había nadie de servicio en el mostrador y aquello estaba desierto. Mientras lo llevaban al fondo hasta la sección de las celdas, todas ellas con la puerta abierta, sintió que cedía la presión en una muñeca y la sangre volvía a circular por los dedos. Le hicieron entrar de un empujón y tambaleándose en una de las celdas y cerraron de golpe.

—¡Eh! —gritó—. ¿Qué broma es ésta?

—¿Tenemos pinta de bromistas, hijo? ¿O piensas que se trata de un episodio de *Dirty Sanchez*? —Oyó una risa tras la puerta.

—Que duermas bien —añadió otra voz— y no des la lata, que no tengamos que entrar a administrarte uno de nuestros sedantes especiales, ¿verdad, Jacko?

Le pareció oír mascullar algo entre dientes y se hizo un silencio. Comprendió por qué: se les había escapado el nombre de Jacko.

Trató de precisar el recuerdo de sus caras para mejor obtener su eventual revancha, pero sólo recordaba que eran morenos o curtidos, aunque, desde luego, su voz no la olvidaría. No había nada raro en los uniformes, salvo que no llevaban insignias en las hombreras. Sin insignias no podía saber quiénes eran.

Pegó patadas a la puerta y metió la mano en el bolsillo para sacar el teléfono.

No lo tenía. Se lo habían quitado o se le había caído. Pero conservaba la cartera y el carné de policía, tabaco y encendedor. Se sentó en la fría repisa de cemento que hacía de cama y se miró las muñecas; la esposa de plástico le oprimía aún la izquierda, pero le habían cortado la de la derecha. Comenzó a masajearse el brazo de arriba abajo, la muñeca, la palma y los dedos para restablecer la circulación. Con el encendedor podía quemarla, pero se abrasaría la piel. Encendió un cigarrillo e intentó calmarse, fue de nuevo a la puerta y dio golpes con el puño; luego, de espaldas a ella, siguió golpeándola con el talón.

Recordó que siempre que iba a las celdas en St. Leonard se oía aquel tamborileo: bum, bum, bum, y las manidas bromas sobre el ojo de la cerradura.

Bum, bum, bum. El sonido de la inútil esperanza. Volvió a sentarse. No había váter ni lavabo; sólo un cubo en el rincón y, en la pared, restos de heces y graffiti arañados en el enlucido: «Big Malky manda», «Pandilla de Wardie», «Hearts hijos de puta». Y otro increíble de alguien que sabía latín, encerrado allí: *Nemo me impune lacessit*. En escocés, *Whau Daur Meddle Wi'Me*, o su equivalente: «Si me jodéis, os jodo».

Rebus volvió a levantarse; ya sabía lo que sucedía. Debió de imaginárselo desde el principio: Steelforth.

Le resultaría fácil disponer de algunos uniformes y enviar un comando de tres de sus hombres; los mismos que le había ofrecido a él. Probablemente le habrían visto salir del hotel, le habrían seguido de un pub a otro hasta el lugar apropiado y la calle del Bar Oxford era ideal.

—¡Steelforth! —gritó en la puerta—. ¡Venga aquí a hablar conmigo! ¿Es tan cobarde como matón?

Pegó el oído a la puerta pero no se oía el menor ruido; la mirilla y la ventanilla para pasar la comida estaban cerradas. Paseó por la celda, abrió la cajetilla, pero pensó que debía racionar los pitillos. Cambió de idea y, al ir a encender uno, el encendedor chisporroteó con una llamita. Cara o cruz, a ver qué se acababa antes. Su reloj marcaba las diez en punto; faltaba rato para el amanecer.

LUNES 4 DE JULIO

8

Le despertó el ruido de la llave en la cerradura. La puerta se abrió con un chirrido y lo primero que vio fue un agente joven de uniforme, atónito y con la boca abierta. A su izquierda, el inspector jefe James Macrae con cara de indignación y despeinado. Rebus miró el reloj: casi las cuatro; es decir, la madrugada del lunes.

—¿Tienen una navaja? —preguntó con la boca seca, mostrándoles la muñeca hinchada, la palma y los dedos blancos.

El agente sacó un cortaplumas del bolsillo.

—¿Cómo entró aquí? —preguntó con voz temblorosa.

—¿Quién guardaba el fuerte anoche a las diez?

—Recibimos una llamada —respondió el agente— y cerramos al salir.

Rebus no tenía motivo para dudar de la explicación.

—¿Y cómo fue?

—Fue una falsa alarma. Cuánto lo siento... ¿Por qué no gritó o hizo algo?

—Supongo que no hay nada anotado en el registro.

Las esposas cayeron al suelo y Rebus comenzó a frotarse los dedos para desentumecérselos.

—Nada. Y cuando las celdas están vacías no hacemos inspección.

—¿Sabían que estaban vacías?

—Las vaciamos por si había que encerrar a los alborotadores.

Macrae miró la mano izquierda de Rebus.

—Eso tendrá que verlo un médico —dijo.

—No es nada —replicó Rebus con un rictus—. ¿Cómo me ha encontrado?

—Recibí un mensaje de texto en el teléfono que estaba recargándose en mi estudio; el pitido despertó a mi esposa.

—¿Puedo verlo?

Macrae le tendió el teléfono. En la parte superior de la pantalla aparecía el número desde el que habían llamado con un mensaje en mayúsculas debajo: REBUS EN UN CALABOZO DE DRYLAW. Rebus pulsó el botón de devolver llamada, pero la conexión le remitió a un contestador automático que anunciaba que el número no pertenecía a ningún cliente. Devolvió el teléfono a Macrae.

—Según la pantalla, la llamada fue a medianoche.

Macrae desvió la mirada.

—Tardamos algo en oírlo —dijo en voz baja. Pero a continuación, imbuido de la importancia de su cargo, irguió el torso—. ¿Quieres explicarme qué sucedió?

—Una broma de los muchachos —contestó, improvisando, y sin dejar de flexionar la muñeca izquierda, pero sin traslucir el dolor que sentía.

—¿Nombres?

—Ni nombres, ni castigo, señor.

—¿Y qué contestamos al mensaje?

—Ese número ya no existe, señor.

—Unas copas de más anoche, ¿eh? —comentó Macrae mirándole de arriba abajo.

—Algunas —respondió él—. ¿No habrán dejado un móvil en el mostrador por casualidad? —añadió mirando al agente uniformado.

El joven negó con la cabeza. Rebus se inclinó hacia él.

—Si esto trasciende se reirán a mi cuenta, pero todavía más de vosotros. Las celdas sin revisar, la comisaría sin nadie, la puerta abierta...

—Cerramos la puerta —alegó el agente.

—En cualquier caso, no quedaréis en muy buen lugar, ¿no crees?

Macrae dio una palmadita en el hombro al agente.

—Que todo quede entre nosotros, ¿de acuerdo? Bien, vamos, inspector Rebus, le dejaré en su casa antes de que vuelvan a cerrar las barreras.

Fuera, en la calle, Macrae se detuvo al llegar a su Rover.

—Comprendo que quieras que esto no se sepa, pero ten la seguridad de que, si doy con los culpables, lo sentirán.

—Sí, señor —dijo Rebus—. Lamento haber sido la causa.

—No es culpa tuya, John. Vamos, sube.

Cruzaron Edimburgo en dirección sur sin hablar cuando ya comenzaba a amanecer. Pasaban camionetas de reparto y algún peatón con cara de sueño, pero el nuevo día era una incógnita. Aquel lunes estaba programado el «Carnaval Alegría a Tope», para la policía, eufemismo de disturbios; era el día en que la Clown Army, los Wombles y el Black Bloc entraban en acción y tratarían de cerrar la ciudad. Macrae puso la radio y sintonizó una emisora local a tiempo de escuchar un resumen de noticias: un conato de precintar con cadenas los surtidores de una gasolinera en Queensferry Road.

—Lo del fin de semana fue un aperitivo —comentó Macrae al parar en Arden Street—. Bien, espero que te hayas divertido.

—Ha sido estupendo y relajante, señor —contestó Rebus abriendo la portezuela—. Gracias por traerme —añadió dando unas palmaditas en el techo del coche.

Miró como se alejaba y subió los dos tramos de escaleras buscando las llaves en los bolsillos. No las tenía.

Claro que no: estaban allí, en la cerradura. Lanzó una maldición, abrió y entró con el manojo de llaves apretado en el puño derecho; pasó al vestíbulo de puntillas. No oía ruido ni se veían luces. Llegó con sigilo hasta las puertas de la cocina y el dormitorio y entró en el cuarto de estar. Las notas del caso Colliar no estaban, por supuesto, porque se las había llevado a Siobhan, pero la información que le había recopilado Mairie Henderson sobre Pennen Industries y el diputado Ben Webster yacía esparcida por el suelo. Cogió el móvil de la mesa. Muy amables por devolvérselo. Se preguntó si habrían examinado muy a fondo las llamadas de entrada y salida y los mensajes de texto. En realidad, le tenía sin cuidado porque los borraba al final del día. Lo que no era óbice para que estuvieran ocultos en el chip, y ellos tendrían autoridad para pedir a su compañía telefónica las grabaciones; siendo del SO12 no existirían muchos impedimentos.

Fue al cuarto de baño y abrió el grifo. Siempre tardaba un poco en salir el agua caliente. Se pasaría un buen cuarto de hora bajo la ducha. Miró en la cocina y en los dos dormitorios y no vio nada desordenado, lo que, en sí, tampoco significaba gran cosa. Llenó el hervidor y lo enchufó. ¿Habrían colocado micrófonos? No podía comprobarlo, no sería tan sencillo descubrirlo con sólo destornillar la placa inferior del teléfono. Tenía toda la información sobre Pennen tirada por el suelo, pero no se la habían llevado. ¿Por qué? Porque sabían que no le era difícil reunirla otra vez; al fin y al cabo, era de dominio público y bastaba con darle al ratón.

Porque no tenía importancia.

Porque con ella no iba a llegar a descubrir lo que Steelforth trataba de ocultar.

Y le habían dejado las llaves en la cerradura y el teléfono a la vista para mayor recochineo. Volvió a flexionar la muñeca izquierda, pensando en cómo podía saberse si tenía un coágulo o trombosis. Se llevó el té al cuarto de baño, cerró el grifo del lavabo, se desvistió y se metió en la ducha. Trataría de dejar su mente en blanco sobre las últimas setenta y dos horas escuchando su disco para una isla desierta, pero no acababa de decidir qué canción de *Argus* le apetecía oír. Estaba considerándolo todavía mientras salía de la ducha secándose, cuando de pronto se encontró tarareando «Tira la espada».

—Eso sí que no —manifestó ante el espejo.

Decidió dormir, después de cinco horas de intranquilidad, encogido sobre una plancha de cemento. Pero primero tenía que recargar el teléfono. Lo enchufó y optó por mirar si tenía mensajes. Había uno de texto del mismo número anónimo: ACORDEMOS UNA TREGUA.

Enviado apenas hacía media hora. Lo que quería decir dos cosas: que sabían que estaba en casa y que el número «inexistente» volvía a funcionar. Pensó en una docena de respuestas, pero al final decidió desenchufarlo otra vez. Tomó otra taza de té y se dirigió al dormitorio.

Pánico en las calles de Edimburgo.

Siobhan nunca había visto aquella tensión en la ciudad. Ni durante los partidos de los dos equipos de fútbol locales, Hibs y Hearts, ni durante las manifestaciones de republicanos y unionistas. El aire era más denso, como surcado por una corriente eléctrica. Y no sólo en Edimburgo; habían montado un Campamento por la Paz en Stirling, donde se habían producido esporádicos brotes de violencia. Y todavía faltaban dos días para el inicio de las reuniones del G-8, pero ya habían llegado algunas delegaciones. Gran número de estadounidenses se alojaban en el balneario de Dunblane, a pocos minutos en coche de

Gleneagles; algunos periodistas extranjeros habían encontrado habitación en hoteles más alejados, en Glasgow, y los funcionarios japoneses ocupaban numerosas habitaciones del Sheraton de Edimburgo, cerca del barrio financiero. Por instinto, Siobhan pensó que lo mejor era entrar al aparcamiento del hotel, pero una cadena se lo impedía. Se le acercó un agente uniformado en cuanto bajó el cristal de la ventanilla y le enseñó el carné de policía.

—Lo siento, señora —dijo el agente con cortés acento inglés—. No se puede. Órdenes superiores. Tiene que dar la vuelta. Hay unos imbéciles en la calzada —añadió señalando hacia la entrada a la circunvalación Oeste— y estamos tratando de encauzarlos hacia Cannon Street. Unos payasos, parece ser.

Hizo lo que el agente le indicaba y por fin logró encontrar un sitio en línea amarilla frente al Lyceum Theatre. Cruzó el semáforo, pero en vez de dirigirse a la sede de Standard Life, decidió seguir hasta los carriles de hormigón que formaban una maraña en aquella zona. Al dar la vuelta a la esquina en Canning Street se encontró cortado el paso por un cordón policial. Al otro lado había manifestantes vestidos de negro mezclados con monigotes de circo. Unos payasos; exacto. Era la primera vez que Siobhan veía la Rebel Clown Army. Lucían pelucas rojas y moradas con la cara pintada de blanco; unos enarbolaban plumeros y otros, claveles. En el escudo de un antidisturbios habían pintado un rostro sonriente. También los policías vestían de negro, pero con protectores en rodillas y codos; traje a prueba de puñaladas y casco con visera. Un manifestante había logrado encaramarse a una tapia y meneaba las nalgas desnudas ante la policía. Había gente asomada a las ventanas y obreros mirando. Mucho ruido, pero el furor aún no se había desatado. Al ver que acudía más policía, Siobhan retrocedió a la pasarela de peatones que cruzaba hasta la entrada de la circunvalación Oeste; también allí había mucha más policía que manifestantes, uno de ellos en silla de ruedas con una bandera del león rampante en el respaldo, que ondeaba al viento. El tráfico de entrada a la ciudad estaba atascado y sonaban silbatos, pero los caballos de la policía estaban tranquilos. Una fila de antidisturbios desfiló bajo la pasarela cubriéndose la cabeza con los escudos.

La situación parecía bajo control y no había indicios de que fuese a variar, por lo que Siobhan, finalmente, se dirigió a su destino.

La puerta giratoria que daba paso a la recepción de Standard Life estaba cerrada. Desde el interior la miró un vigilante antes de pulsar el botón para abrir.

—¿Puedo ver su pase, señorita?

—No trabajo aquí —dijo Siobhan enseñando el carné de policía.

El hombre lo cogió y lo examinó, se lo devolvió y le señaló con la cabeza el mostrador de recepción.

—¿Han tenido problemas? —preguntó ella.

—Un par de imbéciles que han intentado entrar. Uno ha escalado por la parte oeste del edificio y creo que está colgado tres pisos más arriba.

—Así nos divertimos todos.

—Yo hago mi trabajo, señorita —dijo el hombre señalando otra vez hacia el mostrador—. Gina la atenderá.

Gina, efectivamente, la atendió. Primero le dio un pase de visitante —«para llevar a la vista en todo momento, por favor»— y luego hizo una llamada a la planta. La sala de espera era de lujo evidente, con sofás, revistas, café y una pantalla de televisión plana en la que se veía un programa de media mañana sobre diseño. Una mujer se acercó a Siobhan con paso veloz.

—¿Es usted la sargento Clarke? La acompaño arriba.

—¿Usted es la señora Jensen?

La mujer negó con la cabeza.

—Siento haberla hecho esperar. Comprenda que son momentos de tensión.

—No tiene importancia. Me he dedicado a pensar qué lámpara de pie voy a comprarme.

La mujer sonrió sin entender la gracia y la condujo hasta los ascensores. Mientras esperaban, se dedicó a mirarse la ropa.

—Hoy venimos todos de paisano —añadió a guisa de justificación por la blusa y los pantalones.

—Es una buena idea.

—Resulta gracioso ver a los hombres en vaqueros y camiseta; algunos son irreconocibles. —Hizo una pausa—. ¿Viene por algo relacionado con los alborotadores?

—No.

—Es que como la señora Jensen no sabía nada...

—Es cuestión mía explicárselo, ¿no cree? —replicó Siobhan con una sonrisa al abrirse las puertas del ascensor.

La placa del despacho de Dolly Jensen testificaba que era Dorothy Jensen, sin indicar su cometido. Debía de tener un cargo importante. La secretaria de Jensen llamó a la puerta y se retiró a su mesa. Era una planta sin divisorias donde muchas caras desviaron la mirada de la pantalla del ordenador hacia la recién llegada. Había empleados junto a las ventanas, taza en mano, mirando a la calle.

—Adelante —dijo una voz.

Siobhan abrió la puerta, la cerró a sus espaldas y estrechó la mano de Dorothy Jensen, quien la invitó a sentarse.

—¿Sabe por qué he venido? —preguntó.

—Tom me habló de ello —dijo Jensen arrellanándose en el asiento.

—Ha estado ocupada desde entonces, ¿verdad?

Jensen miró la mesa. Tenía la misma edad que su marido y era ancha de espaldas y de rostro masculino. Su pelo negro —las canas teñidas— le caía en ondas perfectas hasta los hombros. Lucía al cuello un sencillo collar de perlas.

—No me refiero al despacho, señora Jensen —añadió Siobhan en tono irritado—, sino en su casa, borrando las huellas de su página de Internet.

—¿Es un delito?

—Se llama «obstrucción a la investigación». Hay quien ha comparecido ante los tribunales por esa causa. Incluso, en ocasiones, se acusa de conspiración criminal.

Jensen cogió un bolígrafo de la mesa y le dio vueltas, abriéndolo y cerrándolo. Siobhan se alegró de haber quebrado sus defensas.

—Necesito todo lo que tenga, señora Jensen. Documentos, direcciones electrónicas, nombres. Tenemos que interrogar a esas personas, y a usted y a su esposo, si queremos capturar al asesino. —Hizo una pausa—. Ya sé lo que estará pensando, su esposo nos dijo lo mismo y comprendo lo que sentían. Pero tiene que entender que quien haya cometido esos homicidios no va a parar. Puede haber bajado los datos de todos los que aparecían en la página y eso les convierte en posibles víctimas, no muy distintas a Vicky.

Al oír el nombre de su hija Jensen clavó los ojos en Siobhan, pero no tardaron en llenársele de lágrimas. Dejó caer el bolígrafo y abrió un cajón, de donde sacó un pañuelo para enjugárselas.

—Lo intenté... Intenté perdonar, ¿sabe? El perdón, al fin y al cabo, es algo que enaltece, ¿no? —Forzó una risa falsa—. Esos hombres fueron a la cárcel en castigo, pero también esperábamos que cambiasen. Los que no cambian... ¿de qué sirven? Vuelven a la sociedad e incurren en sus delitos una y otra vez.

Siobhan conocía bien el razonamiento y ella misma lo había pensado muchas veces. Pero guardó silencio.

—No mostró ningún arrepentimiento, ningún indicio de culpabilidad ni de compasión... ¿Qué clase de ser es ése? ¿Un ser humano? En el juicio, la defensa insistió en que era hijo de padres separados, que se drogaba, categorizándolo como forma de vida «caótica». Pero fue él quien decidió la ruina de Vicky, quien impuso su violencia. No hay nada caótico en eso —añadió Jensen con voz trémula, tras lo cual suspiró hondo, se enderezó en el asiento y se fue calmando poco a poco—. Trabajo en los seguros en asuntos de elección y riesgo, y sé muy bien de qué hablo.

—¿Hay papeles impresos, señora Jensen? —preguntó Siobhan con voz queda.

—Algunos —contestó Jensen—. No muchos.

—¿Y correos electrónicos? Habrá contestado a los que entraban en la página...

Jensen asintió despacio con la cabeza.

—Sí, a los padres de las víctimas. ¿Son también sospechosos?

—¿Cuándo podrá entregármelos?

—¿Debo hablar con mi abogado?

—Tal vez sea buena idea. Mientras tanto, voy a enviar a su casa a un técnico en informática. Yendo a su domicilio nos ahorra llevarnos el ordenador.

—Muy bien.

—Se llama Bain —«Eric Bain el de la novia pechugona». Siobhan se rebulló en el asiento y se aclaró la garganta—. Es sargento, como yo. ¿A qué hora de esta tarde le viene bien?

—Tienes aspecto de enfermo —dijo Mairie Henderson a Rebus, que se esforzaba por acoplarse en el asiento de su coche deportivo.

—No he dormido bien —replicó él. Lo que no le dijo fue que le había despertado su llamada a las diez—. ¿Puede echarse este asiento más hacia atrás?

Ella se agachó y presionó una palanca que disparó el asiento hacia atrás. Rebus se volvió para ver qué espacio quedaba a su espalda.

—Conozco todos los chistes de Douglas Bader —le advirtió ella— y todos los de piernas.

—Pues ya la he pringado —dijo él abrochándose el cinturón de seguridad—. Por cierto, gracias por la invitación.

—Pagarás tú las copas.

—¿De qué copas hablas?

—Es el pretexto para presentarnos allí —contestó ella yendo hacia el final de Arden Street. Girando a la derecha y luego a la izquierda saldrían a Grange Road y de allí a Prestonfield House en cinco minutos.

El Hotel Prestonfield House era uno de los secretos a voces de Edimburgo. Rodeado de chalés de los años treinta y con vistas a los suburbios de Craigmillar y Niddrie, no parecía estar en el lugar ideal para una mansión de estilo regional escocés, pero el vasto terreno que lo circundaba, incluido un campo de golf, le confería intimidad. La única ocasión en que había aparecido en los periódicos, que Rebus supiera, fue cuando un diputado del Parlamento escocés quiso prender fuego a las cortinas al final de una fiesta.

—Quería preguntártelo por teléfono —dijo Rebus.

—¿El qué?

—¿De qué conoces este sitio?

—Contactos, John. Un periodista no debe salir de casa si no los tiene.

—Lo que sí te has dejado en casa son los frenos de esta trampa mortífera.

—Es un coche para correr y no reacciona bien si va despacio —replicó ella, aunque levantó un poco el pie del acelerador.

—Gracias —dijo él—. Bueno, ¿cuál es el acontecimiento?

—Un desayuno, larga su rollo y almuerzo.

—¿Dónde exactamente?

Ella se encogió de hombros.

—En una sala de reuniones, supongo. Quizás en el restaurante del almuerzo —dijo señalando la entrada de coches del hotel.

—¿Y nosotros a qué venimos?

—En busca de un poco de tranquilidad y de paz huyendo del jaleo de esta semana. Y a tomarnos un té para dos.

Unos empleados aguardaban ya a la entrada y Mairie les expuso lo que deseaban. Había una habitación a la izquierda donde podían complacerles, y otra a la derecha, después de una puerta cerrada.

—¿Se celebra algo ahí? —preguntó Mairie señalándola.

—Hay una reunión de negocios —contestó el empleado.

—Bien, si no meten mucho jaleo, estaremos bien aquí —dijo ella entrando en la habitación contigua.

Rebus oyó graznido de faisanes afuera en el césped.

—¿Desean tomar té? —preguntó el joven.

—Para mí, café —dijo Rebus.

—Yo, té con menta, si tienen —dijo Mairie—. Si no, manzanilla.

Nada más salir el empleado, ella pegó el oído a la pared.

—Yo pensaba que la electrónica había sustituido a lo de escuchar a través de las paredes —comentó Rebus.

—Si está a tu alcance —musitó Mairie apartando el oído—. Sólo se oyen susurros.

—Reserva la primera página.

Mairie, sin hacerle caso, acercó una silla a la puerta para ver si alguien entraba o salía de la reunión.

—Seguro que el almuerzo es a las doce en punto, con lo que el anfitrión se gana sus simpatías —dijo mirando el reloj.

—Yo traje a una mujer a almorzar aquí una vez —comentó Rebus pensativo—. Después tomamos café en la biblioteca. Está en el piso de arriba y tiene unas paredes como de cuajada roja. Me dijeron que era cuero.

—¿Forro de cuero? Qué estrafalario —comentó Mairie con una sonrisa.

—Por cierto, no te he dado las gracias por no haber perdido tiempo en contarle a Cafferty las novedades sobre Cyril Colliar —añadió él mirándola a los ojos, y ella tuvo el buen talante de ruborizarse ligeramente.

—No hay de qué —dijo.

—Es muy agradable saber que cuando yo te doy una información confidencial tú se la pasas al peor bandido de Edimburgo.

—Ha sido una vez, John.

—Una vez muy a menudo.

—La muerte de Colliar le tiene atormentado.

—Como me gusta a mí verlo.

Ella esbozó una sonrisa cansada.

—Una sola vez; por favor... —repitió—. Y no te olvides de agradecerme el gran favor que te hago.

Rebus optó por no contestar y salió al vestíbulo. El mostrador de recepción quedaba al fondo, a continuación del restaurante. Había cambiado algo desde que él se hubo gastado media paga en aquella invitación. Los cortinajes eran pesados, los muebles raros y había flecos por doquier. Un hombre de piel oscura con traje azul de seda pasó junto a él y le dirigió una leve reverencia.

—Buenos días —dijo Rebus.

—Buenos días —respondió el hombre, en tono seco—. ¿Está a punto de acabar la reunión?

—No lo sé.

—Lo siento, creí que tal vez... —dijo el hombre repitiendo la reverencia y, dejando la frase en el aire, continuó hasta la puerta, a la que llamó antes de entrar.

Mairie se había asomado a mirar.

—No ha llamado de ningún modo raro —comentó Rebus.

—No es una reunión de masones.

Rebus no estaba muy seguro. Al fin y al cabo, ¿qué era el G-8, sino un club privado?

Volvió a abrirse la puerta y salieron dos hombres, que fueron hasta el camino de entrada de coches, donde se pararon a encender un cigarrillo.

—Debe de ser el descanso para el almuerzo —aventuró Rebus y entró con Mairie en el reservado para mirar a los que salían.

Algunos tenían aspecto africano y otros parecían asiáticos y de Oriente Medio, e incluso vestían lo que debía de ser el atuendo típico de sus respectivos países.

—Quizá de Kenia, de Sierra Leona o de Nigeria —musitó Mairie.

—Lo que quiere decir que no tienes ni idea —replicó Rebus en voz baja.

—La geografía nunca fue mi fuerte —dijo ella cruzando los brazos.

Un hombre de imponente estatura se unió al resto, estrechando manos y hablando con unos y otros. Rebus lo reconoció por los recortes de prensa de Mairie. Tenía un rostro alargado, bronceado, con arrugas, y pelo castaño con algo de tinte. Llevaba un traje de raya diplomática e impecable camisa blanca de puños almidonados; sonreía a todos y parecía conocerles personalmente. Mairie retrocedió unos pasos dentro del reservado, pero Rebus permaneció en el umbral de la puerta. Richard Pennen era fotogénico, y aunque en persona su rostro era algo más escuálido y de párpados más pesados, no dejaba de tener un aspecto insultantemente saludable, como si hubiera pasado el fin de semana en una playa tropical. Le flanqueaban sus secretarios, susurrándole datos al oído, como garantía de que aquella fase de la jornada, igual que la anterior y la sucesiva, discurriría sin el menor tropiezo.

De pronto un empleado tapó la visión a Rebus. Llevaba la bandeja con el té y el café y, al apartarse para dejarle pasar, Rebus advirtió que había llamado la atención de Pennen.

—Creo que es tu ronda —dijo Mairie.

Rebus se dio la vuelta para entrar en el reservado y pagar la consumición.

—Vaya, vaya, el inspector Rebus.

La profunda voz era la de Richard Pennen. Estaba a pocos pasos de la puerta, flanqueado por sus secretarios.

Mairie dio unos pasos hacia él y le tendió la mano.

—Señor Pennen, soy Mairie Henderson. Qué terrible tragedia, la otra noche en el castillo...

—Terrible —repitió Pennen.

—Tengo entendido que usted asistía a la cena.

—Efectivamente.

—Es una periodista, señor —dijo uno de los secretarios.

—Nunca lo habría pensado —añadió Pennen con una sonrisa.

—Me pregunto yo —añadió Mairie lanzada— ¿por qué pagaba usted la estancia del señor Webster en el hotel?

—Yo no. Mi empresa.

—¿Cuál es su interés en la reducción de la deuda, señor?

Pero Pennen centraba su atención en Rebus.

—Me dijeron que quizá me lo encontraría —dijo.

—Qué bien que cuente con el comandante Steelforth en su equipo.

Pennen miró a Rebus de arriba abajo.

—La descripción que me dio no le hace justicia, inspector —dijo.

—De todos modos, fue muy amable en tomarse la molestia.

«Porque quiere decir que le he puesto nervioso», pensó en añadir Rebus.

—¿Se da cuenta de lo que le puede caer si diéramos parte de esta intromisión?

—Estamos tomando una taza de té, señor —replicó Rebus—. En mi opinión, es más bien usted quien se entromete.

Pennen volvió a sonreír.

—Muy ingenioso —comentó volviéndose hacia Mairie—. Ben Webster era un excelente diputado y secretario del parlamento, señorita Henderson, y muy escrupuloso en sus funciones. Como sabrá, cualquier obsequio en metálico de parte de mi empresa debe figurar en la lista de patrimonio de los diputados.

—No ha respondido a mi pregunta.

A Pennen le tembló la mandíbula y respiró hondo.

—Pennen Industries realiza la mayor parte de sus negocios en el extranjero, pregunte a su redactor jefe de economía y se enterará de la importancia de nuestro volumen de exportación.

—De armas —añadió Mairie.

—De tecnología —replicó Pennen—. Y es más, destinamos dinero a algunos de los países más pobres. Es de lo que se ocupaba Ben Webster —añadió volviendo a mirar a Rebus—. No hay ninguna tapadera, inspector. David Steelforth se limita a cumplir con su deber. En los próximos días se firmarán seguramente muchos contratos y se dará luz verde a grandes proyectos. Se han hecho los contactos para asegurar puestos de trabajo. No se trata del tipo de asunto de buena conciencia que los medios de comunicación dan a entender. Bien, si me disculpan... —añadió dándoles la espalda, para regocijo de Rebus al ver que en el tacón de sus elegantes zapatos de cuero negro llevaba pegado algo que habría apostado que era mierda de faisán.

Mairie se dejó caer en el sofá, que crujió como quejándose.

—Maldita sea —exclamó sirviéndose té.

Rebus notó el olor a menta y se sirvió de la pequeña cafetera.

—Repíteme cuánto cuesta todo esto —dijo.

—¿El G-8? —Mairie aguardó a que él asintiera con la cabeza y expulsó aire como tratando de recordar—. ¿Ciento cincuenta?

—¿Millones?

—Millones.

—Y todo para que hombres de negocios como el señor Pennen puedan seguir comerciando.

—Hombre, puede que sea por «algo» más —añadió Mairie sonriendo—, pero tienes razón; en cierto sentido las decisiones ya están tomadas.

—Así que lo de Gleneagles no será más que un bonito banquete y unos cuantos apretones de manos ante las cámaras.

—Para publicidad de Escocia —aventuró Mairie.

—Sí, claro —comentó Rebus apurando el café—. Tal vez debiéramos quedarnos a almorzar y ver si podemos fastidiar un poco más a Pennen.

—¿Estás seguro de que puedes pagarlo?

Rebus miró a su alrededor.

—Por cierto, ese lacayo no me ha devuelto el cambio.

—¿El «cambio»? —dijo Mairie riendo.

Rebus comprendió y decidió vaciar la cafetera hasta la última gota.

Según informaba el noticiario televisivo, el centro de Edimburgo era zona de guerra.

A las dos y media del lunes normalmente en Princes Street había gente cargada de bolsas, y en el contiguo parque de los Gardens gente paseando o descansando en sus bancos conmemorativos.

Aquel lunes no.

El presentador cortó para dar paso a imágenes de la protesta en la base naval de Faslane, albergue de los cuatro submarinos Trident de Gran Bretaña, asediada por unos dos mil manifestantes. La policía de Fife se hacía cargo del control de la carretera del puente Forth por primera vez en la historia, parando a todos los coches en dirección norte para hacer un registro. Las carreteras que salían de la capital estaban bloqueadas por sentadas de manifestantes y cerca del Campamento por la Paz en Stirling se habían producido refriegas.

En Princes Street había disturbios y la policía esgrimía las porras en plan disuasorio tras unos escudos redondos que Siobhan no había visto hasta entonces. En la zona de Canning Street seguía habiendo jaleo y los manifestantes cortaban el tráfico en el distribuidor del sector Oeste. El estudio volvió a dar la imagen de Princes Street. Los manifestantes eran pocos comparados no ya con los agentes de policía, sino con las cámaras. Había muchos empujones por ambos bandos.

—Intentan provocar el enfrentamiento —dijo Eric Bain, que había ido a Gayfield para mostrar a Siobhan lo poco que había descubierto.

—Podía haber esperado a que hubieras ido a casa de la señora Jensen —comentó ella.

Bain se encogió de hombros.

Estaban solos en la oficina del DIC.

—¿Ves lo que hacen? —dijo Bain señalando la pantalla—. Un manifestante se adelanta y retrocede entre la multitud, el agente más próximo esgrime la porra y los periodistas toman una foto de algún infeliz en primera fila que recibe el golpe, mientras que el provocador desaparece en las filas de atrás, y espera la ocasión para repetirlo.

—Y así parece que actuamos con mano dura —comentó Siobhan, asintiendo con la cabeza.

—Que es lo que pretenden los alborotadores —añadió Bain cruzando los brazos—. Después de Génova han aprendido muchos trucos.

—Y nosotros también —dijo Siobhan—. En primer lugar la estrategia de contención. Ya hace cuatro horas que tienen acorralado al grupo de Canning Street.

En el estudio de televisión uno de los presentadores dio línea directa a Midge Ure, que exhortaba a los manifestantes a marcharse a casa.

—Lástima que no puedan verle —comentó Bain.

—¿Vas a hablar con la señora Jensen? —preguntó Siobhan.

—Sí, jefa. ¿Hasta dónde debo presionarla?

—Yo ya la he advertido de que podríamos acusarla de obstrucción a la justicia. Recuérdaselo —añadió escribiendo la dirección de los Jensen en una hoja de la libreta, que arrancó y tendió a Bain.

Éste miraba otra vez la pantalla del televisor con más escenas de Princes Street; había manifestantes encaramados al monumento de Escocia y otros traspasaban la verja del parque, daban patadas a los escudos, arrojaban a la policía terrones de tierra y a continuación, bancos y papeleras.

—Se está poniendo feo —musitó Bain. La pantalla centelleó y apareció otro escenario: Torphichen Street, sede de la comisaría del West End. Allí lanzaban palos y botellas—. Menos mal que no estamos cercados allí.

—No; pero lo estamos aquí —comentó Siobhan.

—¿Preferirías encontrarte en pleno jaleo? —preguntó él mirándola.

Siobhan se encogió de hombros y miró a la pantalla. Una mujer llamaba al estudio de televisión a través del móvil; había salido de compras y se encontraba atrapada como tantos otros en la sucursal de British Home Stores de Princes Street.

—Nosotros somos simples espectadores —decía— y lo que queremos es salir, pero la policía nos trata como si fuéramos alborotadores... Madres con niños, ancianos...

—¿La policía se emplea con mano dura? —preguntó el presentador del estudio.

Siobhan cambió de canales con el mando a distancia: *Colombo* en uno, *Diagnosis: Asesinato* en otro, y una película en el canal cuatro.

—Es *Kidnapped* —dijo Bain—. Es estupenda.

—Lo siento —dijo ella, buscando otro canal de noticias.

Los mismos disturbios captados desde otro ángulo y el mismo manifestante de Canning Street seguía sentado en lo alto de la tapia, balanceando las piernas, y sólo se le veían los ojos por la abertura del pasamontañas. Tenía un móvil arrimado al oído.

—Eso me recuerda —dijo Bain— que me ha llamado Rebus para preguntarme cómo es posible que un número fuera de servicio siga en activo.

Siobhan le miró.

—¿Te dijo para qué? —Bain negó con la cabeza—. ¿Y tú qué le has dicho?

—Se puede clonar la tarjeta del móvil o configurarlo para hacer llamadas únicamente —respondió Bain encogiéndose de hombros—. Hay muchas maneras de hacerlo.

Siobhan asintió con la cabeza y volvió a mirar la pantalla. Bain se pasó una mano por la nuca.

—¿Qué te pareció Molly? —preguntó.

—Eres un hombre afortunado, Eric.

—Es lo que me digo yo —replicó con una sonrisa de oreja a oreja.

—Dime una cosa —añadió Siobhan reprochándose en su interior plantear semejante pregunta—, ¿es siempre tan nerviosa?

A Bain se le borró la sonrisa del rostro.

—Perdona, Eric, no he debido decirlo.

—Tú le has caído bien —añadió Bain—. Es un trozo de pan.

—Es estupenda —dijo Siobhan, sintiendo que fingía—. ¿Cómo os conocisteis?

Bain se quedó helado un instante.

—En una discoteca —respondió, sobreponiéndose.

—No pensaba yo que se te diera el baile, Eric —dijo ella mirándole.

—Molly baila divinamente.

—Tiene cuerpo para ello...

Sintió alivio al oír sonar su móvil. Esperaba con toda su alma que fuese una excusa para irse de allí, pero era el número de sus padres.

—Diga.

Al principio pensó que el ruido eran parásitos de la línea, pero inmediatamente comprendió que oía gritos, abucheos y silbidos. Los mismos ruidos del reportaje sobre Princes Street.

—¿Mamá? —dijo—. ¿Papá?

Oyó una voz: era su padre.

—Siobhan, ¿me oyes?

—¿Papá? ¿Qué demonios hacéis ahí?

—Tu madre...

—¿Qué? Papá, dile que se ponga, haz el favor.

—Tu madre...

—¿Qué ocurre?

—Estaba sangrando... La ambulancia...

—¡Papá, no se te oye! ¿Dónde estáis exactamente?

—El quiosco... El parque... Gardens...

La comunicación se cortó. Siobhan miró el pequeño rectángulo de la pantalla.

—Llamada perdida —musitó.

—¿Qué sucede? —preguntó Bain.

—Son mis padres... Están ahí —añadió señalando el televisor con la barbilla—. ¿Me llevas en tu coche?

—¿Adónde?

—Ahí —respondió ella esgrimiendo un dedo contra la pantalla.

9

No pasaron de George Street. Siobhan se bajó del coche, le dijo a Bain que no se olvidara de los Jensen y él le dijo a ella, al cerrar la portezuela de golpe, que tuviera cuidado.

Allí había también manifestantes corriendo por Frederick Street. Los empleados de las tiendas miraban fascinados y horrorizados desde dentro de los establecimientos y detrás de los escaparates, los peatones se arrimaban a la pared para no mezclarse y el suelo estaba lleno de restos. Hicieron retroceder a los manifestantes hacia Princes Street y nadie intentó detener a Siobhan al cruzar el cordón policial hacia allí. Entrar era fácil; salir sería otra cosa.

Sólo había un quiosco, que ella supiera, junto al monumento de Escocia. Se encontró cerradas las puertas del parque y fue directamente a la verja. Las escaramuzas se habían trasladado al interior del parque y volaba basura mezclada con piedras y otros proyectiles. Una mano la agarró de la chaqueta.

—Alto.

Se volvió y vio que era un policía que lucía las siglas XS sobre la visera, pero ella tenía el carné preparado.

—Soy del DIC —gritó.

—Pues debe de estar loca —comentó el agente soltándola.

—Ya me lo han dicho —dijo ella, a horcajadas sobre los pinchos.

Miró a su alrededor y vio que a los alborotadores se habían sumado gamberros proclives a la violencia. No todos los días podían agredir a la policía con buenas posibilidades de irse de rositas; se tapaban con pañuelos de equipos de fútbol y la cremallera de la cazadora cerrada hasta arriba. Al menos llevaban zapatillas deportivas en vez de botas

Marten. Llegó al quiosco de helados y refrescos, vio trozos de vidrio por todas partes y comprobó que estaba cerrado; dio una vuelta alrededor agachada, sin ver a su padre, pero advirtió manchas de sangre en el suelo y siguió el reguero hasta casi las puertas del parque. Volvió a dar la vuelta al quiosco y llamó con el puño en la ventanilla. Repitió los golpes y oyó débilmente una voz dentro.

—¿Siobhan?

—Papá, ¿estás ahí?

La puerta lateral se abrió de golpe y allí estaba su padre, junto a la propietaria horrorizada.

—¿Y mamá? —preguntó Siobhan con voz temblorosa.

—Se la llevaron en una ambulancia. Yo no... no me dejaron cruzar el cordón.

Siobhan no recordaba haber visto llorar a su padre, pero ahora era testigo. Lloraba y parecía conmocionado.

—Tenemos que salir de aquí —dijo.

—Yo me quedo —dijo la mujer meneando la cabeza—. Yo guardo el fuerte; pero he visto lo que ha sucedido. Maldita policía; ella no hacía nada...

—Le golpearon con una porra en la cabeza —añadió su padre.

—Y cómo sangraba...

Siobhan impuso silencio a la mujer con una mirada.

—¿Cómo se llama? —preguntó.

—Frances... Frances Neagley.

—Bien, Frances Neagley, le aconsejo que salga de aquí. Vámonos —añadió dirigiéndose a su padre.

—¿Cómo...?

—Tenemos que ir con mamá.

—¿Pero y...?

—Es igual. Vámonos —dijo agarrándole del brazo, pensando en sacarlo de allí en brazos si era necesario.

Frances Neagley cerró la puerta con llave nada más salir ellos.

Otro terrón de tierra voló a su lado. Siobhan sabía que el día siguiente, en Edimburgo, no se hablaría de otra cosa que de los destrozos en los famosos parterres de flores. Los manifestantes de Frederick Street habían forzado las puertas del parque y la policía arrastraba detrás del cordón a un hombre vestido de guerrero escocés. Delante del cordón, una joven madre cambiaba tranquilamente los pañales de su rosado bebé. Vio que enarbolaban una pancarta con el emblema NI DIOS NI AMO; las iniciales XS, el bebé rosado y el emblema le resultaron impactantes, como fogonazos de un significado que no acababa de dilucidar.

«Es como una pauta con cierto sentido. Se lo preguntaré después a mi padre.»

Hacía quince años le había explicado qué era la semiótica ayudándola con unos ejercicios, pero la había confundido aún más, y después ella, en clase, dijo «seminótica» y el profesor se echó a reír.

Miró a ver si veía alguna cara conocida y no vio a nadie, pero había un agente con el rótulo de «Médico Policía» en el chaleco y tiró de su padre hacia allí con el carné de policía por delante.

—Soy del DIC —dijo—. Una ambulancia se ha llevado a la esposa de este hombre. Tengo que trasladarle al hospital.

El agente asintió con la cabeza y los escoltó a través del cordón policial.

—¿A cuál? —preguntó el agente.

—¿A cuál cree que la habrán llevado?

—No lo sé —dijo el agente mirándola—. Yo soy de Aberdeen.

—El más cercano es el Western General —comentó Siobhan—. ¿Hay algún coche disponible?

—En la calle que cruza al final —respondió el agente señalando hacia Frederick Street.

—¿En George Street?

El agente negó con la cabeza.

—La siguiente.

—¿Queen Street? —Vio que asentía con la cabeza—. Gracias —dijo—. Más vale que vuelva a su puesto.

—Pues sí —dijo el de Aberdeen no con mucho entusiasmo—. Algunos se están pasando. Los nuestros no; los de Londres.

Siobhan se volvió hacia su padre.

—¿Sabrías identificarle?

—¿A quién?

—Al que golpeó a mamá.

—Creo que no —respondió él restregándose los ojos.

Ella profirió un leve gruñido y caminaron cuesta arriba hacia Queen Street.

Vio una hilera de coches patrulla aparcados y le chocó que hubiera tráfico allí; los coches y camiones desviados de su ruta habitual, circulando como en un día cualquiera en horas de trabajo. Siobhan explicó a un agente al volante lo que quería, y el hombre pareció contento de salir de allí. Ocuparon el asiento de atrás.

—Luz azul y sirena —ordenó Siobhan al conductor.

Tras adelantar la cola de tráfico continuaron rápido.

—¿Voy bien por aquí? —gritó el conductor.

—¿De dónde es usted?

—De Peterborough.

—Siga recto y ya le diré dónde tiene que girar —dijo ella apretando la mano a su padre—. ¿Tú no estás herido?

Teddy Clarke negó con la cabeza y la miró.

—¿Y tú?

—¿Yo?

—Eres fantástica —dijo su padre con sonrisa desmayada—. Has actuado de tal manera, tan segura de ti misma...

—No soy sólo una cara bonita, ¿eh?

—Nunca pensé... —añadió él, otra vez al borde de las lágrimas, mordiéndose el labio inferior por contenerlas.

Ella le dio otro apretón de mano.

—Nunca me imaginé —añadió él— que fueras tan buena en tu profesión.

—Da las gracias a que no llevo uniforme; si no, a lo mejor me habría visto armada con una porra.

—Tú no habrías golpeado a una mujer que no hacía nada —dijo él.

—No pare en el semáforo —ordenó Siobhan al conductor, y volvió a mirar a su padre—. Es duro decirlo, ¿sabes?, pero no sabemos de qué somos capaces hasta que lo hacemos.

—Tú, no —replicó él con firmeza.

—Probablemente no —dijo ella—. ¿Qué demonios estabais haciendo allí, si puede saberse? ¿Os llevó Santal?

Él negó con la cabeza.

—No... Estábamos... mirando, como simples espectadores. Pero la policía no pensó lo mismo.

—Si descubro quién...

—La verdad es que no le vi la cara.

—Allí había muchas cámaras y no habrá pasado inadvertido.

—¿Los fotógrafos?

Ella asintió con la cabeza.

—Más la videovigilancia, la prensa y nosotros, naturalmente —añadió ella mirándole—. La policía lo habrá filmado todo.

—Pero no...

—¿Qué?

—¿Cómo vas a saber quién fue entre tantos como había?

—¿Te apuestas algo?

Él la miró un instante.

—No, creo que no —dijo.

Casi cien detenidos. No les faltaría trabajo a los tribunales el martes. Por la tarde, los manifestantes se desplazaron desde el parque de Princes Street a Rose Street, donde levantaron los adoquines para usarlos como proyectiles, y hubo escaramuzas en el puente de Waverley, Cockburn Street e Infirmary Street, pero a las nueve y media la situación amainó. El último incidente tuvo lugar ante el McDonald's de South St. Andrew Street.

Ahora, los agentes uniformados volvían a Gayfield Square y entraban al DIC con hamburguesas que llenaron la sala con su aroma. Rebus miraba en el televisor un documental sobre un matadero y Eric Bain acababa de enviar una lista de direcciones de correo electrónico de los usuarios de Vigilancia de la Bestia, añadiendo al final un mensaje que decía: «Shiv, ¡dime si te ha ido bien!». Rebus la llamó al móvil pero no obtuvo respuesta. Bain explicaba que los Jensen no le habían dado problemas, pero que habían «cooperado a regañadientes».

Rebus tenía abierto el *Evening News*. En la portada aparecía una foto de la marcha del sábado con el titular de «Votan con los pies», que bien podría servirles para el día siguiente con la foto del manifestante dando patadas al escudo del policía. En la página de televisión encontró el título de la película sobre el matadero: *Matadero: tarea sangrienta*. Se levantó y fue a una de las mesas libres. Las notas del caso Colliar le miraban. Siobhan se había portado bien: ahora tenía los informes de la policía y de la cárcel sobre Fast Eddie Isley y Trevor Guest.

Guest: ladrón allanador de moradas, matón, agresor sexual.

Isley: violador.

Colliar: violador.

Se puso a examinar las notas sobre Vigilancia de la Bestia. La página había recibido datos sobre otros veintiocho violadores y pederastas; vio un largo y airado artículo de alguien que firmaba «Corazón Roto» —le pareció una mujer— despotricando contra el sistema judicial y su taxativa diferenciación entre «estupro» y «agresión sexual». Era muy arduo que dictaran condena por violación, cuando resultaba que la «agresión sexual» era tan horrible, violenta y degradante como el estupro y, sin embargo, la pena era mucho menor. Parecía entender de leyes, pero no era fácil determinar si era de Escocia o del sur de la frontera. Volvió a repasar el texto, para ver si mencionaba «allanamiento de morada» o «violación de domicilio», como decían en Escocia, pero las únicas palabras que usaba eran «agresión» y «agresor». De todos modos, Rebus pensó que merecía respuesta. Encendió el ordenador de Siobhan y accedió a su cuenta de correo electrónico; sabía que ella utilizaba la misma contraseña para todo. Pasó el dedo por la lista de Bain hasta encontrar la dirección de «Corazón Roto» y comenzó a teclear.

«Acabo de leer su comunicación en Vigilancia de la Bestia. Me ha interesado mucho y quisiera hablar con usted. Dispongo de cierta información que tal vez le interese. Llámeme, por favor, al...»

Reflexionó un instante. No había manera de saber cuánto tiempo estaría el móvil de Siobhan sin conexión. Decidió poner su propio número y firmar «Siobhan Clarke». Así había más posibilidades de que, si era mujer, contestase a otra mujer. Releyó el mensaje, pensó que se notaba que lo había redactado un policía y lo rehízo:

«He leído lo que dice en Vigilancia de la Bestia. ¿Sabe que han cerrado la página? Me gustaría hablar con usted, quizá por teléfono».

Añadió su número y el nombre de Siobhan a secas. Menos formalismo. Hizo clic en «enviar». Cuando pocos minutos después comenzó a vibrar su móvil, no acababa de creérselo, y con toda la razón.

—Hombre de paja —oyó decir arrastrando las palabras: era la voz de Cafferty.

—¿No te cansarás de llamarme por ese sobrenombre?

Cafferty contuvo la risa.

—¿Cuánto tiempo hará? —dijo.

Quizá dieciséis años; Rebus testificaba contra Cafferty en el banquillo, y uno de los abogados le confundió con otro testigo y le llamó Stroman.

—¿Hay alguna información? —preguntó Cafferty.

—¿Por qué iba a dártela?

Otra risa contenida, más fría que la primera.

—Supongamos que le captura y lleva ante el tribunal. ¿Qué le parecería que declarara que le ayudé en la tarea? Habría que dar bastantes explicaciones e incluso se podría anular el juicio.

—Pensaba que querías que le echara el guante.

Cafferty guardó silencio, y Rebus sopesó lo que iba a decir.

—La cosa va bien.

—¿Cómo de bien?

—Va despacio.

—Es natural con el follón que hay en Edimburgo.

Otra vez la risita; Rebus pensó si Cafferty no habría bebido.

—Hoy podría haber hecho un atraco de órdago y ustedes, la policía, ni se habrían enterado con tanto trabajo.

—¿Y por qué no lo has hecho?

—Soy otro hombre, Rebus. Ahora estoy de su parte, ¿recuerda? Así que, si en algo puedo ayudar...

—En este momento no.

—Pero si me necesita, dígamelo.

—Tú mismo lo has dicho, Cafferty. Cuanto más intervengas más difícil resultará condenarle.

—Conozco el juego, Rebus.

—Pues entonces sabrás cuándo conviene dejar pasar una mano —dijo Rebus apartando la vista de la pantalla del televisor, donde una máquina despellejaba el cadáver de una res.

—Llámeme, Rebus.

—En realidad...

—¿Qué?

—Hay unos agentes con quienes me gustaría hablar. Son ingleses, pero están aquí por lo del G-8.

—Pues hable con ellos.

—Es que no es tan fácil. No llevan insignias y circulan por ahí en un coche y una furgoneta sin distintivo.

—¿Por qué quiere hablar con ellos?

—Ya te lo diré.
—¿Cuál es su descripción?
—Creo que son de Londres. Forman un trío y tienen la piel morena.
—O sea que se diferencian de todos los demás —interrumpió Cafferty.
—El jefe se llama Jacko. Podría ser que estuviesen a las órdenes de uno del Departamento Especial llamado David Steelforth.
—Ya conozco a Steelforth.
Rebus se inclinó sobre la mesa.
—¿De qué?
—Metió en chirona a muchos conocidos míos a lo largo de los años. ¿Está aquí?
—Se aloja en el Balmoral. —Rebus hizo una pausa—. No me importaría saber quién le paga la cuenta del hotel.
—Y pensar que uno cree haberlo visto todo —dijo Cafferty—. Ahora John Rebus me pide que vaya a indagar el Departamento Especial... Tengo la impresión de que esto no tiene nada que ver con Cyril Colliar.
—Ye te he dicho que te lo contaré.
—¿Qué hace en este momento?
—Estoy trabajando.
—¿Nos vemos para tomar una copa?
—No estoy tan sediento.
—Yo tampoco. Era por invitarle.
Rebus reflexionó un instante; casi una tentación. Pero habían colgado. Se sentó y acercó hacia sí un bloc tamaño folio en el que tenía resumidos sus esfuerzos de la tarde.
¿Rencor?
¿Posible víctima?
Acceso a la heroína...
Auchterarder, ¿conexión local?
¿Quién es el próximo?
Entrecerró los ojos mirando la última anotación. Era curioso: igual que el título de un album de The Who,[2] otro de los preferidos de su hermano Michael. Incluía el tema *Won't Get Fooled Again*, que ahora

2 *Who's Next*. (*N. del T.*)

servía de música de fondo al programa CSI. Sintió de pronto ganas de hablar con alguien, tal vez su hija o su mujer. El tirón de la familia. Pensó en Siobhan y en sus padres y trató de no sentirse desairado porque no hubiera querido presentárselos. Ella nunca hablaba de ellos, y la verdad es que no sabía nada de su familia.

—Porque no preguntas —se reprendió en voz alta.

Su móvil le avisó que tenía un mensaje. Remitente: Shiv. Lo abrió.

«¿Puedes venir @ HWG?»

Al hospital Western General. No había oído ninguna noticia de policías heridos y no había motivos para pensar que ella hubiese estado en Princes Street o aledaños.

«¡Dime si te ha ido bien!»

Marcó de nuevo el número de Siobhan mientras se dirigía al aparcamiento. Sólo daba señal de comunicar. Subió al coche y tiró el móvil sobre el asiento del pasajero, pero sonó al cabo de recorrer unos cincuenta metros. Lo cogió y lo abrió.

—¿Siobhan? —preguntó.

—¿Cómo? —respondió una voz de mujer.

—Diga —dijo entre dientes, conduciendo con una mano.

—Es... Quería hablar... Bueno, es igual.

Se cortó la comunicación. Rebus volvió a tirar el móvil en el asiento, pero rebotó y cayó al suelo. Agarró el volante con las dos manos y pisó fuerte el acelerador.

10

Había caravana en el puente de Forth Road, pero no le dieron importancia porque tenían mucho de qué hablar. Y mucho que pensar. Siobhan le contó lo que había ocurrido. Teddy Clarke se había quedado a la cabecera de su esposa, en una cama provisional, y a primera hora de la mañana estaba prevista una ecografía para comprobar si había lesión cerebral. El golpe de porra afectaba a la porción superior del rostro y tenía los ojos hinchados y magullados —uno no lo podía abrir— y una gasa le cubría la nariz, pero no estaba rota. Rebus preguntó si existía riesgo de que perdiera la vista, y Siobhan le respondió que quizás en un ojo.

—Después de la ecografía la trasladarán al pabellón de oftalmología. ¿Sabes lo que ha sido más duro, John?

—¿Comprobar que tu madre es vulnerable como todo el mundo? —aventuró él.

Siobhan negó despacio con la cabeza.

—Que fueran a interrogarla.

—¿Quién?

—La policía.

—Eso sí que es bueno.

Siobhan reaccionó con una risa áspera al comentario.

—Ni se molestaron en averiguar quién la había golpeado; sólo le preguntaron qué había hecho...

Evidente, porque ¿no iba ella con los alborotadores? ¿No estaba en primera fila?

—Dios —musitó Rebus—. ¿Tú estabas allí?

—Si hubiera estado, se habría armado la gorda. Yo vi cómo actuaban, John —añadió en voz baja tras una pausa.

—Fue bastante horripilante, a juzgar por la tele.

—A la policía se le fue la mano —afirmó ella mirándole fríamente, deseando que la contradijera.

—Estás disgustada —se limitó a decir él, bajando el cristal de la ventanilla al aproximarse al control.

Al llegar a Glenrothes, Rebus le contó lo que había hecho por la tarde y le previno de que a lo mejor recibía un correo electrónico de «Corazón Roto». Siobhan apenas escuchaba. En la jefatura de policía de Fife tuvieron que enseñar tres veces el carné para acceder a Operación Sorbus. Rebus decidió no mencionar su noche en el calabozo; no era problema de ella. Su mano izquierda se había recuperado casi del todo gracias a una caja de ibuprofeno.

La sala del centro de control de la operación era como tantas otras: fotos de videovigilancia, personal civil y ordenadores, operadores con auriculares y mapas de Escocia central. Tenían comunicación directa con la valla perimetral de Gleneagles a través de las cámaras situadas en las torres de vigilancia y con Edimburgo, Stirling y el puente Forth, así como imágenes de vídeo del tráfico en la M9, la autovía que discurría junto a Auchterarder.

El turno de noche acababa de salir y las voces eran más apagadas, en un ambiente más relajado, todos se concentraban en su trabajo con tranquilidad y sin prisas.

Rebus no vio a ningún jefazo; ni a Steelforth. Siobhan conocía una o dos caras de su visita de la semana anterior y se acercó a pedir un favor, dejando que Rebus anduviera por la sala a su aire. En aquel momento él vio también a alguien. Era Bobby Hogan, ascendido a inspector jefe después del tiroteo en South Queensferry. El ascenso le había supuesto el traslado a Tayside y Rebus no le veía desde hacía casi un año, pero reconoció su pelo plateado y su peculiar cabeza hundida entre los hombros.

—Bobby —dijo con la mano tendida.

—Dios, John —exclamó Hogan con los ojos muy abiertos—, ¿hasta tú por aquí? No me digas que estamos tan en apuros.

—Tranquilo, Bobby, sólo he venido de chófer. ¿Cómo te va la vida?

—No puedo quejarme. ¿Esa que veo ahí es Siobhan? ¿De qué habla con uno de mis hombres?

—Quiere que le enseñen unos metrajes de filmaciones de seguridad.

—De eso tenemos de sobra. ¿Con qué objeto?

—Para un caso que estamos trabajando, Bobby. Quizás el sospechoso estuviera presente en los disturbios de hoy.

—Será como una aguja en un pajar —comentó Hogan, arrugando la frente. Era un par de años más joven que Rebus, pero con más arrugas en la cara.

—¿Te gusta ser inspector jefe? —preguntó Rebus para distraer la atención de su amigo.

—Tú deberías probar.

Rebus negó con la cabeza.

—Demasiado tarde, Bobby. ¿Qué tal te va en Dundee?

—Bueno, haciendo vida de soltero.

—Creí que Cora y tú volvíais a vivir juntos.

El rostro de Hogan se arrugó aún más y negó vigorosamente con la cabeza, dándole a entender que era mejor no hablar del tema.

—Menuda sala de operaciones —dijo él para cambiar de tema.

—Es el puesto de mando —añadió Hogan sacando pecho—. Estamos en contacto con Edimburgo, Stirling y Gleneagles.

—¿Y si las cosas se ponen feas de verdad?

—Está previsto el traslado del G-8 a nuestra antigua academia en Tulliallan.

La Academia de Policía de Escocia. Rebus asintió con la cabeza sin decir nada en muestra de admiración.

—¿Tienes línea directa con el Departamento Especial, Bobby?

Hogan se encogió de hombros.

—En definitiva, somos nosotros quienes nos encargamos de todo, John; no ellos.

Rebus volvió a asentir con la cabeza, fingiendo estar de acuerdo.

—De todos modos, yo me tropecé con alguno de ellos.

—¿Con Steelforth?

—Se pasea por Edimburgo como si fuera el amo.

—Es una buena pieza —dijo Hogan.

—Yo lo calificaría de otro modo —añadió Rebus—, pero me abstengo... no sea que seáis los mejores amigos del mundo.

—Ni soñarlo.

—Escucha —añadió Rebus bajando aún más la voz—, no es sólo él. He tenido un encuentro con tres de sus hombres. Visten uniforme sin insignia y circulan en un coche sin distintivo y una furgoneta con luces de destello pero sin sirena.

—¿Qué ocurrió?

—Yo traté de ser amable, Bobby...

—¿Y?

—Digamos que me di contra la pared.

—¿Literalmente? —inquirió Hogan mirándole.

—Como quien dice.

Hogan asintió con la cabeza.

—Y te gustaría saber los nombres correspondientes.

—No puedo darte una buena descripción —añadió Rebus con desazón—. Sólo que son unos tipos de tez morena y uno de ellos se llama Jacko. Me parecieron del sudeste.

—Veremos qué puedo hacer —dijo Hogan pensativo.

—Pero sólo si no corres ningún riesgo, Bobby.

—No te preocupes, John. Ya te digo que aquí mando yo —añadió poniéndole la mano en el brazo para tranquilizarle.

Rebus asintió con la cabeza, dándole las gracias, pensando que no venía a cuento pinchar el globo ilusorio de su amigo.

Siobhan ya había reducido la búsqueda y repasaba el metraje de lo filmado y sólo lo correspondiente a un período de media hora en el parque de Princes Street. A pesar de ello, tenía por delante un escrutinio de más de mil imágenes y tomas desde una docena de distintos emplazamientos, sin contar el material de las cámaras de seguridad, los vídeos e instantáneas de manifestantes y curiosos, de los medios de comunicación —BBC News, ITV, los canales 4 y 5, Sky y CNN—, y lo que hubieran captado los fotógrafos de los principales periódicos escoceses.

—Empezaré con lo que hay aquí —dijo ella.

—Tenemos una cabina libre.

Dio las gracias a Rebus por haberla traído y le dijo que se marchase, que ella ya se las arreglaría para volver a Edimburgo.

—¿Vas a quedarte aquí toda la noche?

—Tal vez no tanto —aunque sabían que sí—. Hay cantina abierta veinticuatro horas.

—¿Y tus padres?

—Iré a verlos en cuanto acabe aquí. —Hizo una pausa—. Si te apañas sin mí...

—Probaremos, ¿no?

—Gracias.

Le dio un abrazo, sin saber muy bien por qué. Tal vez simplemente por sentirse humana, pensando en la noche que tenía por delante.

—Siobhan..., suponiendo que lo identifiques, ¿después, qué? Dirá que él cumplía con su deber.

—Tendré la prueba de que no es cierto.

—No te obceques...

Ella asintió con la cabeza, le hizo un guiño y le dirigió una sonrisa. Eran gestos que había aprendido de él, los que hacía cuando se disponía a saltarse el reglamento.

Un guiño, una sonrisa y la dejó.

Habían pintado un gran símbolo anarquista en las puertas de la división C del cuartel general de Torphichen Place. Era un viejo edificio que se desmoronaba, más destartalado aún que el de Gayfield Square. Los barrenderos recogían en el exterior restos de vidrio, ladrillos, piedras y envases de comida rápida.

El sargento del mostrador pulsó el botón para dar entrada a Rebus. Algunos manifestantes detenidos en Canning Street habían pasado allí la noche en los calabozos antes de comparecer ante el juez. Rebus no quería ni pensar en la cantidad de yonquis y atracadores que habría sueltos por las calles de Edimburgo. La sala del DIC era larga y estrecha y siempre conservaba aquel olor a sudor, algo que él achacaba a la presencia constante de Reynolds *Culo de Rata*. Allí estaba con los pies encima de una mesa, la corbata floja y una lata de cerveza en la mano. Otra mesa la ocupaba su jefe, el inspector Shug Davidson, quien se había quitado la corbata, pero al menos trabajaba, pulsando con dos dedos el teclado del ordenador y, a su lado, la lata de cerveza sin abrir.

Reynolds no reprimió un eructo al entrar Rebus.

—¡El que faltaba! —exclamó a guisa de saludo—. Me han dicho que en el G-8 le temen tanto como a la Rebel Clown Army —añadió alzando la lata de cerveza en gesto de brindis.

—Eso hiere en lo más vivo, Ray. Vaya semana, ¿eh?

—Cobraremos horas extras —dijo Reynolds tendiendo una cerveza a Rebus, pero él negó con la cabeza.

—¿Has venido a ver la «marcha»? —preguntó Davidson.

—Sólo quería hablar con Ellen —respondió Rebus, señalando con la barbilla a la tercera persona que había en la sala.

La sargento Ellen Wylie alzó la vista del informe tras el que se ocultaba. Llevaba el pelo rubio corto y con raya en medio y estaba algo más gorda desde que había trabajado con él en un par de casos; ahora tenía más llenas las mejillas, que en aquel momento enrojecieron, circunstancia a la que Reynolds no pudo resistir hacer referencia frotándose las manos y estirándolas hacia ella acto seguido como si se las calentara al fuego.

Ellen se levantó pero sin mirar al recién llegado. Davidson preguntó si se trataba de algo de lo que él tuviera que estar al corriente y Rebus se encogió de hombros, mientras Wylie cogía la chaqueta del respaldo de la silla y luego el bolso.

—Ya me iba, de todos modos —dijo en voz alta.

Reynolds lanzó un silbido y dio un codazo al aire.

—Shug, ¿se da cuenta? ¿No es bonito ver nacer el amor entre colegas?

La carcajada los siguió hasta fuera de la sala del DIC y, ya en el pasillo, ella se recostó en la pared y agachó la cabeza.

—¿Ha sido un día de mucho trabajo? —preguntó Rebus.

—¿Ha tenido que interrogar alguna vez a un anarcosindicalista alemán?

—Últimamente no.

—Había que cerrar el expediente para que pase mañana a los tribunales.

—Hoy —puntualizó Rebus señalando su reloj.

Ellen miró el suyo.

—¿Tan tarde es? —comentó con voz cansada—. Dentro de seis horas otra vez aquí.

—Te invitaría a una copa si aún estuvieran abiertos los pubs.

—No necesito una copa.

—¿Quieres que te lleve a casa?

—Tengo el coche fuera. Ah, no —añadió pensativa—, no, claro, hoy no lo traje.

—Muy acertado, teniendo en cuenta la situación.

—Nos advirtieron que no viniésemos en coche.

—La previsión es una virtud. Y así puedo cumplir mi ofrecimiento. —Aguardó sonriente a que le mirara—. Aún no me has preguntado qué quiero.

—Ya sé lo que quiere —respondió ella algo resentida, y él alzó las manos en gesto de conciliación.

—Tranquilízate —añadió él—. No quiero que te...

—¿Qué?

—Que se te rompa el corazón —replicó él.

Ellen Wylie compartía vivienda con su hermana divorciada.

Era un adosado en Cramond con jardín trasero que daba a una pendiente abrupta sobre el río Almond. Hacía una noche agradable y, como Rebus quería fumar, se sentaron a una mesa fuera. Wylie hablaba en voz baja para evitar quejas de los vecinos, aparte de que la ventana del dormitorio de su hermana estaba abierta. Trajo unas tazas de té con leche.

—Es un bonito lugar —comentó Rebus—. Me gusta oír el rumor del agua.

—Y ahí hay un cañizal que amortigua el ruido de los aviones —dijo ella señalando hacia la oscuridad.

Rebus asintió con la cabeza comprendiendo lo que decía: se encontraban exactamente bajo el pasillo de aterrizaje del aeropuerto de Turnhouse. A aquella hora de la noche habían tardado sólo un cuarto de hora desde Torphichen Place, y ella le había contado la historia durante el trayecto.

—Así que escribí una carta a la página; no es nada ilegal, ¿verdad? Estaba tan harta del sistema... Hacemos cuanto podemos para llevar a esas bestias ante los tribunales y luego los abogados consiguen reducir la pena al mínimo con sus triquiñuelas.

—¿Y sólo eso?

—¿Qué, si no? —replicó ella rebulléndose en el asiento del pasajero.

—«Corazón Roto» sonaba a algo más personal.

Ella miró por el parabrisas.

—No, John, era sólo indignación. Con tantas horas como he dedicado a casos de violaciones, agresión sexual, malos tratos en el hogar... Pero tal vez haya que ser mujer para entenderlo.

—¿Por eso llamaste a Siobhan? Reconocí inmediatamente tu voz.

—Sí, eres muy taimado.

—Es mi apodo...

Ahora, sentados en el jardín al frescor de la noche, Rebus se abrochó la chaqueta y le preguntó sobre aquel sitio de Internet. ¿Cómo lo había encontrado? ¿Conocía a los Jensen? ¿Había hablado personalmente con ellos?

—Recordaba el caso —respondió ella.

—¿El de Vicky Jensen?

Ella asintió despacio con la cabeza.

—¿Trabajaste en él?

—No —respondió acompañándolo de un leve movimiento de cabeza—, pero me alegro de que él haya muerto. Si me dicen dónde está enterrado bailaré sobre su tumba.

—Edward Isley y Trevor Guest también han muerto.

—Escuche, John, yo lo único que hice fue escribir a un portal para desahogarme.

—Y ahora tres de los que figuraban en la lista de ese sitio han muerto de un golpe en la cabeza y sobredosis de heroína. Tú has trabajado en homicidios, Ellen... ¿Qué te dice ese modus operandi?

—Alguien con acceso a drogas.

—¿Y algo más?

Ella reflexionó un instante.

—No lo sé —dijo.

—Que el asesino no quería enfrentarse a las víctimas, tal vez porque fueran de mayor talla y más fuertes, pero tampoco quería que sufrieran: las dejó sin conocimiento y a continuación les puso una inyección. ¿No te parece una actuación de mujer?

—¿Qué tal está el té, John?

—Ellen...

Ella dio una palmada en la mesa.

—Si estaban en la lista de Vigilancia de la Bestia es porque eran unos hijos de puta de campeonato... No espere que les tenga compasión.

—¿Y no hay que capturar al asesino?

—¿Qué quiere que le diga?

—¿Quieres que quede sin castigo?

Ellen miró de nuevo hacia la oscuridad. El viento agitaba los árboles cercanos.

—¿Sabe lo que ha habido hoy, John? Una guerra bien definida: los buenos y los malos...

Él pensó: «Cuéntaselo a Siobhan».

—Pero no siempre es así, ¿no es cierto? —prosiguió ella—. A veces la divisoria es ambigua —añadió volviéndose hacia él—. Usted debe saberlo mejor que muchos, porque le he visto meterse en terreno resbaladizo.

—Yo soy un mal ejemplo a seguir, Ellen.

—Tal vez, pero trata de capturarle, ¿no?

—A él o a ella. Por eso necesito que declares.

Ella abrió la boca para protestar, pero Rebus levantó la mano.

—Tú eres la única persona que conozco que entró en esa página. Los Jensen la han cerrado y no puedo saber lo que había.

—¿Y quiere que le ayude?

—Contestando a unas preguntas.

Ella lanzó una risita sorda.

—¿No sabe que dentro de nada tengo que ir a los juzgados?

Rebus encendió otro cigarrillo.

—¿Por qué viniste a vivir a Cramond? —preguntó, sorprendiéndola con el cambio de tema.

—Porque es un pueblo —dijo Ellen—, pero un pueblo dentro de la ciudad, y tiene lo mejor de ambos. —Hizo una pausa—. ¿Esto forma ya parte del interrogatorio? ¿O es su modo de hacerme bajar la guardia?

Rebus negó con la cabeza.

—Sólo tenía curiosidad por saber de quién fue la idea.

—La casa es mía, John. Denise vino a vivir conmigo después de... —Profirió un carraspeo—. Perdón, debo de haberme tragado un bicho. Iba a decir que vino después de divorciarse.

Rebus asintió con la cabeza.

—Sí, desde luego, es un lugar tranquilo —dijo—. Aquí se olvida uno fácilmente del trabajo.

La luz de la cocina incidió sobre la sonrisa de Ellen.

—Me da la impresión de que en su caso no funcionaría. Con usted sólo funcionaría algo así como un mazazo.

—O unas cuantas de ésas —replicó Rebus señalando con la barbilla una fila de botellas de vino vacías bajo la ventana de la cocina.

Hizo despacio el camino de regreso a Edimburgo. Le gustaba la ciudad de noche, con los taxis y los peatones cansinos, el cálido fulgor de las lámparas de sodio de las farolas, las tiendas apagadas y las casas con las cortinas corridas, ciertos sitios adonde podía ir —una pastelería, un mostrador de recepción, un casino—, lugares donde le conocían y servían té, le daban conversación. Años atrás habría podido hacer una alto para charlar con las prostitutas de Coburg Street, pero ahora casi todas se habían desplazado a otras zonas o habían muerto. También después de que él desapareciera, Edimburgo continuaría y se repetirían las mismas escenas en interminable representación. Capturarían a asesinos y los condenarían, y otros seguirían en libertad: el mundo y el submundo coexistente a lo largo de generaciones. A final de semana, el circo del G-8 iría camino de otro lugar. Geldof y Bono encontrarían nuevas causas, Richard Pennen estaría en su sala del consejo y David Steelforth de vuelta en Scotland Yard. A veces le parecía estar a punto de descubrir el mecanismo que coordinaba todo.

A punto. Pero no lo conseguía.

Al girar en Marchmont Road vio que los Meadows estaban desiertos. Aparcó en lo alto de Arden Street y bajó la cuesta hasta su casa. Dos o tres veces por semana le echaban en el buzón octavillas de agencias ofreciéndose a vender el piso. El de encima se había vendido por doscientas mil libras. Una suma así, añadida a su paga de jubilación del DIC, le «resolvería la vida», como decía Siobhan. El problema era que eso a él no le atraía. Se detuvo a recoger el correo. Había un anuncio con el menú de un nuevo establecimiento hindú de platos para llevar, que pinchó en la cocina junto a los otros. Se hizo un bocadillo de jamón y se lo comió de pie allí mismo, mirando la acumulación de latas de cerveza vacías de la encimera. ¿Cuántas botellas tenía Ellen Wylie en el jardín? Quince o veinte; era una buena cantidad de vino, y había visto también un carrito de supermercado vacío en la cocina; seguramente las tiraría de vez en cuando al ir a comprar, cada quince días, por ejemplo. Veinte botellas en dos semanas; diez a la semana. «Denise se vino a vivir conmigo después de... divorciarse.» No había visto insectos nocturnos en la ventana de la cocina. Ellen estaba rendida y cabía atribuirlo a los acontecimientos del día, pero él sabía que era algo más profundo. Aquellas arrugas bajo sus ojos irritados eran un proceso de varias semanas; y no había dejado de engordar durante cierto tiempo. Siobhan había considerado a Ellen, con la misma graduación de sargento, una posible rival, competencia por el ascenso. Pero últimamente no hablaba del tema. Tal vez Ellen no le pareciera ya un peligro.

Llenó un vaso de agua, se lo llevó al cuarto de estar y lo bebió casi entero hasta dejar un dedo, al que añadió un chorro de malta. Volvió a beber y sintió el calor en la garganta. Se sentó en el sillón. Era demasiado tarde para poner música. Apretó el vaso contra su frente y cerró los ojos.

A dormir.

MARTES 5 DE JULIO

11

Lo único que le ofrecieron en Glenrothes fue llevarla a la estación de tren de Markinch.

Siobhan se sentó en el vagón —era demasiado temprano para el aluvión de gente que va al trabajo— y miró el paisaje. Pero no veía nada porque su mente no cesaba de repasar imágenes de la manifestación, todas aquellas horas de filmación que acababa de dejar atrás. El ruido y el furor, maldiciones y aspavientos, los objetos que arrojaban y gruñidos del esfuerzo. Tenía el pulgar entumecido de tanto pulsar el mando a distancia. Pausa, atrás despacio, adelante despacio, normal; adelante rápido, rebobinar, pausa. En algunas fotos aparecían caras rodeadas con un círculo en previsión de interrogatorio; eran rostros de mirada furibunda, por supuesto, pero algunos no eran manifestantes sino gamberros de Edimburgo, tapados con bufandas y gorras de béisbol, dispuestos a armar jaleo. Uno del equipo de la sala de control, al llevarle el café y la chocolatina, le había dicho que en el sur los llamaban de otro modo.

La mujer sentada frente a Siobhan leía el periódico de la mañana, cuya primera plana ocupaban los disturbios. Pero también Tony Blair, que estaba en Singapur defendiendo la candidatura olímpica de Gran Bretaña. A ella, 2012 le parecía una fecha muy lejana, igual que Singapur, y le resultaba inconcebible que llegara a tiempo a Gleneagles para estrechar la mano a tanta gente: Bush, Putin, Schröder y Chirac. El periódico decía que no había indicios de que la multitud congregada el sábado en Hyde Park fuera a emprender viaje al norte.

—Perdone, ¿está ocupado este asiento?

Siobhan negó con la cabeza y el hombre se sentó a su lado.

—Qué horrible jornada ayer, ¿no es cierto? —dijo.

Siobhan replicó con un gruñido, pero la mujer del asiento de enfrente comentó que ella había ido de compras a Rose Street y que estuvo a punto de verse envuelta en el jaleo, y ambos se enzarzaron en contar batallitas, mientras ella volvía a mirar por la ventanilla. Habían sido simples escaramuzas porque la policía había mantenido su táctica: mano dura para demostrarles que la ciudad era suya, no de los manifestantes. En el metraje filmado observó provocaciones descaradas; era de prever, pues no tiene objeto acudir a una manifestación si no es para hacer noticia. Los anarquistas no podían pagarse publicidad y las cargas con porra equivalían a publicidad gratuita. Las fotos del periódico lo demostraban: agentes enseñando los dientes y esgrimiendo sus porras; manifestantes indefensos caídos y arrastrados por agentes de uniforme con el rostro cubierto. Todo muy de George Orwell. Pero ninguna de las escenas le había servido para descubrir quién había agredido a su madre y por qué.

No pensaba rendirse.

Le dolían los ojos al parpadear y a veces al hacerlo se le desenfocaba la visión. Necesitaba dormir, pero sacaba energías de la cafeína y el azúcar.

—Perdone, ¿se encuentra bien?

Era de nuevo el del asiento de al lado, que le rozaba el brazo con la mano. Siobhan parpadeó y abrió los ojos, notando que le resbalaba una lágrima. Se la enjugó.

—No es nada —respondió—. Sólo estoy algo cansada.

—Creí que le habíamos molestado hablando de lo de ayer —dijo la mujer del asiento de enfrente.

Siobhan negó con la cabeza y vio que ya había terminado de leer el periódico.

—¿Le importa que...?

—No, cielo; tenga.

Siobhan forzó una sonrisa y abrió el diario sensacionalista para mirar las fotos y ver los nombres de los fotógrafos.

En Haymarket hizo cola para tomar un taxi hasta el Western General y fue directamente al pabellón. Su padre estaba en la sala de espera tomando un té; había dormido vestido y estaba sin afeitar. De pronto, lo vio viejo y vulnerable.

—¿Cómo se encuentra? —preguntó Siobhan.

—No está mal. Van a hacerle la ecografía antes de almorzar. ¿Y tú?

—No he descubierto a ese cabrón.

—Me refiero a cómo te encuentras.

—Estoy bien.

—Has estado levantada casi toda la noche, ¿verdad?

—Tal vez un poco más —respondió ella sonriendo.

Sonó su teléfono. No era un mensaje, sino el aviso de que se agotaba la batería. Lo desconectó.

—¿Puedo pasar a verla?

—Ahora la están acicalando. Me han dicho que me avisarán cuando terminen. ¿Qué tal en la calle?

—Listos para hacer frente a un nuevo día.

—¿Me aceptas un café?

Ella negó con la cabeza.

—Estoy empapada de café.

—Creo que deberías descansar, cariño. Ven a verla esta tarde, después de la ecografía.

—Quiero saludarla antes —replicó ella señalando hacia la puerta de la sala.

—¿Y luego te irás a casa?

—Prometido.

Noticiero matinal: los detenidos de la víspera comparecían en los juzgados de Chambers Street. La vista no era pública. Frente al Centro de Inmigración de Dungavel se formaba una concentración de protesta, pero el servicio de inmigración, previsoramente, había trasladado a los detenidos a otras dependencias. Los organizadores decían que no desconvocaban la manifestación.

Problemas en el Campamento por la Paz de Stirling: la gente comenzaba a dirigirse hacia Gleneagles y la policía estaba decidida a impedirlo recurriendo al artículo 60 para interpelarlos y registrarlos aun a falta de sospechas. En Edimburgo el escrutinio iba muy avanzado. Habían detenido un vehículo con 500 litros de aceite de cocinar, que, vertido en la calzada, habría creado un tramo resbaladizo causando un caos de tráfico en Murrayfield. Ya estaban en marcha los preparativos del concierto

Empuje Final del miércoles y montaban el escenario y las luces. Midge Ure esperaba que hiciera «un buen tiempo veraniego escocés». Iban llegando a Edimburgo los músicos y los famosos, entre ellos Richard Branson, que acababa de aterrizar en uno de sus aviones a reacción. El aeropuerto de Prestwick se preparaba para próximas llegadas. Se esperaba al presidente Bush con su perro rastreador y una bici de montaña para mantener su régimen diario de ejercicio. En el estudio de televisión, el presentador leyó un correo electrónico de un oyente que sugería que la cumbre podía haberse celebrado en una de las plataformas petrolíferas abandonadas del Mar del Norte «para ahorrar una fortuna en dispositivos de seguridad y ponérselo difícil a los manifestantes».

Rebus apuró el café y apagó el sonido. Al aparcamiento de la comisaría comenzaban a llegar furgonetas para trasladar a los detenidos ante el juez. Ellen Wylie tenía que estar en los juzgados en cuestión de hora y media para testificar. Él había llamado al móvil de Siobhan un par de veces, pero la llamada entraba directamente al buzón de mensajes, señal de que lo tenía desconectado. Llamó también al cuartel general de Sorbus, donde le dijeron que ya se había marchado a Edimburgo. Probó a localizarla en el hospital y le dijeron que «la señora Clarke había pasado bien la noche». Era una frase que había oído muchas veces en su vida. Una buena noche significaba: «No se preocupe, que no se ha muerto». Alzó la vista y vio que entraba alguien al DIC.

—¿Qué desea? —preguntó, e inmediatamente reconoció el uniforme—. Perdón, señor.

—No nos conocemos —dijo el jefe de la policía tendiéndole la mano—. Soy James Corbyn.

—Yo soy el inspector Rebus —dijo él estrechándole la mano y comprobando que Corbyn no era masón.

—¿Trabaja con la sargento Clarke en el caso de Auchterarder?

—Sí, señor.

—He intentado localizarla porque tiene que informarme.

—Hay novedades interesantes, señor: una página de Internet abierta por un matrimonio, que tal vez sirva al asesino para seleccionar a las víctimas.

—¿Conocen la identidad de las tres víctimas?

—Sí, señor. Y en los tres casos se da el mismo modus operandi.

—¿Creen que habrá más?

—No podemos saberlo.

—¿Creen que volverá a actuar?

—Ya le digo, señor, es difícil saberlo.

El jefe de la policía paseó por la sala mirando los gráficos de las paredes, las mesas y las pantallas de ordenador.

—Le dije a Clarke que tenía de plazo hasta mañana. Después, queda cerrado el caso hasta que se clausure el G-8.

—No sé yo si será buena idea.

—Los medios de comunicación no están al corriente y podemos seguir ocultándolo unos días perfectamente.

—Si no tratamos las pistas en caliente, señor, y damos a los sospechosos ese margen de tiempo...

—¿Hay sospechosos? —replicó Corbyn volviéndose hacia Rebus.

—De momento, no, señor. Pero estamos interrogando a algunas personas.

—El G-8 tiene prioridad, Rebus.

—¿Me permite que le pregunte por qué, señor?

Corbyn le miró furibundo.

—Porque los ocho hombres más poderosos del mundo vienen a Escocia y se alojarán en el mejor hotel del país. Esa es la noticia que todo el mundo desea. Y el hecho de que un asesino en serie ande suelto por la Escocia central lo estropea todo, ¿no cree?

—En realidad, señor, sólo es escocesa una de las víctimas.

El jefe de la policía se le acercó hasta escasos centímetros.

—No se haga el listo, inspector Rebus. Y no piense que no he conocido a personas como usted.

—¿Qué clase de personas, señor?

—Las que se creen que porque tienen cierta veteranía saben más que los demás. Ya sabe lo que se dice de los coches: cuantos más kilómetros encima, más cerca están del desguace.

—Yo, señor, prefiero los coches antiguos a los que fabrican ahora. ¿Le doy su recado a la sargento Clarke? Supongo que tendrá usted otros asuntos más importantes. ¿Tiene que acudir a Gleneagles?

—Eso a usted no le importa.

—Entendido —dijo Rebus, dirigiendo al jefe de la policía lo que habría podido interpretarse como un saludo militar.

—Queda cerrado el caso —añadió Corbyn dando una palmada a los papeles que había en la mesa de Rebus—. Y no olvide que la sargento Clarke es la encargada del mismo; no usted, inspector —añadió entornando levemente los ojos.

Y, al ver que Rebus no replicaba, salió airado del DIC.

Rebus aguardó casi un minuto para lanzar un suspiro y a continuación llamó por teléfono.

—¿Mairie? ¿Tienes novedades para mí? —Escuchó sus disculpas—. Bueno, no te preocupes. Tengo un pequeño premio que darte, si tienes tiempo de tomar un té.

Tardó menos de diez minutos en llegar a pie a Multrees Walk; era un edificio nuevo junto a los grandes almacenes Harvey Nichols, donde quedaban locales comerciales por alquilar. Pero el Vin Caffe estaba abierto y servían tentempiés y café italiano. Rebus pidió un expreso doble.

—Y paga ella —dijo al ver entrar a Mairie Henderson.

—¿A que no sabes quién cubre esta tarde las comparecencias ante el juez? —dijo ella sentándose.

—¿Y ésa es tu excusa para no hacer nada de lo de Richard Pennen?

Ella le miró furibunda.

—John, ¿qué más da que Richard Pennen pagara la habitación del hotel a un diputado? No hay modo de probar que fuera soborno a cambio de contratos. Si las competencias de Webster hubieran sido la compra de armas, al menos habría una base de partida —dijo ella con un tono de exasperación y encogiéndose exageradamente de hombros—. De todos modos, no he abandonado el asunto. Espera a que averigüe alguna cosa más sobre Richard Pennen con otras personas.

Rebus se pasó la mano por la cara.

—Es que me intriga que todos traten de protegerle de esa manera. No sólo a Pennen, sino a todos los que estaban aquella noche en el castillo, en realidad. No hay forma de averiguar nada de ellos.

—¿Crees de verdad que a Webster le dieron un empujón?

—Cabe la posibilidad. A uno de los soldados de guardia le pareció ver a un intruso.

—Bien, si hubo un intruso, por lógica no debió de ser nadie de los que estaban en el banquete —replicó ella ladeando la cabeza en espera de su asentimiento. Como Rebus permaneció impasible volvió a erguirla—. ¿Sabes lo que creo? Que lo que sucede es que tienes algo de anarquista. Estás de su parte, pero en cierto modo te fastidia haber acabado trabajando para el que manda.

Rebus lanzó un resoplido y se echó a reír.

—¿De dónde sacas eso?

Ella se echó a reír con él.

—Tengo razón, ¿verdad? Tú siempre te consideras al margen... —Interrumpió la frase al llegar el café, hundió la cucharilla en el capuchino y se llevó la espuma a la boca.

—Yo trabajo mucho mejor al margen —añadió Rebus pensativo.

Ella asintió con la cabeza.

—Por eso solíamos llevarnos tan bien.

—Hasta que cambiaste por Cafferty.

Ella alzó los hombros.

—Es más parecido a ti de lo que admites.

—Y yo que iba a hacerte un gran favor...

—De acuerdo —dijo ella entrecerrando los ojos—. Sois como el día y la noche.

—Eso está mejor —añadió él tendiéndole un sobre—. Está escrito por mis propias y honestas manos, por lo que la ortografía tal vez no se ajuste a los exigentes parámetros de tu profesión.

—¿De qué se trata? —preguntó ella sacando la hoja de papel.

—De algo que mantenemos oculto: otras dos víctimas del mismo asesino de Cyril Colliar. No puedo ofrecerte todo cuanto hemos averiguado, pero eso te servirá de punto de partida.

—Dios, John... —exclamó ella mirándole.

—¿Qué sucede?

—¿Por qué me lo das?

—Será debido a mi latente espíritu anarquista —dijo él en broma.

—No creo que llegue a salir en primera página. Al menos, esta semana.

—¿Por qué?

—Cualquier otra semana menos ésta.

—¿Le pones peros a caballo regalado?

—Ese asunto del sitio de Internet... —añadió ella leyendo otra vez la hoja.

—Es una primicia, Mairie. Si no te sirve para nada... —replicó tendiendo la mano para coger la hoja—. Trae.

—A ti hay algo que te ha cabreado —dijo ella sonriente—. Porque, si no, no harías esto.

—Dámelo y no se hable más.

Pero Henderson metió la hoja en el sobre y se la guardó en el bolsillo.

—Si en lo que queda del día no hay disturbios, tal vez pueda convencer al jefe de redacción.

—Haz hincapié en la relación con el sitio de Internet —dijo Rebus—. Eso tal vez contribuya a que el resto de los que hay en la lista vaya con más cuidado.

—¿No se les ha avisado?

—No se ha previsto. Y si el jefe de la policía se sale con la suya, ni se enterarán hasta la semana que viene.

—Y el asesino tendrá tiempo de sobra para volver a actuar.

Rebus asintió con la cabeza.

—¿De verdad lo haces para salvarles la vida a esos repugnantes tipos?

—Soy protector de la ley y cumplo con mi deber —contestó Rebus esbozando de nuevo una actitud militar.

—¿No será que te has ganado una reprimenda del jefe de la policía?

Rebus negó pausadamente con la cabeza, como expresando su disgusto por el comentario.

—Y yo que pensé que era el único con tendencia al cinismo... ¿De verdad que vas a seguir investigando sobre Richard Pennen?

—Sí, algo más. Esto tendré que volver a escribirlo a máquina —añadió ella esgrimiendo el sobre—. No me acordaba de que el inglés no es tu lengua materna.

Siobhan fue a casa y se dio un baño con los ojos cerrados y se despertó de un respingo al tocar con la barbilla la superficie del agua tibia. Salió de la bañera, se cambió de ropa, pidió un taxi y, tras recoger el coche en el taller, fue a Niddrie con la esperanza de que el rayo no cayera dos veces; tres, en realidad, porque había logrado dejar en el aparcamiento de St. Leonard el que le habían prestado sin que nadie la viera, de modo que, si alguien preguntaba, podría decir que la rozadura era de allí.

En la calzada había un autobús al ralentí con el conductor leyendo el periódico, hacia donde se dirigía un grupo de campistas con mochilas atiborradas que pasaron a su lado; iban sonrientes y con cara de sueño, y Bobby Greig les miraba marchar. Siobhan dirigió la vista al recinto donde otros desmontaban las tiendas.

—El sábado fue la noche que más gente hubo —dijo Greig—, pero a partir de entonces cada día han sido menos.

—Así no han tenido que rechazar a nadie —comentó Siobhan.

Él torció el gesto.

—Habían dispuesto servicios para quince mil y sólo ingresaron dos mil. —Hizo una pausa—. Anoche no volvieron sus amigos.

Siobhan advirtió por el modo de decírselo que se había enterado de algo.

—Eran mis padres —confesó.

—¿Por qué no quiso decírmelo?

—Pues no lo sé, Bobby. Quizá pensé que los padres de una agente de policía no fueran a estar seguros.

—¿Y se han quedado en su casa?

Siobhan negó con la cabeza.

—Un antidisturbios le partió la cabeza a mi madre y ha pasado la noche hospitalizada.

—Cuánto lo siento. ¿Puedo ayudarla en algo?

Ella negó con la cabeza.

—¿Ha habido algún incidente más con los jóvenes de aquí?

—Anoche volvieron a presentarse.

—Son tozudos esos cabroncetes, ¿verdad?

—Pero apareció de nuevo el concejal y no ocurrió nada.

—¿Tench?

Greig asintió con la cabeza.

—Venía con un pez gordo, a cuento de no sé qué plan de regeneración urbana.

—No le vendría mal al barrio. ¿Qué pez gordo?

Greig se encogió de hombros.

—Alguien del gobierno —contestó él pasándose la mano por la cabeza rapada—. Esto pronto quedará vacío. Que se pudra.

Siobhan no sabía si se refería al campamento o a Niddrie. Dio media vuelta y fue hacia la tienda de sus padres; descorrió la cremallera de la puerta y miró en el interior. Estaba todo tal cual pero con más cosas.

Por lo visto los que se marchaban habían ido dejando en obsequio la comida que les sobraba, velas y agua.

—¿Dónde están?

Siobhan reconoció la voz de Santal. Salió de la tienda y se irguió. Santal llevaba su mochila y una botella de agua en la mano.

—¿Se marcha? —preguntó Siobhan.

—En el autobús de Stirling. Venía a despedirme.

—¿Se va al Campamento por la Paz? —añadió Siobhan. Santal asintió con un balanceo de trenzas. ¿Estuvo ayer en Princes Street?

—Allí vi a sus padres por última vez. ¿Qué ha sido de ellos?

—Mi madre recibió un golpe y está en el hospital.

—Dios, qué horror. ¿Fue uno... de los suyos?

—Uno de los míos —repitió Siobhan—. Y voy a denunciarle. Suerte que la he encontrado.

—¿Por qué lo dice?

—¿No hizo fotos? Pensé que a lo mejor viéndolas...

Pero Santal negaba con la cabeza.

—No se preocupe —añadió Siobhan—. No voy a mirar... Sólo me interesan los agentes de uniforme, no los manifestantes.

Pero Santal continuaba negando con la cabeza.

—No llevé la cámara —mintió descaradamente.

—Vamos, Santal. No se negará a ayudarme.

—Hay otros muchos que hicieron fotos —replicó ella señalando el campamento con un gesto del brazo—. Pídaselas.

—Se las pido a usted.

—El autobús está a punto de salir —dijo ella alejándose.

—¿Quiere que le diga algo a mi madre? —gritó Siobhan—. ¿Los llevo a verla al Campamento por la Paz?

Pero Santal continuaba alejándose.

Siobhan se maldijo para sus adentros. Tenía que habérselo imaginado: para Santal ella era la «bofia», la «pasma», una «poli». El enemigo. Se encontró al lado de Bobby Greig, que miraba como se llenaba el autobús, hasta que las puertas se cerraron con un soplido neumático. De dentro llegaron las notas de una canción a coro. Algunos pasajeros dijeron adiós con la mano al vigilante y él les devolvió el saludo.

—No son mala gente —comentó a Siobhan, ofreciéndole un chicle—, para ser hippies, me refiero —añadió metiendo las manos en los bolsillos—. ¿Tiene entrada para el concierto de mañana por la noche? —preguntó.

—No pude conseguirla —respondió ella.

—Mi empresa se encarga de la seguridad...

—¿Le sobra una? —inquirió ella mirándole.

—No exactamente, pero como estaré allí, la puedo incluir en mi pase.

—¿Habla en serio?

—No es por ligar ni nada de eso, sino un simple ofrecimiento.

—Es muy amable, Bobby.

—Bueno, ya sabe... —añadió mirando a todas partes menos a ella.

—Si me da su número de teléfono mañana le digo algo.

—¿Por si se presenta algo mejor?

Siobhan negó con la cabeza.

—Por si se presenta trabajo —replicó.

—Sargento Clarke, todo el mundo tiene derecho a una noche libre.

—Llámeme Siobhan —dijo ella.

—¿Dónde estás? —preguntó Rebus por el móvil.

—Camino del *Scotsman.*

—¿Qué hay en el *Scotsman*?

—Más fotos.

—Tenías el teléfono desconectado.

—Estaba recargándolo.

—Bueno, acabo de tomar declaración a «Corazón Roto».

—¿A quién?

—Te lo dije ayer.

Pero en ese momento recordó que ella tenía otras cosas en qué pensar, y volvió a explicarle lo de la página de Internet, el mensaje que había enviado y que había contestado Ellen Wylie.

—Guau, frena —exclamó Siobhan—. ¿Nuestra Ellen Wylie?

—Que escribió una carta indignada a Vigilancia de la Bestia.

—¿Y por qué?

—Porque el sistema ha dejado tirada a su hermana —dijo Rebus.

—¿Fueron ésas sus palabras?

—Lo tengo grabado. Naturalmente, lo que no tengo es una corroboración porque no había nadie conmigo en el interrogatorio.

—Lo siento. ¿Ellen es sospechosa?

—Tú escucha la grabación y ya me dirás —dijo Rebus mirando a su alrededor en la sala del DIC.

Las ventanas necesitaban una limpieza, pero ¿qué más daba si la vista era al aparcamiento?, y una mano de pintura no le iría mal a las paredes, pero tampoco tardarían en llenarse de fotos del escenario del crimen y datos sobre las víctimas.

—Será tal vez por lo de su hermana —añadió Siobhan.

—¿El qué?

—Denise; la hermana de Ellen.

—¿Qué pasa?

—Se fue a vivir con Ellen hará cosa de un año... tal vez menos. Dejó a su compañero.

—¿Y?

—Él la maltrataba, según me contaron. Vivían en Glasgow. Llamaron a la policía un par de veces, pero no pudieron imputarle nada. Creo que se tenía que tramitar una orden de alejamiento.

«Se vino a vivir conmigo después de... después del divorcio.» Ahora comprendía el «bicho» que se había tragado Ellen.

—No lo sabía —comentó Rebus despacio.

—No, claro...

—¿Claro, qué?

—Es uno de esos asuntos que las mujeres hablan sólo entre ellas.

—Y no con los hombres, ¿es eso lo que quieres decir? ¿Y es a nosotros a quienes se acusa de sexistas? —Rebus se frotó la nuca con la mano libre. Notaba la piel tensa—. Así que Denise se va a vivir con Ellen y acto seguido se dedica a buscar en Internet portales como el de Vigilancia de la Bestia.

Y se acuesta tan tarde como su hermana, se atiborra de comida y se pasa con la bebida.

—Yo podría hablar con ellas —dijo Siobhan.

—¿No tienes suficiente con lo tuyo? Por cierto, ¿cómo se encuentra tu madre?

—Van a hacerle una ecografía. Ahora iba a verla.

—Pues hazlo. Supongo que no sacaste nada en limpio de Glenrothes.

—Dolor de espalda.

—Tengo otra llamada. Ya hablaremos. ¿Nos vemos más tarde?

—Claro.

—Que sepas que el jefe supremo ha pasado por aquí.

—Eso pinta mal.

—Pero ya lo hablaremos —añadió él, pulsando el botón para responder a otra llamada—. Inspector Rebus —dijo.

—Estoy ante los juzgados —dijo Mairie Henderson—. Ven y verás lo que tengo para ti. —Se oían gritos y vítores como ruido de fondo—. Ahora tengo que dejarte —añadió.

Rebus fue al aparcamiento y subió a un coche patrulla. Ningún agente de uniforme había intervenido en las escaramuzas de la víspera.

—Estuvimos de reserva sentados en un autobús cuatro horas oyendo la radio —le dijeron—. ¿Va a testificar, inspector?

Rebus no abrió la boca hasta que el coche giró en Chambers Street, con un chirrido de neumáticos que llamó la atención de los periodistas que esperaban ante los juzgados.

—Déjeme aquí —ordenó.

—De nada —dijo el chófer con un gruñido una vez que Rebus pisó la calzada.

Rebus se quedó en la acera opuesta y encendió un cigarrillo junto a la escalinata del Museo de Escocia. Un manifestante más salía en aquel momento de los juzgados entre gritos y vítores de sus compañeros. Alzó el puño y ellos le dieron palmadas en la espalda mientras los fotógrafos de prensa disparaban sus cámaras.

—¿Cuántos han salido? —preguntó Rebus consciente de que Mairie Henderson estaba a su lado, bloc de notas y grabadora en mano.

—Unos veinte por ahora. A otros los han repartido por diversos juzgados.

—¿Hay alguna declaración que deba leer mañana?

—¿Qué te parece «Haz pedazos el sistema»? —respondió ella mirando sus notas—. ¿O «Mira a un capitalista y sabrás lo que es una sanguijuela»?

—Es un buen parangón.

—Palabras textuales, por lo visto, de Malcolm X —añadió ella cerrando el bloc de notas—. Les conceden a todos la libertad con exhorto de restricción de desplazamiento. Pueden ir a donde quieran menos a Gleneagles, Auchterarder, Stirling y el centro de Edimburgo. —Hizo una pausa—. Detalle conmovedor: uno dijo que tenía una entrada para el concierto de T in the Park este fin de semana y el juez le autorizó a ir a Kinross.

—Siobhan también va —dijo Rebus—. No estaría mal tener bien adelantando el caso Colliar.

—Entonces, no te va a gustar la noticia.

—¿Cuál, Mairie?

—Algo sobre la Fuente Clootie. Tengo un colega del periódico que ha hecho averiguaciones.

—¿Y?

—Hay más fuentes.

—¿Cuántas?

—Al menos una en Escocia. En la Black Isle.

—¿Al norte de Inverness?

Henderson asintió con la cabeza.

—Ven conmigo —dijo ella dando media vuelta y dirigiéndose al edificio del museo. En el vestíbulo, dobló a la derecha y entró en el Museo de Escocia. Había familias con niños de vacaciones que iban de un lado para otro, los más pequeños chillando y saltando.

—¿A qué me traes aquí? —preguntó Rebus.

Pero Mairie estaba ya junto al ascensor. Salieron de él y subieron unos escalones. Por la ventana Rebus contempló la espléndida vista de los juzgados a sus pies. Mairie le llevaba hacia el extremo del edificio.

—Yo ya he estado ahí —comentó él.

—Es la sección de muerte y creencias —dijo ella.

—Donde hay unos ataúdes diminutos con muñecos.

Ante esa vitrina se detuvo ella precisamente y Rebus advirtió que tras el cristal había una antigua fotografía en blanco y negro de la Fuente Clootie de Black Isle.

—Hace siglos que los lugareños cuelgan ahí trozos de tela. Le he pedido a mi colega que amplíe la investigación a Inglaterra y Gales, por si acaso. ¿Crees que merece la pena echar un vistazo?

—A Black Isle habrá dos horas en coche —comentó Rebus pensativo sin apartar la vista de la foto.

Los pingajos parecían murciélagos aferrados a las ramas desnudas. Junto a la foto había varillas y trozos de huesos clavados en los guijarros. Muerte y creencias.

—Más bien tres en esta época del año —dijo Mairie—. Nunca acabas de adelantar coches con caravana.

Rebus asintió con la cabeza. Sabía de sobra que la A9 hacia Perth era muy lenta.

—Pediré a la policía de allí que eche un vistazo. Gracias, Mairie.

—Esto lo he bajado de Internet —añadió ella tendiéndole unas hojas.

Era la historia de la Fuente Clootie cercana a Fortrose. Eran fotos muy granuladas —entre ellas una copia de la de la vitrina— casi idénticas a las de su homóloga de Auchterarder.

—Gracias de nuevo —dijo él haciendo un rollo con las hojas y guardándoselas en el bolsillo de la chaqueta—. ¿Mordió el anzuelo tu redactor jefe? —añadió camino del ascensor.

—Depende. Si hay disturbios esta noche nos relegarán a la página cinco.

—Bueno, se trata de probar.

—¿Hay algo más que puedas decirme, John?

—Te he dado una primicia, ¿qué más quieres?

—Saber si no me estás utilizando descaradamente —contestó ella pulsando el botón del ascensor.

—¿Me crees capaz?

—Y tan capaz.

Permanecieron en silencio hasta salir a la escalinata. Mairie miró lo que sucedía al otro lado de la calle. Otro manifestante saludaba puño en alto.

—Si lo mantenéis en secreto hasta el viernes, ¿no teméis que el asesino tome más precauciones al leer la noticia en el periódico?

—Más precauciones no puede tomar —replicó él mirándola—. Además, lo único que teníamos era el caso de Cyril Colliar y fue Cafferty quien nos dio los otros nombres.

—¿Cafferty? —dijo ella con gesto de enfado.

—Tú le contaste que había aparecido un trozo de la cazadora de Colliar y él me hizo una visita. Se fue con los otros dos nombres que le di y volvió con la noticia de que habían muerto.

—¿Has utilizado a Cafferty? —preguntó ella sorprendida.

—Y él no te lo ha dicho, Mairie. Eso es lo que trato de hacerte entender. Si haces tratos con él comprobarás que no es cuestión de toma y daca. Todo lo que te he contado de los asesinatos, ya lo sabía él; pero no te lo ha dicho.

—Parece como si tuvieras la falsa impresión de que somos muy amigos los dos.

—Lo bastante amigos para ir a contarle datos sobre Colliar.

—Era una promesa que le hice hace tiempo, porque él quería saber cualquier nuevo dato, y no pienses que voy a pedirte perdón —añadió ella entrecerrando los ojos y señalando a la acera de enfrente—. ¿Qué hará Gareth Tench ahí?

—¿El concejal? —preguntó Rebus mirando hacia donde señalaba—. Predicando a los paganos, tal vez —aventuró, observando que Tench caminaba como un cangrejo por detrás de la fila de fotógrafos—. Tal vez quiera que le hagas otra entrevista.

—¿Cómo sabes que...? Ah, te lo diría Siobhan.

—Entre ella y yo no hay secretos —replicó él con un guiño.

—¿Dónde está en este momento?

—Ha ido al *Scotsman*.

—Entonces, es que veo visiones —dijo Mairie, señalando otra vez.

Efectivamente, era Siobhan, y Tench se detuvo frente a ella y le dio la mano.

—Así que no hay secretos entre vosotros dos, ¿eh?

Pero Rebus había echado a andar hacia Siobhan cruzando aquel tramo de la calle cortado al tráfico.

—Hola —dijo—. ¿Cambiaste de idea?

Siobhan contestó con una leve sonrisa y le presentó a Tench.

—Inspector —saludó el concejal con una inclinación de cabeza.

—¿Le gusta el teatro callejero, concejal Tench?

—No me molesta en la temporada del Festival —contestó Tench conteniendo la risa.

—A usted, precisamente, no le faltan tablas, ¿no es cierto?

Tench se volvió hacia Siobhan.

—El inspector se refiere a mis sermones del domingo por la mañana al pie de The Mound. Seguramente se detendría alguna vez a escuchar camino de misa.

—Ya no se le ve por allí —añadió Rebus—. ¿Ha perdido la fe?

—Ni mucho menos, inspector. Hay otros modos de convencer aparte de predicar —replicó Tench, adoptando una actitud seria de profesional—. Estoy aquí porque un par de mis electores fueron detenidos en los disturbios de ayer.

—Inocentes peatones, sin duda —comentó Rebus.

Tench le miró y a continuación miró a Siobhan.

—Debe de ser una delicia trabajar con el inspector —comentó.

—De carcajada continua —replicó Siobhan.

—¡Vaya! ¡Y el cuarto poder también! —exclamó Tench tendiendo la mano a Mairie, quien finalmente había optado por acercarse—. ¿Cuándo se publica la entrevista? Supongo que conocerá a estos dos guardianes de la ley —añadió con un gesto hacia Rebus y Siobhan—. Me prometió dejarme echar una ojeada antes de publicarlo —dijo a Mairie.

—¿Ah, sí? —replicó ella fingiendo sorpresa.

Pero no convenció a Tench, quien se volvió hacia los dos policías.

—Permítanme un aparte con ella —dijo.

—No se preocupe —replicó Rebus—. Siobhan y yo también tenemos que decirnos algo.

—¿Ah, sí? —dijo ella.

Pero Rebus ya se había apartado y no le quedó otra opción que seguirle.

—El Sandy Bell's estará abierto —dijo Rebus una vez se hubieron alejado.

Pero Siobhan miró hacia los grupos de gente.

—Tengo que hablar con alguien —dijo—. Es un fotógrafo que conozco y creo que debe de andar por aquí —añadió poniéndose de puntillas—. Ahí lo veo.

Se abrió paso entre la melé de periodistas. Los fotógrafos se enseñaban unos a otros la pantalla de las cámaras y examinaban sus respectivas tomas digitales. Rebus aguardó impaciente y la vio hablar con un hombre enjuto y fuerte de pelo entrecano. Ahora ya lo entendía: en el *Scotsman* le habían dicho que aquel a quien buscaba estaría allí. A Siobhan le costó un poco convencer al fotógrafo, pero éste finalmente la acompañó hasta donde esperaba Rebus con los brazos cruzados.

—Te presento a Mungo —dijo Siobhan.

—¿Le apetece una copa, Mungo? —preguntó Rebus.

—Ah, estupendo —contestó el fotógrafo, enjugándose el sudor de la frente.

Sus canas eran prematuras, porque probablemente tendría la misma edad que Siobhan, y su rostro anguloso y curtido, igual que su acento al hablar.

—¿Es de las Hébridas Exteriores? —aventuró Rebus.

—De Lewis —contestó Mungo.

Rebus tomaba la delantera hacia el Sandy Bell's. Oyeron vítores a sus espaldas y al volverse vieron a un joven que salía de los juzgados.

—Creo que le conozco —comentó Siobhan en voz baja—. Es el que ha estado fastidiando a los vigilantes del campamento.

—Bueno, como ha pasado la noche en el calabozo, habrán tenido un respiro —dijo Rebus. Se percató de que estaba frotándose la mano izquierda.

El joven saludó a la multitud y varios de los congregados le saludaron a su vez.

Entre ellos —observó Mairie Henderson, pensativa— el concejal Gareth Tench.

12

El Sandy Bell's llevaba abierto sólo diez minutos, pero en la barra ya había un par de clientes habituales.

—Media de la mejor —dijo Mungo al preguntarle qué tomaba. Siobhan quería zumo de naranja. Rebus, por su parte, optó por una pinta de cerveza.

Se acomodaron a una mesa. El interior estrecho y oscuro olía a abrillantador de metales y a lejía. Siobhan explicó a Mungo lo que quería y él abrió el estuche de la cámara y sacó una cajita blanca.

—¿Es un iPod? —preguntó Siobhan.

—Es muy útil para almacenar fotos —dijo Mungo, mostrándole cómo funcionaba y disculpándose por no haber cubierto toda la jornada.

—¿Cuántas fotos guarda aquí? —preguntó Rebus, mientras Siobhan le mostraba la pequeña pantalla dándole a la ruedecilla para pasar hacia delante y hacia atrás las imágenes.

—Unas doscientas —contestó Mungo—. He eliminado las que no valen.

—¿Puedo mirarlas ahora? —preguntó Siobhan.

Mungo se encogió de hombros, y Rebus le ofreció el paquete de cigarrillos.

—En realidad, soy alérgico —comentó el fotógrafo a guisa de advertencia.

Rebus fue a ceder a su adicción al otro extremo del bar junto al cristal. Mientras miraba a Forrest Road vio al concejal Tench camino de los Meadows hablando animadamente con el joven que acababa de salir de los juzgados; dio a su seguidor una palmadita en la espalda. A

Mairie no se la veía por ninguna parte. Terminó el pitillo y volvió a la mesa. Siobhan dio vuelta al iPod y le enseñó la pantalla.

—Ésa es mi madre —dijo.

Rebus cogió el aparato y miró de cerca.

—¿La de la segunda fila?

Siobhan asintió nerviosamente con la cabeza.

—Da la impresión de que intenta alejarse.

—Exacto.

—¿Sería antes de que la golpearan? —añadió Rebus escrutando las caras de detrás de los escudos; policías con la visera calada y dientes apretados.

—Creo que ese momento no lo capté —comentó Mungo.

—Desde luego, se ve que intenta retroceder y salir de la multitud —insistió Siobhan—. Quería apartarse.

—¿Y por qué le dieron un golpe en la cabeza? —inquirió Rebus.

—Lo que suele suceder —terció Mungo vocalizando despacio— es que los provocadores se lanzan contra la policía, luego retroceden, y lo más probable es que quienes quedan en primera fila sufran las consecuencias. Luego, en la redacción del periódico, eligen esas fotos.

Rebus apartó un poco la pantalla.

—La verdad, no reconozco a ningún agente —dijo.

—No se les ven la cara ni las insignias —puntualizó Siobhan—. Son todos perfectamente anónimos. Ni siquiera se sabe de dónde son. Algunos llevan la marca XS en la visera. ¿Será un código?

Rebus se encogió de hombros. Recordó que Jacko y sus compañeros tampoco llevaban insignias.

Siobhan recordó algo de pronto y miró de reojo su reloj.

—Tengo que llamar al hospital —dijo, al tiempo que se levantaba.

—¿Toma otra? —preguntó Rebus señalando el vaso de Mungo. El fotógrafo negó con la cabeza—. ¿Qué más eventos ha cubierto esta semana? —añadió.

—Un poco de todo —respondió Mungo con un resoplido.

—¿Y ha hecho fotos a los capitostes?

—Cuando he podido.

—¿Estuvo trabajando el viernes por la noche?

—Pues, sí.

—¿En el banquete del castillo?

Mungo asintió con la cabeza.

—El jefe de redacción quería una foto del secretario de Asuntos Exteriores. Las que yo tomé tenían poca luz. Lógico, cuando trabajas con flash y tienes un cristal de por medio.

—¿Y Ben Webster?

Mungo negó con la cabeza.

—Ni siquiera sé quién era. Es una lástima, habría captado su última imagen.

—Nosotros le hicimos unas cuantas en el depósito, por si le sirve de consuelo —dijo Rebus. Al ver que Mungo le miraba con una sonrisa de desgana, añadió—: Me gustaría ver las que hizo.

—Veré lo que puedo hacer.

—¿Las lleva en el aparatito?

El fotógrafo negó con la cabeza.

—Las tengo en el portátil. Son casi todas de coches subiendo por la rampa del castillo. A los fotógrafos no nos dejaban pasar de la Esplanade. —Hizo una pausa pensativo—. Oiga, hay una foto oficial del banquete. Puede pedirla si tanto le interesa.

—Dudo mucho que me dejen verla.

—Déjelo en mi mano —dijo Mungo con un guiño, y al ver que Rebus apuraba su vaso, añadió—: Mire por dónde la semana que viene volveré a ponerme la ropa de diario.

Rebus sonrió y se pasó el pulgar por los labios.

—Eso decía mi padre cuando volvíamos de las vacaciones.

—No creo que vuelva a darse un acontecimiento como éste en Edimburgo.

—Yo no lo veré —apostilló Rebus.

—¿Cree que todo esto servirá para algo? Mi novia me regaló el libro sobre 1968, de la primavera de Praga y el mayo parisiense.

«Cree que no pasamos el testigo», pensó Rebus.

—Yo viví el sesenta y ocho, hijo, y no sirvió para nada. —Hizo una pausa—. Ni entonces ni ahora, si te digo la verdad.

—¿Usted no se enrolló ni fue pasota?

—Yo estaba en el ejército: corte a cepillo y firme.

Siobhan volvió a la mesa.

—No han detectado nada.Van a llevarla a Oftalmología para una revisión y ya está.

—¿Le dan el alta?

Siobhan asintió con la cabeza y cogió el iPod.

—Hay algo que quería enseñarte. —Se oyó el clic y volvió la pantalla hacia él—. ¿Ves esa mujer del extremo derecho? ¿La de las trenzas?

Rebus la vio. Mungo había enfocado la cámara hacia la fila de escudos, pero en la parte superior del fotograma aparecían algunos mirones, casi todos con móvil de cámara pegado al rostro. Pero en el caso de la mujer de las trenzas era más bien una videocámara.

—Ésa es Santal —añadió Siobhan.

—Muy conocida en su casa a las horas de comer.

—¿No te hablé de ella? Es quien acampaba al lado de la tienda de mis padres.

—Qué nombre más raro. ¿Es el que le pusieron?

—Significa sándalo —dijo Siobhan.

—El jabón ese huele muy bien —comentó Mungo, pero Siobhan hizo caso omiso.

—¿Ves lo que hace? —preguntó a Rebus acercándole el iPod.

—Lo mismo que todos.

—No exactamente —replicó Siobhan volviendo el aparato hacia Mungo.

—Todos enfocan a la policía con los móviles —comentó el fotógrafo.

—Todos menos Santal —replicó Siobhan volviendo otra vez la pantalla hacia Rebus y girando la ruedecilla con el pulgar para pasar a la siguiente imagen—. ¿No ves?

Rebus lo vio pero no sabía qué pensar.

—En general, casi todos toman fotos de la policía para utilizarlo como propaganda —terció Mungo.

—Pero Santal está fotografiando a los manifestantes.

—Lo que quiere decir que posiblemente captaría a tu madre —añadió Rebus.

—Ya le pregunté en el campamento, pero se negó a enseñarme las fotos. Además, la vi en la manifestación del sábado y allí hacía también fotos.

—No acabo de entenderlo —comentó Rebus.

—Yo tampoco, pero se podría aclarar con un viaje a Stirling —dijo ella mirándole.

—¿Por qué a Stirling? —preguntó Rebus.

—Porque es allí adonde se dirigía esta mañana. —Hizo una pausa—. ¿Se notará mi ausencia?

—De todos modos, el jefe supremo quiere que aparquemos el caso de la Fuente Clootie —contestó él metiendo la mano en el bolsillo—. Quería darte esto —añadió tendiéndole el rollo de hojas—. En Black Isle hay otra Fuente Clootie.

—No es realmente una isla, ¿saben? —terció Mungo.

—No irá a decirnos que tampoco es negra —le reconvino Rebus.

—Se supone que el suelo es negro —dijo Mungo—, pero no se nota. Yo conozco el lugar; estuvimos allí unos días el verano pasado. Hay unos árboles llenos de jirones colgando —añadió torciendo el gesto.

Siobhan acabó la lectura.

—¿Quieres ir a echar un vistazo? —preguntó ella, pero él negó con la cabeza.

—Sin embargo, alguien tendría que hacerlo —dijo Rebus.

—¿Aunque el caso esté congelado?

—Hasta mañana, no —dijo él—. Según el jefe supremo. Pero eres tú quien lleva el caso, y tú sabrás qué hacer —añadió recostándose en la silla y haciéndola crujir.

—El pabellón de Oftalmología está a cinco minutos de aquí —dijo Siobhan—. Creo que voy a acercarme.

—¿Y luego un viajecito a Stirling?

—¿Crees que pasaré por hippy?

—Lo veo problemático —comentó Mungo.

—Tengo unos pantalones de combate —replicó Siobhan mirando a Rebus—. Te lo aviso, John. Cualquier jaleo que organices lo pagaré yo.

—Entendido, jefa —dijo Rebus—. Bueno, ¿quién paga una ronda?

Pero Mungo tenía que ir a hacer otro trabajo, Siobhan se marchaba al hospital y le dejaron solo en el pub.

—Una para el camino —musitó para sí.

En la barra, esperando a que le sirvieran, miró el botellero y las medidas, y volvió a pensar en la foto de la mujer de las trenzas. Se llamaba Santal, y el caso es que a él le recordaba a alguien. Pero era una pantalla muy pequeña para verla bien. Habría debido pedirle a Mungo una ampliación.

—¿Tiene el día libre? —preguntó el camarero poniéndole delante la cerveza.

—Soy partidario del ocio —dijo Rebus llevándose el vaso a los labios.

—Gracias por volver —dijo Rebus—. ¿Qué tal en los juzgados?

—No me hicieron comparecer —contestó Ellen Wylie, dejando en el suelo del DIC su bolso en bandolera y el maletín de ejecutivo.

—¿Te hago un café?

—¿Hay máquina de expreso?

—Aquí la llamamos por su auténtico nombre italiano.

—¿Cuál?

—Hervidor.

—Es un chiste tan flojo como sospecho que será el café. ¿En qué quiere que le ayude, John? —preguntó quitándose la chaqueta.

Rebus ya estaba en mangas de camisa. Era verano y la calefacción de la comisaría funcionaba sin que hubiera manera de bajar los radiadores. Cuando llegase octubre estarían tibios. Wylie miró las notas del caso esparcidas sobre tres mesas.

—¿Estoy incluida en esto? —preguntó.

—Aún no.

—Pero lo estaré —añadió cogiendo por una esquina una foto de Colliar como si temiera el contagio.

—No me dijiste lo de Denise —comentó Rebus.

—No recuerdo que me preguntase.

—¿Vivía con un maltratador?

—Era una buena pieza —respondió Ellen con una mueca.

—¿Era?

—Tan sólo significa que está fuera de nuestras vidas —replicó ella mirándole—. No lo va a encontrar hecho picadillo en la Fuente Clootie. —Había una foto del lugar pinchada en la pared, y la miró ladeando la cabeza. Después se volvió y echó un vistazo a la sala—. Buen trabajo tiene por delante, John —añadió.

—No me vendría mal una ayuda.

—¿Dónde está Siobhan?

—Está ocupada en otra cosa —dijo él mirándola fijamente.

—¿Por qué demonios tengo que ayudarle yo?

Rebus se encogió de hombros.
—Lo único que se me ocurre decir es por curiosidad.
—¿Igual que usted?
Él asintió con la cabeza.
—Dos asesinatos en Inglaterra y uno en Escocia... No acabo de ver claro cómo elige a las víctimas. No estaban juntas en la lista de Internet, no se conocían entre sí y los delitos cometidos eran parecidos pero no idénticos. Se trata de víctimas distintas.
—Los tres estuvieron en la cárcel, ¿no es cierto?
—Pero en cárceles distintas.
—Es igual, las noticias corren. Los que han pasado por la cárcel hablan con otros que también han estado y mencionan a esos asquerosos tipos. Los delincuentes sexuales no son como los otros presos.
—Tienes razón —le comentó Rebus, fingiendo que reflexionaba al respecto. En realidad no le parecía importante, pero quería que pensase.
—¿Ha preguntado en otras comisarías? —inquirió Ellen.
—Todavía no. Creo que Siobhan pidió informes por escrito.
—¿No es mejor un toque personal, a ver qué le dicen sobre Isley y Guest?
—Estoy demasiado agobiado.
Sus miradas se cruzaron y Rebus comprendió que ella empezaba a tomarse interés. De momento.
—¿De verdad quiere que le ayude? —preguntó Ellen.
—No eres sospechosa, Ellen —replicó él, tratando de resultar sincero—. Y tú sabes de todo esto más que Siobhan y yo.
—¿Cómo le sentará a ella que intervenga yo?
—No le importará.
—No estoy tan segura. —Reflexionó un instante y lanzó un suspiro—. Yo sólo envié un mensaje a la página, John. No conozco a los Jensen.
Rebus se limitó a alzar los hombros y ella tardó un minuto en adoptar una decisión.
—Le arrestaron, ¿sabe? Al... —tragó saliva, incapaz de pronunciar la palabra «compañero» o «novio»— de mi hermana. Pero nada más.
—¿Quieres decir que no fue a la cárcel?
—Ella sigue teniéndole pánico —añadió despacio—. Y está en liber-

tad —espetó desabrochándose los puños de la blusa y remangándose las mangas—. De acuerdo; dígame a quién llamo.

Rebus le dio los números de Tyneside y Cumbria y él mismo cogió el teléfono. En Inverness no acababan de creérselo.

—Que quieren que nosotros...

Rebus advirtió que al otro extremo de la línea trataban de tapar el micrófono con la mano: «Edimburgo quiere que hagamos fotos de la Fuente Clootie. Allí iba yo de niño de excursión...».

El teléfono cambió de manos.

—Aquí el sargento Johnson. ¿Con quién hablo?

—Con el inspector Rebus, de la división B de Edimburgo.

—Creí que estaban ocupados con los troskos y los maoístas.

Se oyó una risa en segundo plano.

—Sí, claro, pero tenemos también tres homicidios. En Auchterarder han aparecido pruebas de los tres en un lugar llamado Fuente Clootie.

—Sólo hay una Fuente Clootie, inspector.

—Parece ser que no. Tal vez en la de ahí encuentren alguna prueba colgada de los árboles.

Era un cebo que el sargento no podía eludir. Pocos momentos de emoción se daban en la demarcación Northern.

—Empiecen por hacer fotos del escenario —prosiguió Rebus—. Tomen muchos primeros planos, y miren si hay algo intacto, vaqueros, cazadoras... Nosotros encontramos una tarjeta bancaria en un bolsillo. Si me pueden enviar las fotos por correo electrónico, mejor. Si no puedo abrirlas yo, ya lo harán aquí —añadió mirando a Ellen Wylie, que estaba sentada en la esquina de una mesa con los muslos marcados por la falda tirante y jugueteando con un bolígrafo mientras hablaba por teléfono.

—¿Cómo dijo que se llamaba? —preguntó el sargento Johnson.

—Inspector Rebus. De la comisaría de Gayfield Square.

Dio un número de contacto y la dirección de correo electrónico y oyó como el sargento Johnson lo anotaba.

—¿Y si encontramos algo aquí?

—Será señal de que el tipo ha vuelto a actuar.

—¿No le importa que compruebe su llamada? Es para asegurarme de que no nos tomen el pelo.

—Por supuesto, hágalo. Mi jefe supremo se llama James Corbyn y está al corriente. Pero no pierda más tiempo del necesario.

—El padre de un agente de aquí hace retratos y fotos de fin de carrera.

—Eso no significa que el agente sepa manejar una cámara.

—Yo me refería al padre.

—Lo que crea más conveniente —dijo Rebus colgando al mismo tiempo que Ellen Wylie.

—¿Ha habido suerte? —preguntó ella.

—Van a enviar a un fotógrafo si no está ocupado con una boda o un cumpleaños. ¿Y tú?

—No he podido hablar con el encargado de la investigación del caso Guest, pero me ha informado un compañero suyo y van a enviar datos complementarios por escrito. Me ha dado la impresión de que no se hicieron las debidas indagaciones.

—Es lo que te enseñan en el adiestramiento: el crimen perfecto es cuando nadie busca a la víctima.

Wylie asintió con la cabeza.

—O, en este caso, cuando nadie llora su muerte. Tal vez pensaran que fue un asunto de drogas que terminó mal.

—Eso sí que es original. ¿Hay pruebas de que el señor Guest fuese adicto?

—Eso parece. Y podría también traficar, deber dinero y no poder... —Calló por la cara que ponía Rebus.

—Ésa es una forma de razonar muy endeble, Ellen. Lo que explicaría por qué nadie pensó en relacionar los tres asesinatos.

—¿Porque nadie se lo tomó con mucho interés?

Rebus asintió despacio con la cabeza.

—Bueno, usted mismo se lo puede preguntar —añadió ella.

—Preguntar, ¿a quién?

—No he podido hablar con el jefe porque está aquí.

—¿En Edimburgo?

—Traslado temporal al DIC de Lothian y Borders —añadió ella mirando sus notas—. Es un sargento llamado Stan Hackman.

—¿Dónde puedo localizarle?

—Su compañero mencionó las residencias estudiantiles.

—¿De Pollock Halls?

Ella se encogió de hombros, cogió el bloc de notas y lo volvió hacia él.

—Ahí tiene apuntado el número de su móvil, si lo quiere.

Rebus se acercó de una zancada, ella arrancó la hoja, se la tendió y él se la arrebató de la mano.

—Averigua quién se encargó del caso Isley —dijo—. A ver qué información consigues, y yo voy a hablar con Hackman.

Y se puso la chaqueta.

—Se olvida de dar las gracias. ¿Se acuerda de Brian Holmes? —preguntó Wylie.

—Trabajé con él.

Ella asintió con la cabeza.

—En una ocasión me dijo que usted me apodaba «Suela de Zapato» porque hacía el trabajo de un burro.

—Los burros no llevan zapatos.

—Ya sabe a qué me refiero, John. ¡Usted se escaquea y me deja a mí aquí, que ni siquiera es mi oficina! ¿Qué es lo que soy yo?

Cogió el teléfono que sonaba y gesticuló con él en la mano.

—¿Es la centralita? —dijo él camino de la puerta.

13

Siobhan no se conformaba con un no.

—Yo creo que tal vez deberíamos hacerle caso esta vez —dijo Teddy Clarke a su esposa.

La madre de Siobhan tenía un ojo tapado con gasa, el otro, hinchado, y en un lado de la nariz se apreciaba un corte. Embotada por los analgésicos, se limitó a asentir con la cabeza a lo que decía su marido.

—¿Y la ropa? —preguntó el señor Clarke al subir al taxi.

—Podéis ir más tarde al campamento y recoger lo que necesitéis —contestó Siobhan.

—Tenemos el billete de bus para mañana —añadió él pensativo.

Siobhan dio al taxista la dirección de su piso. Su padre se refería a uno de los autobuses de protesta que se dirigirían al G-8. Su esposa dijo algo que él no entendió y se inclinó hacia ella cogiéndole la mano para que se lo repitiera.

—Iremos. El médico ha dicho que no hay problema —añadió la madre para que Siobhan lo oyera.

Él no parecía muy decidido.

—Podéis decidirlo por la mañana —replicó ella—. Pensemos en lo que hay que hacer hoy, ¿de acuerdo?

—Ya te dije que había cambiado —dijo Teddy Clarke sonriendo a su mujer.

Cuando llegaron a casa, Siobhan impidió con un gesto que su padre pagara el taxi; lo hizo ella y subió delante para echar un vistazo al cuarto de estar y al dormitorio. No había bragas por el suelo ni botellas vacías de Smirnoff.

—Pasad —dijo—. Voy a enchufar el hervidor. Poneos cómodos.

—Debe de hacer diez años desde que estuvimos aquí la última vez —comentó su padre dando unos pasos por el cuarto de estar.

—Sin vuestra ayuda no habría podido comprarlo —dijo Siobhan desde la cocina.

Su madre estaría buscando indicios de que viviera allí algún hombre. El propósito de su ayuda había sido contribuir a que se «asentase», ese gran eufemismo. Novio fijo, casarse y tener hijos. Unos planes que ella nunca se había decidido a emprender. Sacó la tetera y las tazas y su padre se levantó a ayudar.

—Sirve tú —dijo ella—. Voy a buscar algo al dormitorio.

Fue al armario, sacó la bolsa de viaje y abrió cajones pensando en lo que iba a llevar. Con un poco de suerte no lo necesitaría, pero era mejor prevenir. Una muda, cepillo de dientes y champú. Rebuscó en el fondo de un par de cajones y cogió las prendas peores, las más arrugadas. Unos pantalones de peto con los que había estado pintando el pasillo, un bolso de bandolera sujeto por un imperdible y una camisa de estopilla que se había dejado un ligue de tres noches.

—No queremos echarte —dijo su padre desde el umbral de la puerta tendiéndole una taza.

—Es un viaje que tengo que hacer y no tiene nada que ver con vosotros. Seguramente no volveré hasta mañana.

—A lo mejor, cuando vuelvas, ya nos hemos ido a Gleneagles.

—Nos veremos allí —dijo ella con un guiño—. Estaréis bien aquí, ¿no? Hay muchas tiendas y restaurantes. Os dejaré una llave.

—Estupendo. —Hizo una pausa—. El viaje, ¿tiene algo que ver con lo que le ocurrió a tu madre?

—Tal vez.

—Es que he estado pensando...

—¿Qué? —le interrumpió ella alzando la vista de la bolsa.

—Siobhan, tú eres policía, y si sigues adelante con esto es posible que te busques enemistades.

—No se trata de un concurso de simpatía, papá.

—De todos modos...

Siobhan cerró la cremallera de la bolsa, la puso en la cama y cogió la taza.

—Sólo quiero que reconozca que obró mal —dijo dando un sorbo al té tibio.

—¿Tú crees que lo conseguirás?

—Puede que sí —respondió ella encogiéndose de hombros.

Su padre se sentó en una esquina de la cama.

—Tu madre está decidida a ir a Gleneagles, ¿sabes?

Siobhan asintió con la cabeza.

—Os llevaré al campamento en coche y traéis aquí las cosas. —Se puso en cuclillas delante de su padre y le apretó la rodilla con la mano libre—. ¿Seguro que os quedáis a gusto?

—Perfectamente. ¿Y tú?

—No te preocupes por mí, papá. Estaré rodeada de policías, ¿o no lo has visto?

—Sí, creo que lo advertí en Princes Street —respondió él poniendo su mano sobre la de ella—. De todos modos, ve con cuidado.

Ella sonrió, se incorporó, vio que su madre miraba desde el pasillo y le sonrió también.

Rebus había estado ya en aquella cantina. Durante el curso estaba llena de estudiantes, muchos en el primer año universitario, con cara recelosa y algunos realmente asustados. Hacía unos años había detenido a uno de segundo curso que traficaba con drogas a la hora del desayuno.

Llevaban portátiles e iPods, por lo que, pese a su número, en el local casi no había ruido aparte del gorjeo de los móviles.

Pero aquel día lo llenaba el estridente ruido de las conversaciones. Rebus sintió en la atmósfera un restallar de testosterona. Había dos mesas juntas como improvisado mostrador donde se servía cerveza francesa. Ajenos a los rótulos de «Se prohíbe fumar», los agentes uniformados se palmeaban la espalda y «chocaban esos cinco» al estilo americano con mayor o menor fortuna, desprovistos ya de los chalecos protectores, que habían dejado en fila contra la pared. Las camareras servían platos de comida frita, con el rostro arrebolado por el ajetreo y los piropos de los agentes forasteros. Rebus escrutó entre la concurrencia en busca de algún indicio o insignia de Newcastle. En la entrada le habían remitido a una construcción de estilo regional escocés donde una funcionaria le informó del número de habitación de Hackman, pero como al llamar a la puerta no respondieron, fue a la cantina a sugerencia de la mujer.

—Claro que puede que esté aún «en campo de acción» —le advirtió ella, recreándose en la oportunidad de emplear aquel término.

—Recibido y entendido —replicó Rebus para animarle el día.

En la cantina no se oía un solo acento escocés y Rebus sólo veía uniformes de la policía metropolitana y transportes de Londres, Gales del Sur y Yorkshire; decidió tomar una taza de té y, al decirle que era gratis, pidió un bocadillo de salchicha y una barrita de Mars. Fue a una mesa, preguntó si podía sentarse y le hicieron sitio.

—¿Es de la criminal? —inquirió uno de rostro enrojecido y pelo apelmazado por el sudor.

Rebus asintió con la cabeza, consciente de que era el único que llevaba corbata. Había algunas mujeres de uniforme sentadas en grupo, ajenas a los comentarios a cuenta de ellas.

—Estoy buscando a un compañero —dijo sin darle importancia—, el sargento Hackman.

—¿Usted es de Edimburgo? —preguntó otro agente uniformado al notar el acento de Rebus—. Es una ciudad preciosa. Lástima que la hayamos puesto patas arriba. —Sus compañeros secundaron la carcajada—. No, yo no conozco a ningún Hackman.

—Es de Newcastle —añadió Rebus.

—Ésos de ahí son de Newcastle —dijo el agente señalando a una mesa cerca de la ventana.

—Son de Liverpool —terció el que estaba a su lado.

—Para mí, tanto da.

Nuevas carcajadas.

—¿De dónde sois vosotros? —preguntó Rebus.

—De Nottingham —contestó el primero—. Los de Robin Hood. La comida es una mierda, ¿verdad? —añadió señalando con la barbilla el panecillo a medio comer de Rebus.

—La he conocido peor. Al menos es gratis.

—Cómo se nota que es escocés —comentó el agente riendo de nuevo—. Siento que no podamos ayudarle a encontrar a su amigo.

Rebus se encogió de hombros.

—¿Estuvisteis ayer en Princes Street? —preguntó como queriendo dar conversación.

—Medio puto día.

—Unas buenas horas extraordinarias —añadió otro agente.

—Hace unos años tuvimos una situación igual —dijo Rebus—. Una reunión de dirigentes de gobiernos de la Commonwealth. El Gocom, como decíamos nosotros. Aquella semana hubo quienes rescataron una buena porción de la hipoteca.

—Mis horas son para unas vacaciones —dijo el agente—. La mujer quiere ir a Barcelona.

—Y mientras la tienes allí —terció el que estaba a su lado—, ¿adónde vas a llevar a la novia?

Más risotadas y codazos.

—Ayer sí que os ganasteis el jornal —comentó Rebus para volver al tema.

—Sí, algunos —comentó el agente—, pero la mayoría estuvimos sentados en el autobús esperando por si había que intervenir.

Su compañero asintió con la cabeza.

—A pesar de cuanto nos habían dicho, fue como un paseo por el parque —dijo.

—Pues según las fotos de los periódicos de hoy, algunos sí que hicieron sangre.

—Probablemente los de Londres, que se entrenan contra los forofos del Millwall; así que no fue nada de particular.

—Por cierto ¿no conocéis a un tal Jacko, que, según creo, es de la metropolitana?

Todos negaron con la cabeza. Rebus pensó que no iba a sacar nada más en limpio, por lo que, guardándose la barrita de Mars en el bolsillo, se puso en pie, se despidió de ellos y salió a dar una vuelta. Afuera había muchos agentes de uniforme deambulando, y pensó que de no haber amenazado lluvia estarían tumbados en el césped. No oyó ni un solo acento parecido al de Newcastle ni nada sobre una paliza a un pacífico manifestante. Llamó al número de móvil de Hackman y seguía desconectado. Casi decidido a marcharse ya, optó por probar de nuevo en la puerta de la habitación. La puerta se abrió hacia adentro.

—¿Sargento Hackman?

—¿Quién demonios pregunta?

—Soy el inspector Rebus —contestó, carné en mano—. ¿Podemos hablar?

—Aquí no, que no caben cuatro gatos. Y tampoco vendría mal algo más de desinfección. Un momento.

Mientras Hackman revolvía en la habitación Rebus hizo un somero inventario ocular: ropa por todas partes, cajetillas vacías, revistas de tías, una minicadena y una lata de sidra junto a la cama en el suelo. Del televisor llegaba el sonido de una carrera de caballos. Hackman cogió un teléfono y el encendedor y se palpó los bolsillos buscando la llave.

—Hablamos fuera, ¿no? —añadió ya en el pasillo encabezando la marcha sin tener en cuenta a Rebus.

Era fornido, tenía un cuello grueso y llevaba el pelo muy corto. Tendría poco más de treinta, cara picada de viruelas y nariz torcida de un golpe. Vestía una camiseta gastada, que dejaba ver por detrás la cinturilla de los calzoncillos, unos vaqueros y zapatillas de deporte.

—¿Viene de estar de servicio? —preguntó Rebus.

—Acabo de llegar.

—¿Camuflado?

Hackman asintió con la cabeza.

—Peatón anónimo —dijo.

—¿Ha tenido problemas de caracterización?

Hackman torció el gesto.

—¿Usted es policía de Edimburgo?

—Exacto.

—No me vendrían mal algunas indicaciones. Aquí, los bares de destape están en Lothian Road, ¿no es eso? —añadió Hackman volviéndose a mirar a Rebus.

—En Lothian Road y alrededores.

—¿En cuál me recomienda gastar el producto de mis sudores?

—No soy un experto.

Hackman le miró de arriba abajo.

—¿Seguro? —preguntó.

Una vez fuera, ofreció un cigarrillo a Rebus, que él aceptó encantado, y le dio fuego.

—En Leith también hay muchas casas de putas, ¿verdad?

—Sí.

—¿Aquí están legalizadas?

—Se hace la vista gorda mientras no trabajen en la calle. —Rebus hizo una pausa e inspiró—. Me alegra ver que acompaña el deber con el esparcimiento.

Hackman lanzó una risotada.

—La verdad es que en Newcastle hay mujeres más guapas, vaya si las hay.

—Pero su acento no es de allí.

—Me crié cerca de Brighton y llevo viviendo en el nordeste ocho años.

—¿Vio jaleo ayer? —preguntó Rebus, fingiendo abstraerse en la panorámica, con el Arthur's Seat al fondo alzándose hacia el cielo.

—¿Tengo que presentarle un informe?

—Era una simple pregunta.

Hackman entornó los ojos.

—¿Qué es lo que desea, inspector Rebus?

—Usted trabajó en el homicidio de Trevor Guest.

—Hace meses, y desde entonces han pasado muchos casos por mi bandeja de entrada.

—Es el de Guest el que me interesa. Sus pantalones han aparecido cerca de Gleneagles, con una tarjeta bancaria en el bolsillo.

Hackman le miró.

—No tenía pantalones cuando le encontramos.

—Ahora ya sabe por qué: el asesino recoge trofeos.

—¿Cuántos? —replicó Hackman, al quite.

—De momento hay tres víctimas. Dos semanas después de Guest, volvió a matar. Idéntico modus operandi y un pequeño recuerdo abandonado en el mismo lugar.

—Hostia —exclamó Hackman aspirando con fuerza el cigarrillo—. Nosotros cerramos el caso porque... Bueno, porque la gente de los bajos fondos como Guest se buscan muchos enemigos. Y además era drogadicto; prueba de ello, la heroína.

—¿Y el caso quedó debajo en su bandeja de entrada? —añadió Rebus, y el otro se encogió de hombros—. ¿Encontraron alguna pista?

—Interrogamos a los que dijeron que le conocían e indagamos lo que hizo la última noche de su vida, pero no llegamos a conclusiones firmes. Puedo enviarle todo el papeleo.

—Ya lo tengo.

—Guest murió hace dos meses. ¿Dice que volvió a matar quince días después? Rebus asintió con la cabeza.

—¿Y la tercera víctima?

—Murió hace tres meses.

Hackman reflexionó un instante.

—Doce semanas, ocho y seis. Lo que cabe esperar del asesino es que acelere porque le ha tomado gusto al crimen. Bien, ¿y qué ha sucedido entre tanto? ¿Seis semanas sin matar?

—No parece probable —respondió Rebus.

Hackman le miró.

—Ya ha sopesado lo que acabo de decirle, ¿no es cierto?

—Me gusta su forma de razonar.

Hackman se rascó la entrepierna.

—Todo lo que he razonado estos últimos días es un asco, y ahora me viene usted con esto.

—Lo siento —dijo Rebus tirando la colilla—. Sólo quería saber si podía decirme algo sobre Trevor Guest que le hubiera llamado la atención.

—Por una cerveza fría, mi cerebro será una ostra para usted.

El problema de las ostras, pensó Rebus mientras se dirigían a la cantina, era que había más probabilidades de encontrar arenilla que una perla.

Había disminuido el barullo y encontraron mesa, no sin que antes Hackman se esforzara en presentarse a las uniformadas estrechándoles cortésmente la mano.

—Salud —dijo alzando la botella al volver a la mesa donde esperaba Rebus, al tiempo que se sentaba juntando las manos y frotándoselas.

Rebus repitió el nombre de Trevor Guest.

Hackman despachó media cerveza de un trago.

—Ya le digo, bajos fondos, diversas condenas, robo con allanamiento de morada, venta de objetos robados, algún que otro delito de poca monta y lesiones físicas. Estuvo viviendo aquí hace años y luego no volvió a reincidir, por lo que a nosotros nos consta.

—Cuando dice «aquí», ¿se refiere a Edimburgo?

Hackman lanzó un eructo.

—Más conocida por Escotilandia. No se ofenda.

—No me ofendo —mintió Rebus—. Me pregunto si de algún modo podría haber conocido a la tercera víctima, un gorila de discoteca llamado Cyril Colliar que salió de la cárcel hace tres meses.

—No me suena el nombre. ¿Toma otra?

—Las traigo yo —dijo Rebus casi ya de pie, pero Hackman se lo impidió con un gesto.

Rebus le vio acercarse primero a la mesa de las mujeres a decir si querían tomar algo y una de ellas se echó a reír, detalle que seguramente Hackman se apuntaría como un triunfo. Volvió a la mesa con cuatro botellas.

—No valen nada —comentó empujando dos botellas hacia Rebus—. Además, en algo hay que gastar las ganancias, ¿no?

—Ya he visto que nadie paga alojamiento ni comida.

—Pagan los contribuyentes locales —replicó Hackman abriendo mucho los ojos—. Usted, supongo. Así que muchas gracias —añadió brindando hacia Rebus con una de las nuevas botellas—. ¿No estará libre esta noche para hacer de cicerone?

—Lo siento —respondió Rebus negando con la cabeza.

—Yo invito; tentador para un escocés.

—De todos modos, se lo agradezco.

—Como quiera —añadió Hackman encogiéndose de hombros—. ¿Tiene alguna pista... de ese asesino que busca?

—Que sus víctimas son basura. Tal vez las seleccione de un portal de Internet de apoyo a víctimas.

—Uno que hace la guerra por su cuenta, ¿eh? Eso quiere decir que le mueve un rencor por algo.

—Ésa es la hipótesis.

—El móvil con la primera víctima sería necesidad de dinero. Y en ese caso habría matado una vez y punto. Pero le ha cogido gusto.

Rebus asintió despacio con la cabeza; era su misma conclusión. Fast Eddie Isley, agresor de prostitutas. El asesino de Isley, quizás un proxeneta o un novio, le siguió la pista a través de Vigilancia de la Bestia y luego debió de pensar: «¿Por qué uno sólo?».

—¿Tantas ganas tiene de dar con ese tipo? —preguntó Hackman—. A mí me retendría el hecho de que es como si estuviera de nuestro lado.

—¿No considera que la gente pueda cambiar? Esas tres víctimas habían purgado cárcel y no habían vuelto a delinquir.

—Eso a que se refiere es redención —replicó Hackman fingiendo lanzar un escupitajo—. Pero yo nunca he aguantado esas monsergas religiosas. —Hizo una pausa—. ¿De qué se ríe?

—Porque es una frase de una canción de Pink Floyd.

—¿Ah, sí? Tampoco los he aguantado nunca. Prefiero un poco de Tamla o de Stax para seducir a las tías. Ese Trevor era un tanto mujeriego.

—¿Trevor Guest?

—Le gustaban más bien jovencitas, a juzgar por las novias que descubrimos —dijo Hackman torciendo el gesto—. La verdad, si hubieran sido un poco más jóvenes, en vez de en una comisaría habríamos ido a hacer el interrogatorio a guarderías —añadió tan complacido por su gracia que le costó deglutir el trago de cerveza—. A mí me gustan algo más maduras —espetó finalmente relamiéndose los labios, como pensativo—. Aquí los periódicos anuncian muchas azafatas como «maduras». ¿A qué edad cree que se refieren? No me gusta el estilo geriátrico.

—Guest agredió a una canguro, ¿no es cierto? —preguntó Rebus.

—Entró en una casa a robar y se la encontró en el sofá. Por lo que yo recuerdo, él sólo quiso que le hiciera una felación, pero ella comenzó a gritar y él se largó —añadió, encogiéndose de hombros.

La silla chirrió sobre el suelo al levantarse Rebus.

—Tengo que irme —dijo.

—Acábese la cerveza.

—Tengo que conducir.

—Si no me equivoco, esta semana podrían pasarle por alto algún pecadillo. Bueno, de todos modos, no va a perderse; eso sí que no —dijo Hackman acercándose la botella de cerveza—. ¿Le apetece una pinta más tarde? Necesito un sherpa que me guíe.

Rebus siguió andando sin hacer caso. Fuera, al fresco, miró de refilón a través de los cristales y vio que Hackman se acercaba a la mesa de las mujeres improvisando unos pasitos de baile.

14

Siobhan tuvo que parar por el camino en cinco controles, y, a pesar de mostrar su carné, un agente de seguridad le hizo abrir el maletero.

—Esa gente tiene toda clase de simpatizantes —comentó el agente.

—Y ahora tendrán uno más —musitó ella.

El llamado Campamento Horizonte de las afueras de Stirling, situado entre un campo de fútbol y un polígono industrial, le recordó a Siobhan aquellos campamentos improvisados ante la base aérea de Greenham Common que ella conocía de la década de los ochenta, cuando era joven y acudía a las protestas antinucleares. Éste contaba no sólo con tiendas de campaña, sino con elaborados tipis y unas estructuras de mimbre que parecían iglús. Entre los árboles vio unos entoldados pintados con el arco iris y el símbolo de la paz; humeaban los fuegos de campamento y flotaba un intenso olor a hachís. Unas placas solares y un pequeño molino de viento generaban electricidad para unas hileras de bombillas de colores, en un remolque grande repartían recomendaciones legales y condones gratis, y en las octavillas caídas en tierra había información de todo tipo, desde el VIH hasta la deuda del tercer mundo.

Los ocupantes del campamento se distribuían en distintas tribus; el contingente antipobreza guardaba su distancia con los anarquistas radicales, de los que lo separaban a modo de frontera unas banderas rojas, y los viejos hippies formaban otro subgrupo en torno a una de las tiendas indias. En un fogón se guisaban unas habichuelas y un cartel improvisado anunciaba sesiones de reiki y medicina holística de cinco a ocho, con tarifas reducidas para parados y estudiantes.

Siobhan preguntó en la entrada a un vigilante por Santal, pero el hombre negó con la cabeza.

—Ni nombres, ni castigos —contestó mirándola de arriba abajo—. ¿Me permite una advertencia?

—¿Cuál?

—Que parece agente de policía camuflada.

—¿Es por el peto? —replicó Siobhan, siguiendo la mirada del vigilante.

El hombre volvió a negar con la cabeza.

—Por el pelo limpio.

Siobhan se lo revolvió con la mano sin obtener aprobación.

—¿Hay alguien más de la secreta?

—Seguro que sí —contestó él sonriente—. Pero a los que estén bien camuflados no es fácil reconocerles, ¿no le parece?

Aquel recinto era mucho mayor que el de Edimburgo y las tiendas estaban más juntas. Ya estaba oscureciendo y tuvo que andar con cuidado para no tropezar con las estacas y los vientos de las tiendas. Pasó dos veces junto a un joven barbudo dedicado a ofrecer a la gente «hierba relajante», y la tercera vez sus miradas se cruzaron.

—¿Se le ha perdido alguien? —preguntó él.

—Busco a una amiga que se llama Santal.

El joven negó con la cabeza.

—No se me quedan bien los nombres.

Ella le hizo una breve descripción y el joven volvió a negar con la cabeza.

—Si se sienta y se calma tal vez aparezca —añadió tendiéndole un porro ya liado—. Paga la casa.

—¿Sólo en el caso de nuevos clientes? —aventuró ella.

—Incluso las fuerzas de la ley y el orden necesitan un descanso al final de la jornada.

Siobhan se le quedó mirando.

—Estoy maravillada —dijo—. ¿Es por el pelo?

—Por ese bolso que la delata —replicó el barbudo—. Lo que se lleva es una mochila sucia. Con eso —añadió señalando la pieza incriminada— parece que venga del gimnasio.

—Gracias por el consejo. ¿No se le ocurrió que podría haberle detenido?

—Si quiere provocar disturbios, no se corte —replicó él encogiéndose de hombros.

—Sí, tal vez en otra ocasión —comentó ella con una sonrisa.

—¿Esa amiga suya no formará parte las fuerzas de vanguardia?

—Depende de a qué se refiera.

El joven hizo una pausa para encender el porro, inhaló profundamente y expulsó el humo mientras hablaba.

—Lógicamente, desde el amanecer montarán un bloqueo para impedir que nos acerquemos al hotel —le comentó ofreciéndole una calada, pero ella negó con la cabeza—. Si no lo prueba no puede saber si le gusta.

—Lo crea o no también yo fui una jovencita... Así que ¿la vanguardia va ya en camino?

—Provista de mapas. Sólo los montes Ochil se interponen a nuestra victoria.

—¿Y van a campo a través a oscuras?

Él se encogió de hombros y volvió a dar otra calada. Se acercó una joven.

—¿Qué quieres, costo? —preguntó él.

La transacción se efectuó en medio minuto: un paquetito de envoltorio arrugado a cambio de tres billetes de diez libras.

—Adiós —comentó la joven, quien, mientras se alejaba, añadió para Siobhan con una risita—: Buenas noches, agente.

El joven miró el peto de Siobhan.

—Sé aceptar el fracaso —dijo ella.

—Siga mi consejo; siéntese y tranquilícese. Y encontrará algo que no sabía que buscaba —añadió él atusándose la barba.

—Qué profundo... —comentó Siobhan en un tono que daba a entender totalmente lo contrario.

—Ya verá como sí —replicó él alejándose hacia la oscuridad.

Ella se dirigió a la valla y decidió llamar a Rebus. Como no contestaba, dejó un mensaje.

—Hola, soy yo. Estoy en Stirling pero sin rastro de Santal. Nos vemos mañana, pero llama si me necesitas.

Un grupo, todos ellos a ojos vista agotados pero muy animados, entró al recinto.

Siobhan cerró el móvil y se aproximó para oír qué decían en el momento en que otros acudían a su encuentro.

—Tienen radar detector de calor y perros.

—Y van armados hasta los dientes, tío.

—Usan helicópteros y reflectores.

—Si hubieran querido, nos matan.

—Pero nos persiguieron casi hasta el punto de partida.

A continuación todo fueron preguntas. ¿Se habían acercado demasiado? ¿Había algún fallo de seguridad? ¿Estuvieron cerca del perímetro? ¿Había quedado alguien rezagado?

—Nos dividimos en grupos.

—Sí, llevan metralletas.

—Iban en serio.

—Nos dividimos en diez grupos de tres para camuflarnos mejor.

—Utilizan tecnología punta.

Siguieron haciendo preguntas, mientras Siobhan efectuaba un recuento: eran quince; lo que quería decir que aún había otros quince por los montes. Aprovechó la algarabía para intervenir:

—¿Y Santal?

Uno de ellos negó con la cabeza.

—No la he vuelto a ver desde que nos separamos.

Otro, que llevaba una linterna frontal, desplegó un mapa para mostrar hasta dónde habían llegado y señaló la ruta con su dedo manchado de barro. Siobhan se acercó más.

—Es zona totalmente restringida.

—Pero habrá algún punto débil.

—Lo único a nuestro favor es la fuerza del número.

—Por la mañana seremos diez mil.

—¡Canutos de hierba para nuestros bravos soldados!

En cuanto el traficante comenzó a repartirlos, todo fueron risas en el grupo, prueba del alivio de la tensión. Cuando Siobhan se retiraba hacia la parte de atrás, la agarraron del brazo. Era la joven que había comprado droga al barbudo.

—La pasma más vale que se largue —dijo entre dientes.

—¿O qué? —replicó Siobhan mirándola enfurecida.

—O daré el cante —replicó la joven con sonrisa malévola.

Siobhan, sin replicar, se ajustó el bolso y se alejó del grupo, mientras la joven le decía adiós con la mano. En la puerta hacía guardia el mismo vigilante.

—¿Le sirvió el disfraz? —preguntó casi con sonrisa de satisfacción.

Siobhan siguió caminando hasta su coche haciendo inútiles esfuerzos por dar con una réplica adecuada.

Rebus se portó como un caballero y volvió a Gayfield Square con tallarines en lata y empanada de pollo.

—Cómo me cuida —comentó Ellen Wylie enchufando el hervidor.

—Y tienes preferencia para elegir: pollo con champiñones o tallarines con buey.

—Pollo —contestó ella mirando como abría los recipientes de plástico—. ¿Qué tal su incursión?

—Hablé con Hackman.

—¿Y qué?

—Él quería dar una vuelta por los burdeles.

—¡Puaj!

—Le dije que no contara conmigo, y lo poco que me explicó ya lo sabíamos.

—¿O lo podíamos haber imaginado? —aventuró ella acercándose para coger uno de los envases y leer la fecha de caducidad: 5 de julio—. Compra de rebajas —dijo.

—Sabía que te causaría impresión. Pero hay más cosas —dijo Rebus sacando del bolsillo una barrita Mars y tendiéndosela—. ¿Qué novedades tenemos sobre Edward Isley?

—Van a enviarnos también papeleo del Norte —contestó ella—, pero el inspector con quien hablé era un portento y me lo recitó casi todo de memoria.

—A ver si lo adivino: muchos enemigos, alguien que actúa por venganza, diversas perspectivas y nada nuevo de momento.

—Sí, más o menos —asintió Wylie—. Tengo la impresión de que hay cosas que no se han verificado.

—¿No hay nada que vincule a Fast Eddie con mister Guest?

Ella negó con la cabeza.

—Fueron a distintas cárceles y no hay indicios de que tuvieran amigos comunes. Isley no conocía Newcastle y Guest nunca estuvo en Carlisle ni por la M6.

—Y Cyril Colliar probablemente no conocía a los otros dos.

—Lo que nos vuelve a llevar a su respectiva aparición en Vigilancia de la Bestia —dijo Wylie.

Rebus echó agua a los tallarines, le tendió una cuchara y revolvieron ambos las raciones.

—¿Has hablado con alguien de Torphichen? —preguntó él.

—Y les conté que le faltaban manos.

—Lo que, a lo mejor, hizo pensar a Culo de Rata que te estaba ayudando a subir una escalera.

—Qué bien conoce a Reynolds —dijo ella con una sonrisa—. Por cierto, han llegado de Inverness unos archivos de fotos.

—Qué rápido —comentó él mientras ella enchufaba el ordenador; poco después aparecían en la pantalla unas fotos del tamaño de una uña, que amplió.

—Es como la de Auchterarder —comentó Rebus.

—El fotógrafo ha tomado algunos primeros planos —dijo Wylie, mostrándolos en la pantalla. Eran restos de tela hechos jirones, pero todos viejos—. ¿Qué cree? —preguntó.

—Nada que pueda interesarnos, ¿no?

—No —asintió ella cogiendo un teléfono que sonaba.

—Que suba —contestó, y colgó—. Un tal Mungo —añadió—. Dice que tiene cita.

—Otro que se invita —dijo Rebus, oliendo el envase que acababa de abrir—. No sé si le gustará este pollo.

A Mungo le encantaba y dio cuenta del ofrecimiento en dos bocados mientras Rebus y Wylie miraban las fotos.

—Ha hecho un trabajo rápido —dijo Rebus a modo de agradecimiento.

—¿De qué son estas fotos? —preguntó Wylie.

—De un banquete en el castillo el viernes por la noche —contestó Rebus.

—¿Del suicidio de Ben Webster?

Rebus asintió con la cabeza.

—Éste es él —dijo dando unos golpecitos sobre uno de los rostros.

Mungo había cumplido lo prometido, trayendo, además de sus instantáneas en la entrada, copias de las fotos oficiales con muchos hombres bien vestidos y sonrientes, estrechando la mano de otros también muy bien vestidos y risueños. Rebus reconoció sólo a algunos: el secretario de Asuntos Exteriores, el de Defensa, Ben Webster y Richard Pennen.

—¿Cómo las consiguió? —preguntó Rebus.

—Las ponen a disposición de los medios de comunicación, es el tipo de publicidad que les encanta a los políticos.

—¿Sabe los nombres de todos ellos?

—De eso se encarga el ayudante de redacción —contestó el fotógrafo dando cuenta del último bocado—. Pero recogí todo lo que pude —añadió sacando de su bolsa unas hojas.

—Gracias —dijo Rebus, más interesado por las fotos del banquete—, probablemente ya las he visto.

—Pero yo no —dijo Wylie cogiéndolas.

—No sabía que Corbyn estuviera allí —comentó él pensativo.

—¿Quién es Corbyn? —preguntó Mungo.

—Nuestro querido jefe de la policía.

Mungo miró al que señalaba Rebus.

—Ése no se quedó mucho rato —dijo, pasando unas cuantas fotos—. Aquí le tiene, marchándose cuando yo ya estaba recogiendo.

—¿Cuánto tiempo estuvo desde el principio?

—Apenas media hora. Yo me rezagué por si llegaba alguien con retraso.

Richard Pennen no aparecía en las fotos oficiales, pero Mungo había tomado una instantánea suya en el coche, sorprendiéndole con la boca abierta.

—Aquí dice —terció Ellen Wylie— que Ben Webster intervino en las negociaciones para el alto el fuego en Sierra Leona. Y que estuvo en Irak, Afganistán y Timor Oriental.

—Sus buenos kilómetros ha hecho en avión —comentó Mungo.

—Sí que le gustaba la aventura —añadió ella, volviendo la página—. No sabía que su hermana fuera policía.

Rebus asintió con la cabeza.

—La conocí hace unos días. —Hizo una pausa—. Me parece que mañana es el funeral y tenía que llamarla...

Acto seguido reanudó el examen de las fotografías oficiales. Eran todas de pose y no había nada que llamase la atención: ni personajes hablando en segundo plano ni algún detalle que interesara a los poderosos ocultar al público. Era lo que Mungo había dicho: propaganda de relaciones públicas. Rebus cogió el teléfono y llamó a Mairie al móvil.

—¿Podrías pasarte por Gayfield? —preguntó.

La oía teclear ante el ordenador.

—Antes tengo que revisar esto.

—¿Dentro de media hora?

—Haré lo posible.

—Te espera una barrita de Mars.

Wylie adoptó gesto de ofendida. Rebus cortó la comunicación y vio que desenvolvía la chocolatina y le hincaba el diente.

—Adiós soborno —comentó.

—Le dejo las fotos —dio Mungo, sacudiéndose harina de los dedos—. Quédeselas, pero no son para publicar.

—Para nuestro uso exclusivo —asintió Rebus.

Desplegó las instantáneas de los diversos asientos traseros de coches, casi todas ellas borrosas por haber sido tomadas en vehículos que no se detenían ante los fotógrafos. Sin embargo, algunos mandatarios extranjeros sonreían, complacidos tal vez de que su presencia fuese noticia.

—¿Puede darle esto a Siobhan? —añadió Mungo tendiéndole un sobre grande. Rebus asintió con la cabeza y preguntó qué era—. Fotos de la manifestación de Princes Street. Tenía interés por una mujer que estaba junto a la multitud. He conseguido ampliarla un poco.

Rebus abrió el sobre. La joven de las trenzas sostenía la cámara pegada a la cara. ¿Santal se llamaba? Ah, sí, sándalo. Pensó si Siobhan habría verificado el nombre a través de Operación Sorbus; parecía concentrada en la filmación y su boca era una línea fina, firme. Una persona dedicada: tal vez profesional. En otras instantáneas aparecía con la cámara separada del cuerpo, mirando a derecha e izquierda, como alerta a algo, totalmente ajena a los escudos de los antidisturbios, sin preocuparse de los proyectiles; ni entusiasmada ni atemorizada.

Simplemente haciendo su trabajo.

—Yo se las entregaré —dijo Rebus a Mungo mientras el fotógrafo cerraba la bolsa—. Y gracias por éstas. Le debo un favor.

Mungo asintió despacio con la cabeza.

—¿Tal vez una llamada si llega el primero a algún escenario de crimen? —dijo.

—No es frecuente, hijo —dijo Rebus—, pero lo tendré en cuenta.

Mungo les estrechó la mano y dio media vuelta hacia la salida mientras Wylie le seguía con la mirada.

—¿Va a tenerlo en cuenta de verdad? —preguntó en voz baja.

—Ellen, lo jodido es que mi memoria, últimamente, no es lo que era —replicó Rebus cogiendo los tallarines, que ya estaban fríos.

Mairie Henderson, según lo prometido, se presentó al cabo de media hora y puso mala cara al ver en la mesa el envoltorio de la chocolatina.

—No es culpa mía —dijo Rebus alzando las manos.

—He pensado que te gustaría ver esto —dijo ella desplegando la primera página de la edición del periódico del día siguiente—. Tuvimos suerte. Hoy no había artículos importantes.

LA POLICÍA INDAGA UN CRIMEN MISTERIOSO EN EL G-8. Lo acompañaban fotos de la Fuente Clootie y del hotel de Gleneagles. Rebus no se tomó la molestia de leer el texto.

—¿Qué le acaba de decir a Mungo? —terció Wylie en broma.

Rebus, sin hacer caso, se concentró en las fotos de los mandatarios.

—Mairie, ¿me los puedes nombrar? —preguntó.

Ella hizo una inspiración honda y comenzó a desgranar nombres de ministros de países tan distintos como Sudáfrica, China y México, la mayoría con la cartera de Comercio o Hacienda, y en los casos en que no estaba segura, hizo una llamada a los expertos de su periódico.

—Por tanto, cabe suponer que hablaron de comercio o ayuda financiera —dijo Rebus—. En cuyo caso, ¿qué hacía ahí Richard Pennen? ¿O, más aún, el ministro de Defensa?

—Las armas son también comercio —replicó Mairie.

—¿Y el jefe de la policía?

Ella se encogió de hombros.

—Probablemente fue una invitación de cortesía. Éste de aquí —añadió dando unos golpecitos sobre una foto— es el señor Transgénicos. Le he visto en la tele discutiendo con los ecologistas.

—¿Vendemos transgénicos a México? —preguntó Rebus.

Mairie volvió a alzar los hombros.

—¿Tú crees que realmente ocultan algo?

—¿Por qué iban a hacerlo? —planteó Rebus como sorprendido.

—Porque pueden —apuntó Ellen Wylie.

—Estos caballeros no son tan tontos. Pennen no es el único hombre de negocios en el candelero —dijo Mairie señalando otras dos caras—. Banca y líneas aéreas —añadió.

—A los personajes importantes les sacaron del castillo a toda prisa en cuanto se descubrió el cadáver de Webster —dijo Rebus.

—Para mí que es el procedimiento habitual —comentó Mairie.

Rebus se dejó caer en la silla más próxima.

—Pennen no desea que removamos nada y Steelforth ha querido darme un escarmiento. ¿Qué os dice eso?

—Que cualquier cosa que se sepa es mala publicidad... cuando se comercia con ciertos gobiernos.

—Me gusta este hombre —comentó Wylie al concluir la lectura de las notas sobre Webster—. Siento que haya muerto. ¿Va a ir al funeral? —preguntó mirando a Rebus.

—Lo estoy pensando.

—¿Otra ocasión para tropezarte con Pennen y el Departamento Especial? —preguntó Mairie.

—Yo voy a dar el pésame —replicó Rebus— y a decirle a su hermana que no avanzamos nada —añadió cogiendo unos primeros planos de Mungo de las escenas del parque de Princes Street.

Mairie los miró también.

—Por lo que me han dicho, os pasasteis —comentó.

—Actuamos con firmeza —dijo Wylie picada.

—Eran unas cuantas docenas de exaltados contra centenares de antidisturbios.

—¿Y quién les da el oxígeno de la publicidad? —replicó Wylie dispuesta a enzarzarse.

—Vosotros con las porras —replicó Mairie—. Si no hubiese nada de que informar, no informaríamos.

—Ya, pero yo me refiero al modo de tergiversarlo... —Wylie advirtió que Rebus ya no escuchaba y miraba una foto con los ojos entornados—. ¿John? —Como no contestó, le dio un codazo—. ¿No me echa una mano?

—Ellen, estoy seguro de que sabes defenderte tú sola.

—¿Qué sucede? —preguntó Mairie mirando la foto por encima de él—. Se diría que has visto un fantasma.

—En cierto modo sí —contestó Rebus. Cogió el teléfono, pero cambió de idea y volvió a colgarlo—. Bueno, después de todo —añadió—, mañana será otro día.

—«Otro» no, John —dijo Mairie—. Mañana todo habrá acabado.

—Y aquí esperamos que Londres no obtenga la sede olímpica —añadió Wylie—. No se hablará de otra cosa hasta el día del juicio.

Rebus se puso en pie sin abandonar su aire pensativo.

—La hora de la cerveza —comentó—. Pago yo la ronda.

—Pensaba que ibas a escaquearte —dijo Mairie con un suspiro.

Wylie recogía la chaqueta y el bolso y él iba camino de la puerta.

—¿No dejas aquí eso? —dijo Mairie, señalando con la barbilla la foto que Rebus sostenía aún en la mano.

Él bajó la vista, la dobló y se la guardó en el bolsillo. Se palpó los otros bolsillos y puso la mano en el hombro de la periodista.

—Da la casualidad de que no llevo... ¿Podrías hacerme un préstamo?

A última hora de la tarde Mairie regresó a su casa de Murrayfield. Era propietaria de los dos pisos de la última planta de una casa victoriana y compartía la hipoteca con su novio Allan. Pero Allan era operador de cámara de televisión y se veían muy poco. Aquella semana había sido de órdago. Mairie tenía dedicado a despacho uno de los dormitorios de invitados y a él se dirigió, tirando la chaqueta sobre el respaldo de una silla. En la mesa de centro no cabía ya ni una taza, cubierta como estaba de montones de noticias impresas; sus archivos de recortes ocupaban una pared entera y sus pocos y preciados premios periodísticos los tenía enmarcados encima del ordenador. Se sentó frente al escritorio y se preguntó por qué se sentía tan a gusto en aquel cuarto lleno de cosas y mal ventilado. Tenía una espaciosa cocina, pero allí pasaba poco tiempo, y el cuarto de estar lo había invadido Allan con su cine particular y el equipo de música, pero aquel cuarto —su oficina— era exclusivamente suyo. Miró las estanterías de casetes de las entrevistas que había realizado y que tantas vidas guardaban. La de Cafferty había requerido más de cuarenta horas de conversaciones y las transcripciones llenaban mil páginas. El libro era una meticulosa compilación y sabía que se merecía una puta medalla. Pero no se la habían dado. Que el libro se vendiera a carretadas no había servido para aligerar la hipoteca y era Cafferty quien aparecía en las tertulias de televisión, quien firmaba ejemplares y se personaba en festivales y en fiestas de famosos en Londres. En la tercera edición incluso habían cambiado la sobrecubierta, el nombre de él con letras más grandes y el suyo con letras más pequeñas.

Qué descaro.

Y ahora, cuando se veían, él no dejaba de tomarle el pelo pidiéndole una continuación, insinuando que entonces sí que sacaría una «buena tajada», porque sabía de sobra que ella no iba a dejarse engañar de nuevo. ¿Cómo era el viejo proverbio? Vergüenza para ti si me engañas una vez, vergüenza para mí si me engañas dos veces. Cabrón.

Comprobó los mensajes de correo electrónico, pensando en la copa que había tomado con Rebus. Seguía enfadada con él porque no se había prestado a una entrevista para el libro de Cafferty, porque, a falta de su participación, muchos acontecimientos e incidentes se basaban exclusivamente en la versión de Cafferty. Pues sí; seguía enfadada con Rebus.

Enfadada porque sabía que tenía toda la razón para negarse.

Sus colegas pensaban que había ganado una fortuna con el libro, y algunos habían dejado de hablarle y de contestar a sus llamadas. Era en parte envidia, evidentemente, pero también porque pensaban que no tenían nada que ofrecerle. Agotadas sus fuentes, se vio obligada a cubrir noticias de lo que fuera, a redactar historias sobre concejales y asistentes sociales; artículos de contenido humano con muy poco interés. A los jefes de redacción les extrañaba que necesitase trabajo.

«Pensábamos que habías hecho mucho dinero con Cafferty.»

Naturalmente, no podía decir la verdad, y mentía diciendo que lo hacía por no perder el ritmo.

«Mucho dinero...»

Los pocos ejemplares que le quedaban del libro de Cafferty los tenía allí apilados bajo la mesita de centro. Ya no regalaba ninguno a su familia ni a sus amistades. Dejó de hacerlo después del comentario guasón que soltó Cafferty en una tertulia televisiva, que hizo mucha gracia al público pero que a ella la humilló todavía más. Pero aun ofuscada con Cafferty no dejaba de pensar en Richard Pennen, con su aspecto impecable, estrechando manos en Prestonfield House y mimado por aduladores. Rebus tenía razón en cuanto al banquete en el castillo. No era tanto el hecho de que aquel traficante de armas estuviera entre los comensales, sino que nadie lo hubiera advertido. Pennen declaró que cualquier obsequio que hubiera recibido Ben Webster figuraría en su declaración de patrimonio. Ella lo había investigado y, al parecer, el diputado era íntegro, lo que le sorprendía es que Pennen, sabiéndolo de antemano, la indujera a comprobarlo. ¿Por qué? ¿Porque sabía que no iba a descubrir nada? ¿O para manchar la memoria del difunto?

«Me gusta este hombre», había comentado Ellen Wylie. Sí, y tras unos minutos de charla con quienes tenían acceso al parlamento de Westminster, a ella también había comenzado a gustarle. Lo cual le hacía desconfiar aún más de Richard Pennen. Cogió un vaso de agua del grifo de la cocina y volvió a sentarse ante el ordenador.

Decidió empezar desde cero y tecleó el nombre de Richard Pennen en el primero de sus numerosos buscadores.

15

Apenas a tres pasos del portal de su casa, Rebus oyó que gritaban su nombre. Apretó los puños en los bolsillos, se volvió y vio a Cafferty.

—¿Qué demonios quieres?

—Desde aquí se huele a alcohol —dijo Cafferty agitando una mano ante la nariz.

—Es para olvidar a gente como tú.

—Pues esta noche se ha gastado el dinero en balde —replicó Cafferty—. Quiero enseñarle una cosa —añadió con un movimiento de cabeza.

Rebus permaneció impasible un instante hasta que la curiosidad le hizo cambiar de idea. Cafferty abrió el Bentley y le hizo un gesto para que subiera. Rebus abrió la puerta del pasajero y se inclinó hacia el interior.

—¿Adónde vamos?

—A ningún lugar desierto, si es lo que le preocupa. En realidad, a donde vamos habrá mucha gente.

El motor rugió. Con dos cervezas y dos whiskys encima, Rebus sabía que no estaba precisamente despejado, pero subió.

Cafferty le ofreció chicle y él desenvolvió una barrita.

—¿Qué tal va mi caso? —preguntó Cafferty.

—Muy bien sin tu ayuda.

—Pero no olvide quién le puso en la buena pista —añadió Cafferty con una sonrisita. Iban en dirección este, hacia Marchmont—. ¿Y a Siobhan, qué tal le va?

—Está bien.

—Ah, ¿no será que le ha dejado en la estacada?

Rebus le miró de refilón.

—¿A qué te refieres?

—Me han dicho que quiere abarcar más de la cuenta.

—¿Es que nos vigilas?

Cafferty sonrió de nuevo sin contestar. Rebus advirtió que mantenía los puños cerrados sobre el regazo. Con un golpe a la dirección podía enviar el Bentley contra un muro. O agarrar a Cafferty por el cuello y apretar.

—¿Tiene malos pensamientos, Rebus? —dijo Cafferty—. Recuerde que yo soy contribuyente, y del tramo alto, y que por lo tanto está a mi servicio.

—Debe de darte gran satisfacción.

—Me la da. ¿Avanza en la investigación de ese diputado que saltó desde la muralla?

—¿A ti qué más te da?

—A mí, nada —Cafferty hizo una breve pausa—. Pero yo conozco a Richard Pennen —continuó volviéndose hacia él, complacido en ver su reacción—. Hemos coincidido un par de veces —añadió.

—No me digas que trató de venderte sus peligrosas armas.

Cafferty se echó a reír.

—Es que tiene intereses en la empresa que publicó mi libro y vino al cóctel. Por cierto, sentí mucho que usted no pudiera asistir.

—Aproveché tu invitación cuando se me acabó el rollo de papel de váter.

—Volví a ver a ese Pennen en el almuerzo para celebrar la venta de cincuenta mil ejemplares. Se celebró en un reservado del Ivy de Londres —añadió mirándole otra vez—. He pensado en mudarme allí, ¿sabe? En el sur yo tenía muchos amigos, por relaciones de negocios.

—¿Los mismos que Steelforth metió entre rejas? —Rebus reflexionó un instante—. ¿Por qué no me dijiste que conocías también a Pennen?

—Algún secreto tiene que haber entre nosotros —replicó Cafferty sonriente—. Por cierto, indagué sobre su amigo Jacko, pero sin resultado. ¿Está seguro de que es poli?

Rebus respondió a su vez con otra pregunta.

—¿Y la cuenta de Steelforth en el Balmoral?

—La paga la policía de Lothian y Borders.

—Ya ves qué generosidad la nuestra.

—Y usted, trabaja que trabaja, ¿eh, Rebus?

—¿Por qué no?

—Porque a veces hay que dejar que las cosas sigan su curso. Lo pasado, pasado. Es lo que me decía Mairie cuando escribíamos el libro.

—He tomado una copa con ella.

—Y no de vino generoso, a juzgar por el olor.

—Es buena chica. Lástima que hayas clavado tus garras en ella.

Una vez en Dalkeith Road, Cafferty puso el intermitente izquierdo en dirección a Craigmillar y Niddrie; o tal vez a la A1 al sur de Edimburgo.

—¿Adónde vamos? —volvió a preguntar Rebus.

—Ya falta poco. En cuanto a Mairie, sabe cuidarse sola.

—¿Te lo cuenta todo?

—Probablemente no, pero eso no quita para que yo le pregunte. Escuche, a Mairie lo que le hace falta realmente es otro superventas y pedir un porcentaje en vez de ir a un tanto alzado. Yo no dejo de tentarla con historias de esa índole. Así que, tiene que bailarme el agua.

—Peor para ella.

—Tiene gracia —prosiguió Cafferty—, pero hablando de Richard Pennen, ahora recuerdo algunas historias de él. Pero no se las voy a contar —añadió conteniendo la risa. El fulgor de las luces del salpicadero iluminaba su rostro con sombras y manchas como un boceto de gárgola risueña.

«Estoy en el infierno —pensó Rebus—. Es lo que sucede al morir: que uno está condenado a ver a su demonio particular.»

—¡Busquemos la salvación! —exclamó Cafferty.

Giró bruscamente el volante para cruzar con el Bentley, en un trazado de slalom, una serie de puertas y salpicando grava. Era un auditorio iluminado, adjunto a una iglesia.

—Es hora de renunciar al demonio de la bebida —añadió guasón, apagando el motor y abriendo la portezuela.

Rebus vio un cartel junto a la puerta que anunciaba un acto público del programa alternativo al G-8: «Comunidades en acción: Cómo evitar la crisis que se avecina». La entrada era gratis para estudiantes y parados.

—Más bien tarados —musitó Cafferty al ver una figura barbuda con un cubo de plástico en la mano.

Era un hombre de pelo largo rizado con gafas de gruesa montura negra. Sacudió ante ellos el cubo con algunas monedas. Cafferty abrió teatralmente su cartera y sacó un billete de cincuenta libras.

—Más vale que sean para una buena causa —dijo al postulante.

Rebus entró tras él, señalando el cubo para dar a entender al barbudo que la aportación de Cafferty era por los dos.

En la parte de atrás quedaban tres o cuatro filas de asientos vacíos, pero Cafferty optó por permanecer de pie con los brazos cruzados y las piernas separadas. Estaba bastante lleno, pero el público parecía aburrido, o tal vez estuviera arrobado. En el escenario cuatro hombres y una mujer compartían una exigua mesa de caballete y un micrófono con tendencia a la distorsión. A sus espaldas, unas pancartas proclamaban CRAIGMILLAR DA LA BIENVENIDA A LOS CONTESTATARIOS DEL G-8 y NUESTRA COMUNIDAD ES FUERTE SI HABLA CON UNA SOLA VOZ. La única voz que se oía en aquel momento era la del concejal Gareth Tench.

—Es muy bonito —vociferó— decir que nos dan el medio de hacer el trabajo. ¡Pero en primer lugar es necesario que haya trabajo! Son necesarias propuestas concretas para la mejora de los municipios, y es lo que yo reclamo a mi modesta manera.

No había ninguna modestia en el discurso del concejal. En primer lugar, en un auditorio de aquel tamaño era prácticamente innecesario el micrófono para una persona con la voz de Tench.

—Está enamorado de su propia voz —comentó Cafferty.

Rebus se dijo que tenía razón. Le recordaba las ocasiones en que se había parado a escuchar los sermones de Tench en The Mound. No gritaba para que le oyeran, sino porque su intensa voz le confirmaba su propia importancia en el planeta.

—Pero, amigos y camaradas —prosiguió Tench sin apenas pausa para respirar—, todos, en definitiva, tendemos a considerarnos simples engranajes de la gran maquinaria política. ¿Cómo hacerse oír? ¿Cómo hacer que se nos tenga en cuenta? Pensadlo un instante. Si en los coches y autobuses que habéis utilizado para venir aquí le quitamos al motor una sola pieza, la máquina no funciona. Porque todas las piezas mecánicas tienen la misma importancia: la misma importancia... Y eso es tan cierto en la vida humana como en el motor de combustión interna.

—Gilipollas presumido —musitó Cafferty a Rebus—. Se gusta a sí mismo más que un contorsionista capaz de mamársela.

Rebus, sin poder contener la carcajada, trató inútilmente de disimular tosiendo. Algunas cabezas se volvieron a mirar y hasta Tench interrumpió brevemente su discurso y, al dirigir la mirada al fondo, vio a Morris Gerald Cafferty palmoteando la espalda al inspector John Rebus. Rebus compendió que le había reconocido pese a taparse con la mano la boca y la nariz. Tench, interrumpido en su verborrea, quiso recuperar impulso oratorio, pero parte de su fuerza se había disipado. Pasó el micrófono a la mujer que tenía a su lado, y ésta salió de su estado de trance y desgranó con voz cansina el contenido de unas notas que tenía delante.

Cafferty fue hacia la salida pasando por delante de Rebus, quien, transcurrido un instante, le siguió. Fuera, Cafferty paseaba de arriba abajo por el aparcamiento. Rebus encendió un cigarrillo esperando el momento propicio hasta que su bestia negra se le acercó.

—No lo acabo de entender —dijo sacudiendo la ceniza del pitillo.

Cafferty se encogió de hombros.

—Se supone que el policía es usted.

—Pero no me vendría mal algún dato.

—Pues éste es su territorio, su pequeño feudo, Rebus —dijo Cafferty cruzando los brazos—. Y está ansioso por ampliarlo.

—¿Te refieres a Tench? —preguntó Rebus entrecerrando los ojos—. ¿Está invadiendo tus dominios?

—Como un demonio —replicó Cafferty bajando los brazos y dándose palmetazos en los muslos, como poniendo punto final a su desahogo.

—Sigo sin entenderlo.

Cafferty le miró furioso.

—Pues simplemente que le parece perfecto desbancarme porque tiene la superioridad moral de hombre recto de su parte y considera que haciéndose con lo ilegal lo transforma en legítimo —añadió Cafferty con un suspiro—. A veces pienso que es así como funciona la mitad del planeta. No es a los de abajo a quienes se debería vigilar, sino a los de arriba. A tipos como Tench y su ralea.

—Él es concejal —replicó Rebus—. No digo que no acepte algún soborno...

Cafferty negó con la cabeza.

—Él quiere poder, Rebus. Quiere tener el control. ¿No ve como le encanta hacer discursos? Cuanto más poder acapare, más podrá hablar y más será escuchado.

—Pues mándale a tus matones a darle un aviso.

—¿Y eso es todo lo que se le ocurre decir? —replicó Cafferty traspasándole con la mirada.

—Es asunto entre tú y él —dijo Rebus encogiéndose de hombros.

—Se me debe un favor.

—Se te debe la raíz cuadrada de una mierda. Que tenga suerte si te elimina del juego —añadió Rebus tirando al suelo la colilla y aplastándola con el tacón.

—¿Lo dice en serio? —preguntó Cafferty pausadamente—. ¿Seguro que preferiría que él dominara el cotarro? ¿Un hombre público, con influencia política? ¿Cree que él sería un blanco más fácil? Bueno, en realidad, usted está a punto de jubilarse. Sería más bien tarea de Siobhan. ¿Cómo es el dicho? —añadió Cafferty alzando la cabeza como si las palabras estuvieran escritas en lo alto—. Más vale lo malo conocido...

Rebus cruzó los brazos.

—Tú no me has traído aquí para enseñarme a Gareth Tench —dijo—. Me has hecho venir para que él me viera, para que nos viera juntos y cómo me dabas palmaditas en la espalda. Menuda estampa habremos hecho. Lo que quieres es que piense que me tienes metido en el bolsillo, y conmigo a todo el DIC.

Cafferty fingió sentirse ofendido por la acusación.

—Me sobreestima, Rebus.

—Lo dudo. Todo esto podrías habérmelo contado en Arden Street.

—Pero se habría perdido el espectáculo.

—Sí, y el concejal Tench también. A ver, explícame cómo va a financiar ese ataque y de dónde sacará la milicia.

Cafferty estiró los brazos de nuevo haciendo un giro completo.

—Es el amo de todo este distrito; de lo bueno y de lo malo.

—¿Y el dinero?

—Lo buscará, Rebus. Es lo que mejor hace.

—Sí que sé liar a la gente, cierto.

Se volvieron los dos y vieron a Gareth Tench en la puerta, con la luz a su espalda.

—Y no me asusto fácilmente, Cafferty; ni de ti ni de tus amigos.

Rebus iba a protestar, pero Tench prosiguió:

—Estoy limpiando la zona, así que puedo seguir con toda la ciudad. Si tus amigos de la policía no te expulsan, ya se encargará la comunidad.

Rebus advirtió a dos hombres fornidos detrás, en la puerta, a ambos lados de Tench.

—Vámonos —dijo a Cafferty.

Lo que menos le apetecía era mediar en una pelea de Cafferty.

De todos modos, tendría que hacerlo.

Agarró por el brazo a Cafferty, pero el gángster se zafó de él.

—Nunca pierdo una batalla —previno Cafferty a Tench—. Piénsalo antes de iniciarla.

—No necesito hacer nada —replicó Tench—. Tu pequeño imperio se está desmoronando. Ya es hora de que te des cuenta. ¿Te cuesta encontrar gorilas para los pubs? ¿No tienes inquilinos en esos pisos de mala muerte? ¿Te faltan conductores de taxi? —En su boca comenzó a dibujarse una sutil sonrisa—. Es tu ocaso, Cafferty. Despierta y encarga el ataúd.

Cafferty fue a dar un salto hacia Tench, pero Rebus lo asió en el preciso instante en que los dos guardaespaldas daban un paso al frente, y, de espaldas a la puerta, empujó al gángster hacia el Bentley.

—Sube y vámonos —le ordenó.

—¡Yo nunca perdí una batalla! —gritó Cafferty con el rostro congestionado, pero abrió de un tirón la puerta y se dejó caer en el asiento del volante.

Rebus dio la vuelta por delante del coche hacia el asiento del pasajero y miró a la puerta del local. Tench les despedía con una sonrisa diciendo adiós con la mano. Rebus quiso decir algo, aunque sólo fuera para que Tench supiera que él no era un hombre de Cafferty, pero el concejal dio media vuelta y en la entrada sólo quedaron sus adláteres.

—Voy a sacarle los putos ojos y hacérselos tragar como bolas de chicle —gruñó Cafferty, haciendo saltar motas de saliva sobre el parabrisas—. Y si quiere propuestas sólidas, yo mismo prepararé el cemento en bloque y le sacudiré con la pala en la cabeza. ¡Eso sí que será «mejora de la comunidad»!

Cafferty guardó silencio mientras maniobraba para salir del aparcamiento sin que se apaciguase su respiración hasta que, jadeante, finalmente se volvió hacia Rebus.

—Juro por Dios que cuando eche mano a ese gilipollas... —Sus nudillos blancos aferraban el volante.

—Pero si dices algo que pueda ser utilizado en tu contra ante un tribunal... —recitó Rebus.

—No habrá pruebas —replicó Cafferty con una carcajada—. Los forenses tendrán que recoger sus restos con pinzas.

—Pero si dices algo que... —repitió Rebus.

—La cosa empezó hace tres años —dijo Cafferty, tratando de calmar su agitada respiración—. Pedí licencia de máquinas de juego y de apertura de bares, incluso pensaba abrir un servicio de taxis en su territorio y dar trabajo a algunos parados, pero él hizo que el ayuntamiento me negara las licencias una y otra vez.

—O sea, que has dado por fin con alguien con redaños para plantarte cara.

Cafferty miró a Rebus.

—Creía que eso era obligación de usted —replicó.

—Es muy posible.

Finalmente Cafferty rompió el silencio que siguió.

—Necesito una copa —dijo pasándose la lengua por los labios y las comisuras de la boca con hilillos de saliva.

—Buena idea —dijo Rebus—. Beber para olvidar, como yo, seguramente.

Siguió observando a Cafferty durante el resto del trayecto hasta el centro sin intercambiar palabra. Aquel hombre había matado sin que se le pudiera imputar nada, quizá más veces de las que él sabía; había arrojado víctimas a los cerdos hambrientos de una granja de Borders y había arruinado incontables vidas, purgando cuatro condenas de cárcel. Era un violento desde sus años mozos, había hecho su aprendizaje de matón con la mafia londinense...

¿Por qué diablos sentía pena por él?

—Tengo en mi casa un malta de treinta y cinco años —le dijo Cafferty— y dulce de azúcar morena con mantequilla...

—Déjame en Marchmont —insistió Rebus.

—¿Y esa copa?

Rebus negó con la cabeza.

—¿No me aconsejabas que renunciase a la bebida? —replicó.

Cafferty lanzó un resoplido pero no dijo nada. En cualquier caso,

Rebus notó que estaba deseando tomarse una copa con él, sentados el uno frente al otro, mientras llegaba la noche.

Pero Cafferty no insistió, porque habría sido como rogárselo. Y Cafferty no rogaba. Aún.

Rebus comprendió que lo que Cafferty temía era la pérdida de poder. El mismo temor acosa a tiranos y políticos, sean hampones o mandamases, el temor de que llegue el día en que nadie les haga caso, no se cumplan sus órdenes y, perdida la fama, tengan que enfrentarse a nuevos retos, nuevos rivales y depredadores. Cafferty tendría seguramente sus buenos millones, pero ni una flota entera de coches de lujo podía sustituir al postín y el respeto.

Edimburgo no era una ciudad grande, era fácil para un solo hombre ejercer el control en la mayor parte de la misma. ¿Tench o Cafferty? ¿Cafferty o Tench?

Rebus no pudo evitar plantearse si tendría que elegir.

Los mandamases.

Todos los del G-8, Pennen y Steelforth inclusive. Todos movidos por el ansia de poder. Era una cadena de mando que afectaba a todos los habitantes del planeta. Todavía reflexionaba Rebus al respecto mirando como se alejaba el Bentley cuando en aquel momento columbró una figura en la penumbra junto al portal de su casa. Apretó los puños y miró alrededor por si hubiera venido Jacko con sus colegas. Pero no fue Jacko quien salió a su encuentro, sino Hackman.

—Buenas noches —dijo.

—He estado a punto de darle un golpe —contestó Rebus relajando los hombros—. ¿Cómo diablos me ha encontrado?

—Cuestión de un par de llamadas. Aquí, la policía es muy servicial. Pero no le hacía yo viviendo en una calle así.

—¿Dónde se supone que tendría que vivir?

—En un gran piso rehabilitado —contestó Hackman.

—No me diga.

—Con una rubia que le prepare el desayuno los fines de semana.

—Así que, ¿sólo la veo los fines de semana? —replicó Rebus, sin poder evitar una sonrisa.

—No dispone de tiempo para nada más. Un polvo y vuelta al tajo diario.

—Lo tiene todo previsto. Pero eso no explica qué es lo que hace aquí a esta hora.

—Es que me he acordado de algún detalle sobre el caso de Trevor Guest.

—¿Y me lo va a contar a cambio de una copa? —aventuró Rebus.

Hackman asintió con la cabeza.

—Pero tiene que ser con un buen espectáculo.

—¿Con espectáculo?

—¡Nenas!

—No bromee...

Pero Rebus comprendió por la actitud de Hackman que no bromeaba en absoluto.

Tomaron un taxi en Marchmont Road y fueron a Bread Street. El taxista les dirigió una sonrisa solapada por el retrovisor: dos hombres maduros con unas cuantas copas en ruta hacia los locales de destape.

—Bien, cuente —dijo Rebus.

—¿El qué? —replicó Hackman.

—Esa información sobre Trevor Guest.

—Si se lo cuento ahora —replicó Hackman esgrimiendo un dedo— igual me deja colgado.

—¿Si le doy mi palabra de caballero...? —dijo Rebus.

Ya tenía bastante aquella noche y no estaba dispuesto a tragarse una ruta de tugurios de baile de barra en Lothian Road. Recibiría la información y dejaría a Hackman en la calle, indicándole adónde dirigirse.

—Mañana ya se van los hippies —dijo el inglés—. Marchan en autobuses a Gleneagles.

—¿Y usted?

—Yo haré lo que me manden —contestó Hackman encogiéndose de hombros.

—Pues yo le mando que me cuente lo que sabe de Guest.

—Bien, bien; siempre que me prometa que no se largará en cuanto pare el taxi.

—Por mi honor escocés.

Hackman se reclinó en el asiento.

—Trevor Guest tenía un genio muy vivo y se buscó muchos enemigos. Probó a marcharse a Londres, pero no le salió bien. Siempre le engañaba una puta u otra, y a partir de ahí comenzó a alimentar rencor contra el bello sexo. ¿Dice que acabó en una página de Internet?

—En Vigilancia de la Bestia.

—¿Tiene idea de quién envió sus datos?

—Un anónimo.

—Trevor era un ladrón de casas más que nada; un ladrón con mal genio, por eso fue a la cárcel.

—¿Y bien?

—¿Quién le hizo aparecer en Internet y por qué?

—¿Usted qué piensa?

Hackman volvió a encogerse de hombros y se agarró al pasamanos al tomar el taxi una curva cerrada.

—Otra cosa —añadió mirando si Rebus prestaba atención—. Cuando se fue a Londres corrió el rumor de que viajó con un alijo de droga, que, incluso, podría haber sido heroína.

—¿Era heroinómano?

—Usuario ocasional. No creo que se inyectase. Es decir, hasta la noche en que murió.

—¿Estafó a alguien?

—Podría ser. Escuche, ¿no será que hay una conexión que usted no detecta?

—¿Qué conexión sería ésa?

—Esos malhechores de baja estofa abarcan a veces más de lo debido.

Rebus reflexionó un instante.

—La víctima de Edimburgo trabajaba para un gángster local.

—Pues ya está —dijo Hackman dando una palmada.

—Supongo que Eddie Isley habría... —dejó la frase en el aire, poco convencido.

El taxi se detuvo y el taxista les dijo que eran cinco libras. Rebus advirtió que estaban a la puerta de The Nook, uno de los bares de destape de cierta categoría de Edimburgo. Hackman bajó inmediatamente a pagar la carrera a través de la ventanilla del pasajero, indicio inequívoco de que era forastero, porque los de Edimburgo pagaban antes de apearse. Rebus consideró sus opciones: quedarse en el taxi o bajar y decirle a Hackman que se marchaba.

La portezuela seguía abierta y el inglés hacía gestos de impaciencia.

Rebus se bajó del taxi en el momento en que se abría la puerta de The Nook y del interior surgía un hombre tambaleante con dos porteros a la zaga.

—¡Les digo que yo no la toqué! —protestó.

Era alto, bien vestido y de piel oscura. A Rebus, aquel traje azul le resultaba conocido.

—¡Mentira! —exclamó uno de los porteros señalando al cliente con el dedo.

—Ella quería robarme —protestó el hombre—. Intentó sacarme la cartera de la chaqueta, y al apartarle la mano comenzó a quejarse.

—¡Otra mentira! —espetó el mismo portero.

Hackman dio un codazo a Rebus en las costillas.

—Vaya locales conoce, John —dijo con aparente fruición.

El otro portero habló por el micrófono de la muñeca.

—Intentó quitarme la cartera —insistió el del traje.

—Entonces, ¿no le robó?

—Si la hubiese dejado, seguro que sí.

—¿Le robó? Hace un minuto perjuró que sí y que tenía testigos.

El portero volvió la cabeza hacia Rebus y Hackman y el cliente miró también hacia ellos y reconoció a Rebus.

—Amigo, ¿no ve usted en qué situación me encuentro?

—Más o menos —contestó Rebus.

El del traje le estrechó la mano.

—Nos conocimos en el hotel, ¿recuerda? En el estupendo almuerzo que nos brindó mi buen amigo Richard Pennen.

—No fue en el almuerzo —replicó Rebus—. Charlamos en el vestíbulo.

—Sí que tiene relaciones, John —comentó Hackman, conteniendo la risa y dando otro codazo a Rebus.

—Es una situación lamentable y grave —dijo el del traje—. Tenía sed y entré en lo que pensé que sería una especie de mesón...

Los porteros lanzaron un bufido.

—Sí, después de pagar la entrada —dijo el más furioso de los dos.

Incluso Hackman se echó a reír. Pero calló al ver que se abría de nuevo la puerta y quien salía era una mujer; una bailarina, en sujetador y tanga y zapatos de tacón alto. Llevaba un peinado alto y mucho maquillaje.

—Dice que le robé, ¿no? —vociferó.

Hackman miró como si estuviera en la mejor localidad de la pista.

—Nosotros lo solventaremos —dijo el portero malhumorado, mirando enfurecido a su compañero, que era quien obviamente había lanzado la acusación.

—¡Me debe cincuenta libras de los bailes! —gritó la mujer con la mano abierta, decidida a cobrar—. ¡Y empezó a meterme mano! No hay derecho.

En ese momento pasó un coche patrulla y los agentes miraron la escena. Rebus vio las luces de los frenos y se imaginó que iba a dar media vuelta.

—Soy diplomático —dijo el del traje— y gozo de inmunidad ante falsas alegaciones.

—Vaya, se ha tragado un diccionario —comentó Hackman riendo.

—Tengo inmunidad diplomática —repitió el hombre— en mi condición de miembro de la delegación de Kenia.

El coche patrulla se detuvo y se bajaron dos policías ajustándose la gorra.

—¿Qué sucede aquí? —preguntó el conductor.

—Estamos acompañando a este caballero fuera del local —contestó el portero, ahora sin enojo.

—¡Me echaron a la fuerza! —protestó el keniano—. ¡Y casi me roban la cartera!

—Cálmese, señor. Vamos a ver... —El policía de uniforme se volvió hacia Rebus al advertir de reojo un movimiento.

Rebus le puso el carné delante de las narices.

—Hay que llevar a estos dos a la comisaría más cercana —dijo.

—No es para tanto... —intervino el portero.

—¿Quiere acompañarlos, amigo? —inquirió Rebus interrumpiéndole.

—¿A qué comisaría? —preguntó el uniformado.

Rebus le miró.

—¿A cuál pertenece usted?

—A la de Hull.

Rebus profirió un sonido de exasperación.

—Vamos a la de West End —dijo—. Está en Torphichen Place.

El uniformado asintió con la cabeza.

—Cerca de Haymarket, ¿no?
—Exacto —dijo Rebus.
—Tengo inmunidad diplomática —insistió el keniano.
Rebus se volvió hacia él.
—Se trata de un procedimiento imprescindible —dijo buscando palabras largas que contentaran al hombre.
—No querrá que vaya yo... —dijo la mujer señalando sus generosos pechos.
Rebus no osó mirar a Hackman por si se le caía la baba.
—Me temo que sí —dijo Rebus, haciendo un gesto al uniformado.
Cliente y bailarina fueron llevados al coche patrulla.
—Uno delante y otro atrás —dijo el conductor a su compañero.
La bailarina miró a Rebus al pasar junto a él.
—Un momento —dijo él quitándose la chaqueta y echándosela a la mujer por los hombros, y, volviéndose hacia Hackman, añadió—: Tengo que atender este asunto.
—Agradable asunto, ¿no? —comentó el inglés con mirada lasciva.
—No quiero que se produzca un incidente diplomático —replicó Rebus—. ¿Se las apañará solo?
—De maravilla —contestó Hackman, dándole una palmada en la espalda—. Seguro que estos amigos —añadió de modo que los porteros lo oyeran— no harán pagar entrada a un servidor de la ley.
—Un consejo, Stan —dijo Rebus.
—¿Cuál?
—Que no se le vaya la mano.

La sala del DIC estaba desierta y no había rastro de Reynolds *Culo de Rata* ni de Shug Davidson. Sería más fácil conseguir dos cuartos de interrogatorio y una pareja de uniformados que hicieran de canguros.
—Hombre, qué bien —dijo uno de los agentes.
Primero la bailarina. Rebus le llevó un vaso de plástico con té.
—Recuerdo incluso cómo lo tomas —dijo a la mujer.
Molly Clark estaba sentada con los brazos cruzados, cubierta como buenamente podía con la chaqueta de él. Movía los pies, nerviosa, con gesto crispado.
—Podría haber dejado que me cambiase —dijo dolida, sorbiendo por la nariz.

—¿Temes enfriarte? No te preocupes, dentro de cinco minutos te llevará un coche.

Ella dirigió hacia él su rostro con los ojos cargados de rímel y las mejillas de colorete.

—¿No me va a denunciar? —preguntó.

—¿Por qué? Nuestro amigo no querrá presentar denuncia, ya lo verás.

—Soy yo quien debería denunciarle a él.

—Lo que tú digas, Molly —dijo Rebus ofreciéndole un cigarrillo.

—Hay un letrero de «Se prohíbe fumar» —advirtió ella.

—Pues sí —replicó él encendiendo el suyo.

Ella dudó un instante.

—Bueno... —dijo cogiendo el cigarrillo e inclinándose sobre la mesa para que le diera fuego.

El perfume se le quedaría impregnado en la chaqueta durante semanas. Molly inhaló con fuerza y tragó el humo.

—Cuando fuimos el domingo a veros —dijo Rebus—, Eric no dijo cómo os conocisteis. Ahora creo que ya lo sé.

—Bravo —dijo ella mirando la punta al rojo del cigarrillo. Balanceaba levemente el cuerpo moviendo la pierna de arriba abajo.

—Entonces, ¿él sabe cómo te ganas la vida? —preguntó Rebus.

—¿Es eso asunto suyo?

—En realidad, no.

—Pues, entonces... —Volvió a aspirar con fuerza el cigarrillo como si fuera un nutriente. El humo barrió el rostro de Rebus—. Entre Eric y yo no hay secretos.

—Muy bien.

Finalmente, ella le miró a los ojos.

—Me estaba tocando. Y en cuanto a lo de la cartera... —añadió con un gesto de desdén—. Distinta cultura pero la misma mierda. Por eso Eric significa algo para mí —añadió más calmada.

Rebus asintió con la cabeza.

—Es tu amigo keniano el que tiene problemas; no tú —dijo.

—¿De veras? —inquirió ella con la misma gran sonrisa del domingo, y la inhóspita sala pareció iluminarse un instante.

—Eric tiene suerte.

—Tiene usted suerte —dijo Rebus al keniano.

Estaban en el cuarto de interrogatorios número 2, diez minutos después. De The Nook iban a enviar un coche —y algo de ropa— para Molly, que había prometido dejar la chaqueta de Rebus en el mostrador de recepción de la comisaría.

—Me llamo Joseph Kamweze y tengo inmunidad diplomática.

—En tal caso, no tendrá inconveniente en enseñarme su pasaporte, Joseph —dijo Rebus tendiendo la mano—. Si es diplomático, constará en el pasaporte.

—No lo llevo encima.

—¿Dónde se aloja?

—En el Balmoral.

—Vaya sorpresa. ¿Le paga la habitación Pennen Industries?

—El señor Richard Pennen es un buen amigo de mi país.

—¿Cómo es eso? —preguntó Rebus reclinándose en la silla.

—Por asuntos comerciales y de ayuda humanitaria.

—Montando microchips en piezas de armamento.

—No veo la relación.

—¿Qué está haciendo en Edimburgo, Joseph?

—Formo parte de la misión comercial de mi país.

—¿Y qué parte de su cometido le llevó esta noche a The Nook?

—Tenía sed, inspector.

—¿Y estaba un poco caliente?

—No veo muy bien qué trata de insinuar. Ya le he dicho que gozo de inmunidad.

—De lo cual me alegro por usted. ¿No conocerá a un político británico llamado Ben Webster?

Kamweze asintió con la cabeza.

—Le conocí en Nairobi, en la Alta Comisión.

—¿No le ha visto en este viaje?

—No tuve ocasión de poder hablar con él la noche en que perdió la vida.

—¿Estaba en el castillo? —inquirió Rebus mirándole.

—Efectivamente.

—¿Vio allí al señor Webster?

El keniano asintió con la cabeza.

—No consideré necesario hablar con él en esa ocasión ya que íbamos a vernos en el almuerzo de Prestonfield House —contestó Kamweze compungido—. Y después tuvo lugar esa tragedia.

—¿Qué quiere decir? —preguntó Rebus tenso.

—Por favor, no me malinterprete. Lo que quiero decir es que ha sido una gran pérdida para la comunidad internacional.

—¿No vio lo que sucedió?

—Nadie. Quizá las cámaras contribuyan a explicarlo.

—¿Las cámaras de seguridad? —inquirió Rebus, dándose casi una palmada en la frente. Si el castillo era sede del ejército, naturalmente que tenía que haber videovigilancia.

—Nos llevaron en visita guiada al centro de control. Es de una tecnología impresionante. El terrorismo es cada vez una amenaza más grave, ¿no es cierto, inspector?

Rebus permaneció un instante en silencio.

—¿Qué dijeron los demás sobre el hecho? —preguntó al fin.

—No acabo de entender... —dijo Kamweze con el ceño fruncido.

—Las otras delegaciones, esa pequeña Liga de Naciones con la que estuvo en Prestonfield. ¿Oyó algún rumor respecto al señor Webster?

El keniano negó con la cabeza.

—Dígame una cosa, ¿se muestran todos tan complacidos como usted con Richard Pennen?

—Inspector, le repito que no creo... —Kamweze, sin acabar la frase, se puso en pie, derribando la silla—. Me gustaría marcharme —añadió.

—¿Tiene algo que ocultar, Joseph?

—Creo que me ha traído aquí con un falso pretexto.

—Podemos volver al primer motivo y hablar de esa delegación de un solo individuo de su país y sus andanzas por los bares de destape de Edimburgo —dijo Rebus inclinándose sobre la mesa y apoyando los brazos—. En esos locales hay también cámaras de seguridad, Joseph, y habrá quedado grabado.

—Gozo de inmunidad...

—No estoy insinuando nada, Joseph. Sólo pienso en la gente de su país. Supongo que tendrá familia en Nairobi... ¿Su padre, su madre, tal vez una esposa e hijos?

—¡Quiero marcharme! —exclamó Kamweze dando un puñetazo en la mesa.

—Tranquilo —dijo Rebus alzando las manos—. Se trata de una simple charla.

—¿Desea provocar un incidente diplomático, inspector?

—No lo sé —respondió Rebus pensativo—. ¿Y usted?

—¡Esto es indignante!

Dio otro puñetazo en la mesa y se dirigió a la puerta. Rebus no se lo impidió. Encendió un cigarrillo, puso las piernas sobre la mesa cruzándolas por los tobillos, se estiró hacia atrás y miró al techo. Naturalmente, Steelforth no había dicho nada de las cámaras de seguridad, y él sabía que le costaría lo suyo conseguir que le dejaran ver el metraje por tratarse de algo exclusivamente propiedad de la guarnición militar y fuera de su jurisdicción.

Lo que no le impediría plantearlo.

Al cabo de un minuto llamaron a la puerta y entró un uniformado.

—Nuestro amigo africano dice que quiere un taxi para volver al Balmoral.

—Dígale que un paseo a pie le vendrá bien —dijo Rebus—. Y coméntele que procure que no le entre sed otra vez.

—¿Cómo? —inquirió el agente desconcertado.

—Dígaselo tal cual.

—Sí, señor. Ah, otra cosa...

—¿Qué?

—Aquí no se puede fumar.

Rebus volvió la cabeza y miró fijamente al agente hasta que se marchó. Cuando hubo cerrado la puerta sacó el móvil del bolsillo del pantalón, marcó un número y esperó.

—¿Mairie? Tengo una información que a lo mejor te sirve —dijo.

CARA TRES

NI DIOS, NI AMO

MIÉRCOLES 6 DE JULIO

16

Casi todos los dignatarios del G-8 aterrizaban en el aeropuerto de Prestwick, al sudoeste de Glasgow. Un total de casi ciento cincuenta aviones iba a tomar tierra a lo largo del día. A continuación, mandatarios y esposas, con el personal de su séquito, serían trasladados en helicóptero a Gleneagles, mientras flotas de coches con chófer llevaban a los miembros de las delegaciones a sus respectivos alojamientos. El perro rastreador de Bush ocupaba coche propio. Bush cumplía cincuenta y nueve años. Jack McConnell, primer ministro del Parlamento escocés, esperaba a pie de pista a los líderes mundiales. No hubo protestas ni incidentes visibles.

Pero en Stirling, el noticiario de la mañana mostró a manifestantes enmascarados abollando coches y furgones, rompiendo los cristales de un Burger King, bloqueando la A9 y asaltando gasolineras. En Edimburgo, cortaron el tráfico en Queensferry Road, en Lothian Road había en reserva una hilera de furgones de la policía y un cordón de uniformados protegía el Hotel Sheraton y a unos setecientos delegados. Policía a caballo patrullaba las calles, generalmente transitadas por la gente que acudía al trabajo a primera hora, y aquel día vacías. En Waterloo Place aguardaba una fila de autobuses para el traslado de los manifestantes al norte, a Auchterarder. Pero aún no estaba claro y no se sabía con seguridad si había autorización de ruta oficial. La marcha se suspendió, volvió a anunciarse y se suspendió de nuevo. La policía ordenó a los conductores de los autobuses que no movieran los vehículos del sitio hasta que se confirmara una u otra cosa.

Luego, empezó a llover, por lo que se pensó que el concierto de la tarde «Empujón final» no se celebraría. Los músicos y los famosos andaban ya en el estadio Murrayfield atareados con las pruebas de sonido y los ensayos. Bob Geldof estaba en el Hotel Balmoral listo para acudir a Gleneagles con su amigo Bono, suponiendo que las diversas manifestaciones se lo permitieran, y la reina iba también camino del norte para ofrecer un banquete a los delegados.

Los presentadores del telediario hablaban de forma entrecortada y se mantenían en pie a base de cafeína. Siobhan, tras pasar la noche en el coche, se tomó un café aguado en una pastelería del pueblo. Los otros clientes centraban su interés en los acontecimientos que se sucedían en la pantalla del televisor de la pared tras el mostrador.

—Eso es Bannockburn —dijo una joven—. Y eso, Springkerse. ¡Están por todas partes!

—Se hacen fuertes —comentó su amigo, suscitando algunas sonrisas.

Los manifestantes habían salido de Campamento Horizonte a las dos de la madrugada, sorprendiendo a la policía dormida.

—No entiendo cómo esos puñeteros políticos pueden decir que esto es bueno para Escocia —comentó un hombre en mono de pintor, mientras esperaba su panecillo de beicon—. Tengo un trabajo en Dunblane y otro en Creiff y Dios sabe si podré llegar.

De vuelta al coche, Siobhan puso la calefacción para entrar en calor, pero aún le crujía la columna y tenía tortícolis. Se había quedado en Stirling porque volver a casa habría supuesto pasar de nuevo aquella mañana los mismos controles o tal vez otros peores. Se tomó dos aspirinas y se dirigió a la A9. No había avanzado mucho por el doble carril cuando las luces destellantes de un coche algo más adelante le hicieron comprender que estaba bloqueado el tráfico. Los conductores se bajaban de los coches para despotricar contra unos hombres y mujeres vestidos de payaso tumbados en medio de la calzada, algunos de ellos encadenados a las barreras protectoras del centro. Por los campos colindantes, la policía perseguía a otras figuras estrambóticas. Siobhan dejó el coche en el arcén, avanzó hasta el principio del atasco y enseñó su carné al oficial que estaba al mando de los uniformados.

—Tengo que ir a Auchterarder —le dijo.

El policía señaló con la porra corta hacia una moto de la policía.

—Si Archie tiene un casco de más, la lleva en un santiamén.

Archie tenía un casco extra.

—Va a pasar mucho frío ahí detrás —dijo a Siobhan.

—Pues me haré un ovillo —replicó ella.

Pero en cuanto el motorista aceleró, lo del «ovillo» pasó a segundo término y lo que hizo fue agarrarse a él como pudo. El casco tenía auricular incorporado y pudo oír los mensajes de Operación Sorbus: unos cinco mil manifestantes iban camino de Auchterarder dispuestos a penetrar en el recinto del hotel. Siobhan sabía que era fútil: aún se encontrarían a medio kilómetro del edificio, y sus consignas se las llevaría el viento; dentro de Gleneagles, los mandatarios ni se enterarían de la marcha y de las protestas. Los manifestantes se aproximaban a campo traviesa desde todas direcciones pero, tras la valla de seguridad, la policía estaba preparada. Siobhan había visto al salir de Stirling una pintada reciente en un establecimiento de comida rápida: «diez mil faraones, seis mil millones de esclavos», cuyo significado seguía intrigándole.

Un frenazo repentino de Archie la hizo inclinarse hacia delante y pudo ver por encima de su hombro la escena que se desarrollaba ante ellos. Antidisturbios con escudos y perros, y policías a caballo. Sobre sus cabezas evolucionaba un helicóptero Chinook bimotor y había una bandera americana en llamas.

Era una sentada de protesta que ocupaba toda la calzada. En cuanto la policía comenzó a abrir brecha, Archie enfiló la moto hacia el hueco y cruzó. De no haber tenido los nudillos entumecidos de frío, Siobhan se habría soltado un instante para darle una palmada en la espalda. Oyó por el auricular que la estación de tren de Stirling volvería a abrir en breve, pero que tal vez los anarquistas utilizaran la línea como atajo para llegar a Gleneagles. Recordó que el hotel tenía estación propia, pero dudaba que alguien la utilizase aquel día. Eran mejores las noticias de Edimburgo, donde una lluvia torrencial había aguado los ánimos de los manifestantes.

Archie volvió la cabeza.

—¡El tiempo escocés! —gritó—. ¿Qué haríamos sin él?

La carretera del puente Forth funcionaba con «interrupciones mínimas» y habían despejado las barreras de Quality Street y Corstorphine Road. Archie frenó para atravesar otro bloqueo y Siobhan aprovechó la oportunidad para limpiar con la manga el vaho del visor. En el momento en que el motorista ponía el intermitente para salir del doble carril, vieron que otro helicóptero más pequeño les seguía. Archie detuvo la moto.

—Final de trayecto —dijo.

No habían llegado a las afueras del pueblo, pero ella comprendió que tenía razón. Ante ellos, tras un cordón policial, había un mar de banderas y pancartas y se oían cantos, silbidos y abucheos.

«Bush, Blair, CIA, ¿cuántos niños habéis matado hoy?» La misma consigna que voceaban en la ceremonia de «Nombrar a los muertos».

«George Bush, te conocemos, tu padre era también un asesino.» Ah, ésta era nueva.

Siobhan se bajó del sillín trasero, devolvió el casco y dio las gracias a Archie, quien le sonrió.

—No hay muchos días tan emocionantes como éste —dijo dando media vuelta con la moto.

Al acelerar le dijo adiós con la mano y ella le devolvió el saludo ya casi desentumecida. Un policía rubicundo se le acercó inmediatamente, pero ella ya tenía el carné preparado.

—¡Está loca! —ladró—. ¡Y parece una de ésas! —dijo señalando con el dedo hacia los manifestantes contenidos—. Si la ven detrás de nuestras líneas la reclamarán. Así que desparezca o póngase el uniforme.

—No olvide que hay una tercera vía —añadió Siobhan.

Con una sonrisa, fue hacia el cordón policial, se abrió hueco entre dos antidisturbios y, agachándose, pasó por debajo de los escudos y se situó en la primera fila de la manifestación. El rubicundo oficial se quedó pasmado.

—¡Poneos las insignias! —gritó un manifestante a los agentes.

El antidisturbios que tenía frente a ella vestía una especie de mono y en el casco, sobre la visera, se veían escritas en blanco las letras ZH. Pensó si los de Princes Street llevaban las mismas iniciales, pero ella únicamente recordaba XS.

El oficial, con las mejillas sudorosas, conservaba la serenidad y daba órdenes al cordón policial:

—¡Cierren filas! Con calma. ¡Empújenlos!

En ambos bandos se advertía un elemento concertado de tira y afloja. Un manifestante decía en voz alta y tranquilo que la marcha estaba autorizada y que si la policía violaba el acuerdo, él no podía hacerse responsable de las consecuencias. Mientras hablaba se llevó un móvil al oído, al tiempo que los fotógrafos alzaban sus cámaras para tomar instantáneas de la escena.

Siobhan comenzó a retroceder y a continuación se desplazó hacia un lado hasta situarse fuera de la masa de manifestantes; escrutó la multitud para localizar a Santal. A su lado tenía un jovenzuelo de dientes picados y cabeza rapada que comenzó a proferir insultos con un acento que a Siobhan le pareció escocés; en un momento en que se le abrió la chaqueta, mostró en el cinturón algo muy parecido a un cuchillo.

El chico utilizaba el móvil para tomar instantáneas que enviaba a sus amigos. Siobhan miró alrededor, pero no había manera de avisar a los agentes. Si se acercaban a detenerle se desencadenaría un buen tumulto, por lo que optó por situarse detrás esperando el momento propicio. Vio la oportunidad cuando la multitud comenzó a cantar alzando los brazos. Le agarró del brazo y se lo retorció hacia atrás empujándole para que cayera de rodillas, y con la otra mano le quitó el cuchillo y le tumbó en el suelo. Se mezcló entre la multitud, tiró el cuchillo a unas matas más allá de un muro y alzó los brazos dando palmadas. El chico se abría paso a codazos rojo de indignación buscando a su agresor. No iba a encontrarlo.

Siobhan esbozó apenas una sonrisa, consciente de que su propia búsqueda podía resultar probablemente tan infructuosa como la del gamberro. Estaba en medio de la manifestación, y en cualquier momento podía degenerar en disturbio.

«Daría cualquier cosa por tomar un café con leche en Starbucks.» El peor sitio y en el peor momento, decididamente.

En el vestíbulo del Hotel Balmoral, Mairie vio que se abría la puerta del ascensor y que salía el hombre del traje azul. Se levantó de la silla y él fue a su encuentro tendiéndole la mano.

—¿El señor Kamweze?

Él asintió con la cabeza y se dieron la mano.

—Le agradezco que haya aceptado la entrevista apenas sin antelación —comentó Mairie tratando de no mostrarse muy obsequiosa, al contrario de lo que había hecho por teléfono, fingiéndose una novata, impresionada por entrevistar a una gran figura de la política africana y suplicándole unos minutos para completar el perfil que estaba redactando.

Ya no necesitaba fingir. Allí estaba su personaje. Bien, de todos modos, no quería espantarle.

—¿Le apetece un té? —preguntó el africano señalando hacia Palm Court.

—Me encanta su traje —comentó Mairie.

Él retiró la silla de la mesa para que se sentara. Ella se alisó la falda al hacerlo y Joseph Kamweze lo observó con suma complacencia.

—Gracias —dijo él sentándose frente a ella.

—¿Es de diseño?

—Lo compré en Singapur cuando regresaba de Canberra con la delegación. En realidad no fue muy caro. —Se inclinó sobre la mesa y añadió en tono conspirativo—: Pero no se lo diga a nadie. —Su gran sonrisa dejó ver una muela de oro.

—Bien, vuelvo a darle las gracias por concederme la entrevista —dijo Mairie sacando del bolso el bloc de notas y el bolígrafo.

Llevaba también una pequeña grabadora digital y le preguntó si no le importaba que quedara constancia de la entrevista.

—Depende de las preguntas —respondió él con otra sonrisa.

Llegó la camarera y el africano pidió Lapsang Souchong para los dos. Mairie detestaba aquel té, pero se lo calló.

—Permítame que pague —dijo, pero él lo descartó con un gesto.

—No tiene importancia —comentó.

Mairie enarcó una ceja. No había acabado de colocar los útiles de su oficio cuando lanzó la primera pregunta.

—¿Le ha pagado el viaje Pennen Industries?

La sonrisa se esfumó del rostro del africano y su mirada se endureció.

—¿Cómo dice?

—Quería saber simplemente quién paga su viaje aquí —añadió ella con cara de la más perfecta ingenuidad.

—¿Qué es lo que pretende? —replicó él con voz fría, rozando con la yema de los dedos el borde de la mesa.

Mairie fingió que consultaba sus notas.

—Señor Kamweze, forma usted parte de la delegación comercial de Kenia. ¿Cuáles son exactamente sus expectativas respecto al G-8? —preguntó comprobando si la grabadora funcionaba y colocándola en la mesa entre ambos.

Joseph Kamweze se mostró muy sorprendido por una pregunta tan burda.

—La condonación de la deuda externa es vital para la recuperación de África —recitó—. El canciller del Exchequer Brown ha señalado que algunos países vecinos de Kenia... —Interrumpió su discurso, preocupado—. ¿Por qué ha venido usted aquí? ¿Es realmente Henderson su verdadero nombre? No sé por qué no le he pedido la credencial...

—Aquí la tengo —dijo Mairie rebuscando en el bolso.

—¿Por qué ha mencionado a Richard Pennen? —interrumpió Kamweze.

Ella le miró parpadeando.

—No lo he mencionado.

—Mentirosa.

—He mencionado Pennen Industries, que es una empresa.

—Usted acompañaba a aquel policía de Prestonfield House.

Era una afirmación tal vez improvisada, pero Mairie no lo negó.

—Más vale que se marche —añadió él.

—¿Está seguro? —replicó ella con voz firme y sosteniéndole la mirada—. Si me despide de este modo voy a plantar una foto suya en la primera página del periódico.

—No diga tonterías.

—Como no es muy nítida, habrá que ampliarla y quedará algo borrosa, pero se le verá delante de una bailarina que se contorsionaba, con las manos en las rodillas y mirando embobado sus senos desnudos. Se llama Molly y trabaja en The Nook de Bread Street. Esta misma mañana conseguí la filmación de la cámara de seguridad.

Era todo mentira, pero vio con fruición el efecto que causaba en Kamweze, que hundió las uñas en la mesa y comenzó a sudar por la raíz del pelo corto.

—Después fue interrogado en la comisaría, señor Kamweze. Y seguro que eso también quedó grabado.

—¿Qué quiere de mí? —dijo él entre dientes.

Pero se sobrepuso al ver llegar a la camarera con el té y unas mantecadas. Mairie, que no había desayunado, dio un bocado a una. Aquel té olía a algas asadas, y, en cuanto le sirvió la camarera, apartó la taza a un lado. El keniano hizo igual.

—¿No tiene sed? —preguntó ella sin poder contener una sonrisa.

—Ese policía se lo ha contado todo —dijo Kamweze, recordando—. Él también me amenazó.

—Sí, pero él no puede imputarle nada. Mientras que yo... Bien, a menos que me convenza debidamente de que no prepare una exclusiva en primera página —lograba impresionarle—, una primera página que dará la vuelta al mundo. ¿Cuánto tardará la prensa de su país en recoger la noticia y reproducirla? ¿Cuánto tardarán los ministros de su gobierno en enterarse? Sus vecinos, sus amigos...

—Basta —gruñó el keniano con la vista clavada en la brillante superficie de la mesa, que le devolvía su propia imagen—. Basta —repitió, esta vez con un tono que a ella le dio a entender que cedía—. ¿Qué es lo que quiere?

Mairie mordió otra mantecada.

—Realmente, no mucho —dijo—. Únicamente todo lo que pueda contarme sobre Richard Pennen.

—¿Quiere que sea su Garganta Profunda, señorita Henderson?

—Si eso le entusiasma...

Pero pensó que aquel hombre no era más que un incauto, un funcionario tonto pillado in fraganti.

Su chivato particular.

Era su segundo funeral en una semana.

Había salido a paso de tortuga de Edimburgo, todavía conmocionada por los acontecimientos. En el puente Forth, la policía de Fife paraba camiones y furgonetas para comprobar la carga como posibilidad de barricadas, pero pasado el puente, el tráfico era fluido. En realidad, llegaba antes de la hora. Fue al centro de Dundee, aparcó en el paseo marítimo y fumó un cigarrillo, con la radio sintonizada en las noticias. Curiosamente, las emisoras inglesas hablaban de la candidatura olímpica y apenas mencionaban Edimburgo. Tony Blair regresaba de Singapur. Rebus se preguntó si pretendería acumular horas de vuelo.

En las noticias sobre Escocia, haciéndose eco del artículo de Mairie, hablaban del «asesino del G-8». El jefe de policía James Corbyn no hacía declaraciones. El Departamento Especial aseguraba que los mandatarios reunidos en Gleneagles no corrían ningún peligro.

Dos funerales en una semana. Rebus pensó si una de las razones por las que trabajaba con tanto tesón no sería para dejar de pensar en su hermano Mickey. Había cogido el CD de *Quadrophenia* y fue escuchándolo por el camino. Daltrey repetía insistentemente con su voz áspera: «¿Adviertes mi auténtico yo?». Tenía las fotos en el asiento del pasajero: el castillo de Edimburgo, esmóquines y pajaritas, Ben Webster, dos horas antes de su muerte, igual que los demás. Claro, los suicidas no llevaban ningún signo distintivo. Ni los asesinos en serie, los gángsteres o los políticos corruptos. Debajo de las fotos oficiales estaba el primer plano que había tomado Mungo de Santal; lo miró un instante y lo dejó encima. Puso el motor en marcha y se dirigió al crematorio.

Estaba a rebosar. Familia y amigos, y representantes de todos los partidos políticos. Y también diputados laboristas. Los medios de información se mantenían a discreta distancia agrupados a la entrada del crematorio. Probablemente serían los novatos, con cara larga, conscientes de que los veteranos andarían cubriendo el G-8, buscando titulares para la primera plana del jueves. Rebus se quedó rezagado mientras entraban los verdaderos invitados. Algunos le miraron intrigados, extrañados de que tuviera alguna relación con el diputado y tomándole por alguna especie de buitre al acecho del duelo ajeno.

Quizás estaban en lo cierto.

En un hotel de Broughty Ferry la familia ofrecía un piscolabis después de la ceremonia. «La familia me ha pedido que diga que todos son bienvenidos», anunció el reverendo a la concurrencia. Pero sus ojos decían otra cosa: sólo familiares y allegados, por favor. Era lógico. Rebus dudaba que hubiese en Broughty Ferry un hotel con capacidad para tanta gente.

Se sentó en la fila de atrás. El sacerdote rogó a un colega de Ben Webster que se levantase y dijera unas palabras. A Rebus le sonaron igual que las del panegírico del funeral de Mickey: un buen hombre, que tanto echarían de menos los suyos y muchas otras personas, amante de su familia y querido en la comunidad. Pensó que ya había esperado bastante sin que hubiera rastro de Stacey. Realmente no había pensado mucho en ella desde la conversación fuera del depósito. Suponía que habría regresado a Londres o que estaría arreglando cosas de la casa de su hermano, ocupada con los bancos, el seguro y otras gestiones.

Pero no acudir al funeral...

Entre la muerte de Mickey y el funeral transcurrió más de una semana. ¿Y en el caso de Ben Webster? Ni cinco días. ¿Cabía considerarlo una precipitación indecorosa? ¿Sería decisión de Stacey Webster o de otra persona? Fuera, en el aparcamiento, encendió otro cigarrillo y dejó pasar cinco minutos más. Tras lo cual abrió el coche y se sentó al volante.

«¿Adviertes mi auténtico yo?»

—Sí, ya lo creo —musitó girando la llave de contacto.

Alboroto en Auchterarder.

Corrió el rumor de que llegaba el helicóptero de Bush. Siobhan miró el reloj, a sabiendas de que no aterrizaba en Prestwick hasta media tarde. La multitud, diseminada por campos y paseos y encaramada a las vallas de los jardines particulares, abucheaba y aullaba a todos los helicópteros que sobrevolaban la zona. El propósito tácito de la concentración era llegar al cordón policial, «rebasarlo». Ésa sería la auténtica victoria. Aunque sólo llegasen a medio kilómetro del hotel, habrían entrado en la finca de Gleneagles. Vio a algunos miembros de la Clown Army y a dos manifestantes con pantalones de golf y las bolsas con los palos de la People's Golfing Association, cuya misión era hacer un hoyo en el sagrado campo de torneos internacionales; oyó hablar con acento estadounidense, español y alemán, y vio a un grupo de anarquistas vestidos de negro, con gorro y la cara tapada, confabulándose. Sobre sus cabezas voló una avioneta de reconocimiento.

Pero de Santal ni rastro.

En la calle principal de Auchterarder corrió la noticia de que en Edimburgo no dejaban salir a los manifestantes.

—Pues harán allí la marcha —dijo alguien entusiasmado—. Los antidisturbios van a tener que multiplicarse.

Siobhan lo dudaba. De todos modos llamó a sus padres al móvil. Contestó su padre y dijo que llevaban horas sentados en el autobús.

—Prometedme que no iréis a ninguna marcha —imploró Siobhan.

—Prometido —dijo su padre, pasando el aparato a su esposa, a quien Siobhan hizo la misma súplica.

Al concluir la llamada, Siobhan se sintió como una imbécil. ¿Qué hacía ella allí, pudiendo estar con sus padres? Otra marcha significaba más antidisturbios, y tal vez su madre reconociera al agresor o algún detalle que le sirviera para recordar algo concreto.

Lanzó una maldición para sus adentros y, al darse la vuelta, se dio de bruces con lo que buscaba.

—Santal —exclamó.

—¿Qué hace aquí? —preguntó la joven bajando la cámara.

—¿Le sorprende?

—Pues, sí, en cierto modo. ¿Y sus padres?

—Están bloqueados en Edimburgo. Veo que ha mejorado su ceceo.

—¿Cómo?

—El lunes en el parque de Princes Street —continuó Siobhan— estuvo muy ocupada con su cámara. Sólo que no enfocaba a la policía. ¿Cómo es eso?

—No sé muy bien qué quiere decir —replicó Santal mirando a derecha e izquierda como temiendo que las oyesen.

—Que no quiso enseñarme las fotos por lo que pudieran revelar.

—¿Qué le iban a revelar? —replicó la joven sin vacilación y con auténtica curiosidad.

—Que le interesaban más sus amigos alborotadores que las fuerzas de la ley y el orden.

—¿Y?

—Pues que he estado pensando en el motivo y debería haberme dado cuenta antes. Al fin y al cabo, todo el mundo lo decía en Niddrie y en Stirling. —Se acercó un paso y quedaron cara a cara. Se inclinó y le musitó al oído—: Es agente de policía encubierta. —Retrocedió un paso admirando el disfraz—. Los pendientes y los piercings... ¿son falsos? ¿Los tatuajes son una imitación? Y esa peluca está muy lograda —añadió escrutando las trenzas—. Lo que no sé es por qué se tomó la molestia del ceceo. ¿Tal vez por retener algo de su auténtica identidad? —Hizo una pausa—. ¿Me equivoco?

Santal puso los ojos en blanco. Sonó un móvil y metió las manos en los bolsillos sacando dos, uno de ellos con la pantalla iluminada; fijó en ella la vista y a continuación desvió la mirada por encima de Siobhan.

—Aquí están los dos —dijo.

Siobhan receló porque era un truco muy manido, de libro de texto, pero, de todos modos, volvió la cabeza.

Efectivamente: era John Rebus con el móvil en una mano y una tarjeta de visita en la otra.

—No domino muy bien las reglas —dijo aproximándose—. ¿Si enciendo algo cien por cien tabaco, me delataré como esclavo del imperio del mal? —añadió encogiéndose de hombros y sacando el paquete de cigarrillos.

—Santal es policía encubierta —dijo Siobhan.

—No creo que sea el lugar más adecuado para divulgarlo —añadió Santal entre dientes.

—Dígame algo menos obvio —le replicó Siobhan con gesto de desdén.

—Yo podría decírtelo —terció Rebus pero mirando a Santal—. ¿Se pierde el funeral de su hermano por amor al deber?

—¿Viene de allí? —espetó ella, mirándole enfurecida.

Rebus asintió con la cabeza.

—Aunque debo confesar que he tardado mucho en descubrirla por más que miré y remiré la foto de «Santal».

—Lo tomo como un cumplido.

—Bien puede decirlo.

—Yo quería asistir, ¿sabe?

—¿Qué excusa dio?

En ese momento intervino Siobhan.

—¿Es usted la hermana de Ben Webster?

—¡Se hizo la luz! —comentó Rebus—. Sargento Clarke, le presento a Stacey Webster —añadió sin apartar la mirada de la joven—. Aunque tal vez convendría seguir llamándola Santal.

—Ya es un poco tarde para eso —replicó ella, justo en el momento en que un joven con una banda roja en la frente se acercaba a ellos.

—¿Ocurre algo?

—Estamos hablando con una antigua amiga —le advirtió Rebus.

—Para mí que son polis —replicó el joven mirando sucesivamente a Rebus y a Siobhan.

—Oye, déjame solventarlo a mí —intervino Stacey, de nuevo en su personaje de Santal, la dura, capaz de vérselas con quien fuera. El joven bajó la mirada.

—Bueno, si tú lo dices... —añadió, alejándose.

Ella, de nuevo en el papel de Stacey, se volvió hacia ellos dos.

—Aquí no pueden quedarse —dijo—. Vienen a relevarme dentro de una hora. Ya hablaremos después.

—¿Dónde?

Ella reflexionó un instante.

—Dentro del recinto de seguridad hay una zona detrás del hotel donde se reúnen los chóferes. Espérenme allí.

—¿Y cómo llegamos? —preguntó Siobhan mirando la multitud que les rodeaba.

—Demuestren un poco de iniciativa —respondió Stacey con una sonrisa.

—Creo que está insinuando que nos hagamos arrestar —comentó Rebus.

17

Rebus tardó sus buenos diez minutos en abrirse paso hasta la primera fila de los manifestantes. Siobhan le siguió al amparo de su espalda. Él se arrimó a un escudo arañado y pintarrajeado y situó su carné de policía sobre el refuerzo de plástico a la altura de los ojos del agente antidisturbios.

—Sáquenos de aquí —articuló con los labios.

El agente no se lo tragó y llamó al jefe. El oficial asomó sofocado la cabeza por encima del hombro del subordinado y reconoció inmediatamente a Siobhan, quien trató de adoptar una sumisa actitud de arrepentida.

El oficial lanzó un resoplido con la nariz y dio una orden. El cordón policial se abrió una fracción y unas manos agarraron a Rebus y a Siobhan. En el bando de los manifestantes aumentaron perceptiblemente las protestas.

—Enséñenles el carné —ordenó el oficial.

Rebus y Siobhan hicieron lo que decía y el oficial añadió con un megáfono que no los estaban deteniendo y, al puntualizar que se trataba de policías, se oyó un abucheo fenomenal. De todos modos, la situación parecía amainar.

—Esa incursión suya figurará en el parte de servicio —dijo el oficial a Siobhan.

—Somos de la Brigada Criminal —mintió Rebus con desparpajo—. Teníamos que hablar con una persona, ¿qué íbamos a hacer?

El oficial le miró, pero otras urgencias reclamaban su atención. Uno de sus hombres había caído y los manifestantes pretendían aprovechar la brecha del cordón. Mientras vociferaba unas órdenes por el megáfono, Rebus hizo señal a Siobhan dándole a entender que era mejor esfumarse. Se abrieron las puertas de unos furgones y llegaron más agentes para reforzar el cordón. Un médico preguntó a Siobhan si se encontraba bien.

—No estoy herida —contestó ella.

En la carretera había un helicóptero pequeño con el rotor en marcha. Rebus se agachó y, tras hablar con el piloto, hizo señal a Siobhan con la mano.

—Nos lleva al recinto.

El piloto, con gafas de sol de espejo, asintió con la cabeza.

—No hay problema —dijo con acento estadounidense.

Medio minuto después estaban los dos a bordo y el helicóptero despegaba levantando polvo y residuos. Rebus comenzó a silbar la *Cabalgata de las Valkirias* de *Apocalypse Now*, pero Siobhan ni se dignó mirarle y, aunque apenas se podía hablar a causa del ruido, le preguntó qué le había contado al piloto. Él articuló con los labios: Brigada Criminal.

El hotel distaba una milla en dirección sur y desde allí arriba se distinguían bien la valla de seguridad y las torres de vigilancia y se dominaban miles de hectáreas de campo ondulado deshabitado, con algunos núcleos de manifestantes rodeados por agentes de uniforme negro.

—Al hotel no puedo acercarme mucho porque nos largarían un misil —gritó el piloto.

Prueba de que hablaba en serio fue el amplio arco que trazó sobre el perímetro del complejo. Vieron diversas estructuras provisionales, probablemente para uso de los medios de comunicación, y antenas parabólicas en furgonetas sin distintivo: de la televisión o tal vez del servicio secreto. Rebus distinguió una pista que unía un gran dosel blanco con el perímetro. El terreno estaba desbrozado y había una H gigante pintada con spray marcando el punto de aterrizaje de helicópteros. Fue un vuelo de apenas dos minutos. Rebus dio la mano al piloto y se bajó de un salto, seguido por Siobhan.

—Hoy no paro de viajar a lo grande —musitó ella—. A la A9 me llevaron en moto.

—Aquí reina un ambiente de sitio —dijo Rebus—. Esta semana, para los de seguridad sólo hay «ellos» y «nosotros».

Se les acercó un soldado en uniforme de campaña, con metralleta y cara de pocos amigos, a quien enseñaron los carnés de policía sin lograr impresionarle. Rebus reparó en que no llevaba distintivo del ejército. Les dijo que le entregaran los carnés.

—Aguarden aquí —ordenó señalando el terreno que pisaban y dando media vuelta.

Rebus hizo un ligero amago de pasitos de baile y dirigió un guiño a Siobhan, mientras el soldado entraba en un gran remolque, donde había un centinela de guardia.

—Me da la impresión de que esto ya no es Kansas —dijo Rebus.

—¿Y que yo soy tu ayudante Toto?

—Ven a ver qué hay ahí —añadió Rebus encaminándose hacia el dosel, que era en realidad una cubierta fija a base de elementos de plástico sostenidos por postes que daba sombra a una nutrida hilera de limusinas.

Los chóferes uniformados charlaban y se ofrecían cigarrillos. El atuendo más llamativo era el de un cocinero con chaqueta blanca, pantalones a cuadros y gorro alto; preparaba una especie de tortillas detrás de una plataforma junto a una gran bombona de gas, y las servía en platos auténticos con cubierto de plata a unas mesas dispuestas para los chóferes.

—Me hablaron de esto cuando estuve aquí con el inspector jefe —comentó Siobhan—. El personal del hotel accede por una pista a espaldas del recinto y deja los coches en la finca contigua.

—Supongo que les habrán sometido a investigación como ahora a nosotros —dijo Rebus mirando hacia el remolque y saludando a continuación con la mano a un grupo de chóferes—. ¿Está buena la tortilla, muchachos? —preguntó, y ellos respondieron afirmativamente.

En aquel momento el cocinero aguardaba nuevos pedidos.

—Sírvame una con guarnición de todo —dijo Rebus, y se volvió hacia Siobhan.

—A mí también —dijo ella.

El cocinero manipuló en sus recipientes de plástico llenos de tacos de jamón, champiñones troceados y pimiento picado y Rebus cogió tenedor y cuchillo.

—Vaya cambio de decorado para usted —comentó al cocinero. El hombre se limitó a sonreír—. Todas las comodidades modernas —continuó Rebus en tono de admiración—, váteres químicos, comida caliente, protección de la lluvia...

—En la mayoría de los coches hay tele —dijo uno de los chóferes—, pero no se capta bien la señal.

—Es una lástima —comentó Rebus a modo de consuelo—. ¿Se puede entrar a esos remolques?

Los chóferes negaron con la cabeza.

—Están repletos de chismes —comentó uno de ellos—. Tuve ocasión de echar un vistazo y había toda clase de ordenadores y aparatos.

—Ah, y esa antena del techo será para ver *Coronation Street* —dijo Rebus señalándola.

Los chóferes se echaron a reír justo en el momento en que se abría la puerta del remolque y salía el soldado, tampoco ahora muy contento al ver que Rebus y Siobhan no se habían quedado donde les había dicho. Mientras se les acercaba, Rebus cogió la tortilla que le tendía el cocinero y se llevó un trozo a la boca. Estaba felicitándole cuando el soldado se detuvo frente a él.

—¿Quiere probarla? —dijo Rebus ofreciéndole el tenedor.

—Una bronca va a probar usted —replicó el soldado.

Rebus se volvió hacia Siobhan.

—Muy buena réplica —comentó ella cogiendo su tortilla.

—La sargento Clarke es una experta —añadió Rebus—. Sólo queremos acabar de comer y echarnos la siesta en un Mercedes viendo *Colombo*.

—Sus carnés han quedado retenidos a efectos de verificación —dijo el soldado.

—O sea que estamos empantanados aquí.

—¿En qué canal programan *Colombo*? —preguntó uno de los chóferes—. A mí me gusta.

—Vendrá en las páginas de la tele —respondió uno de sus colegas.

El soldado alzó bruscamente la cabeza al oír el ruido ensordecedor del helicóptero y salió del dosel para ver mejor.

—No puedo creérmelo —comentó Rebus al verle ponerse firme presentando armas.

—Lo hace cada dos por tres —dijo uno de los chóferes a gritos.

Otro preguntaba si era Bush quien llegaba y todos miraron su reloj, mientras el cocinero tapaba sus ingredientes para protegerlos de posibles partículas voladoras.

—Estará a punto de llegar —conjeturó alguien.

—Yo traje a *Boki* desde Prestwick —añadió un tercero, explicando que era el nombre del perro del presidente.

El helicóptero desapareció tras una fila de árboles y lo oyeron aterrizar.

—¿Qué hacen las esposas de los mandatarios mientras sus maridos discuten? —preguntó Siobhan.

—Las llevamos nosotros a dar una vuelta turística.

—O de compras.

—O a museos y galerías de arte.

—A donde quieran, aunque haya que cortar el tráfico o desalojar las tiendas. Pero, además, para entretenerlas, van a traer artistas, escritores y pintores de Edimburgo.

—Y a Bono, claro —añadió otro chófer—. Él y Geldof vendrán esta tarde a saludar a los mandamases.

—Por cierto —dijo Siobhan mirando la hora en su móvil—. Me han ofrecido una entrada para el concierto del Empuje Final.

—¿Quién? —preguntó Rebus, sabiendo que no había podido conseguirla en taquilla.

—Uno de los vigilantes de Niddrie. ¿Tú crees que volveremos a tiempo?

Rebus se encogió de hombros.

—Ah, quería comentarte una cosa —dijo.

—¿Qué?

—He nombrado miembro del equipo a Ellen Wylie.

Siobhan le miró enfurecida.

—Ella sabe más de Vigilancia de la Bestia que tú y yo —porfió Rebus sin mirarla de frente.

—Sí, bastante más —replicó Siobhan.

—¿A qué te refieres?

—Me refiero a que ella está muy involucrada, John. ¡Piensa lo que alegaría un abogado defensor ante el tribunal! —añadió Siobhan sin darse cuenta de que levantaba la voz—. ¿Por qué no me lo preguntaste antes? ¡Si el asunto sale mal, soy yo la que pagará los platos rotos!

—Es sólo para tareas administrativas —alegó Rebus, consciente de que era una disculpa lastimosa.

Le salvó de la situación el soldado que se llegó hasta ellos a zancadas.

—Debo informar sobre el asunto que les trae aquí —le dijo secamente.

—Bueno, es asunto del Departamento de Investigación Criminal —replicó Rebus— y también por parte de mi colega aquí presente. Nos dieron cita aquí.

—¿Con quién? ¿Por orden de quién?

Rebus se dio unos golpecitos en la ventana de la nariz.

—Es confidencial —contestó con voz queda.

Los chóferes ya no prestaban atención y charlaban entre sí sobre las estrellas a quienes iban a transportar al Open escocés del sábado.

—Yo no —presumió uno—. Yo hago la ruta entre Glasgow y el concierto de T in the Park.

—Usted, inspector, es de Edimburgo y está fuera de su demarcación —dijo el soldado.

—Para investigar un homicidio —replicó Rebus.

—Tres, en realidad —añadió Siobhan.

—Y eso no es cuestión de demarcaciones —sentenció Rebus.

—Con la salvedad —insistió el soldado— de que les han ordenado aplazar esa investigación —añadió, complacido por el efecto de sus palabras, sobre todo en Siobhan.

—Muy bien, ya veo que se ha informado por teléfono —añadió Rebus sin darle importancia.

—A su jefe no le hizo mucha gracia —dijo el soldado con ojos risueños—. Ni tampoco a...

Rebus siguió la dirección de la mirada del hombre y vio que se aproximaba un Land Rover con la ventanilla del pasajero abierta, asomando por ella la cabeza de Steelforth, como si fuera atado con una correa.

—Mierda —musitó Siobhan.

—Barbilla alta y hombros rectos —dijo Rebus.

Ella le miró furiosa.

El coche se detuvo con un chirrido de neumáticos y Steelforth bajó de un salto gritando:

—¿Saben los meses de adiestramiento y preparativos, y las semanas de vigilancia secreta...? ¿Saben que acaban de hacer polvo todo eso?

—Creo que no le sigo —replicó Rebus jovial, devolviendo su plato vacío al cocinero.

—Creo que se refiere a Santal —terció Siobhan.

—¡Por supuesto! —afirmó Steelforth mirándola furioso.

—Ah, ¿es de su equipo? —preguntó Rebus, asintiendo con la cabeza como si cayera en la cuenta—. Sí, claro. La envió al campamento de Niddrie y le ordenó tomar fotos de los manifestantes para disponer de un buen banco de datos para el futuro. Algo tan valioso para usted que ni le permitió asistir al funeral de su hermano.

—Fue decisión suya, Rebus —espetó Steelforth.

—*Colombo* ha empezado a las dos —dijo uno de los chóferes.

Steelforth continuó erre que erre:

—En una operación de vigilancia como ésta aguantan sin abandonar el servicio a menos que los descubran. ¡Y ella llevaba meses infiltrada!

Rebus le miró con intención, y Steelforth asintió con la cabeza.

—¿Cuánta gente les habrá visto hoy con ella? —prosiguió—. ¿Cuántos les habrán calado como policías? Ahora desconfiarán y la intoxicarán con datos falsos.

—Si ella hubiera confiado en nosotros... —comenzó a alegar Siobhan, pero la cortó una carcajada de Steelforth.

—¿Confiar en ustedes? —volvió a reír inclinándose por el esfuerzo—. Dios mío, ésa sí que es buena.

—Debería haber estado aquí antes —replicó Siobhan—. Nuestro amigo el militar sí que dio buena réplica.

—Y, por cierto —añadió Rebus—, no le he dado las gracias por encerrarme en un calabozo.

—Yo nada puedo hacer si mis oficiales deciden tomar una iniciativa si su jefe no contesta al teléfono.

—¿O sea, que eran policías de verdad? —inquirió Rebus.

Steelforth apoyó las manos en las caderas, miró al suelo y a continuación a ellos dos.

—Les suspenderán del servicio por esto.

—No estamos a sus órdenes.

—Esta semana están todos a mis órdenes —replicó mirando a Siobhan—. Y usted no volverá a ver a la sargento Webster.

—Ella tiene pruebas de...

—¿Pruebas de qué? ¿De que golpearan a su madre con una porra en los disturbios? Que presente una denuncia si quiere. ¿Se lo ha preguntado?

—Yo... —balbució Siobhan.

—No, usted emprende su cruzada particular. La sargento Webster tiene orden de volver a casa. Por culpa de usted; no mía.

—Hablando de pruebas —terció Rebus—, ¿qué fue de las grabaciones de las cámaras de seguridad?

—¿Grabaciones? —repitió Steelforth con el ceño fruncido.

—De la sala de operaciones del castillo de Edimburgo. La videovigilancia de las murallas.

—Las hemos examinado docenas de veces y nadie ha visto nada —gruñó Steelforth.

—¿Podría ver yo las cintas?

—Hágalo, si las encuentra.

—¿Las han borrado? —aventuró Rebus. Steelforth ni se molestó en contestar—. Pero en eso de nuestra suspensión de servicio se le ha olvidado —prosiguió Rebus— el requisito de «a tenor de una investigación». Y me imagino que es porque no tendrá lugar.

—De ustedes depende —dijo Steelforth encogiéndose de hombros.

—¿Depende de cómo nos portemos? ¿Prescindiendo de las grabaciones?

Steelforth volvió a encogerse de hombros.

—Difícilmente podrán librarse. Yo puedo intervenir a favor o en contra...

El transmisor que llevaba Steelforth en el cinturón crepitó. Una de las torres de vigilancia informaba de que habían roto el cinturón de seguridad. Steelforth se acercó el radiotransmisor a la boca, ordenó que acudiera un Chinook de refuerzo y se dirigió a zancadas al Land Rover. Uno de los chóferes se interpuso a su paso.

—Comandante, permita que me presente. Soy Steve y estoy encargado de llevarle en coche al Open...

Steelforth gruñó una maldición que hizo que aquél se detuviera en seco, mientras los otros chóferes comentaban entre risas que se había quedado sin propina aquel fin de semana. El Land Rover de Steelforth ya tenía el motor en marcha.

—¿Se va sin darnos un beso de despedida? —comentó Rebus diciéndole adiós con la mano.

Siobhan le miró fijamente.

—Tú sólo esperas la jubilación, pero aún hay quien espera hacer carrera.

—Shiv, ya has visto cómo es; cuando pase todo esto, no nos molestará más —replicó Rebus moviendo la mano en gesto de despedida hasta que el vehículo arrancó a toda velocidad.

El soldado estaba frente a ellos tendiéndoles los carnés.

—Ahora, váyanse —espetó.

—¿Dónde exactamente? —inquirió Siobhan.

—O más bien, ¿cómo? —añadió Rebus.

Uno de los chóferes carraspeó y señaló en dirección a la hilera de lujosos coches.

—Acabo de recibir un mensaje de texto para recoger a un ejecutivo que tiene que regresar a Glasgow. Yo puedo llevarles a algún sitio.

Siobhan y Rebus intercambiaron una mirada. Ella sonrió al chófer y ambos se encaminaron hacia los coches.

—¿Podemos elegir? —preguntó Siobhan.

Acabaron sentados en el asiento trasero de un Audi A8 de seis litros, con cinco mil kilómetros, en su mayoría rodados aquella misma mañana. Desprendía un fuerte olor a cuero y sus cromados relucían. Siobhan preguntó si funcionaba el televisor y Rebus la miró.

—Tengo curiosidad por saber si Londres ha conseguido la sede olímpica —dijo ella.

Pasaron tres controles con verificación de carnés entre el helipuerto y los terrenos del hotel.

—Al hotel mismo no vamos —dijo el chófer—. Tengo que recoger al ejecutivo en el centro de recepción junto al pabellón de la prensa.

Eran dos instalaciones próximas al aparcamiento del hotel. Rebus vio que no había nadie jugando en el campo de golf; por los céspedes sólo patrullaban despacio agentes de seguridad impecablemente vestidos.

—Cuesta creer que suceda algo —comentó Siobhan con apenas un susurro en consonancia con el ambiente.

Rebus también sentía aquel imperativo de no llamar la atención.

—Será un segundo —dijo el conductor deteniendo el Audi y poniéndose la gorra al bajar.

Rebus decidió salir del coche. No veía tiradores en los tejados, pero se imaginó que los habría. Habían aparcado junto a una casa de estilo regional escocés al lado de un invernadero, y pensó que podría ser el restaurante.

—Un fin de semana aquí me vendría de perlas —comentó a Siobhan, que en ese momento salía del Audi.

—Tendrías que vender perlas para pagártelo —replicó ella.

En el centro de prensa —una instalación entoldada de tabiques sólidos— se veían periodistas tecleando en sus portátiles. Rebus estaba encendiendo un cigarrillo cuando oyó ruido y se volvió: una bicicleta daba la vuelta a la esquina del hotel, guiada por uno inclinado sobre el manillar con cara de velocidad. Tras él apareció otra bicicleta. El primer ciclista pasó a diez metros de ellos y, al percatarse de su presencia, les saludó con la mano, y Rebus correspondió alzando la punta del pitillo. Pero el hecho de levantar la mano del manillar hizo que el hombre perdiera el equilibrio y que la rueda delantera, bamboleante, patinase en la grava. El ciclista que le seguía trató de esquivarlo, pero el frenazo le hizo volar por encima del manillar. Como por arte de magia, aparecieron unos hombres con traje oscuro, que rodearon en círculo a los caídos.

—¿Ha sido culpa nuestra? —musitó Siobhan.

Rebus no contestó, tiró el cigarrillo y volvió a sentarse en el Audi. Siobhan hizo lo propio y a través del parabrisas contemplaron cómo ayudaban a levantarse del suelo al primer ciclista, que se frotaba los nudillos. El otro seguía en el suelo sin que nadie se ocupara de él. Cuestión de protocolo, pensó Rebus.

El presidente George W. Bush tiene prioridad de atención absoluta.

—¿Ha sido culpa nuestra? —repitió Siobhan con voz temblorosa.

El chófer salió del centro de recepción acompañado de un hombre de traje gris con dos voluminosas carteras. Igual que el chófer, se detuvo un instante a ver qué sucedía. El chófer abrió la portezuela del pasajero y el funcionario subió dirigiendo apenas una inclinación de cabeza hacia el asiento trasero. El chófer se sentó al volante, con la gorra rozando el techo del Audi, y preguntó qué es lo que había ocurrido.

—Intríngulis de protocolo —respondió Rebus.

El funcionario decidió al fin admitir que —posiblemente muy a su pesar— no era el único pasajero.

—Mi nombre es Dobbs. De la FCO —dijo.

La Foreign and Commonwealth Office. Rebus le tendió la mano.

—Llámeme John —dijo—. Soy amigo de Richard Pennen.

Siobhan fingió permanecer al margen sin dejar de prestar atención, mientras arrancaban, a la escena que dejaban atrás. El séquito de seguridad impedía taxativamente a dos hombres con bata verde de sanitarios acercarse al presidente de Estados Unidos. Del hotel había salido personal a curiosear y también miraban dos periodistas del centro de prensa.

—Feliz cumpleaños, señor presidente —canturreó Siobhan con voz ronca.

—Encantado de conocerle —dijo Dobbs a Rebus.

—¿Ha llegado ya Richard? —preguntó Rebus.

—No creo que esté en la lista de invitados —respondió el hombre frunciendo el ceño, como si le hubieran cogido en falta.

—A mí me dijo que sí —mintió Rebus sin empacho—. Me comentó que el secretario de Asuntos Exteriores tenía un asunto para él.

—Es muy posible —añadió Dobbs, tratando de parecer más seguro de sí mismo de lo que estaba.

—El presidente Bush se ha caído de la bicicleta —terció Siobhan.

Era como si tuviera necesidad de enunciarlo para que el hecho se materializara.

—¿Ah, sí? —dijo Dobbs, casi sin escuchar, abriendo una de las carteras y dispuesto a sumergirse en la lectura.

Rebus comprendió que el hombre ya habría aguantado muchas conversaciones intrascendentes y su mente viraba a cosas de mayor envergadura: estadísticas, presupuestos y cifras de comercio. Pero decidió dar un último envite.

—¿Estuvo en el castillo?

—No —respondió Dobbs estirando el vocablo—. ¿Y usted?

—Yo sí que estuve. Qué terrible lo de Ben Webster, ¿no es cierto?

—Espantoso. Era el mejor diputado escocés que teníamos.

Siobhan comprendió de pronto el sentido de la conversación. Rebus le hizo un guiño.

—Richard no acaba de creer que se tirara él —comentó Rebus.

—¿Cree que fue un accidente? —replicó Dobbs.

—Que le empujaron —dijo Rebus.

El funcionario dejó sobre su regazo el montón de papeles y volvió la cabeza hacia el asiento de atrás.

—¿Que le «empujaron»? —Miró a Rebus y vio que éste asentía despacio con la cabeza—. ¿Quién diablos iría a hacerlo?

Rebus se encogió de hombros.

—Quizá tenía enemigos. Hay políticos que los tienen.

—Igual que su amigo Pennen —replicó el funcionario.

—¿A qué se refiere? —inquirió Rebus en tono ofendido.

—Su empresa antes era pública. Y ahora se está forrando con los impuestos que pagamos para Investigación y Desarrollo.

—Nos está bien merecido por vendérsela —terció Siobhan.

—Quizás el gobierno obró mal aconsejado —dijo Rebus con guasa al funcionario.

—El gobierno sabía perfectamente lo que hacía.

—¿Y por qué se la vendió a Pennen? —preguntó Siobhan con auténtica curiosidad.

Dobbs volvió a revolver entre sus papeles. El chófer hablaba por teléfono preguntando qué rutas estaban abiertas.

—Los departamentos de Investigación y Desarrollo son costosos —dijo Dobbs—. Cuando el Ministerio de Defensa tiene que hacer recortes, es de mal efecto que sean las fuerzas armadas quienes paguen el pato. Mientras que si despide a unos cuantos científicos, la prensa no dice ni mu.

—No acabo de entenderlo —dijo Siobhan.

—Tenga en cuenta que una empresa privada —prosiguió Dobbs— puede vender a quien le plazca por no existir tantas limitaciones como en el caso de Defensa, un organismo de la Commonwealth o el Ministerio de Industria. ¿En qué se traduce eso? En ganancias más rápidas.

—Ganancias obtenidas —añadió Rebus— vendiendo a dudosos dictadores y a países paupérrimos ahogados por la deuda externa.

—¿No dijo que era amigo de...? —Dobbs dejó la frase en el aire al percatarse de que, en realidad, hablaba con unos desconocidos—. ¿Cómo dijo que se llamaba? —inquirió.

—John —contestó Rebus—. Y ella es colega mía.

—¿Pero no trabaja para Pennen Industries?

—Yo no he dicho semejante cosa —añadió Rebus—. Somos de la policía de Lothian y Borders, señor Dobbs. Y le quedo agradecido por sus sinceras explicaciones —añadió Rebus mirando por encima del asiento al regazo del funcionario—. Está usted despachurrando esa valiosa documentación. ¿O va destinada a la máquina trituradora?

Ellen Wylie atendía los teléfonos cuando regresaron a Gayfield Square. Siobhan había llamado a sus padres, que habían desistido del viaje a Auchterarder y de la airada manifestación en Princes Street. Los altercados se extendieron desde The Mound hasta la Ciudad Vieja y los manifestantes, enrabiados por no poder salir de la ciudad, se enfrentaron a los antidisturbios. Cuando él y Siobhan entraban a la sala del DIC, Wylie les miró.

Rebus comprendió que ella también estaba a punto de manifestarse por haberse quedado todo el día sola en la comisaría, pero en ese preciso momento salió alguien del despacho de Derek Starr que no era Starr, sino el jefe de policía James Corbyn, con las manos cruzadas a la espalda y gesto de impaciencia. Rebus miró a Wylie, quien se encogió de hombros, dándole a entender que aquél le había impedido enviarle un mensaje de texto.

—Ah, aquí están los dos —espetó Corbyn dando media vuelta hacia el despacho de Starr—. Entren y cierren la puerta —añadió sentándose en la única silla y permaneciendo ellos de pie.

—Me alegro de verle, señor —dijo Rebus para romper el hielo—, porque quería hacerle unas preguntas sobre la noche en que murió Ben Webster.

—¿Qué preguntas? —replicó Corbyn desprevenido.

—Usted estuvo en el banquete, señor, y creo que habría debido informarnos desde un principio.

—No estamos aquí para hablar de mí, inspector Rebus, sino para suspenderles a los dos del servicio activo con efecto inmediato.

Rebus asintió despacio con la cabeza, como si fuera una noticia esperada.

—De todos modos, señor, ya que está aquí, lo mejor es que le tomemos declaración. Porque, en caso contrario, parecería que ocultamos algo. Los periodistas revolotean como buitres y no interesa en absoluto que el jefe de la policía esté...

Corbyn se puso en pie.

—¿Acaso no lo ha oído, inspector? Usted ya no forma parte de ninguna investigación. Quiero que ustedes dos salgan de la comisaría antes de cinco minutos. Márchense a casa y siéntense cerca del teléfono en espera de noticias sobre mis indagaciones a propósito de su conducta. ¿Está claro?

—Necesito unos minutos para ordenar mis notas, señor, y que esta conversación quede incorporada a ellas.

Corbyn le apuntó con un dedo.

—Ya me han hablado de usted, Rebus. —Dirigió la mirada a Siobhan—. Tal vez eso explique su reticencia a darme el nombre de su colega cuando la encargué del caso.

—Perdone, señor, pero no me lo preguntó —replicó Siobhan.

—Pero sabía perfectamente que tendríamos lío —añadió él volviendo a clavar los ojos en Rebus— tratándose de él.

—Con todo respeto, señor... —quiso argüir Siobhan.

Corbyn golpeó la mesa con el puño.

—¡Le dije que suspendiera la investigación! ¡Y ahora resulta que aparece en la primera página de los periódicos y aterrizan ustedes en Gleneagles! Cuando saben perfectamente que el caso está cerrado. Se acabó. Sayonara. Finito.

—Sí que ha aprendido léxico en el banquete, señor —comentó Rebus haciendo un guiño.

A Corbyn se le salieron los ojos de las órbitas y ellos rogaron por que no le diera un ataque. No, lo que hizo fue salir furioso del despacho tropezando con Siobhan y un armario de libros. Rebus expulsó aire, se pasó la mano por el pelo y se rascó la nariz.

—Bueno, ¿qué quieres hacer ahora? —preguntó.

—¿Qué te parece, por ejemplo, si recojo mis cosas? —replicó ella mirándole.

—Sí, desde luego, hay que recoger —añadió Rebus—. Recogemos todas las notas y los archivadores, los llevamos a mi casa y nos largamos de aquí.

—John...

—Tienes razón —insistió él, tergiversando la objeción—. Los echarían de menos, así que tendremos que hacer fotocopias.

Siobhan no pudo por menos de sonreír.

—Las hago yo, si quieres —añadió Rebus—, dado que tú tienes una cita amorosa.

—Bajo la lluvia.

—Lo único que espera Travis para interpretar su puñetera canción —comentó saliendo del despacho de Starr—. Ellen, ¿te has enterado de lo que nos ha dicho?

Wylie colgaba en ese momento el teléfono.
—No pude avisarle —dijo.
—No importa. Claro que ahora Corbyn ya sabrá quién eres —dijo Rebus sentándose en la esquina de la mesa.
—No parecía muy interesado. Me preguntó nombre y grado y no se molestó en saber si pertenecía a esta comisaría.
—Perfecto —comentó Rebus—. Por consiguiente, puedes continuar siendo nuestros ojos y oídos.
—Un momento —terció Siobhan—. Eso no es de tu competencia.
—Entendido, señora.
Siobhan, sin hacerle caso, miró a Ellen Wylie.
—El caso es mío, Ellen. ¿Entendido?
—No te preocupes, Siobhan, sé cuándo estoy de más.
—No he dicho que estés de más, pero quiero estar segura de que estás de nuestra parte.
—¿De parte de quién, si no? —replicó Wylie visiblemente irritada.
—Señoras, señoras —terció Rebus interponiéndose entre ellas como un árbitro de lucha libre de los viejos tiempos y mirando a Siobhan—. Jefa, un par de manos más no nos vendrá mal, reconócelo.
Siobhan cedió son una sonrisa. Lo de «jefa» había hecho su efecto; pero seguía mirando fijamente a Wylie.
—A pesar de todo —dijo— no podemos pedirte que espíes por cuenta nuestra. Una cosa es que John y yo estemos en apuros y otra que tú te sitúes en el punto de mira.
—No me importa —dijo Wylie—. Por cierto, qué peto tan bonito.
—Sí, pero tendré que cambiarme antes del concierto.
Siobhan volvió a sonreír y Rebus expulsó aire al ver superado el punto crítico.
—Bien, ¿qué novedades ha habido por aquí? —preguntó a Wylie.
—He estado avisando a todos los de la lista de Vigilancia de la Bestia y he recomendado a las diversas jefaturas que les informen de la alerta.
—¿Y lo aceptaron con entusiasmo?
—No tanto. Y, además, he recopilado el eco que se han hecho otros periodistas del artículo de la primera página —añadió dando unos golpecitos en el titular de Mairie Henderson, en el periódico que tenía a su lado—. Es fantástico de dónde saca tiempo esa mujer —comentó.

—¿Por qué lo dices? —preguntó Rebus.

Wylie abrió el periódico por la página doble central, donde había una entrevista firmada por Mairie Henderson con el concejal Gareth Tench y una gran foto en medio del campamento de Niddrie.

—Yo estaba allí cuando lo entrevistó —comentó Siobhan.

—Yo lo conozco —añadió Wylie sin poderlo evitar.

Rebus la miró.

—Explícate.

—Lo conozco —contestó ella, encogiéndose de hombros como quitándole importancia.

—Ellen —insistió Rebus pronunciando su nombre con énfasis.

—Ha estado saliendo con Denise —respondió Wylie con un suspiro.

—¿Con tu hermana Denise? —inquirió Siobhan.

Wylie asintió con la cabeza.

—Fui yo quien les puse en contacto... más o menos.

—¿Son pareja? —preguntó Rebus rodeándose el cuerpo con los brazos como una camisa de fuerza.

—Han salido varias veces. Él ha sido... —añadió, sin dar con las palabras adecuadas—. Le ha servido de mucho y la ha ayudado a superarse.

—¿Con ayuda de unos vasos de vino? —aventuró Rebus—. ¿Cómo le conociste?

—A través de Vigilancia de la Bestia —respondió ella despacio sin mirarle a la cara.

—No me digas.

—Él leyó mi escrito y me envió un elogioso mensaje por correo electrónico.

Rebus puso los pies en el suelo y abrió los brazos, buscando en la mesa una hoja: la lista que les había dado Bain de los suscriptores de Vigilancia de la Bestia.

—¿Cuál de ellos es? —preguntó enseñándosela.

—Éste —respondió Wylie.

—¿Ozyman? —preguntó Rebus, y vio que ella asentía—. ¿Qué clase de apellido es ése? ¿Australiano?

—De los ozymanos tal vez —dijo Siobhan.

—Más bien de Ozzy Osbourne —replicó Rebus.

Siobhan se inclinó sobre un teclado y escribió un nombre en un buscador. Hizo un par más de clics y apareció una biografía.

—Rey de Reyes —dijo Siobhan—. Erigió una enorme estatua de sí mismo.

Hizo dos clics más y se vio un poema de Shelley.

—«¡Mira mis obras, Todopoderoso y desespérate!» —recitó. Se volvió hacia Wylie—. Vaya si es engreído.

—No se puede negar —admitió ella—. Yo lo único que he dicho es que se portó bien con Denise.

—Tenemos que hablar con él —dijo Rebus mirando la lista de nombres y pensando cuántos de ellos vivirían en Edimburgo—. Y tú, Ellen, podrías habérnoslo dicho antes.

—No sabía que había una lista —replicó ella a la defensiva.

—Si se puso en contacto contigo a través de Internet es lógico que tengamos que interrogarle. Dios sabe las pocas pistas que tenemos.

—O demasiadas —terció Siobhan—. Víctimas en tres regiones e indicios en otra. Está todo muy difuso.

—¿No ibas a casa a cambiarte?

Ella asintió con la cabeza y miró a su alrededor.

—¿De verdad que piensas llevarte todo eso?

—¿Por qué no? Puedo copiar las notas. A Ellen no le importará quedarse y ayudarme. ¿Verdad, Ellen? —añadió mirándola con intención.

—Ése es mi castigo, ¿no?

—Comprendo que no quisieras ver implicada a Denise —dijo Rebus—, pero, aun así, habrías debido contarnos lo de Tench.

—John —interrumpió Siobhan—, ten en cuenta que el concejal me salvó de una paliza aquella noche en Niddrie.

Rebus asintió con la cabeza. Podría haber replicado que él había visto otra faceta de Gareth Tench, pero se lo calló.

—Que te diviertas en el concierto —dijo.

Siobhan volvió a prestar atención a Ellen Wylie.

—Es mi equipo, Ellen. Y si nos ocultas algo más...

—Entendido.

Siobhan asintió despacio con la cabeza y, de pronto, reflexionó un instante.

—¿Los suscriptores de Vigilancia de la Bestia celebraban algún tipo de reunión?

—Que yo sepa no.

—Pero sí que mantenían contactos.

—Obviamente.

—¿Sabías quién era Gareth Tench antes de conocerle?

—En el primer correo electrónico que envió decía que vivía en Edimburgo y firmó con su verdadero nombre.

—¿Y tú le dijiste que eras policía?

Wylie asintió con la cabeza.

—¿Qué estás pensando? —preguntó Rebus a Siobhan.

—Aún no estoy segura —contestó ella recogiendo sus cosas, mientras Rebus y Wylie la observaban. Finalmente, les dijo adiós por encima del hombro y se fue.

Ellen Wylie dobló el periódico y lo tiró a la papelera. Rebus llenó el hervidor y lo enchufó.

—Yo sé perfectamente lo que piensa —dijo Wylie.

—Pues eres más lista que yo.

—Siobhan sabe que los asesinos no siempre actúan solos. Y que a veces necesitan aprobación.

—No lo capto, Ellen.

—Yo creo que sí, John. Sé que usted reflexiona de forma muy parecida a ella. Si alguien decide matar a pervertidos, querrá contárselo a alguien, como pidiendo permiso, o para desahogarse una vez hecho.

—De acuerdo —dijo Rebus preparando las tazas.

—No es muy apetecible formar parte de un equipo siendo sospechosa.

—De verdad que agradezco tu ayuda, Ellen —comentó Rebus y, tras una pausa, añadió—: con tal de que te limites a hacer lo que tienes que hacer.

Wylie se levantó de la silla como movida por un resorte y puso los brazos en jarras. Rebus había oído decir que aquello se hacía para parecer más grande y amenazador, menos vulnerable.

—¿Usted cree —dijo ella— que me paso aquí media jornada para proteger a Denise?

—No... pero creo que la gente es capaz de muchas cosas para proteger a miembros de su familia.

—¿Como en el caso de Siobhan y su madre, por ejemplo?

—No irás a decir que nosotros no haríamos lo mismo.

—John..., estoy aquí porque me lo pidió.

—Y te he dado las gracias, pero se trata de lo siguiente, Ellen: Siobhan y yo estamos fuera de juego y necesitamos a alguien que trabaje por nosotros y en quien podamos confiar —dijo echando cucharadas de café en las tazas desconchadas.

Olió la leche y la dio por buena. Estaba dándole tiempo a Wylie para que pensara.

—De acuerdo —dijo ella al fin.

—¿Se acabaron los secretos? —preguntó Rebus, y ella asintió con la cabeza—. ¿No hay alguna cosa que deba yo saber? —Wylie negó con la cabeza—. ¿Quieres estar presente cuando interrogue a Tench?

—¿Cómo piensa hacerlo? —replicó ella enarcando una ceja—. Recuerde que está suspendido de servicio.

Rebus hizo una mueca y se dio unas palmaditas en la cabeza.

—Me falla la memoria a corto plazo —le comentó—. Gajes del oficio.

Después de tomar café se pusieron a trabajar. Rebus cargó de papel la fotocopiadora y Wylie le preguntó qué quería copiar de los datos del ordenador. El teléfono sonó seis veces pero no contestaron.

—Por cierto —dijo Wylie en determinado momento—, ¿se ha enterado de que Londres ha obtenido la sede olímpica?

—¡Yupi!

—Sí, fue estupendo. Todo el mundo bailaba en Trafalgar Square. Ha perdido París.

—No sé cómo se lo habrá tomado Chirac —dijo Rebus mirando el reloj—. Ahora estará cenando con la reina.

—Y Tony Blair mirando con su sonrisa de gato de Cheshire, seguro.

Rebus sonrió. Sí, y el Hotel Gleneagles sirviendo al presidente francés los mejores platos de Caledonia. Pensó en su incursión a pocos centenares de metros de los poderosos huéspedes y la caída de Bush de la bicicleta, dolorosa advertencia de que era tan falible como cualquier otra persona.

—¿Qué significa la G? —preguntó. Wyllie le miró desconcertada—. En G-8, quiero decir.

—¿Gobierno? —aventuró ella, encogiéndose de hombros.

Llamaron a la puerta. Era un uniformado de recepción.

—Le esperan abajo, señor —anunció mirando insistentemente al teléfono más cercano.

—Ya; no hemos contestado —dijo Rebus—. ¿Quién es?

—Una mujer que se llama Webster. Quería ver a la sargento Clarke, pero dijo que en caso de apuro hablaría con usted.

18

Entre bastidores en el concierto Empuje Final.

Corrió el rumor de que habían lanzado un cohete desde las cercanas vías del tren y que poco faltó para que acertara en el objetivo.

—Lleno de pintura roja —dijo Bobby Greig a Siobhan.

Vestía de paisano con vaqueros desgastados y una cazadora a juego, y estaba mojado pero animado al ver que la llovizna amainaba. Siobhan había optado por pantalones de pana negra con camiseta verde claro y una cazadora de motero de segunda mano comprada en una tienda de la organización benéfica Oxfam. Greig le sonrió.

—¿Por qué será que a pesar de la ropa sigue teniendo aspecto de policía?

Ella, sin molestarse en contestar, continuó jugueteando con el pase plastificado que llevaba colgado al cuello, que mostraba el contorno de África con la inscripción «Acceso entre bastidores». A ella le pareció fantástico, pero Greig se encargó de explicarle la validez exacta; en el pase de él, por ejemplo, figuraba «Acceso a todas las zonas», pero por encima de ambos había dos niveles más: VIP y VVIP. Siobhan había visto a Midge Ure y a Claudia Schiffer, los de la zona VVIP. Greig le presentó a los promotores del concierto, Steve Daws y Emma Diprose, una pareja rutilante a pesar de la lluvia.

—Fantástico elenco —comentó Siobhan.

—Gracias —respondió Daws, al tiempo que Diprose preguntaba a Siobhan si tenía un artista preferido en particular.

Ella negó con la cabeza.

Durante la conversación, Greig no mencionó que ella fuera policía.

En el exterior de Murrayfield quedaba público sin entradas, ansioso por adquirir alguna de reventa, pero el precio sólo tentaba a los más pudientes o desesperados. Siobhan, gracias al pase, pudo deambular al pie del escenario y por el terreno de juego, donde se mezcló con sesenta mil admiradores empapados. Pero las miradas de envidia que despertaba su pequeño rectángulo plastificado le hicieron sentir mala conciencia y enseguida se retiró tras la valla de seguridad. Greig estaba devorando la cena gratis y tenía en la mano una botella de cerveza europea. Los Proclaimers habían abierto el concierto con *500 Miles* coreada por el público, y se comentaba que Eddie Izzard tocaría al piano la versión de *Vienna* de Midge Ure. Más tarde actuaban Texas, Show Patrol y Travis, Bono acompañado por los Corrs y habría una apoteosis con James Brown.

Pero la frenética actividad entre bastidores la hacía sentirse vieja. No conocía a la mitad de los músicos, que tan importantes le parecían yendo de un lado para otro con su séquito, aunque sus rostros no le decían nada. De pronto pensó que sus padres tal vez marchasen el viernes, con lo que sólo le quedaba un día más para estar con ellos. Les había llamado y le habían dicho que iban a su piso, comprando provisiones por el camino, y que a lo mejor salían a cenar. Los dos, dijo su padre, como restringiéndole el acceso.

O tal vez para que no tuviera mala conciencia por haber ido al concierto.

Trataba de relajarse y ponerse en la onda, pero su profesión se interponía. Rebus seguiría plenamente dedicado y sin descansar hasta apaciguar a sus demonios; pero todo triunfo es efímero y cada una de aquellas batallas le agotaba cada vez un poco más. El sol ya se ocultaba y en el estadio parpadeaban los tenues fogonazos de las cámaras de los móviles y ya comenzaban a despuntar y balancearse las varitas luminosas. Al ver que la lluvia arreciaba, Greig sacó de algún sitio un paraguas y se lo tendió a Siobhan.

—¿Hubo algún problema más en Niddrie? —preguntó ella.

Él negó con la cabeza.

—Allí ya se hicieron ver —dijo— y probablemente habrán pensado que en Edimburgo hay más posibilidad de armar jaleo —añadió tirando la botella a un contenedor—. ¿Ha visto la manifestación de hoy?

—Estaba en Auchterarder —contestó ella.

Él la miró admirado.

—He visto escenas por la tele y parecía zona de guerra.

—No fue para tanto. ¿Qué tal por aquí?

—Se organizó cierta protesta cuando impidieron la salida de los autobuses, pero nada comparable a lo del lunes. Ésa es Annie Lennox —dijo señalando con la barbilla por encima del hombro. Efectivamente, vio que la cantante pasaba a menos de tres metros de ellos sonriéndoles, en dirección a los camerinos—. ¡Cómo cantaste en Hyde Park! —le gritó Greig, y ella continuó sonriendo pensando en su inminente actuación.

Greig fue a por más cervezas. Casi todos los que veía Siobhan por allí deambulaban como aburridos. Eran técnicos de montaje que no tenían nada que hacer hasta desmontar el escenario cuando acabaran las actuaciones, personal auxiliar y ejecutivos de las discográficas, estos últimos uniformados con traje oscuro y suéter de cuello de pico, gafas de sol y el móvil pegado al oído; personal del servicio de comidas, promotores y advenedizos. Ella era como uno de éstos porque nadie le había preguntado qué hacía allí, pues nadie pensaba que perteneciese a ningún conjunto.

«Mi lugar son las gradas —pensó—. O el Departamento de Investigación Criminal.»

Qué distinta se sentía de aquella quinceañera que fue en autostop a Grenham Common para cantar *We Shall Overcome* cogida de la mano en corro con otra gente frente a la base aérea. A ella, la marcha del sábado contra la pobreza le parecía ya cosa del pasado. Y sin embargo, a Bono y a Geldof les habían permitido cruzar el cinturón de seguridad para plantear la problemática a los dirigentes del G-8; habían conseguido que aquellos hombres se enterasen de la realidad y que millones de personas esperaban algo de ellos. Al día siguiente se adoptarían decisiones cruciales. Era un día de suma importancia.

Tenía el móvil en la mano y estuvo a punto de llamar a Rebus. Pero sabía que se echaría a reír y le diría que cortase la comunicación y que se lo pasara bien. De pronto le entró la duda de si iría al concierto de T in the Park a pesar de tener la entrada sujeta por un imán a la nevera. Seguramente no se habrían resuelto los homicidios, y más ahora que estaba apartada oficialmente del caso. Su caso. Aunque Rebus había incorporado a Wylie... Le dolía que no se lo hubiera consultado; le dolía que tuviera razón y necesitaran ayuda. Y, además, resultaba que Wylie conocía a Gareth Tench y que Tench conocía a la hermana de Wylie...

Bobby Greig volvió y le tendió la cerveza.
—Bueno, ¿qué le parece? —preguntó.
—Me parece que no son nada del otro mundo —contestó ella. Él asintió con la cabeza.
—Las estrellas pop han debido de ser los burros de la clase, y se vengan así. Aunque, como observará, tienen la cabeza normal...
Greig advirtió que Siobhan no atendía a lo que le estaba diciendo.
—¿Qué hará éste aquí? —preguntó ella.
Greig miró, reconoció al hombre y saludó con la mano. El concejal Gareth Tench le devolvió el saludo. Hablaba con Daws y Diprose, pero los dejó, dando una palmadita en el hombro al primero y un beso en sendas mejillas a la segunda, y se dirigió hacia ellos.
—Es el coordinador de Cultura del ayuntamiento —dijo Greig, tendiendo la mano al concejal.
—¿Cómo está, muchacho? —dijo Tench.
—Muy bien.
—¿Alejada de los disturbios? —preguntó a Siobhan, quien le estrechó la mano con firmeza.
—Se hace lo que se puede.
Tench se volvió hacia Greig.
—Perdone, no acabo de acordarme de qué le conozco...
—Del campamento. Me llamo Bobby Greig.
—Claro, claro —dijo Tench, meneando la cabeza por su despiste—, por supuesto. ¿No es maravilloso? —añadió juntando las manos y mirando a su alrededor—. El mundo entero pendiente de Edimburgo.
—O del concierto, en cualquier caso —no pudo por menos que comentar Siobhan.
Tench puso los ojos en blanco.
—Pues hay gente a quien no le gusta. ¿Le ha hecho entrar Bobby sin pagar?
Siobhan asintió con la cabeza.
—¿Y aún se queja? —insistió él conteniendo la risa—. No se le olvide hacer una aportación antes de irse, ¿eh?, para que no parezca un soborno.
—No diga eso —protestó Greig.
Pero Tench descartó su comentario con un gesto.
—¿Y su colega? —preguntó a Siobhan.

—¿Se refiere al inspector Rebus?

—Exacto. Me ha parecido bastante buen amigo del gangsterismo local.

—¿Qué quiere decir?

—Bueno, trabajando juntos... seguro que le hará confidencias. La otra noche... —hizo una pausa como recordando— di en el Centro Religioso de Craigmillar una conferencia y apareció su colega Rebus con un monstruo llamado Cafferty. —Hizo otra pausa—. Supongo que le conoce.

—Le conozco —admitió Siobhan.

—Me resulta chocante que las fuerzas de la ley y el orden tengan que... —se detuvo como buscando la palabra adecuada— «fraternizar». —Hizo otra pausa y miró fijamente a Siobhan—. Supongo que el inspector Rebus no habrá omitido decírselo. Quiero decir, que ya lo sabía, ¿no?

Siobhan se sintió como un pez tentado por un persistente cebo.

—Todos tenemos nuestra vida privada, señor Tench —fue la única respuesta que se le ocurrió, aunque a Tench no se le escapó su apuro—. Y usted —prosiguió—, ¿a qué ha venido, a tratar de convencer a algún grupo para que toque en el centro Jack Kane?

Tench se restregó otra vez las manos.

—Si se presenta la ocasión...

Dejó la frase en el aire al ver una cara conocida, que Siobhan reconoció: Marti Pellow, de Wet Wet Wet. El nombre le hizo enderezar el paraguas sobre el que la lluvia tamborileó mientras Tench se dirigía hacia el recién llegado.

—¿De qué hablaba ese hombre? —preguntó Greig, pero ella negó con la cabeza—. No sé, pero me da la impresión de que está usted en otra parte.

—Perdone —dijo ella.

Greig miraba a Tench y al cantante.

—Qué rapidez, ¿no? Y no se corta... Yo creo que por eso le escucha la gente. ¿Le ha oído en algún discurso? Pone la piel de gallina.

Siobhan asintió distraída con la cabeza, pensando en Rebus y en Cafferty; no le sorprendía que Rebus no le hubiese dicho nada. Volvió a mirar el móvil. Ahora tenía un pretexto para llamarle, pero se contuvo.

«Tengo derecho a mi vida privada y a salir una noche.»

Si no, se volvería como Rebus, una ofuscada, excluida, despreciada y desconfiada. Él llevaba en el puesto de inspector casi veinte años, pero ella aspiraba a más; aspiraba a hacer bien su trabajo y a ser capaz de desconectarse cuando fuese preciso. Quería una vida al margen de la profesión, y no una profesión que la acaparase por completo. Rebus había perdido a familia y amigos, dándoles de lado para dedicarse a cadáveres y a ex presidiarios, ladronzuelos, violadores, matones, chantajistas y racistas; cuando salía a beber lo hacía solo, sentado a la barra frente al botellero. No tenía aficiones, no le interesaba ningún deporte ni se tomaba vacaciones; si tenía un par de semanas libres, era frecuente verle en el Bar Oxford, en la mesa de un rincón, fingiendo leer el periódico o mirando aburrido la tele.

Ella quería más.

Decidió hacer una llamada y cuando contestaron esbozó una sonrisa.

—¿Papá? ¿Estáis aún en el restaurante? Di que pongan otro servicio de postres.

Stacey Webster había recuperado su personalidad.

Iba vestida casi igual que el día de su entrevista con Rebus fuera del depósito, y llevaba camiseta de manga larga.

—¿Es para ocultar los tatuajes? —preguntó él.

—No son permanentes y acaban por borrarse —contestó ella.

—Como casi todo. —Rebus vio la maleta con soporte de ruedas—. ¿Vuelve a Londres?

—En coche cama —dijo ella.

—Escuche, siento que le hiciéramos... —Miró a su alrededor por el vestíbulo como renuente a mirarle a la cara.

—Son cosas que pasan —dijo ella—. A lo mejor nadie me descubrió, pero el comandante Steelforth no quiere correr riesgos —añadió con un extraño aire de indecisión, como prisionera entre dos personalidades distintas.

—¿Le apetece una copa? —preguntó Rebus.

—He venido a ver a Siobhan —contestó ella metiendo la mano en el bolsillo—. ¿Cómo está su madre?

—Recuperándose en el piso de Siobhan —respondió él.

—Bueno, Santal no podrá decirle adiós —añadió ella tendiéndole un sobre de plástico transparente con un disco plateado—. Es un CD con copia de lo que filmé con la cámara aquella tarde en Princes Street.

—Ya se lo daré —dijo Rebus asintiendo con la cabeza.

—El comandante me mataría si se...

—Será un secreto —dijo Rebus, guardándose el disco en el bolsillo interior de la chaqueta—. Bueno, vamos a tomar esa copa.

Había muchos pubs en Leith Walk, pero el primero ante el que pasaron estaba lleno y el televisor retransmitía a todo volumen el concierto de Murrayfield. Un poco más abajo encontraron otro tranquilo, tradicional, con tocadiscos y una máquina tragaperras. Stacey, que había dejado la maleta detrás del mostrador de recepción de Gayfield Square, le dijo que quería descargarse de moneda escocesa como excusa para pagar la consumición. Se sentaron en una mesa apartada.

—¿Ha viajado antes en coche cama? —preguntó Rebus.

—Por eso tomo un vodka con tónica, para poder dormir en ese maldito tren.

—¿Se acabó lo de Santal?

—Depende.

—Steelforth dijo que llevaba varios meses de agente encubierta.

—Meses —asintió ella.

—En Londres no le resultaría tan fácil, por el riesgo casual de que alguien la reconociera.

—En cierta ocasión pasé al lado de Ben.

—¿Con su disfraz de Santal?

—Y no me conoció —añadió ella reclinándose en el asiento—. Por eso dejé que Santal se acercase a Siobhan, aunque ya sabía por sus padres que era policía.

—¿Quería comprobar si el disfraz era eficaz?

Rebus vio que asentía con la cabeza y pensó que la entendía en cierto modo. Para Stacey, la muerte de su hermano habría sido demoledora, pero a Santal le habría importado muy poco. El problema era que el dolor seguía reprimido; algo que conocía bien.

—De todos modos, Londres no era mi base de servicio —dijo Stacey—. Muchos grupos se han marchado de allí, donde nos resultaba más fácil tenerlos vigilados. Ahora casi todo el tiempo estoy en Manchester, Bradford, Leeds...

—¿Cree que hay alguna diferencia?

Ella reflexionó un instante.

—Siempre se espera que sí, ¿no cree?

Rebus asintió en silencio, dio un trago de cerveza y dejó el vaso en la mesa.

—Sigo investigando la muerte de Ben —dijo.

—Lo sé.

—¿Se lo dijo el comandante?

Ella asintió.

—No ha dejado de ponerme trabas.

—Probablemente considera que es su trabajo, inspector. No es nada personal.

—A mí más bien me parece que trata de proteger a un tal Richard Pennen.

—¿De Pennen Industries?

Rebus asintió con la cabeza.

—Es curioso —dijo ella—. No se llevaban muy bien.

—¿Cómo es eso?

—Ben había viajado a muchas zonas de guerra —dijo ella mirándole— y sabía los horrores que siembra el comercio de armas.

—Según tengo entendido, Pennen vende tecnología más que armamento.

Ella lanzó un bufido.

—Es sólo cuestión de tiempo. Ben trató de impedirlo cuando estaba en su mano. Debería leer *Hansard*, los discursos de sus intervenciones parlamentarias, plantea toda clase de preguntas espinosas.

—Pero Pennen le pagaba el hotel...

—Y él estaría encantado. Aceptaba las invitaciones de los dictadores y luego durante el viaje no cesaba de criticarlos. —Hizo una pausa, meneó la bebida y volvió a mirarle a la cara—. Cree que era un soborno, ¿verdad? ¿Que Pennen compraba a Ben?

Rebus guardó silencio.

—Mi hermano era una buena persona, inspector. Y ni siquiera pude asistir a su funeral —añadió con lágrimas en los ojos.

—Él lo habría entendido —dijo Rebus—. Mi... —Tuvo que hacer una pausa para aclararse la garganta—. Mi hermano murió hace una semana. El viernes estuve en el crematorio.

—Cuánto lo siento.

Rebus se llevó el vaso a los labios.

—Tenía algo más de cincuenta años. El médico dijo que fue un derrame cerebral.

—¿Estaban muy unidos?

—Nos llamábamos por teléfono. —Hizo una pausa—. Una vez le metí en la cárcel por tráfico de drogas —añadió observando su reacción.

—¿Y eso le duele? —preguntó Stacey.

—¿Cómo?

—No haberle dicho... —Hizo un esfuerzo por articular las palabras, con un rictus al sentir que le brotaban las lágrimas—. ¿No haberle dicho que lo sentía?

Se levantó de la mesa y se dirigió al servicio, ya del todo identificada con su personalidad de Stacey Webster. Rebus pensó que quizá debía ir tras sus pasos, o decir algo a la camarera, pero se quedó sentado moviendo el vaso hasta hacer espuma, pensando en las familias. Ellen Wylie y su hermana, los Jensen y su hija Vicky, Stacey Webster y su hermano Ben.

—Mickey —musitó. Nombraba a los muertos para que supieran que no los olvidaba.

Ben Webster, Cyril Colliar, Edward Isley, Trevor Guest.

—Michael Rebus —añadió en voz alta con gesto de brindis.

Luego, se levantó y pidió otra ronda: una IPA y vodka con tónica. Aguardó en la barra a que le dieran la vuelta. Dos parroquianos discutían sobre las posibilidades de Gran Bretaña para la candidatura olímpica de 2012.

—¿Por qué Londres siempre se lo lleva todo? —dijo uno de ellos.

—Qué raro que no quisieran lo del G-8 —añadió su interlocutor.

—Sabían lo que se les venía encima.

Rebus reflexionó un instante. Era miércoles, pero el viernes todo habría acabado. Un día más y Edimburgo volvería a la normalidad. Steelforth y Pennen y los demás intrusos se habrían ido al sur.

«No se llevaban muy bien.»

Lo decía por Ben Webster y Richard Pennen, porque el diputado intentaba poner trabas a los planes de expansión del empresario. Él estaba equivocado respecto a Ben Webster, creyéndole un vendido. Y

Steelforth le impidió acercarse a la habitación del hotel, no porque no quisiera publicidad ni que molestasen a los peces gordos con preguntas e hipótesis, sino para proteger a Richard Pennen.

«No se llevaban muy bien.»

Lo cual arrojaba sospechas sobre Richard Pennen; o al menos aportaba un motivo. Cualquiera de los que estaban de guardia en el castillo podía haber empujado al diputado al vacío. Habría guardaespaldas mezclados con los invitados. Y servicio secreto; al menos un agente personal para la protección del secretario de Exteriores y del ministro de Defensa. Steelforth era del SO12, el departamento inmediatamente inferior al MI5 y al MI6. Pero si uno quiere desembarazarse de alguien, ¿por qué elegir ese método? Era demasiado público, demasiado espectacular. Rebus sabía por experiencia que los asesinatos perfectos eran aquellos en los que no había asesinato: víctima asfixiada durante el sueño, drogada y metida en un vehículo en marcha, o desaparecida sin más.

«Dios, John, acabarás viendo duendes verdes», se regañó. La culpa era de las circunstancias; aquella semana del G-8 se imaginaba uno cualquier conspiración. Dejó las bebidas en la mesa, un tanto preocupado al ver que Stacey seguía sin salir de los servicios; pero le vino al pensamiento que había estado en la barra, de espaldas, esperando las bebidas. Aguardó otros cinco minutos y luego pidió a la camarera que fuese a mirar. La mujer salió del lavabo de señoras negando con la cabeza.

—Tres libras en balde —dijo señalando la copa de Stacey—. De todas formas, perdone que le diga, pero era muy joven para usted.

Había vuelto a Gayfield Square a por su maleta y le dejaba una nota.

«Buena suerte y recuerde que Ben era mi hermano, no el suyo. No deje de apurar su propio duelo.»

Faltaban unas horas para la salida del tren nocturno. Podía ir a Waverley, pero optó por no hacerlo; no estaba seguro de que hubiera mucho más que decirse. Tal vez ella tuviera razón; indagando la muerte de Ben conservaba patente el recuerdo de Mickey. De pronto se le ocurrió una pregunta que quería haberle hecho.

«¿Qué cree que le sucedió a su hermano?»

Bueno, tenía la tarjeta que le había dado enfrente del depósito. Tal vez la llamara al día siguiente para preguntarle si había dormido en el viaje a Londres; le diría que seguía investigando la muerte de su hermano y ella diría: «Lo sé». Sin preguntas ni hipótesis por su parte. ¿Prevenida por Steelforth? Un buen soldado siempre obedece las órdenes. Pero seguro que ella también había estado pensando y sopesando posibilidades.

Una caída. Un salto. Un empujón.

—Mañana —se dijo camino del DIC, con toda una noche por delante de fotocopia clandestina.

JUEVES 7 DE JULIO

19

El zumbador le despertó.

Cruzó el pasillo tambaleándose y apretó el botón del intercomunicador.

—¿Quién es? —preguntó con voz pastosa.

—Yo creía que íbamos a trabajar aquí.

Era la voz lejana y distorsionada de Siobhan.

—¿Qué hora es? —preguntó él tosiendo.

—Las ocho.

—¿Las ocho?

—El inicio de nuestra jornada laboral.

—Estamos suspendidos de servicio, ¿recuerdas?

—¿Te he pillado en pijama?

—No uso pijama.

—¿Y me vas a hacer esperar aquí en la calle?

—Te dejaré abierta la puerta del piso —contestó él pulsando el aparato.

Recogió la ropa de la butaca del dormitorio y se encerró en el cuarto de baño. La oyó dar con los nudillos en la puerta y abrirla.

—¡Dos minutos! —gritó entrando en la bañera para meterse bajo la ducha.

Cuando salió, ella estaba sentada a la mesa del comedor organizando las fotocopias de la noche anterior.

—No te acomodes —dijo él, haciéndose el nudo de la corbata, pero al recordar que no iba a la comisaría, se la quitó y la tiró al sofá—, que necesitamos provisiones —añadió.

—Y yo necesito un favor.

—¿Cuál?

—Un par de horas para el almuerzo. Quiero llevar a mis padres a un restaurante.

Rebus asintió con la cabeza.

—¿Cómo está tu madre?

—Está bien. Han decidido no ir a Gleneagles a pesar del cambio de tiempo.

—¿Se vuelven mañana a Londres?

—Probablemente.

—¿Qué tal el concierto anoche? Vi la última parte en la tele y esperaba verte a ti saltando en primera fila.

Siobhan no contestó de inmediato.

—Yo ya me había ido.

—Ah.

Ella se encogió de hombros.

—¿Qué es lo que hay que comprar?

—El desayuno.

—Yo ya he desayunado.

—Bueno, pues me contemplarás devorando un bocadillo de beicon. Hay un café en Marchmont Road y mientras yo como, tú puedes llamar al consejero Tench para concertar una entrevista.

—Anoche le vi en el concierto.

—Ese hombre está en todas partes, ¿no crees? —comentó Rebus mirándola.

Ella se había acercado al tocadiscos. Había vinilos en una estantería y cogió uno.

—Eso es de antes de que tú nacieras —comentó Rebus—. *Canciones de amor y odio,* de Leonard Cohen.

—Escucha esto —dijo ella leyendo el reverso de la funda—: «Encarcelaron a un hombre que quería dominar el mundo, pero los imbéciles se equivocaron de hombre». ¿Qué querrá decir?

—¿Se trataría de un caso de error de identidad? —aventuró Rebus.

—Yo creo que se refiere a la ambición —replicó ella—. Gareth Tench me dijo que te vio con...

—Ajá.

—Con Cafferty.

Rebus asintió con la cabeza.

—Big Ger dice que el concejal pretende ponerle fuera de juego.

Siobhan dejó el disco y se volvió hacia él.

—Estupendo, ¿no?

—Depende del sustituto. Según Cafferty, es Tench quien aspira a serlo.

—¿Tú le crees?

Rebus hizo una pausa reflexiva.

—¿Sabes lo que necesito saber para contestarte?

—¿Pruebas? —preguntó ella.

Rebus negó con la cabeza.

—Café —contestó.

A las nueve menos cuarto Rebus iba por la segunda taza, con los restos del bocadillo en un plato manchado de grasa. En el café había una buena selección de periódicos, y Siobhan leía noticias sobre Empuje Final mientras él señalaba con el dedo fotos del escenario de sus respectivas correrías la víspera en Gleneagles.

—¿No vimos a ese chico? —preguntó señalando una imagen.

Ella asintió con la cabeza.

—Sí, pero sin sangre en la cara.

Rebus volvió la página hacia sí.

—En realidad, es lo que quieren, ¿sabes? Un poco de sangre siempre va bien para las noticias.

—Y dejarnos a nosotros como los malos de la película.

—Por cierto... —añadió él sacando el compacto del bolsillo—. Ten; un regalo de despedida de Stacey Webster, o Santal, como gustes.

Siobhan cogió el disco ente dos dedos mientras él le explicaba cómo se lo había dado. Cuando terminó, sacó del bolsillo la tarjeta de Stacey y marcó el número. No contestaron; al volver a guardar el móvil en la chaqueta notó un leve aroma al perfume de Molly Clarke, pero pensó que a Siobhan no tenía por qué decírselo, pues no estaba seguro de su reacción. Aún andaba dándole vueltas en la cabeza cuando entró Gareth Tench. Les estrechó la mano. Rebus le dio las gracias por haber ido y le indicó que se sentara.

—¿Qué quiere tomar?

Tench negó con la cabeza. Rebus vio un coche aparcado y, al lado, los escoltas.

—Buena idea —dijo Rebus señalando la escena con la barbilla—. Debería haber más vecinos de Marchmont con guardaespaldas.

Tench se limitó a sonreír.

—¿Hoy no trabaja? —preguntó.

—Es una entrevista informal —le replicó Rebus—. Preferimos no hablar con los políticos en activo en un cuarto de interrogatorios de la comisaría.

—Se lo agradezco —dijo Tench arrellanándose para estar cómodo, pero sin la menor intención de quitarse el abrigo—. Bien, ¿qué desea, inspector?

Pero fue Siobhan quien tomó la palabra.

—Señor Tench, como sabe, estamos investigando una serie de asesinatos, de los cuales se encontraron ciertos indicios en Auchterarder.

Tench entornó los ojos sin dejar de mirar a Rebus, pero era evidente que esperaba que la conversación hubiera tomado otro derrotero, sobre Cafferty, tal vez, o sobre Niddrie.

—No acabo de... —arguyó.

—El nombre de las tres víctimas figuraba en un sitio de Internet llamado Vigilancia de la Bestia —continuó Siobhan. Hizo una pausa—. Que usted conoce, naturalmente.

—¿Ah, sí?

—Nos consta esa información —añadió ella desplegando un papel y mostrándoselo—. Ozyman... es usted, ¿no es cierto?

Tench reflexionó un instante. Siobhan volvió a doblar el papel y se lo guardó en el bolsillo. Rebus dirigió un guiño al concejal, como comentario admirativo a propósito de la eficacia de Siobhan y como advertencia: «Así que no nos venga con cuentos».

—Soy yo —dijo Tench finalmente—. ¿Y qué?

Siobhan se encogió de hombros.

—¿Por qué le interesa Vigilancia de la Bestia, señor Tench?

—¿Me consideran sospechoso?

Rebus lanzó una falsa carcajada.

—Eso es mucho decir, señor —dijo.

Tench le fulminó con la mirada.

—No me imaginaba que Cafferty fuese a tramar algo como esto... con ayuda de sus amigos.

—Creo que nos alejamos del tema —terció Siobhan—. Tenemos que interrogar a los que tienen acceso a esa página, señor. Es el reglamento. Nada más.

—Sigo sin comprender cómo han relacionado ese seudónimo con mi persona.

—No olvide, señor Tench —dijo Rebus irónico—, que esta semana están aquí los mejores agentes de inteligencia del mundo y son capaces de maravillas. —Tench iba a decir algo, pero le cortó—. Es una elección curiosa. *Ozymandias* es un poema de Shelley, ¿verdad? Sobre un rey con manías de grandeza que erige una estatua colosal de sí mismo, que se desmorona sola en el desierto. —Hizo una pausa—. Sí, una interesante elección.

—¿Por qué?

Rebus cruzó los brazos.

—Bueno, pues porque indica que era un rey con mucho ego, pero la moraleja del poema es que por mucha grandeza y poder que se tenga, todo es perecedero. Y cuando se es un tirano, más dura es la caída. —Se inclinó levemente sobre la mesa—. Quien eligió ese nombre no era tonto; sabía que no se refería al poder como tal...

—Sino a la influencia corruptora del poder —añadió Tench sonriente asintiendo con la cabeza.

—El inspector Rebus hace evidentes progresos —terció Siobhan—. Ayer mismo todavía elucubraba sobre si no sería usted australiano.

Tench amplió su sonrisa sin quitar ojo a Rebus.

—Es un poema que estudiamos en el colegio —dijo—. Tuve un profesor de inglés muy entregado que nos lo hizo aprender de memoria —añadió alzando los hombros—. Es sólo un nombre, inspector. No le dé más vueltas. Debe de ser el peligro de la profesión —añadió mirando a Siobhan— buscar siempre una motivación. Por cierto, ¿cuál es la motivación de ese asesino? ¿Lo han considerado?

—Creemos que es alguien que hace la guerra por su cuenta —contestó Siobhan.

—¿Y elige a sus víctimas en ese portal de Internet? —inquirió Tench no muy convencido.

—Aún no nos ha explicado —añadió Rebus despacio— el porqué de su interés por Vigilancia de la Bestia —terminó abriendo los brazos y apoyando la palma de las manos a ambos lados de la taza.

—Mi distrito es un basurero, Rebus. Usted que lo ha visto no lo negará. Las instituciones nos traen a los problemáticos sin vivienda, a los traficantes de poca monta, a los irrecuperables; delincuentes sexuales, heroinómanos y vagabundos de todo tipo. En sitios como Vigilancia de la Bestia encuentro un espacio de réplica en donde puedo polemizar desde mi perspectiva sobre los problemas que se me echan encima.

—¿Y ha logrado algo? —preguntó Siobhan.

—Hace tres meses pusieron en libertad a un maníaco sexual y conseguí que no reincidiese aquí.

—Cargándole el problema a otro —comentó Siobhan.

—Yo siempre he actuado así. Y si aparece alguien como Cafferty, pienso seguir el mismo método.

—Cafferty lleva mucho tiempo en la plaza —dijo Rebus.

—¿Quiere decir que a pesar de ustedes o precisamente por ello? —Rebus no replicó y la sonrisa de Tench adquirió un aire despectivo—. No es de recibo que haya durado tanto de no ser por ciertos apoyos —espetó reclinándose en el asiento balanceando los hombros—. ¿Hemos terminado?

—¿Hasta qué extremo conoce a los Jensen? —preguntó Siobhan.

—¿A quién?

—Al matrimonio que gestionaba la página.

—No los conozco —contestó Tench.

—¿De verdad? —comentó Siobhan sorprendida—. Viven aquí, en Edimburgo.

—Como otro medio millón de personas. Yo me muevo bastante, sargento Clarke, pero no estoy hecho de goma elástica.

—¿De qué está usted hecho, concejal Tench? —inquirió Rebus.

—De ira, tesón y anhelo de la verdad y la justicia —replicó Tench lanzando un profundo suspiro que acabó en un silbido—. Podríamos pasarnos aquí el día entero —añadió displicente con otra sonrisa, poniéndose en pie—. Bobby se quedó muy triste cuando lo abandonó anoche en el concierto, sargento Clarke. Tenga cuidado, porque la pasión de algunos hombres alimenta un rencor bestial —espetó con una leve reverencia, y salió del local.

—Volveremos a hablar —replicó Siobhan.

Rebus vio a través del cristal como uno de los guardaespaldas abría la portezuela trasera del coche y el corpachón de Tench desaparecía en el interior.

—¿Te has percatado de que los concejales suelen estar bien alimentados? —comentó.

Siobhan se pasó la mano por la frente.

—Podríamos haber manejado mejor la situación.

—¿Te escabulliste anoche de Empujón Final?

—No acababa de ambientarme.

—¿Tuvo algo que ver nuestro estimado concejal?

Ella negó con la cabeza.

—Destructor y conservador —musitó Rebus.

—¿Cómo?

—Es otro verso de Shelley.

—¿Cuál de los dos epítetos es aplicable a Gareth Tench?

El coche se apartaba en aquel momento del bordillo.

—Tal vez los dos —contestó Rebus con un bostezo—. ¿No podríamos tomarnos hoy un descanso?

Ella le miró.

—Podrías hacerlo a la hora de almorzar y te podría presentar a mis padres.

—¿Quedo eximido del estatus de paria? —preguntó él enarcando una ceja.

—John... —dijo ella en tono admonitorio.

—¿No los quieres para ti sola?

—Tal vez he sido un poco egoísta —comentó ella encogiéndose de hombros.

Rebus había descolgado dos cuadros de una de las paredes del cuarto de estar para tener los datos de las tres víctimas clavados con chinchetas en un espacio continuo. Él estaba sentado a la mesa y Siobhan se había tumbado en el sofá; leían los dos, haciendo de vez en cuando una pregunta o una observación.

—Supongo que no habrás tenido tiempo de escuchar la cinta de Ellen Wylie —dijo Rebus—. Bueno, no es imprescindible.

—Hay muchos otros suscriptores con quien hablar —dijo ella.

—Primero hay que saber quiénes son. ¿Crees que Cerebro podría hacer eso sin que se enterasen Corbyn y Steelforth?

—Tench habló de una motivación... ¿No se nos escapará algún detalle?

—¿Un factor común a los tres?

—Ya que lo dices, ¿por qué no habrá habido más víctimas?

—La explicación lógica sería que se ha marchado a otro lugar, que le hemos detenido por otro delito, o bien, que sabe que le seguimos los pasos.

—No le seguimos los pasos.

—La prensa dice que sí.

—Para empezar, ¿a cuento de qué dejar rastros en la Fuente Clootie? ¿Porque existía la posibilidad de que fuésemos allí?

—No podemos descartar una relación local.

—¿Y si no tiene nada que ver con Vigilancia de la Bestia?

—En ese caso estamos perdiendo el tiempo miserablemente.

—¿No será una especie de mensaje para el G-8? A lo mejor está aquí, en Edimburgo, con una pancarta por las calles.

—Su foto podría estar en ese compacto...

—Y nunca lo sabremos.

—Si dejó los rastros para desafiarnos, ¿cómo es que no ha seguido haciéndolo? ¿No sería lógico que continuara el juego?

—Tal vez no tenga que continuarlo.

—¿A qué te refieres?

—Podría estar más cerca de lo que pensamos.

—Hombre, muchas gracias.

—¿Quieres una taza de té?

—Adelante.

—En realidad, te toca a ti. Yo pagué el café.

—Tiene que haber una pauta, ¿sabes? Nos falta algo.

El teléfono de Siobhan dio unos pitidos; era un mensaje de texto y lo leyó.

—Pon la tele —dijo.

Pero bajó las piernas del sofá y ella misma pulsó el botón. Encontró el mando a distancia y cambió de canales. AVANCE DE NOTICIAS. EXPLOSIONES EN LONDRES.

—Es Eric quien me ha enviado el texto —dijo con voz queda.

Rebus se acercó al sofá. La información era escueta: una serie de explosiones en el metro de Londres con docenas de heridos.

—Se atribuye a una sobrecarga de la red eléctrica —decía el presentador no muy convencido.

—¡Qué cojones, una sobrecarga! —refunfuñó Rebus.

Estaban cerradas las principales estaciones de ferrocarril, los hospitales habían decretado la situación de alerta y se recomendaba al público no circular por el centro. Siobhan volvió a sentarse en el sofá con la cabeza entre las manos y los codos apoyados en las rodillas.

—Están ciegos —dijo con voz queda.

—Tal vez no sea sólo en Londres —añadió Rebus. Pero probablemente sí.

Era la hora punta de la mañana, con muchísima gente camino del trabajo; y la policía de transportes públicos trasladada a Escocia para el G-8 y reforzada con agentes de Londres. Cerró los ojos, pensando: «Suerte que no fue ayer cuando miles de personas celebraban en Trafalgar Square la designación de la sede olímpica, o el sábado por la noche en Hyde Park con doscientas mil personas».

La red nacional de electricidad confirmaba que no había ninguna avería en sus líneas. Aldgate. King's Cross. Edgware Road.

Corría el rumor de que había también un autobús «destruido». El locutor estaba demudado y un número de teléfono de urgencias destellaba en la base de la pantalla.

—¿Qué hacemos? —preguntó Siobhan.

Aparecieron imágenes de los lugares de las explosiones con médicos corriendo atropelladamente, entre emanaciones de humo y heridos sentados en el bordillo de la acera, pisando cristales y con el ruido de fondo de las sirenas y las alarmas de los coches y los comercios cercanos.

—¿Qué hacemos...? —repitió Rebus, sin necesidad de respuesta, al sonar el teléfono de Siobhan.

—¿Mamá? —dijo ella—. Sí, lo estamos viendo. —Hizo una pausa, escuchando—. Seguro que están bien... Sí, podrías llamarlos. Pero a lo mejor tarda la comunicación. —Hizo otra pausa—. ¿Qué? ¿Hoy? King's Cross estará cerrada —dijo medio volviéndose hacia Rebus.

Él optó por salir del cuarto y dejarla a solas para que hablara lo que quisiera. En la cocina, abrió el grifo y llenó el hervidor escuchando el sonido del agua, un sonido básico que casi nunca oía. Pero existía.

Normal y cotidiano.

Al cerrar el grifo oyó un débil jadeo. Era curioso que le pareciera oírlo por primera vez. Cuando volvió al cuarto de estar, Siobhan se había levantado del sofá.

—Mamá quiere volver a Londres —dijo— para saber si los vecinos están bien.

—¿Dónde viven?

—En Forest Hill, al sur del Támesis —contestó ella.

—Entonces, ¿no hay almuerzo?

Siobhan negó con la cabeza. Rebus le tendió un trozo de rollo de cocina para que se sonara.

—Una cosa como ésta te hace verlo todo en su justa medida —dijo ella.

—No creas. Ha estado flotando en el aire toda la semana. Hubo momentos en que casi lo olfateaba.

—Hay tres bolsitas —dijo Siobhan.

—¿Cómo?

—Que has puesto tres bolsitas de té en esa taza. ¿Era en eso en lo que pensabas? —añadió tendiéndole la tetera.

—Sí, es posible —admitió él.

Mentalmente se representó una estatua en el desierto desmoronándose.

Siobhan se marchó a casa para ayudar a sus padres y llevarlos al tren, si seguía en vigor el plan. Rebus se quedó viendo la televisión. Era un autobús rojo de dos pisos con el techo en la calzada. Pero había supervivientes. A él le parecía un milagro. Resistía el impulso de abrir la botella y servirse una copa. Los testigos presenciales daban su versión; el primer ministro regresaba a Londres, dejando en Gleneagles al secretario de Asuntos Exteriores al frente de la delegación. Antes de emprender viaje, Blair hizo una declaración flanqueado por sus colegas del G-8 y pudieron verse las tiritas en los nudillos del presidente Bush. En el noticiario sobre el atentado, la gente explicaba que habían tenido que arrastrarse en medio de miembros humanos para salir de los vagones, entre humo y sangre. Algunos habían tomado fotos con los móviles para captar el horror. Rebus se preguntó qué instinto les habría impulsado a hacerlo a modo de corresponsales de guerra.

Miró la botella de la repisa de la chimenea, con la taza de té frío en la mano. Tres personas había sido elegidas para morir por otra u otras personas. Ben Webster había encontrado la muerte; Big Ger Cafferty y Gareth Tench se ponían en guardia mutuamente. «Ver las cosas en su justa medida», había dicho Siobhan. Él no estaba tan seguro. Porque ahora más que nunca necesitaba respuestas, rostros y nombres. Él no podía hacer nada por aquello de Londres, de terroristas suicidas de una matanza a semejante escala como la que estaba viendo. Lo único que podía hacer era meter en la cárcel a malhechores de vez en cuando; magros resultados que en nada modificaban el panorama global. Recordó una imagen: Mickey de niño, en la playa de Kirkcaldy o de vacaciones en St. Andrews o Blackpool, construyendo con tesón barreras de arena húmeda frente a las olas que morían en la orilla; trabajando como si en ello le fuera la vida. Y John, su hermano mayor, ayudándole a amontonar arena con la palita de plástico. Mickey la apelmazaba. Una barrera de cinco metros de largo y quizá de quince centímetros de alto. Pero las primeras lenguas de espuma que la alcanzaban deshacían indefectiblemente la construcción, que se desmoronaba fundiéndose en la propia arena; ellos chillaban de rabia, pataleaban y esgrimían sus pequeños puños frente al agua invasora, la traicionera orilla y el cielo impasible.

Y Dios. Dios por encima de todo.

La botella parecía aumentar de tamaño, o quizá fuese que él se empequeñecía. Pensó en la letra de una canción de Jackie Leven: «Pero mi barca es muy pequeña y tu mar tan inmenso». Sí, inmenso, pero ¿por qué demonios estaba lleno de putos tiburones?

Al oír el teléfono pensó en no contestar; dudó diez segundos. Era Ellen Wylie.

—¿Alguna novedad? —preguntó. Tras lo cual lanzó una breve carcajada sarcástica y se apretó el puente de la nariz—. Aparte de lo obvio, claro.

—Aquí estamos conmocionados —dijo ella—. Ni se darán cuenta de que fotocopió todo el papeleo para llevárselo a casa. Creo que nadie revisará nada hasta la semana que viene. He pensado si volver a Torphichen a ver cómo les va en mi comisaría.

—Buena idea.

—Los refuerzos de Londres regresan y es muy posible que hagamos falta todos.

—Bien, no pasa nada.

—En realidad, hasta los anarquistas están estupefactos. Según las noticias, en Gleneagles todo está tranquilo y mucha gente quiere volver a casa.

Rebus se levantó del sillón y se acercó a la repisa de la chimenea.

—En ocasiones como ésta lo lógico es estar con los seres queridos.

—John, ¿se encuentra bien?

—De perillas, Ellen —contestó, pasando un dedo a lo largo de la botella. Era Dewar's de color oro pálido—. Vuelve a Torphichen.

—¿Quiere que pase más tarde?

—No creo que hagamos mucho.

—Entonces, ¿hasta mañana?

—Muy bien. Mañana hablamos —añadió, cortando la comunicación y apoyando las manos en la repisa de la chimenea.

Habría jurado que la botella le miraba.

20

Salían autobuses hacia el sur y los padres de Siobhan decidieron irse en uno de ellos.

—Nos habríamos marchado mañana, de todos modos —dijo su padre dándole un abrazo.

—Al final, no habéis ido a Gleneagles —comentó ella.

Él la besó en la mejilla, junto a la mandíbula, como solía, y por un instante se sintió niña otra vez. Siempre la besaba así, en Navidad o el día de su cumpleaños, cuando traía buenas notas o simplemente porque estaba contento.

Dio otro abrazo a su madre y ella le susurró: «No tiene importancia», refiriéndose a las contusiones del rostro, a que no se ofuscara buscando al culpable. Y finalmente, después del apretón, con los brazos estirados, juntas las manos, añadió:

—No tardes en venir a vernos.

—Lo prometo —dijo Siobhan.

Sin ellos, el piso parecía vacío. Y de pronto pensó que vivía allí la mayor parte de su tiempo en silencio. Bueno, en silencio no, porque siempre tenía música, la radio o la tele, pero con pocas visitas con quien hablar; sin nadie que silbase por el pasillo o tararease fregando los platos.

Ella sola.

Trató de hablar con Rebus pero no contestaba al teléfono. Seguía con la tele puesta, incapaz de apagarla. Treinta muertos, cuarenta muertos, tal vez cincuenta... El alcalde de Londres había hecho un buen discurso; Al Qaeda había reivindicado el atentado; la reina estaba «muy conmocionada»; los que vivían fuera de Londres salían del trabajo y emprendían el largo viaje de regreso a casa. Los comentaristas se preguntaban por qué el grado de alerta había sido modificado de «grave en general» a «importante». A ella le habría gustado preguntarles qué diferencia había.

Fue a la nevera. Su madre había comprado de todo: filetes de pato, un trozo de queso, zumos de fruta biológica. Miró en el congelador y sacó una barra de helado de vainilla Mackie; cogió una cuchara y se la llevó al cuarto de estar. Por hacer algo, enchufó el ordenador. Tenía cincuenta y tres mensajes. De una ojeada consideró que podía borrarlos casi todos, y en aquel momento recordó, metió la mano en el bolsillo y sacó el compacto. Lo pasó al disco duro y con un par de clics con el ratón aparecieron en la pantalla fotos del tamaño de una uña. Stacey Webster había tomado algunas de la madre joven con su rosado bebé. Sonrió. Era evidente que la mujer lo utilizaba como elemento disuasorio, repitiendo la escena del cambio de pañales en diversos lugares siempre de cara al cordón policial. Era una buena oportunidad para hacer una foto y para un posible estallido; había incluso una imagen con varios fotógrafos, Mungo entre ellos, pero Stacey se había centrado en los manifestantes, compilando un buen archivo para sus jefes del SO12. Muchos agentes de la plantilla, que serían de la policía de Londres, irían ya camino de casa para prestar ayuda tras los atentados, ver a sus seres queridos y tal vez asistir al funeral de algún compañero. Si el agresor de su madre era de Londres... no sabía qué haría.

Su madre había dicho: «No tiene importancia».

Desechó la idea. Examinó cincuenta o sesenta fotos hasta llegar a la de sus padres, en la que se veía a Teddy Clarke tratando de rescatar a su mujer de la primera fila, en medio de un revuelo de manifestantes y policía: porras en alto, bocas abiertas y gesticulaciones. Volaban cubos de basura, desperdicios y plantas arrancadas.

Y un palo percutiendo en la cara de su madre. Siobhan, estremecida, se esforzó por escrutar la imagen. Parecía recogido del suelo; no era una porra, y la trayectoria del impacto procedía del lado de los manifestantes, y el agresor se escabullía. De pronto Siobhan lo vio claro. Era lo que había dicho Mungo, el fotógrafo: atacan a los policías y cuando ellos responden, el agresor se retira y quedan en primera línea quienes no han hecho nada. La mejor propaganda para hacer que los policías aparezcan como represores. Se veía a su madre tambaleándose por efecto del golpe y con el rostro desenfocado por el movimiento, pero la mueca de dolor era evidente. Siobhan pasó el dedo por la pantalla como para paliar el mal y siguió por el palo hasta el brazo desnudo del agresor, que llegaba hasta el hombro, pero no al rostro. Retrocedió varios fotogramas y avanzó algunos más posteriores al golpe.

Allí estaba; escondiendo el palo detrás de la espalda, pero seguía allí. Y Stacey le había captado de frente, con el júbilo reflejado en los ojos y su aviesa sonrisa. Unos fotogramas más y se le veía de puntillas vociferando, con la gorra de béisbol bien encasquetada pero inconfundible.

Era el jovenzuelo de Niddrie, el jefecillo de la pandilla. Había acudido a Princes Street como tantos otros gamberros a armar jaleo.

Siobhan le había visto por última vez a la salida de los juzgados donde le aguardaba el concejal Gareth Tench. «Dos de mis electores fueron detenidos en los disturbios», comentó. Sí, Tench correspondiendo al saludo del culpable cuando salía de los juzgados... A Siobhan le tembló la mano levemente cuando volvió a marcar el número de Rebus. No contestaba. Se levantó, paseó por el piso y entró en todas las habitaciones. En el cuarto de baño tenía las toallas bien dobladas y apiladas; en el cubo de la basura de la cocina había un envase de cartón de sopa, enjuagado para que no oliera. Eran pequeños detalles de su madre. Se detuvo frente al espejo de pie del dormitorio para detectar un parecido con ella; pero pensó que se parecía más a su padre. Ahora estarían en la A1 camino del sur. No les había dicho quién era Santal, y muy probablemente no se lo diría nunca. Volvió al ordenador, repasó el resto de las fotos y volvió al principio, buscando una sola figura: un gamberro delgaducho con gorra de béisbol, camiseta, vaqueros y zapatillas de deporte. Decidió imprimir varias, pero apareció el cuadro de advertencia de bajo nivel de tinta. En Leith Walk había una tienda de informática. Cogió las llaves y el bolso.

La botella estaba vacía y en casa no le quedaba ninguna. Rebus había encontrado una botella pequeña de vodka polaca en la nevera, pero apenas llegaba para una copa; como no le apetecía salir a comprar otra, se preparó una taza de té y se sentó a la mesa del comedor, hojeando las notas del caso. A Ellen Wylie le había impresionado el currículo de Ben Webster y a él también; lo repasó. Viajes a puntos conflictivos del planeta; era algo que atraía a mucha gente: aventureros, periodistas, mercenarios. A él le habían comentado hacía años que el novio de Mairie Henderson era operador de cámara y que había estado en Sierra Leona, Afganistán e Irak, pero a él le daba la impresión de que la motivación de los viajes de Ben Webster a aquellos lugares no era la del viajero ávido de emociones, ni porque se identificara con «buenas» causas, sino su estricta obligación.

«Es uno de nuestros deberes básicos como seres humanos ayudar de forma sustancial al desarrollo allá donde sea y en la medida de lo posible en las zonas más precarias y más pobres del mundo», afirmaba en una de sus intervenciones parlamentarias. Era un argumento repetido sin cesar ante diversos comités, auditorios públicos y en entrevistas de prensa.

«Mi hermano era una buena persona.»

Rebus no lo dudaba. Ni veía motivo alguno para que alguien le empujara en las murallas del castillo. Pese a ser un trabajador infatigable, Ben Webster apenas representaba amenaza alguna para Pennen Industries. Rebus volvió a considerar la posibilidad del suicidio. Quizá Webster sufriera una depresión por los conflictos, hambrunas y catástrofes de que había sido testigo; tal vez conociera de antemano los escasos resultados del G-8, y sus anhelos de un mundo mejor le llevaran a un callejón sin salida. ¿Había saltado al vacío para llamar la atención a propósito de la situación? A Rebus no acababa de convencerle. Webster había asistido a aquel banquete con hombres poderosos e influyentes, diplomáticos y políticos de diversos países. ¿Por qué no manifestarles sus preocupaciones? ¿O armar un escándalo en público, a voces, a gritos?

Aquel grito en la noche al caer...

—No sé —dijo Rebus, meneando la cabeza.

Le parecía tener el rompecabezas completo pero con algunas piezas mal puestas.

—No —repitió, volviendo a sumergirse en la lectura.

«Un buen hombre...»

Al cabo de veinte minutos encontró una entrevista de un suplemento dominical de hacía un año en la que preguntaban a Webster a propósito de sus primeros pasos como diputado. Tenía una especie de mentor, también escocés y diputado, figura relevante del partido laborista, Colin Anderson.

El que representaba a Rebus en el parlamento.

—No te vi en el funeral, Colin —musitó Rebus mientras subrayaba un par de frases.

«Webster menciona sin dudarlo dos veces a Anderson por la ayuda que le brindó en su andadura como diputado novel: "Me impidió caer en las trampas habituales y le quedo inmensamente agradecido". En cambio, Webster se muestra mucho más reticente cuando se le pregunta si tiene fundamento la idea de que fuera Anderson quien le encumbró a su actual cargo de secretario privado del Parlamento, situándole en un puesto prometedor como principal candidato a ayudante del ministro de Comercio...»

—Vaya, vaya —murmuró Rebus, soplando sobre el té, a pesar de que ya estaba más que tibio.

—Había olvidado totalmente —dijo Rebus, arrastrando una silla hacia la mesa— que mi propio representante en el Parlamento es el ministro de Comercio. Sé que está ocupado, así que seré breve.

El restaurante estaba en la zona sur de Edimburgo, y aunque no era muy tarde se encontraba lleno. El personal acudió a entregarle la carta y ponerle un cubierto en la mesa para dos que ocupaba el honorable diputado Colin Anderson con su esposa.

—¿Quién diablos es usted? —inquirió el parlamentario.

Rebus devolvió la carta al camarero.

—No voy a cenar —comentó, y dirigiéndose al diputado añadió—: Me llamo John Rebus y soy inspector de policía. ¿No se lo dijo su secretaria?

—¿Me enseña su credencial? —replicó Anderson.

—En realidad, no es culpa de ella —añadió Rebus—. Exageré un poco y dije que era urgente —dijo tendiéndole el carné.

El diputado lo examinó mientras Rebus ofrecía una sonrisa a la esposa.

—¿Quiere que...? —preguntó ella haciendo gesto de levantarse.

—No se trata de ningún secreto —dijo Rebus cogiendo el carné que le devolvía Anderson.

—Permita que le diga, inspector, que esto es una intrusión.

—Yo pensé que su secretaria le habría avisado.

Anderson alzó el móvil de la mesa.

—No hay cobertura —dijo.

—Pues debería usted subsanarlo —comentó Rebus—. Hay mucha gente en Edimburgo que...

—¿Ha bebido, inspector?

—Sólo lo hago fuera de servicio, señor —respondió él hurgando en el bolsillo hasta encontrar la cajetilla.

—Aquí no se puede fumar —le previno Anderson.

Rebus miró el paquete de cigarrillos como si se hubiera materializado en su mano sin que él se lo propusiera. Se disculpó y volvió a guardárselo.

—No le vi en el funeral —dijo al diputado.

—¿Qué funeral?

—El de Ben Webster. Usted fue buen amigo suyo al principio de su carrera.

—Tenía un compromiso —replicó el diputado mirando ostensiblemente el reloj.

—La hermana de Webster me dijo que una vez muerto Ben, el partido laborista le olvidaría.

—Creo que eso es excesivo. Ben era amigo mío y yo quería asistir al funeral...

—Pero estaba ocupado —añadió Rebus con gesto comprensivo—. Y ahora que se dispone a cenar apaciblemente con su esposa, yo me presento sin avisar.

—Da la casualidad de que es el cumpleaños de mi esposa. Y hemos conseguido, Dios sabe cómo, encontrar este hueco libre.

—Y yo vengo a estropeárselo. Que cumpla muchos más —añadió, dirigiéndose a la esposa.

El camarero puso una copa para vino frente a Rebus.

—¿No sería mejor de agua, quizá? —dijo Anderson.

Rebus asintió con la cabeza.

—¿Ha estado muy atareado con el G-8? —preguntó la esposa del diputado inclinándose hacia delante.

—Atareado a pesar del G-8 —replicó Rebus.

Vio como mujer y marido intercambiaban una mirada y comprendió lo que pensaban. Un policía con resaca, afectado por las manifestaciones y los disturbios y ahora por las bombas de Londres. Una situación delicada.

—¿No podríamos hablar mañana, inspector? —preguntó Anderson pausadamente.

—Estoy investigando la muerte de Ben Webster —dijo Rebus con una voz nasal de la que él mismo era consciente, y notando una especie de neblina que envolvía la escena— y no acabo de encontrar ninguna motivación que explique que quisiera quitarse la vida.

—Yo creo que debió de ser un accidente —dijo la esposa del diputado.

—O que le empujaron —añadió Rebus.

—¡Qué dice! —dijo Anderson dejando de ordenar los cubiertos.

—Richard Pennen quiere vincular la ayuda extranjera a la venta de armas, ¿no es cierto? ¿Cómo conseguirlo? Haciendo una buena donación a cambio de que haya manga ancha.

—No diga cosas absurdas —replicó el diputado sin ocultar su irritación.

—¿Estuvo usted en el castillo aquella noche?

—Estaba ocupado en Westminster.

—¿Cabe la posibilidad de que Webster tuviera una conversación con Pennen? ¿Tal vez a petición de usted?

—¿Qué clase de conversación?

—Sobre la reducción del comercio de armas y en el sentido de que la asignación para cañones se destinase a agricultura.

—Escuche, no puede ir por ahí difamando a Richard Pennen. Si hay alguna prueba, me gustaría verla.

—A mí también —dijo Rebus.

—¿Quiere decir que la hay? ¿En qué basa usted exactamente esta caza de brujas, inspector?

—En el hecho de que el Departamento Especial quiso apartarme del caso, o cuando menos encarrilarme.

—¿Y usted prefiere descarrilarse?

—Es la única manera de llegar a donde se desea.

—Ben Webster era un notable parlamentario y una figura en ascenso dentro de su partido...

—Y le habría apoyado a usted sin reservas en cualquier candidatura —no pudo por menos de añadir Rebus.

—¡Eso sí que son difamaciones fuera de lugar! —exclamó Anderson con un gruñido.

—¿Era la clase de persona que repudiaba los grandes negocios? —le preguntó Rebus—. ¿La clase de persona insobornable? —Notaba que su mente se embotaba más y más.

—Inspector, está agotado —dijo la esposa del diputado en tono afable—. ¿No podrían hablar en otro momento?

Rebus negó con la cabeza, notando la pesadez de su cuerpo y consciente de que estaba a punto de desmoronarse, arrastrado hasta el suelo por la masa corporal.

—Querido, ahí está Rosie —dijo la esposa del diputado.

Una joven obviamente nerviosa se abría paso entre las mesas. Los camareros se miraron preocupados, temiendo que fueran a encargar servicio para cuatro en una mesa de dos.

—Le he enviado varios mensajes seguidos —dijo Rosie— y luego pensé que quizá no los recibía.

—Aquí no hay cobertura —gruñó Anderson, dando unos golpecitos al móvil—. Éste es el inspector.

Rebus se puso en pie para ofrecer la silla a la secretaria de Anderson, pero ella negó con la cabeza sin mirarle.

—El inspector —dijo la secretaria al diputado— está suspendido de servicio y pendiente de investigación por su conducta. Hice un par de llamadas —añadió mirando a Rebus a la cara.

Anderson enarcó una de sus espesas cejas.

—Ya le dije que estaba fuera de servicio —alegó Rebus.

—No me parece que fuese hasta tal punto explícito. Ah, las entradas. —Dos camareros sirvieron un salmón ahumado y un cuenco de sopa de color naranja respectivamente—. Ahora váyase, inspector —añadió el diputado tajante.

—Ben Webster merece cierta consideración, ¿no cree?

El diputado ignoró el comentario y desplegó la servilleta. Pero su secretaria no tuvo tantos remilgos.

—¡Lárguese! —gruñó.

Rebus asintió con la cabeza y fue a dar media vuelta, pero recordó algo.

—La calzada de mi calle está hecha polvo. A ver si puede hacer un hueco para dedicar algún tiempo a sus electores —dijo antes de alejarse.

—Sube —ordenó la voz.

Rebus se dio la vuelta y vio que Siobhan estaba estacionada frente a su casa.

—Ha quedado muy bien el coche —comentó.

—Faltaría más, con lo que me ha cobrado tu amigo el mecánico.

—Yo iba a subir a casa...

—Pues cambia de plan. Necesito que me acompañes. —Hizo una pausa—. ¿Te encuentras bien?

—Me tomé un par de copas y he hecho algo tal vez inconveniente.

—Vaya novedad.

Siobhan fingió quedarse pasmada cuando le explicó su incursión en el restaurante.

—Otra tontería en mi haber —concluyó Rebus.

—No me digas —comentó Siobhan cerrando la portezuela mientras él se acomodaba en el asiento del pasajero.

—¿Y tú...? —preguntó Rebus.

Siobhan le contó que se habían marchado sus padres y que ella había estado examinando las fotos de Stacey. Estiró el brazo hacia el asiento de atrás y le tendió las pruebas de la agresión.

—Entonces, ¿vamos a hablar con el concejal? —aventuró Rebus.

—Es lo que he decidido. ¿De qué te ríes?

Él fingió examinar las fotos.

—Tu madre dice que no le importa el golpe, nadie parece preocuparse por la muerte de Ben Webster y aquí estamos los dos dale que dale —dijo alzando la vista hacia ella con sonrisa de desgana.

—Es nuestro trabajo —replicó ella despacio.

—Eso es lo que yo creo, al margen de lo que otros puedan pensar o decir, pero me preocupa habértelo contagiado.

—Concédeme un margen de criterio propio —replicó ella poniendo en marcha el motor.

El concejal Gareth Tench vivía en un gran chalé victoriano en la calle principal de Duddingston Park, en donde la distancia de las casas a la calzada les confería buena intimidad. Era una zona a cinco minutos en coche de Niddrie, pero otro mundo de clase media respetable y tranquilo. Detrás de las casas había un campo de golf y la playa de Portobello no estaba lejos.

Siobhan cruzó por Niddrie y vieron que el campamento estaba casi desmontado.

—¿Quieres parar a ver a tu novio? —dijo Rebus en guasa.

—Quizá sea mejor que te quedes tú en el coche y que hable yo con Tench —replicó ella.

—Estoy sobrio como un juez —alegó Rebus—. Bueno..., casi.

Pararon en una gasolinera en Radcliffe Terrace para comprar una botella de Irn-Bru y paracetamol.

—El que inventó esto merece el premio Nobel —comentó Rebus sin especificar a cuál de las dos cosas se refería.

En un sector pavimentado del jardín delantero de la casa de Tench había dos coches aparcados y vieron que el cuarto de estar estaba profusamente iluminado.

—¿Policía bueno, policía malo? —sugirió Rebus mientras Siobhan llamaba al timbre.

Ella respondió con una escueta sonrisa. Abrió la puerta una mujer.

—¿La señora Tench? —preguntó Siobhan tendiéndole el carné de policía—. ¿Podemos hablar con su esposo?

—Louisa, ¿quién es? —se oyó la voz de Tench dentro de la casa.

—La policía, Gareth —gritó ella en respuesta, apartándose levemente como invitándoles a pasar.

No se hicieron de rogar y apenas entraban en el cuarto de estar cuando Tench bajó despacio la escalera. A Rebus no le gustó la decoración del cuarto: cortinas de terciopelo en las ventanas, apliques de bronce en la pared flanqueando la chimenea y dos enormes sofás que ocupaban casi todo el espacio. También el calificativo de enorme y ordinaria era aplicable a Louisa Tench, con aquellos pendientes y tantas pulseras. Su bronceado era de pote o de lámpara de cuarzo, igual que el castaño rojizo del pelo. Además de un exceso de sombreado azul en los ojos y rosa en los labios. Rebus contó cinco relojes de mesa y pensó que nada de lo que había allí era cosa del concejal.

—Buenas noches, señor —dijo Siobhan al entrar Tench, quien, como respuesta, alzó la vista al techo.

—Dios mío, ¿es que no paran? ¿Los denuncio por acoso?

—Antes de hacerlo, señor Tench —prosiguió Siobhan con calma—, quizá convenga que eche una ojeada a estas fotos —añadió tendiéndoselas—. Reconoce a su elector, ¿verdad?

—Es el mismo con quien tan buenas migas hacía a la salida de los juzgados —remachó Rebus—. Y, por cierto, saludos de Denise.

Tench miró atemorizado en dirección a su esposa, que había vuelto a sentarse a ver la televisión sin sonido.

—Bueno, ¿qué sucede con esas fotos? —preguntó Tench alzando la voz más de lo necesario.

—Como ve, golpea con un palo a una mujer —prosiguió Siobhan, mientras Rebus observaba y escuchaba atentamente—. Y en la otra imagen aparece tratando de escabullirse entre la multitud. No podrá negar que se trata de una agresión a un simple espectador.

Tench adoptó una actitud escéptica mirando ambas fotos.

—Son digitales, ¿verdad? —comentó—. Fáciles de manipular.

—No son las fotos las que están manipuladas, señor Tench —añadió Rebus, convencido de que era su deber.

—¿Qué es lo que insinúa?

—Queremos que nos diga su nombre —dijo Siobhan—. Podemos obtenerlo mañana por la mañana en los juzgados, pero preferimos que nos lo dé usted.

—¿Y por qué? —inquirió Tench entornando los ojos.

—Porque... —Siobhan hizo una pausa—. Quisiera saber qué relación existe. En el campamento, hubo dos ocasiones en que apareció usted en el momento crucial... a sacarle de apuros —añadió señalando la foto—. Luego, le espera a la salida de los juzgados, y ahora esto.

—Es un muchacho como tantos otros de una zona marginada —alegó Tench, en voz queda pero marcando bien las palabras—. Se crían en un mal ambiente hogareño, tienen mala conducta en el colegio y malas compañías cada dos por tres. Pero es de mi circunscripción y por lo tanto me ocupo de él, como haría con cualquier otro muchacho desgraciado en sus mismas circunstancias. Si eso es un crimen, sargento Clarke, estoy dispuesto a sentarme en el banquillo y defenderme —espetó, sin evitar que una mota de saliva salpicase en la mejilla a Siobhan, quien se la limpió con la punta del dedo.

—Su nombre —repitió ella.

—Ya ha tenido una denuncia.

Louisa Tench seguía sentada con las piernas cruzadas y los ojos clavados en el televisor.

—Gareth, *Emmerdale* —dijo.

—No querrá que su esposa se pierda la comedia, ¿verdad, señor Tench? —añadió Rebus, mirando los títulos que comenzaban a llenar la pantalla.

La mujer tenía en la mano el mando a distancia y pulsó el botón del volumen. Tres pares de ojos estaban pendientes de Gareth Tench y Rebus volvió a articular con los labios el nombre de Denise.

—Carberry —dijo Tench—. Keith Carberry.

La música brotó de pronto del televisor, Tench metió las manos en los bolsillos y salió airado del cuarto. Siobhan aguardó un instante por decir adiós a la mujer, que ya estaba en el sillón sentada sobre sus piernas, pero siguió absorta en su mundo sin hacerles caso. Tench estaba ya junto a la puerta de entrada abierta, cruzado de brazos y con las piernas separadas, esperando a que se fueran.

—Una campaña de desprestigio no va a ser buena para nadie —comentó.

—Hacemos nuestro trabajo, señor.

—Yo me crié cerca de una granja, sargento Clarke —dijo Tench— y sé lo que es la mierda.

Siobhan le miró de arriba abajo.

—Y yo sé lo que es un payaso, aunque lo vea sin disfraz —replicó andando hacia la calzada.

Rebus se detuvo delante de Tench y se inclinó para decirle al oído:

—La mujer a quien golpeó ese chico que usted protege es su madre. —Señaló a Siobhan—. Lo cual significa que vamos hasta el final, ¿entendido? Y no nos daremos por satisfechos hasta obtener resultados —añadió apartándose y asintiendo con la cabeza para mayor énfasis—. Así que, ¿su esposa no sabe lo de Denise? —espetó.

—Ah, claro, ahora me explico cómo me relacionó con Ozyman —replicó Tench—. Fue Ellen Wylie quien se lo dijo.

—No ha sido muy inteligente por su parte enredarse con otra. Esto es como un pueblo y más tarde o más temprano será de dominio público.

—¡Dios, Rebus, no es lo que piensa! —dijo Tench entre dientes.

—No soy yo quien tiene que decirlo, señor.

—Y ahora, supongo que irá a contárselo a su «jefe». Bueno, que haga lo que quiera, yo no voy a doblegarme ante los de su clase ni... ante los de la suya, inspector —dijo Tench con gesto de desafío.

Rebus permaneció quieto un instante más, sonrió y siguió a Siobhan hacia el coche.

—¿Me concedes una dispensa? —preguntó él tras ponerse el cinturón de seguridad. Ella miró y vio que esgrimía el paquete de tabaco.

—Deja abierta la ventanilla —ordenó Siobhan.

Rebus encendió el pitillo y expulsó humo hacia el cielo de la noche. Tan sólo habían recorrido unos cuarenta metros cuando les adelantó un coche que frenó de pronto bloqueando el paso.

—¿Qué demonios es esto? —dijo Rebus entre dientes.

—Un Bentley —contestó Siobhan.

Y, al apagarse las luces de los frenos, vieron que se apeaba Cafferty, que se dirigió decidido hacia ellos y se inclinó sobre la ventanilla abierta de Rebus.

—Estás muy lejos de tu territorio —dijo Rebus serio.

—Y usted. Vienen de hacer una visita a Gareth Tench, ¿no? Espero que no haya tratado de comprarles.

—Sí, como piensa que tú nos pasas quinientas libras semanales —dijo Rebus con voz cansina—, nos hizo una contraoferta de dos mil —añadió expulsando humo al rostro del otro.

—He adquirido un pub en Portobello. Vengan a tomar una copa —añadió Cafferty, acompañando sus palabras con un movimiento de manos.

—Es lo que menos falta me hace —replicó Rebus.

—Pues un refresco.

—¿Qué es lo que quiere? —terció Siobhan sin apartar las manos del volante.

—¿Es una impresión mía —preguntó Caffery a Rebus— o se está endureciendo?

De pronto introdujo el brazo por la ventanilla y cogió una de las fotos del regazo de Rebus, retrocedió unos pasos y se la acercó a los ojos. Siobhan se bajó rápidamente del coche y se aproximó a él.

—No estoy dispuesta a aguantar esto, Cafferty.

—Un momento, es que he oído una historia sobre su madre y sé quién es este cabroncete —replicó él.

Siobhan detuvo en seco su ademán de arrebatarle la foto.

—Se llama Kevin o Keith —continuó Cafferty.

—Keith Carberry —dijo ella.

Rebus bajó del coche y advirtió que Cafferty la tenía enganchada.

—Tú no te metas en eso —le previno Rebus.

—Claro que no —respondió Cafferty—. Comprendo que es algo personal. Lo único que me planteaba es si podía ayudar.

—¿Ayudar, cómo? —inquirió Siobhan.

—No le escuches —dijo Rebus, pero la mirada de Cafferty tenía paralizada a Siobhan.

—De la manera que sea —contestó Cafferty—. Keith trabaja para Tench, ¿verdad? ¿No sería mejor hundirles a los dos y no sólo al mensajero?

—Tench no estaba en el parque de Princes Street.

—Y el joven Keith es tonto de nacimiento —replicó Cafferty—. Los chicos como él se dejan manipular.

—Por Dios, Siobhan —imploró Rebus cogiéndola del brazo—, él quiere cargarse a Tench y no reparará en medios. A ella no la mezcles —añadió esgrimiendo un dedo ante Cafferty.

—Yo sólo me ofrecía... —dijo Cafferty alzando las manos en gesto de rendición.

—¿A qué tanto empeño? ¿Llevas en el Bentley un bate de béisbol y una pala?

Cafferty ignoró sus palabras y devolvió la foto a Siobhan.

—Me apuesto una libra contra un penique a que Keith está jugando al billar en una sala de Restalrig. Para comprobarlo sólo habría que...

Siobhan no apartaba los ojos de la foto. Al oír a Cafferty pronunciar aquel nombre, parpadeó y le miró. Pero dijo que no moviendo la cabeza.

—Más adelante —añadió.

—Como quiera —replicó él alzando los hombros.

—Sin usted —espetó ella.

—No es justo después de todo lo que le he dicho —rezongó Caffery haciéndose el ofendido.

—Sin usted —repitió ella.

Cafferty se volvió hacia Rebus.

—¿No le he dicho que se estaba endureciendo? Puede que me quedara corto.

—Puede —sentenció Rebus.

21

Llevaba sumergido en la bañera veinte minutos cuando oyó el zumbido del intercomunicador. Decidió no hacer caso, pero oyó sonar el móvil; era un mensaje, a juzgar por el pitido final. Cuando Siobhan le dejó en casa él le había dicho que se fuera directamente a descansar a la suya.

—Mierda —dijo, pensando en que podía estar en apuros.

Salió de la bañera, se enrolló una toalla y fue al cuarto de estar dejando el suelo lleno de pisadas mojadas. Pero no era un mensaje de Siobhan, sino de Ellen Wylie, que estaba abajo en el coche.

—Nunca he tenido tanto éxito con las mujeres —musitó pulsando el botón de respuesta de llamada—. Dame cinco minutos —dijo.

Fue a cambiarse. El intercomunicador sonó de nuevo y él abrió el portal y la esperó en la puerta del piso, oyendo el sonido de lija que hacían sus zapatos subiendo los dos tramos de escalones de piedra.

—Ellen, es un placer —dijo.

—Lo siento, John. Estábamos todos en el pub y no he podido apartarlo de mi mente.

—¿Lo de las bombas?

Ella negó con la cabeza.

—Su caso —contestó.

Una vez en el cuarto de estar, ella fue hacia la mesa con el papeleo, pero vio la pared y se acercó a mirar las fotos sujetas con chinchetas.

—Me he pasado medio día leyendo datos sobre esos monstruos, leyendo las opiniones de las familias de las víctimas sobre cada uno, para después tener que avisar a esos mal nacidos de que tal vez alguien busque vengarse.

—Es correcto, Ellen. En las actuales circunstancias tenemos que convencernos de que hacemos algo.

—Supongamos que en vez de ser violadores pusieran bombas.

—¿A cuento de qué dices eso? —preguntó él y aguardó, pero ella se encogió de hombros—. ¿Quieres beber algo?

—Tal vez un té —contestó medio vuelta hacia Rebus—. Me perdona que haya irrumpido así, ¿verdad?

—Estoy encantado de tu compañía —mintió yendo a la cocina.

Cuando volvió con las dos tazas, ella estaba sentada ante la mesa mirando el primer montón de papeles.

—¿Cómo está Denise? —preguntó Rebus.

—Bien.

—Ellen, dime una cosa. —Hizo una pausa hasta obtener su atención—. ¿Sabías que Tench está casado?

—Separado —replicó ella.

—No mucho —añadió Rebus frunciendo los labios—. Los dos viven en la misma casa.

—¿Por qué los hombres son unos mal nacidos, John? —replicó ella sin parpadear—. Mejorando lo presente, por supuesto.

—A mí lo que me extraña —añadió Rebus— es por qué le interesa tanto Denise.

—No está tan mal.

Rebus asintió con una mueca imperceptible.

—De todos modos, sospecho que a ese concejal le atraen las víctimas. A algunos hombres les sucede eso, ¿no es cierto?

—¿Adónde quiere ir a parar?

—No lo sé realmente... Sólo intento hacerme una idea de su forma de ser.

—¿Lo incluye entre los sospechosos?

—¿Cuántos son?

Ellen se encogió de hombros.

—Eric Bain ha recopilado algunos nombres y datos de la lista de suscriptores, pero supongo que serán familias de las víctimas o profesionales que trabajan en ese campo.

—¿A qué campo pertenece Tench?

—A ninguno de los dos. ¿Eso le convierte en sospechoso?

Rebus estaba a su lado mirando las notas.

—Necesitamos un perfil del asesino. Lo único que sabemos de momento es que no da la cara a sus víctimas.

—Sí, pero a Trevor Guest le dejó en un estado deplorable... Cortes, arañazos, contusiones. Y con la tarjeta del banco para que supiéramos su nombre.

—¿Ves en ello una discrepancia?

Ella asintió con la cabeza.

—Pero también podría considerarse que la discrepancia es Cyril Colliar por ser el único escocés.

Rebus miró la foto del rostro de Trevor Guest.

—Guest vivió un tiempo en Escocia —dijo—, según me informó Hackman.

—¿Sabemos dónde?

Rebus negó despacio con la cabeza.

—Habrá una ficha en algún archivo.

—¿Existe alguna posibilidad de que la tercera víctima tuviera alguna relación con Escocia?

—Supongo que podría haberla.

—Tal vez sea ésa la clave. En lugar de centrarnos en Vigilancia de la Bestia deberíamos pensar más en las tres víctimas.

—Pareces a punto de ponerte las pilas.

Ella le miró.

—Estoy muy nerviosa para dormir. ¿Y usted? Puedo llevarme trabajo a casa.

Rebus volvió a negar con la cabeza.

—Estás muy bien donde estás —dijo cogiendo una serie de informes, dirigiéndose al sillón y encendiendo la lámpara de pie. Se sentó—. ¿No estará Denise preocupada por tu ausencia?

—Le enviaré un mensaje de texto diciendo que me quedo a trabajar hasta tarde.

—Mejor no decirle dónde... No quiero chismorreos.

Ella sonrió.

—No, claro que no. Por cierto, ¿debería saberlo Siobhan?

—¿Saber, qué?

—Es ella la encargada del caso, ¿no?

—Siempre lo olvido —contestó Rebus como quien no quiere la cosa, y siguió leyendo.

Era casi medianoche cuando se despertó. Ellen volvía de la cocina de puntillas con una taza de té.

—Lo siento —se disculpó ella.

—Me he quedado dormido —comentó Rebus.

—Ya hace más de una hora —dijo ella soplando sobre el líquido.

—¿Alguna novedad?

—Ninguna. ¿Por qué no se acuesta?

—¿Y te dejo a ti sola currando? —replicó estirando los brazos y sintiendo crujir las vértebras—. Estoy bien.

—Tiene cara de estar rendido.

—No paran de decírmelo. —Se levantó y se acercó a la mesa—. ¿Hasta dónde has avanzado?

—No encuentro ninguna relación entre Edward Isley y Escocia; aquí no tiene familia y no ha trabajado ni ha venido de vacaciones. No sé yo si no será un enfoque equivocado.

—¿Qué quieres decir?

—Quizás era Colliar quien estaba relacionado con el norte de Inglaterra.

—Tienes razón.

—Pero tampoco eso lleva a ninguna parte.

—Tal vez te venga bien una pausa.

—¿No estoy en ello? —replicó ella alzando la taza.

—Me refiero a algo más sustancial.

Ella balanceó los hombros.

—¿Es que hay aquí un yacuzzi o un masajista? —dijo, y al ver la cara que él ponía, añadió—: Era una broma. Y no creo que a usted se le den muy bien las friegas en la espalda. Además... —Sin acabar la frase, se llevó la taza a los labios.

—¿Además, qué?

Ellen dejó la taza en la mesa.

—Pues que usted y Siobhan...

—Somos compañeros —añadió él—. Compañeros y amigos. Y nada más, pese a los rumores.

—Es que circulan por ahí historias —alegó ella.

—Y eso es lo que son: historias, ficción.

—No sería la primera vez, ¿verdad? Me refiero a la comisaria Templer...

—Lo de Templer fue hace años, Ellen.

—Sí, ya lo sé —dijo ella mirando al vacío—. Esta profesión nuestra... ¿a cuántos conoce que mantengan una relación continuada?

—Hay algunos. Shug Davidson lleva veinte años casado.

Ellen asintió.

—Pero usted, Siobhan, yo y docenas que podría nombrar...

—Son gajes del oficio, Ellen.

—Tantas vidas como conocemos... —añadió ella dirigiendo una mano hacia los expedientes— y nos vemos incapaces de labrarnos una propia. ¿De verdad que no hay nada entre usted y Siobhan? —espetó mirándole.

Él negó con la cabeza.

—Así que no pienses que puedes abrir una brecha entre los dos.

Ella trató de aparentar sentirse ofendida, pero no fue capaz de encontrar una réplica.

—Estás flirteando —añadió él—. Y la única razón que se me ocurre es que lo haces únicamente por fastidiar a Siobhan.

—Dios bendito —exclamó ella poniendo de golpe la taza en la mesa y salpicando los papeles—. Habrase visto arrogante, descaminado y terco... —añadió haciendo ademán de levantarse de la silla.

—Escucha, si me he equivocado, perdona. Es medianoche y tal vez convendría que durmiéramos algo.

—Y no estaría de más darme las gracias.

—¿Por qué?

—¡Por aguantar trabajando mientras roncaba! ¡Por ayudarle arriesgándome a ganarme una bronca! ¡Por todo!

Rebus se levantó como aturdido, y tardó un instante aún en pronunciar la palabra que esperaba.

—Gracias.

—Y que le den, John —replicó ella, cogiendo el abrigo y el bolso.

Él se apartó para dejarla pasar y oyó que salía dando un portazo. Sacó un pañuelo del bolsillo y secó los papeles.

—No es mucho estropicio —murmuró—. No es mucho estropicio...

—Gracias por venir —dijo Morris Gerald Cafferty abriendo la puerta del pasajero.

Siobhan dudó un instante y finalmente subió.

—Es para una simple conversación —le previno ella.

—Naturalmente —dijo él cerrando suavemente la portezuela y dando la vuelta por delante del coche hasta sentarse al volante—. Ha sido un día movido, ¿no es cierto? —añadió—, con esa amenaza de bomba en Princes Street.

—No arranque el coche —dijo ella, sin hacerle caso.

Cafferty cerró la portezuela y se volvió hacia ella.

—Podríamos haber hablado arriba —dijo.

Ella negó con la cabeza.

—Tiene prohibido ese portal —espetó.

Cafferty encajó en silencio la tara de su mala fama y miró por la ventanilla hacia el piso de Siobhan.

—Pensaba que viviría en un lugar mejor —dijo.

—Estoy bien aquí —replicó ella—. Pero me gustaría saber cómo me ha localizado.

Cafferty sonrió afable.

—Tengo amistades —dijo—. Ha bastado con una llamada.

—¿Y con Gareth Tench podría hacer lo mismo? Una llamada a un profesional y nunca más se supo...

—No quiero que muera —replicó Cafferty, pensándose las palabras—, sólo rebajarle.

—¿Humillarle, acobardarle, asustarle?

—Creo que ha llegado la hora de que la gente lo vea tal como es —dijo inclinándose levemente hacia ella—. Ahora usted ya sabe cómo es. Pero si se centra en Keith Carberry errará el tiro —añadió con otra sonrisa—. Le hablo en términos de aficionados al fútbol, aunque seamos de distinto equipo.

—Estamos en distinto equipo en todo, Cafferty. Téngalo en cuenta.

Él inclinó levemente la cabeza.

—¿Sabe que se expresa igual que él?

—¿Igual que quién?

—Igual que Rebus, por supuesto. Ustedes dos tienen en común esa engreída actitud de creerse que lo saben todo mejor que nadie..., que son mejor que nadie.

—Vaya, sesión de ayuda psicológica...

—¿No lo ve? Siempre igual. Es como si Rebus moviera los hilos de una marioneta —añadió conteniendo la risa—. Ya es hora de que sea usted misma, Siobhan. Y tiene que hacerlo antes de que Rebus se jubile; es decir, pronto. —Hizo una pausa—. Mejor ahora que nunca.

—Lo que menos necesito son consejos suyos.

—No le estoy dando consejos; le ofrezco ayuda. Entre los dos podemos hundir a Tench.

—Es la misma oferta que le hizo a John aquella noche en el auditorio religioso, ¿verdad? Y me imagino que diría que no.

—Pues quería decir sí.

—Pero no lo dijo.

—Rebus y yo hace mucho tiempo que somos enemigos, Siobhan. Casi se nos ha olvidado cómo empezó. Pero entre usted y yo no hay enemistad.

—Usted es un gángster, señor Cafferty, y aceptar su ayuda sería ponerme a su altura.

—No —replicó él meneando la cabeza—; conseguiría meter en la cárcel a los responsables de lo que le sucedió a su madre. Si lo único que tiene para empezar es esa foto, no irá más allá de Keith Carberry.

—¿Y usted me ofrece mucho más, como esos timadores de los canales de compras? —dijo ella.

—No sea cruel —replicó él en tono de riña.

—Cruel pero sincera —replicó Siobhan. Miró por el parabrisas y vio que un taxi dejaba a una pareja borracha delante de su casa. Al arrancar el vehículo, estuvieron a punto de caer al suelo abrazados y besándose—. ¿Qué tal un escándalo? —dijo—. Algo que hiciera que el consejero apareciera en los tabloides.

—¿Tiene pensado algo?

—Tench engaña a su mujer —contestó ella—. Mientras su esposa está en casa viendo la tele, él se dedica a visitar a sus amantes.

—¿Cómo lo sabe?

—Una compañera mía, Ellen Wylie, tiene una hermana... —Se interrumpió al percatarse de que si estallaba el escándalo no sería sólo Tench quien saliera en los periódicos, sino también Denise—. No —dijo negando con la cabeza—. Olvídelo.

«Imbécil, imbécil, imbécil.»

—¿Por qué?

—Porque haríamos daño a una mujer muy sensible.

—Pues como si no lo hubiera dicho.

Ella se volvió a mirarle.

—Bien, dígame, ¿qué haría usted en mi caso? ¿Cómo atacaría a Gareth Tench?

—A través del joven Keith, por supuesto —contestó Cafferty, como si fuera la cosa más evidente del mundo.

Mairie estaba disfrutando con el acoso.

Aquello no eran artículos de fondo, ni un elogio dando bombo a un amigo del jefe de redacción o una entrevista de mercadotecnia para dar publicidad a un libro o una película. Era una investigación. Por eso se había hecho ella periodista.

Incluso las pistas que no llevaban a ninguna parte eran emocionantes. Y, aunque había seguido varios caminos erróneos, acababa de ponerse en contacto con un periodista de Londres, también autónomo. En la primera conversación por teléfono ambos se dedicaron a darle rodeos al tema. Él trabajaba en un proyecto televisivo: un documental sobre Irak titulado *Mi pequeña lavandería de Bagdad*, y al principio no quiso explicarle la razón de aquel título, pero al mencionar ella su contacto de Kenia, vio que el de Londres cedía y, en ese momento, una sonrisa cruzó su rostro: ahora era ella quien marcaba la pauta. Iba a titularse lavandería de Bagdad en referencia al dinero que se blanqueaba en Irak y especialmente en la capital. No se sabía adónde habían ido a parar la mayor parte de los miles de millones de dólares estadounidenses destinados a la reconstrucción; maletas repletas de billetes para sobornar a funcionarios del país y untar la mano a la gente asegurando a toda costa elecciones, porque las empresas estadounidenses entraban en el jugoso mercado «con extrema cautela», según su amigo, y el dinero corría a raudales porque había que tranquilizar a los diversos bandos en conflicto en aquella situación tan inestable.

Había que armarlos.

A chiítas, suníes y kurdos. Claro, el agua y la electricidad eran imprescindibles, pero también cañones y lanzacohetes eficaces; sólo para la defensa, naturalmente, porque la reconstrucción sólo es posible si la gente se siente protegida.

—Yo creía que las armas no entraban en juego —comentó Mairie.

—Hasta que vuelvan a entrar cuanto nadie preste atención.

—¿Y estás indagando para establecer una relación entre Pennen y todo el cotarro? —preguntó finalmente Mairie, sin dejar de tomar nota a toda velocidad con el teléfono sujeto entre la mejilla y el hombro.

—Eso es el chocolate del loro. Pennen no es más que una simple nota a pie de página, tan sólo una P.D. al final de una carta. Y, en realidad, no él personalmente, sino la empresa que dirige.

—Y de la que es propietario —no pudo por menos de añadir Mairie—. En Kenia se ha asegurado sacar tajada de ambos bandos.

—¿Subvencionando al gobierno y a la oposición? Sí, estoy al corriente, pero por lo que tengo entendido no es una operación de envergadura.

Pero el diplomático Kamweze le había dado a ella algún dato más. Coches para los ministros, construcción de carreteras en provincias gobernadas por la oposición y casas nuevas para los líderes tribales más importantes. Todo ello bajo el capítulo de «ayuda», mientras las armas teledirigidas con tecnología de Pennen lastraban la deuda interna.

—En Irak —prosiguió el periodista de Londres—, Pennen Industries financia una zona dudosa de reconstrucción, es decir, contratistas de defensa privados, armados y financiados por Pennen. Tal vez sea la primera guerra de la historia organizada en gran medida por el sector privado.

—¿Y a qué se dedican esos contratistas de defensa particulares?

—Actúan de guardaespaldas de quienes van al país a hacer negocios. Se ocupan de las barreras, protegen la Zona Verde y garantizan que los mandatarios puedan girar la llave de contacto del coche sin peligro de una intervención del *Padrino*.

—Ya veo. Son mercenarios, ¿no es eso?

—En absoluto; son totalmente legales.

—¿Pero les paga Pennen?

—Hasta cierto punto.

Finalmente, Mairie colgó, tras mutua promesa de seguir en contacto y hacer hincapié el de Londres que mientras ella no metiera mano a los datos de Irak podrían ayudarse recíprocamente. Mairie pasó a máquina sus notas y se dirigió al cuarto de estar, donde Allan estaba hundido en el sillón viendo *Die Hard 3* y disfrutando de nuevo de sus películas preferidas ahora que tenía cine en casa; ella le dio un abrazo y sirvió dos vasos de vino.

—¿Qué se celebra? —preguntó él dándole un beso en la mejilla.

—Allan —dijo ella—, tú que has estado en Irak, cuéntame cómo es aquello.

Aquella noche, a hora avanzada, Mairie se levantó. Sonaba su teléfono; era el corresponsal de Westminster del periódico *Herald*. Años atrás se habían sentado juntos en un banquete de distribución de premios, dando cuenta del asado de cordero y riendo de los finalistas de las diversas categorías. Mairie mantuvo contacto con él porque le gustaba bastante aunque era un hombre casado, feliz en su matrimonio, por lo que sabía. Se sentó en la escalera enmoquetada, cubierta sólo por una camiseta hasta las rodillas, leyendo el texto.

«Tendrías que haberme dicho que te interesaba Pennen. Llámame. ¡Tengo datos!»

Pero no se contentó con llamarle. Fue en plena noche a Glasgow en coche y se vieron en un café de los que están abiertos veinticuatro horas, lleno de estudiantes bebidos, pero más agotados que escandalosos. Su amigo se llamaba Cameron Bruce, y siempre hacían bromas con aquel nombre que servía igual para un roto que para un descosido. Él se presentó con sudadera, pantalones de chándal y despeinado.

—Buenos días —dijo mirando el reloj.

—La culpa es tuya —le regañó ella en broma— por coquetear con una chica a medianoche.

—Suele pasar —replicó él.

Por el guiño que le dirigió, Mairie comprendió que convenía comprobar el estado del feliz matrimonio y dio gracias al cielo por no haber quedado con él en un hotel.

—Cuéntame —dijo.

—No está mal el café —dijo él alzando la taza.

—Oye, no he cruzado en coche media Escocia para oírte cosas insulsas, Cammy.

—¿A qué has venido, entonces?

Ella se reclinó en el asiento y le explicó por qué tenía interés en Richard Pennen. No le contó todo, por supuesto, pues él, al fin y al cabo, era de la competencia aunque fuese amigo. Cammy se percató de que había lagunas en lo que explicaba cada vez que hacía una pausa o cambiaba el sentido de la historia, pero se limitó a sonreír discretamente. En un momento determinado ella interrumpió el relato mientras, con gran profesionalidad y rapidez, el personal se hacía cargo de un cliente alborotador poniéndole de patitas en la calle. El hombre dio unos puntapiés a la puerta y puñetazos en la luna, pero acabó marchándose.

Pidieron más café y tostadas con mantequilla, y Cameron le contó lo que sabía.

O más bien, lo que sospechaba, basado todo ello en comentarios que circulaban.

—Por consiguiente, hay que interpretarlo con cierta precaución.

Ella asintió con la cabeza.

—Se trata de financiación de partidos —añadió él.

La reacción de Mairie fue fingir un bostezo repentino. Bruce se echó a reír y dijo que era un capítulo muy interesante.

—No me digas.

Se decía que Richard Pennen hacía importantes donativos personales al partido laborista. No era de extrañar, ya que su propia empresa se beneficiaba de los contratos del gobierno.

—Igual que con Capita y tantos otros —comentó Bruce.

—¿Me has hecho venir hasta aquí para decirme que lo que hace Pennen es perfectamente legal y transparente? —replicó Mairie con gesto de decepción.

—Bueno, no estoy tan seguro, dado que el señor Pennen juega con dos barajas.

—¿Da dinero a conservadores y laboristas?

—En cierto modo, sí. Pennen Industries ha financiado varias juergas de los torys y sus gerifaltes.

—Pero es más bien la empresa; no él personalmente. Así que no vulnera la ley.

—Mairie —dijo Bruce sonriendo—, no hay que vulnerar la ley para tener problemas en política.

—Hay algo más, ¿verdad? —dijo ella mirándole furiosa.

—Tal vez —añadió él mordiendo una tostada.

CARA CUATRO

EMPUJE FINAL

VIERNES 8 DE JULIO

22

La primera página la ocupaba una matanza con grandes fotos en color del autobús rojo londinense de dos pisos y supervivientes salpicados de sangre y hollín con la mirada vacua, entre ellos una mujer con una enorme compresa en la cara. Edimburgo vivía los hechos como una molestia postraumática. El autobús de Princes Street con amenaza de bomba había sido remolcado tras su explosión controlada, e igual procedimiento se aplicó a una bolsa abandonada en una tienda cercana. Quedaban restos de vidrio en la calzada y algún parterre destrozado durante los disturbios del miércoles, pero todo parecía haber sucedido hacía ya mucho tiempo. La gente había vuelto al trabajo, los escaparates lucían sin planchas de madera y las barreras, desmontadas, se las llevaron en camiones. También Gleneagles se vaciaba de manifestantes. Blair regresó en avión desde Londres a tiempo para la ceremonia de clausura, en la que hubo discursos y firmas, pero la gente no sabía qué pensar de todo aquello. Las bombas de Londres habían servido de excusa perfecta para abreviar las conversaciones comerciales. Se concedería una ayuda extra a África, pero no tanta como la reclamada en la campaña de protestas. Antes de acabar con la pobreza, los políticos tenían otra guerra en que luchar.

Rebus cerró el periódico y lo tiró sobre la mesita junto a la silla. Se encontraba en la Jefatura de la Policía de Lothian y Borders en Fettes Avenue por haber recibido la orden de presentarse a primera hora de la mañana. La secretaria del jefe superior replicó en forma tajante a su protesta por la premura.

—Inmediatamente —dijo.

Por eso Rebus únicamente hizo un alto para tomar un café con un bollo y comprar un periódico. Aún le quedaba un trozo de rosca en la mano cuando se abrió la puerta. Se puso en pie, pensando que entraría, pero por lo visto a Corbyn le bastaba con despacharlo en el pasillo.

—Creí que le había advertido debidamente, inspector Rebus, que quedaba apartado del caso.

—Sí, señor.

—¿Entonces?

—Mire, señor, yo sabía que no estaba autorizado a trabajar en el caso de Auchterarder, pero pensé que debía aclarar algunos flecos en relación con Ben Webster.

—Está suspendido de servicio.

—¿No únicamente en un caso? —replicó Rebus estupefacto.

—Sabe perfectamente lo que significa una suspensión.

—Lo siento, señor, será por la edad...

—Qué duda cabe —susurró Corbyn—. Tiene ya derecho a pensión máxima por jubilación. No sé por qué sigue en el cuerpo.

—No tengo nada mejor que hacer, señor. —Rebus hizo una pausa—. Por cierto, ¿es delito que un elector pregunte a su diputado?

—Es el ministro de Comercio, Rebus. Lo que quiere decir mano derecha del primer ministro. Hoy concluye el G-8 y no queremos ningún desdoro a estas alturas.

—Bien, no tengo motivo para molestar de nuevo al ministro.

—Ya lo creo que no; ni a nadie más. Es su última oportunidad. En este caso tal vez se libre con una reprimenda oficial, pero si su nombre vuelve a aterrizar en mi mesa una vez más... —añadió Corbyn esgrimiendo un dedo para dar énfasis a sus palabras.

—Entendido, señor.

El teléfono de Rebus comenzó a sonar, y lo sacó del bolsillo para comprobar el número: no lo conocía y arrimó al oído el aparatito plateado.

—Diga.

—¿Rebus? Soy Stan Hackman. Quería llamarle ayer, pero en vista de lo ocurrido...

Rebus notaba los ojos de Corbyn clavados en su persona.

—Cariño —canturreó al micrófono—, ahora te llamo, te lo prometo. —Añadió el sonido de un besito y cortó la comunicación—. Era una amiga —dijo a Corbyn.

—Una mujer con entereza —comentó el jefe de policía abriendo la puerta de su despacho y poniendo fin a la entrevista.

—¿Keith?

Siobhan estaba sentada en el coche, con el cristal de la ventanilla bajado. Keith Carberry iba camino de la sala de billar. El local abría a las ocho y Siobhan, para mayor seguridad, llevaba un cuarto de hora esperando, viendo obreros cansados llegar a la parada del autobús. Le hizo seña con la mano para que se acercara al coche, y el jovenzuelo miró a derecha e izquierda, temiéndose una emboscada; llevaba bajo el brazo un estuche negro alargado: su taco privado, que podía servir de arma en caso necesario.

—¿Sí? —dijo él.

—¿Te acuerdas de mí?

—Hasta aquí llega la peste a poli. —Llevaba echada la capucha de su casaca de marinero sobre la gorra clara de béisbol. La misma indumentaria con que aparecía en las fotos—. Ya sabía que volveríamos a vernos; la otra noche estaba calentona —añadió cogiéndose la entrepierna con la mano.

—¿Qué tal en los juzgados?

—Estupendamente.

—Sí, con una condena por alteración del orden y en libertad provisional con prohibición de acercarte a Princes Street y obligado a presentarte a diario en la comisaría de Craigmillar —recitó ella.

—¿Qué es esto, un acoso? Me han dicho que hay mujeres con verdadera obsesión. —Se echó a reír y se irguió—. ¿Hemos acabado?

—Hemos empezado.

—Muy bien —dijo él—. Pues, dentro la espero.

Siobhan le llamó por su nombre pero él, sin hacer caso, abrió la puerta del local y entró a los billares. Siobhan subió el cristal de la ventanilla, salió del coche, lo cerró y entró en Billares Lonnie's, «Las mejores mesas de Restalrig».

Había poca luz y olía a cerrado, como por falta de limpieza, y sólo en dos mesas había jugadores; Carberry echó monedas en una máquina de bebidas y sacó una lata de Coca-Cola.

Siobhan no vio a ningún encargado, lo que seguramente quería decir que estaba jugando una partida. Se oía el chocar de bolas y el sonido al caer en las troneras más las maldiciones protocolarias entre tiro y tiro.

—Potrero de los cojones.

—Vete a la mierda. La bola seis va al agujero de la esquina. Verás, idiota.

—Tía a la vista.

Cuatro pares de ojos la miraban. Sólo Carberry se hacía el ausente, bebiendo su refresco. Al fondo del local sonaba una radio mal sintonizada.

—¿Qué desea, guapa? —preguntó uno de los que jugaban.

—Quería jugar unas partidas —dijo Siobhan tendiéndole un billete de cinco libras—. ¿Me da cambio?

El interfecto no tenía ni veinte años, pero con toda evidencia era el encargado del primer turno. Cogió el billete, abrió la caja de detrás del mostrador y contó diez monedas de cincuenta peniques.

—Las mesas no son gran cosa —comentó ella.

—Son una mierda —terció otro de los jugadores.

—Cierra el pico, Jimmy —replicó el joven encargado, pero el otro estaba embalado.

—Eh, guapa, ¿viste la película del *Acusado*? Si te da la vena como a Jodie Foster podemos echar el cerrojo a la puerta.

—Intenta algo y serás tú quien echará a correr —replicó Siobhan.

—No le haga caso —dijo el jovenzuelo—. Jugamos una partida, si quiere.

—Es conmigo con quien quiere jugarla —dijo en voz alta Keith Carberry, lanzando un eructo al tiempo que estrujaba la lata con un puño.

—Tal vez después —dijo Siobhan al jovenzuelo, acercándose a la mesa de Carberry. Se agachó y metió la moneda en la ranura—. Colócalas —dijo.

Carberry cogió el triángulo y reunió las bolas mientras ella elegía taco. El cuero de la punta era una pena y no había tiza. Carberry abrió su estuche, enroscó las dos piezas de su taco, sacó una tiza nueva azul del bolsillo del pantalón, frotó la punta del taco y volvió a guardársela, dirigiendo un guiño a Siobhan..

—Si quiere tiza, cójala —dijo—. ¿Lo echamos a cara o cruz?

Se oyeron unas risotadas, pero Siobhan ya estaba inclinada para tirar con la bola blanca. Era un tapete descolorido y con desgarrones, pero a pesar de ello hizo un buen tiro, dispersando bien las bolas y metiendo una rayada en la tronera del medio. A continuación metió otras dos y luego falló una en el rincón.

—Juega mejor que tú, Keith —comentó un jugador de otra mesa.

Carberry, sin hacerle caso, metió tres bolas seguidas e intentó meter una cuarta muy difícil tirando a tres bandas, pero falló por dos centímetros. Siobhan jugaba a lo seguro y él trataba de superar su ventaja con aquel tiro difícil fallido.

—Tengo dos tiros —dijo Siobhan.

Los necesitaba para meter una, y a continuación hizo doblete con otras dos, arrancando un murmullo de admiración en los jugadores de la otra mesa, que habían dejado de jugar para mirar. Metió directas las dos que quedaban y en la mesa quedó sólo la negra, que tiró de corrido por la banda inferior, pero se paró justo ante la tronera. Carberry remató la partida.

—¿Quiere otra lección? —preguntó con sonrisa de satisfacción.

—Primero voy a beber algo —dijo ella acercándose a la máquina y sacando una Fanta.

Carberry la siguió. Los otros jugadores reanudaron sus partidas, mientras ella pensaba que no había quedado tan mal.

—No les has dicho quién soy —dijo en voz queda—. Gracias.

—¿Qué es lo que busca?

—Te busco a ti, Keith —respondió Siobhan tendiéndole un papel doblado, copia de la foto del parque de Princes Street.

Él lo cogió, lo miró e hizo gesto de devolvérselo.

—¿Y qué? —preguntó.

—Mira bien otra vez a esa mujer a quien golpeaste... —dijo ella dando un trago a la lata—. ¿No encuentras parecido?

—No me diga que... —replicó él mirándola.

Ella asintió con la cabeza.

—Mi madre acabó en el hospital por tu culpa, Keith. A ti no te importaba a quién golpeabas ni si hacías mucho daño. Fuiste allí a organizar jaleo a cuenta de quien fuese.

—Y ya he pasado por los juzgados.

—He leído las actas, Keith, pero al fiscal no le consta esa agresión —dijo Siobhan dando unos golpecitos en la foto—, simplemente el testimonio ocular del agente que te sacó de entre la multitud y te vio tirar el palo. ¿Sabes lo que te caerá? ¿Una multa de cincuenta libras?

—A pagar con una libra semanal a descontar de mi paga.

—Pero si yo les doy esta foto, y otras que tengo, será más bien pena de cárcel, ¿no crees?

—Ya me las arreglaré —replicó él seguro de sí mismo.

Ella asintió con la cabeza.

—Porque ya has estado otras veces, claro. Pero hay condenas —hizo una pausa— y condenas.

—¿Cómo?

—Una palabra mía y de buenas a primeras los polis no serán tan amables. Y pueden enviarte a una galería donde sólo van los peores presos: delincuentes sexuales, psicópatas, condenados a prisión perpetua con nada que perder. Tu expediente dice que has estado como delincuente juvenil en prisión abierta. ¿Sabes por qué dices que te las puedes arreglar? Porque no has pasado por ello.

—¿Todo esto porque su madre se interpuso al palo?

—Todo esto —replicó ella— porque puedo. Y voy a decirte una cosa, tu amigo Tench se enteró de todo anoche... Qué raro que no te avisara.

El muchacho encargado de los billares miró un mensaje de texto y les llamó:

—Eh, pichoncitos, el jefe quiere hablaros.

—¿Qué? —exclamó Carberry apartando la vista de Siobhan.

—El jefe —dijo el encargado señalando una puerta con el rótulo de «Privado», sobre la cual se veía una cámara de seguridad.

—Mejor será que vayamos —dijo Siobhan—, ¿no crees?

Se dirigió a la puerta y la abrió. Había un pasillo y una escalera. El despacho era un altillo con mesa, sillas y archivadores, algunos tacos rotos y una enfriadora de agua vacía. La luz entraba a través de dos ventanucos polvorientos del techo.

Allí les esperaba Big Ger Cafferty.

—Tú debes de ser Keith —dijo tendiendo la mano.

Carberry se la estrechó mirando alternativamente al gángster y a Siobhan.

—No sé si sabes quién soy.

Carberry dudó un instante hasta asentir con la cabeza.

—Sí, claro que lo sabes —añadió Cafferty señalándole una silla, mientras Siobhan permanecía de pie.

—¿Es usted el dueño de estos billares? —preguntó Carberry con un temblor casi imperceptible.

—Desde hace años.

—¿Y Lonnie?

—Murió antes de que tu nacieses, hijo —contestó Cafferty pasándose la mano por la pernera del pantalón como si estuviera manchada de tiza—. Bien, Keith... Me han hablado muy bien de ti, pero a mí me parece que has tomado un camino equivocado y ya es hora de que lo enmiendes ahora que estás a tiempo. Tu madre sufre por ti y tu padre ha perdido la chaveta porque ya no puede sacudirte sin recibir él, y tienes a tu hermano mayor encerrado en Shotts por robo de coches —añadió Cafferty meneando con disgusto la cabeza—. Pareces tener un destino trazado de antemano contra el que nada puedes. —Hizo una pausa—. Pero podemos arreglarlo, Keith, si estás dispuesto a ayudarnos.

Carberry no salía de su aturdimiento.

—¿Me van a dar una paliza o qué? —dijo.

Cafferty alzó los hombros.

—Sí, eso también podemos arreglarlo, claro. A la sargento Clarke aquí presente nada le gustaría más que verte llorar como un niño. Y es lógico, visto lo que le hiciste a su madre. —Hizo otra pausa—. Pero hay una posibilidad.

Siobhan se rebulló ligeramente, con ganas de llevarse a Carberry de allí y huir de la voz hipnótica de Cafferty. El gángster debió de advertirlo y la miró, aguardando su decisión.

—¿Qué es lo que quieren? —preguntó Keith Carberry.

Cafferty no contestó y siguió mirando a Siobhan.

—A Gareth Tench —dijo ella—. Sólo a él.

—Y tú, Keith, nos lo vas a entregar.

—¿Entregar?

Siobhan advirtió que a Carberry casi no le sostenían las piernas. Cafferty le tenía aterrado y probablemente ella también.

«Tú te lo has buscado», se dijo para sus adentros.

—Tench te está utilizando, Keith —añadió Cafferty con voz suave como de nana—. Él no es tu amigo ni piensa serlo.

—No me dijo que lo fuese —balbució el joven.

—Eso es —dijo Cafferty levantándose despacio y mostrándose casi tan ancho como la mesa—. Repítetelo una y mil veces —añadió—, para que te sea más fácil cuando llegue el momento.

—¿Qué momento? —repitió Carberry.

—El momento de entregárnoslo.

—Perdone por lo de antes —dijo Rebus a Hackamn.

—¿Qué es lo que interrumpí?

—Una bronca del jefe de la policía.

Hackman se echó a reír.

—Es usted un hombre que me gusta, Johnny, pero ¿a cuento de qué me llamó «cariño»? Ah, claro, deje que piense —añadió alzando una mano—. No quería que se enterase de que era una llamada profesional... porque se supone que no tiene que estar de servicio, ¿verdad?

—Me han suspendido de servicio —dijo Rebus.

Hackman dio una palmada y volvió a reír.

Estaban sentados en un pub llamado The Crags recién abierto, y eran los únicos clientes. Era el bar más cercano a Pollock Halls, frecuentado por estudiantes atraídos por su batería de videojuegos y juegos de tablero, hilo musical y hamburguesas baratas.

—Me alegro de que haya alguien a quien tanto le divierta mi vida —musitó Rebus.

—Bueno, ¿a cuántos anarquistas aporreó?

Rebus negó con la cabeza.

—Lo que hice fue meter la nariz donde no debía.

—Se lo repito, John, es un hombre que me gusta. Por cierto, no le he dado las gracias como es debido por indicarme The Nook.

—Me satisface que le gustara.

—¿Acabó en la cama con la bailarina?

—No.

—La verdad, era la mejor de un conjunto mediocre. Ni me molesté en entrar en el reservado especial —dijo con la mirada perdida un instante, rememorando algo, pero inmediatamente parpadeó y volvió a la realidad—. Bien, ahora que le han mostrado tarjeta roja, ¿qué hago? ¿Le doy la información o la dejo en la bandeja de «pendiente»?

Rebus dio un sorbo a su vaso de zumo de naranja. Hackman ya había despachado la mitad de su cerveza.

—Somos dos simples combatientes que sostienen una conversación —dijo Rebus.

—Eso es —dijo el inglés asintiendo pensativo con la cabeza—. Y que se toman juntos una copa antes de volver a casa.

—¿Se marcha a Londres?

—Hoy por la tarde —contestó Hackman—. Y, la verdad, no lo he pasado mal.

—Vuelva en otra ocasión —dijo Rebus— y le enseñaré el resto de las vistas.

—Ajá, dicho lo cual, se esfumaron mis reservas —dijo Hackman arrimando levemente la silla—. ¿Recuerda que le dije que Trevor Guest estuvo un tiempo en Escocia? Bien, pues pedí a un compañero que desempolvara archivadores —añadió metiendo la mano en el bolsillo, cogiendo la libreta y abriendo una página con apuntes—. Trevor estuvo en Borders cierto tiempo, pero la mayor parte lo pasó en Edimburgo; tenía una habitación en Craigmillar y trabajó temporalmente en un centro de mayores; seguramente en aquel entonces no se pedían informes de antecedentes.

—¿Un centro de día para adultos?

—Para ancianos. Los llevaba en la silla de ruedas al váter y al comedor. Al menos, es lo que declaró.

—¿Estaba ya fichado?

—Por un par de robos con allanamiento, pequeña posesión y maltrato a una novia que no quiso denunciarle. Eso significa que dos de sus víctimas tienen una relación local.

—Sí —dijo Rebus—. ¿De qué fecha estamos hablando?

—De hará cuatro o cinco años.

—¿Me disculpa un minuto, Stan?

Se levantó y fue al aparcamiento, cogió el móvil y llamó a Mairie Henderson.

—Soy John —dijo.

—Ya era hora. ¿Por qué no dais ninguna información sobre el caso de la Fuente Clootie? Mi jefe de redacción dice que soy tonta.

—Acabo de descubrir que la segunda víctima vivió un tiempo en Edimburgo y trabajó en un centro de ancianos de Craigmillar. Lo que no sé es si se metería en algún lío mientras vivió aquí.

—¿No tiene la policía ordenadores para averiguarlo?

—Yo prefiero servirme de los contactos tradicionales.

—Bueno, puedo hacer una búsqueda en el banco de datos y tal vez preguntar a uno que conozco de los juzgados por si sabe algo. Joe Cowrie tiene ese empleo hace años y se acuerda de todos los casos.

—Ah, pues mejor, porque éste podría ser de hace cinco años. Llámame con lo que averigües.

—¿Crees que el asesino está aquí en Edimburgo?

—Yo no le diría eso al jefe de redacción. Que reserve sus esperanzas para más adelante.

Rebus cortó la comunicación y volvió al pub. Hackman tenía delante otra pinta de cerveza y señaló con la barbilla el vaso de Rebus.

—¿No se ofende si le invito a otro de eso?

—No, gracias —contestó Rebus—. Y gracias por tomarse la molestia con esto —añadió dando unos golpecitos sobre la libreta abierta.

—Por un compañero que lo necesita se hace lo que sea —dijo Hackman alzando el vaso.

—Por cierto, ¿qué tal están los ánimos en la residencia?

A Hackman se le ensombreció el rostro.

—Anoche todos estábamos deprimidos y muchos de la metropolitana no paraban de hablar por el móvil; otros ya se habían marchado. Todos detestamos Londres, pero cuando vi por la tele a los londinenses, demostrando que la vida sigue a pesar de todo...

Rebus asintió con la cabeza.

—Soy un poco como usted, ¿eh, John? —dijo Hackman riendo de nuevo—. Leo en su cara que no piensa renunciar porque le hayan metido un puro.

Rebus reflexionó un instante una réplica, pero lo que hizo fue preguntar a Hackman si no tenía por casualidad la dirección del asilo de Craigmillar.

Quedaba apenas a cinco minutos en coche desde The Crags.

Antes de volver a Pollock Halls a hacer la maleta, Hackman se despidió con un apretón de manos y la advertencia de que no olvidase la promesa de un recorrido por los bares de destape «más allá de The Nook».

—Le doy mi palabra —dijo Rebus, a sabiendas de que ninguno de los dos sabían si se presentaría la ocasión.

Por el camino, Rebus contestó a una llamada de Mairie, que no encontraba nada sobre la época en que Trevor Guest vivió en Edimburgo. Si Joe Cowrie no lo recordaba es que no había comparecido ante los tribunales. Rebus le dio las gracias y le prometió que tendría la exclusiva de cualquier cosa que él averiguara.

El asilo estaba junto a un polígono industrial. Rebus olió a emanaciones de diésel y a algo parecido a goma quemada; las gaviotas graznaban sobre su cabeza al atisbo de algo que comer. El centro era un chalé ampliado con una zona protegida para tomar el sol y por las ventanas vio ancianos escuchando música de acordeón.

—Dentro de diez años y con suerte, John —musitó.

La muy eficiente secretaria, la señora Eadie —no le dijo su nombre de pila—, conservaba el expediente de Trevor en el archivador a pesar de que éste sólo había trabajado un par de horas a la semana durante un mes más o menos. No se lo podía enseñar, por el derecho a la intimidad, etcétera, a menos que le presentara una autorización.

Rebus asintió con la cabeza. El termostato del edificio estaba a tope y le sudaba la espalda en aquella oficina pequeña y cerrada, con un desagradable olor a polvos de talco.

—Este individuo —comentó a la señora Eadie— tuvo problemas con la policía. ¿Cómo es que no lo sabían cuando le contrataron?

—Sabíamos que tenía problemas, inspector. Nos lo dijo Gareth.

—¿El concejal Gareth? —le preguntó Rebus mirándola—. ¿Fue él quien trajo a Trevor Guest?

—No es fácil encontrar hombres fuertes que quieran trabajar en un sitio como éste —respondió la señora Eadie— y tenemos amistad con el concejal.

—¿Quiere decir que les trae voluntarios?

Ella asintió con la cabeza.

—Tenemos mucho que agradecerle.

—Estoy seguro de que un día de estos vendrá a cobrárselo.

Cinco minutos después salía a la calle y oyó que el acordeón había sido reemplazado por un disco de Moira Anderson. En aquel preciso instante se juró suicidarse antes que resignarse a una silla con una mantita para que le alimentaran con una cuchara al son de *Charlie Is My Darling*.

Siobhan aguardaba hacía tiempo sentada en el coche frente a la casa de Rebus. Había subido al piso pero él no estaba. Bueno, casi mejor, porque aún temblaba. Sentía un nerviosismo interior y no creía que fuese por la cafeína. Se miró en el retrovisor y, al comprobar una leve palidez, se dio palmaditas en las mejillas para recuperar el color. Tenía la radio puesta, pero había prescindido de las noticias, porque las voces le sonaban demasiado frágiles y desvalidas o edulcoradas y conniventes, y sintonizó música clásica en FM. Conocía aquella melodía pero no recordaba qué era. Ni podía esforzarse por recordar.

Keith Carberry salió de los Billares Lonnie's como un condenado a quien su abogado acaba de salvarle del corredor de la muerte: con verdadera ansia de respirar aire fresco. El joven encargado tuvo que decirle que no se le olvidara el taco.

Siobhan contempló la escena por el monitor de la cámara de seguridad; unas figuras borrosas en aquella pantalla grasienta a la que Cafferty había dotado de sonido que llegaba distorsionado desde el destartalado altavoz situado a pocos pasos.

—¿A qué tanta prisa, Keith?

—Olvídame, mierdosa.

—Te dejas tu espada mágica.

Carberry apenas hizo alto un instante para guardar su taco en el estuche.

—Creo que le hemos doblegado —dijo Cafferty pausadamente.

—Para lo que nos va a servir... —replicó Siobhan.

—Hay que tener paciencia —añadió Cafferty—. La lección ha valido la pena, sargento Clarke.

Una vez en su coche, Siobhan sopesó las posibilidades y pensó que lo más sencillo sería entregar las pruebas al fiscal para que Keith Carberry compareciera de nuevo ante el juez con un cargo grave. Así, Tench saldría bien librado. Bueno, ¿y qué? Aun suponiendo que el concejal hubiese ideado las agresiones al campamento de Niddrie, lo cierto era que había salido en su defensa en los jardincillos traseros de los bloques, y Carberry no iba en broma con ella, porque estaba embalado por la adrenalina.

Sí, Carberry la amenazó en serio y había disfrutado al verla atemorizada y con pánico. Era algo que a veces una no puede dominar. Y Tench había salvado la situación.

Eso no podía negarlo.

Pero por otro lado, a Carberry no podía perdonarle lo de su madre. No sería justo. Ella quería más. Algo más que disculpas o muestras de remordimiento, no una simple sentencia de semanas o meses con libertad condicional.

Cuando sonó el teléfono tuvo que aflojar los dedos con que aferraba el volante. Por la pantalla vio que era Eric Bain. Murmuró una maldición y contestó:

—¿Qué se te ofrece, Eric? —preguntó con un entusiasmo algo exagerado.

—¿Cómo va todo, Siobhan?

—Lentamente —respondió riendo, pellizcándose el puente de la nariz. «Nada de histerismos», se dijo.

—Bueno, no sé si... pero conozco a alguien con quien a lo mejor te convendría hablar.

—¿Ah, sí?

—Es una amiga que trabaja en la universidad, a quien hace unos meses ayudé en una simulación por ordenador...

—Ah, qué bien.

Se hizo un silencio.

—¿Seguro que te encuentras bien?

—Muy bien, Eric. ¿Y tú, qué tal? ¿Cómo está Molly?

—Molly, estupendamente... Bueno, te decía que esa universitaria...

—Sí, sí, dime. ¿Crees que debería ir a verla?

—Bueno, podrías llamarla antes. Quiero decir, a lo mejor no te sirve de nada.

—Es lo que suele suceder, Eric.

—Sí; no vale la pena.

Siobhan cerró los ojos y suspiró hondo.

—Perdona, Eric, perdona por desahogarme contigo.

—¿Desahogarte de qué?

—De toda una semana de mierda.

—Te acepto la disculpa —dijo él riendo—. Te llamo más tarde cuando estés...

—Un momento, por favor —replicó ella estirando el brazo y sacando la libreta del bolso que tenía en el asiento del pasajero—. Dame su número de teléfono y hablaré con ella.

Bain le dijo el número y ella lo anotó, escribiendo el apellido lo mejor que supo, porque ninguno de los dos sabían bien cómo se deletreaba.

—Bien, ¿en qué crees tú que podrá ayudarme? —preguntó.

—Con algunas de sus descabelladas teorías.

—Ah, fantástico.

—No se pierde nada por escucharlas —comentó Bain.

Pero Siobhan pensaba de modo muy distinto. Sabía que escuchar podía tener sus repercusiones. Y adversas.

Hacía tiempo que Rebus no había estado en el ayuntamiento. El edificio estaba en High Street frente a la catedral de St. Giles, en un tramo de calzada cerrado a la circulación rodada, en principio; pero como la mayoría de los habitantes de Edimburgo, él no hizo caso de los indicadores y aparcó junto al bordillo. Creyó recordar que se había construido aquel inmueble como sede del comercio, pero los comerciantes no se aprovecharon y se lo quedaron los políticos. Con todo, no tardarían mucho en mudarse, porque dentro de los planes de desarrollo estaba previsto un nuevo aparcamiento cerca de la estación de Waverley, del que aún se ignoraba, naturalmente, en cuánto sobrepasaría el presupuesto, pero, de suceder como con el parlamento, en los bares de Edimburgo pronto habría tema de conversación que inflamara la indignación de los clientes.

El ayuntamiento se alzaba sobre una calle clausurada cuando la epidemia de la peste, llamada Mary King's Close, donde años atrás había investigado Rebus un asesinato en el húmedo laberinto subterráneo, el del hijo de Cafferty. Ahora era una zona rehabilitada y atracción turística en verano. Fuera, una empleada con cofia de sirvienta y enaguas repartía octavillas y trató de darle un vale de descuento. Rebus negó con la cabeza. Los periódicos informaban de que las atracciones se resentían por efecto de los disturbios del G-8 y que toda aquella semana los turistas habían brillado por su ausencia.

—*Hi-ho, silver lining* —musitó Rebus silbando los primeros compases de la canción.

La recepcionista del mostrador le preguntó si la canción era Kylie y acto seguido sonrió dándole a entender que era una broma.

—Quiero hablar con Gareth Tench, por favor —dijo Rebus.

—Dudo que esté —contestó ella—. Al ser viernes, ya sabe... Muchos concejales aprovechan el viernes para visitar los distritos electorales.

—¿Como excusa para salir antes? —aventuró Rebus.

—No sé qué quiere insinuar —replicó ella.

Aunque por la sonrisa con que lo dijo, él comprendió que lo sabía perfectamente. A Rebus le gustó. Miró si llevaba anillo de casada y, efectivamente, por lo que se puso a silbar «Otro que muerde el polvo».

La mujer comprobó una lista en una carpeta.

—Pues me parece que va a tener suerte —dijo—. Está con el Subgrupo del Comité de Regeneración Urbana... —añadió mirando el reloj que tenía a su espalda— y la reunión acaba dentro de cinco minutos. Le diré a la secretaria que le espera el ¿señor...?

—El inspector Rebus —contestó él—. John, si lo prefiere —añadió con una sonrisa.

—Siéntese, John.

Rebus le dirigió una leve inclinación de cabeza a guisa de gracias. Una segunda recepcionista atendía con menos fortuna a un matrimonio anciano que quería hablar con alguien sobre los contenedores de basura de su calle.

—Están a rebosar de las bolsas que tiran a deshora.

—Tenemos apuntadas las matrículas, pero no viene nadie a...

Rebus se sentó y optó por no coger nada de la oferta de lectura, que no era más que propaganda de las concejalías en formato de revista. A él le llegaba periódicamente al buzón, haciéndole contribuir a la campaña de reciclaje de papel. Sonó el móvil y lo abrió. Era el número de Mairie Henderson.

—¿Qué se te ofrece, Mairie? —dijo.

—Esta mañana se me olvidó decirte que estoy averiguando cosas sobre Richard Pennen.

—A ver —dijo él saliendo del cuadrángulo del vestíbulo.

Vio el Rover del alcalde aparcado junto a las puertas de cristal. Se acercó a él y encendió un cigarrillo.

—El corresponsal de la sección financiera de un periódico de Londres me puso en contacto con un periodista por cuenta propia que vende artículos a revistas como *Private Eye* y éste me dio el contacto de un productor de televisión que sigue la pista a Pennen desde que la empresa se desgajó del Ministerio de Defensa.

—De acuerdo; te has ganado el sueldo esta semana.

—Bueno, a lo mejor me acerco a Harvey Nicks a gastármelo.

—De acuerdo, no hago más comentarios.

—Resulta que Pennen está relacionado con una empresa americana llamada TriMerino que actualmente tiene personal en Irak. Durante la guerra, mucho equipamiento quedó fuera de servicio y también armamento, naturalmente, y TriMerino se dedica a rearmar a los buenos...

—Sean quienes sean.

—... asegurándose de que la policía iraquí y las nuevas fuerzas armadas se basten por sí solas. Lo consideran —no te lo pierdas— ayuda humanitaria.

—¿O sea que aguardan subvenciones?

—A Irak van a parar miles de millones y se han perdido ya unos cuantos, pero eso es otra historia. El sucio mundo de la ayuda externa: ése es el tema del productor de televisión.

—¿Y piensa atrapar con su lazo a Richard Pennen?

—Eso es.

—¿Y qué tiene que ver con mi difunto político? ¿Aparece algún dato que indique que Ben Webster controlaba dinero de la ayuda a Irak?

—Aún no —dijo ella.

Rebus advirtió que había caído ceniza del pitillo en el reluciente capó del Rover.

—Tengo la impresión de que me ocultas algo.

—Nada que tenga que ver con tu político fallecido.

—¿No piensas compartirlo con tío John?

—Tal vez no lleve a ninguna parte. —Hizo una pausa—. Pero a mí me puede servir para un artículo. Soy la primera periodista a quien ese productor ha contado la historia.

—Enhorabuena.

—Podrías repetirlo con algo más de entusiasmo.

—Lo siento, Mairie, estoy pensando en otras cosas. Si puedes apretar los tornillos a Pennen, tanto mejor.

—Pero a ti no te ayuda en nada necesariamente, ¿no es eso?

—Me has hecho muchos favores, pero siempre sacas algo de ellos.

—Eso mismo pienso yo. —Volvió a hacer una pausa—. ¿Avanzas en el caso? Me imagino que habrás ido al asilo en que trabajó Trevor Guest.

—No averigüé gran cosa.

—¿Hay algo a compartir?

—Todavía no.

—Eso suena a evasiva.

Rebus se apartó del coche al ver que salía gente del edificio: un chófer uniformado y otro individuo de uniforme y con una cartera, precediendo al alcalde en persona, quien advirtió la ceniza del capó, frunció el ceño y ocupó el asiento de atrás sin dejar de mirarle. Los dos hombres se acomodaron delante y Rebus pensó que la cartera guardaría el collar del cargo del alcalde.

—Gracias por la información sobre Pennen —dijo—. No dejes de llamarme.

—Te toca llamar a ti —replicó ella—. Ahora que volvemos a hablarnos, no voy a consentir una relación unilateral.

Rebus cortó la comunicación, tiró la colilla y volvió a entrar en el edificio, donde la recepcionista que le había atendido intervenía ahora en la discusión sobre las basuras.

—Tienen que hablar con Salud Ambiental —decía.

—No, guapa, esos no hacen caso.

—¡Tienen que hacer algo! —gritó la esposa del hombre—. ¡Estamos hartos de que nos traten como a números!

—Bueno —terció la primera recepcionista, cediendo con un suspiro—, veré si hay alguien que les pueda atender. Coja un resguardo de la máquina —añadió señalando con la barbilla la expendedora.

El anciano sacó un papelito y se lo quedó mirando. Era un número. La recepcionista de Rebus le hizo seña para que se acercase y se inclinó a susurrarle que el concejal estaba a punto de bajar, sin dejar de mirar a la pareja para darle a entender que no quería que se enterasen.

—Supongo que es algo oficial —añadió con curiosidad.

Rebus se inclinó hacia su oído y sintió el perfume que despedía.

—Quiero que me limpien el alcantarillado —musitó.

La mujer se sorprendió y luego le dirigió una sonrisa aviesa por la gruesa broma. Momentos después aparecía Tench muy serio en el vestíbulo. Aferraba una cartera contra su pecho como si fuese un escudo.

—Esto ya es rayano en acoso pertinaz —dijo entre dientes.

Rebus asintió con la cabeza como dándole la razón y estiró un brazo en dirección al matrimonio anciano.

—Aquí tienen al concejal Tench, que es muy atento —dijo.

La pareja se puso en pie sin que se lo dijeran dos veces y se acercó a él.

—Le espero fuera mientras les atiende —añadió Rebus.

Se había fumado otro pitillo cuando salió Tench. A través de los cristales, Rebus vio que la pareja había vuelto a sentarse, satisfecha de momento, como si hubiesen concertado otra entrevista.

—Es un mal nacido, Rebus —gruñó Tench—. Deme uno de esos pitillos.

—No sabía que le atraía el vicio.

Tench cogió un cigarrillo.

—Sólo cuando estoy estresado... y mientras entra en vigor la prohibición voy a aprovecharme. —Aspiró con fuerza y expulsó el humo por la nariz—. Es el único placer que tienen algunos, ¿sabe? ¿Recuerda lo que decía John Reid de las madres solteras de los suburbios?

Rebus lo recordaba perfectamente. Pero el secretario de Defensa John Reid había dejado de fumar y no era un apologeta apropiado del hábito.

—Perdone que le hiciera eso —dijo Rebus señalando con la barbilla hacia el interior del edificio.

—Les asiste la razón —dijo Tench— y va a atenderles un funcionario. No crea que le ha hecho mucha gracia que le convocara. Seguramente estaría ya viendo los hoyos y el birdie.

Sonrió y Rebus le secundó. Fumaron en silencio un instante en una situación que habría podido calificarse de amigable. Pero Tench tuvo que estropearlo.

—¿Por qué está de parte de Cafferty, que es cien mil veces peor que yo?

—No se lo discuto.

—¿Entonces?

—Yo no estoy de su parte —afirmó Rebus.

—Pues es lo que parece.

—Porque usted no ve el conjunto.

—Yo desempeño bien mis asuntos, Rebus. Si no me cree pregunte a mis representados.

—Estoy seguro de que es fantástico en sus asuntos, señor Tench. Y formar parte del Comité de Regeneración seguro que le procura buenas asignaciones para su distrito y sus representados serán más felices, gozarán de mejor salud y se comportarán debidamente.

—Se han construido nuevas viviendas donde sólo había casuchas, se han concedido incentivos para la instalación de industrias...

—¿Se han mejorado los asilos? —añadió Rebus.

—Por supuesto.

—¿Y se ha dado trabajo a sus recomendados, como es el caso de Trevor Guest?

—¿Quién?

—Uno que venía de Newcastle a quien hace tiempo colocó usted en un asilo.

Tench asintió despacio con la cabeza.

—Sí, uno con problemas con la bebida y las drogas. No sería el único, ¿verdad, inspector? —añadió Tench con una mirada intencionada—. Yo traté de reinsertarle en la sociedad.

—Pero no dio resultado. Se marchó al sur y allí murió asesinado.

—¿Asesinado?

—Es una de las víctimas cuyos efectos personales encontramos en Auchterarder. Otra es Cyril Colliar, quien, curiosamente, trabajaba para Big Ger Cafferty.

—¡Qué manía la suya con colgarme algo! —exclamó Tench haciendo un gesto enfático con el cigarrillo.

—Sólo quiero hacerle unas preguntas sobre la víctima. Cómo le conoció y por qué se propuso ayudarle.

—¡Vuelvo a repetirle que eso forma parte de mis obligaciones!

—Cafferty piensa que está reclutando matones.

Tench puso los ojos en blanco.

—Ya hemos hablado de ese tema. Yo lo único que quiero es verle acabar en el estercolero.

—¿Y si nosotros no lo hacemos, lo hará usted?

—Yo haré cuanto pueda. Y no digo más —replicó pasándose las manos por la cara como si se lavara—. ¿Es que no lo ve, Rebus? Suponiendo que le tenga metido en el bolsillo, ¿no se le ha ocurrido que puede estar utilizándole para perjudicarme a mí? En mi distrito hay un grave problema de drogas, y me he propuesto controlarlo. Sin mí, Cafferty camparía a sus anchas.

—Usted lo que controla son pandillas.

—No.
—He visto cómo actúa. Ese enano suyo de la capucha va por ahí desmadrándose, lo que a usted le da pie para pedir más dinero a las autoridades. Saca dinero de los conflictos sociales.
Tench le miró, suspiró hondo y después dirigió la vista a derecha e izquierda.
—¿Le digo una cosa y que quede entre nosotros?
Rebus guardó silencio.
—Muy bien, tal vez haya algo de verdad en lo que dice. El dinero para la regeneración es el objetivo. Si quiere le enseño los libros y verá que consta en ellos hasta el último céntimo.
—¿Está Carberry incluido en el saldo?
—A Keith Carberry no se le puede controlar. A veces se le puede encarrilar en cierto modo. —Tench alzó los hombros—. Yo no tengo nada que ver con lo que sucedió en Princes Street.
El cigarrillo de Rebus se había consumido hasta el filtro y lo tiró.
—¿Y ese Trevor Guest? —inquirió.
—Era un hombre en apuros que vino a pedirme ayuda, diciéndome que quería redimirse por algo que había hecho.
—¿El qué?
Tench negó despacio con la cabeza, aplastó la colilla con el pie y adoptó una actitud reflexiva.
—A mí me dio la impresión de que sucedió algo que le causó un terror mortal.
—¿Algo como qué?
Tench alzó los hombros.
—Drogas tal vez... La noche oscura del alma. Sí que tuvo problemas con la policía, pero a mí me pareció que era por otra cosa.
—Finalmente fue a la cárcel por reincidir en robo con allanamiento, agresión e intento de agresión sexual. Su comedia de buen samaritano no sirvió para regenerarle.
—Espero que no fuese comedia —comentó Tench pausadamente mirando al suelo.
—Ahora mismo la está haciendo —replicó Rebus—. Y creo que recurre a ella porque se le da bien. La misma comedia con que sedujo a Ellen Wylie; con unos vasos de vino y simpatía, sin mencionarle para nada a la señora que tiene en casa viendo la televisión.

Tench adoptó una actitud compungida, pero Rebus se contentó con una discreta risita sarcástica.

—Lo que me intriga —añadió— es su interés por Vigilancia de la Bestia, el modo de enredar a Ellen y a su hermana. En la página tuvo que ver la foto de su antiguo amigo Trevor, y es curioso que no lo mencionara.

—¿Para arriesgarme a que usted cerrara aún más su cerco sobre mí? —replicó Tench negando despacio con la cabeza.

—Necesito una declaración completa sobre Trevor Guest; todo cuanto me ha contado y cualquier detalle que pueda añadir. Puede dejarla en Gayfield Square esta misma tarde. Espero que no le robe tiempo de su partida de golf.

—¿Cómo sabe que juego al golf? —preguntó Tench mirándole.

—Por el modo en que se expresó comprendí que hablaba del tema con conocimiento de causa. —Rebus se inclinó hacia él—. No es difícil adivinar lo que piensa, concejal. En comparación con algunos que he conocido, usted es de lo más corriente.

Dejó a Tench con la palabra en la boca y al acercarse al coche y ver a un vigilante rondando, le señaló el letrero de POLICÍA del parabrisas.

—Es a criterio nuestro —replicó el hombre.

Rebus le dirigió un beso con la mano y se sentó al volante. Al arrancar vio por el retrovisor que alguien miraba al edificio desde la catedral: era Keith Carberry, con el mismo atuendo del día en que le había visto salir de los juzgados. Aminoró la marcha al ver que desviaba la mirada; paró el Saab y siguió observándole por el retrovisor, esperando que cruzara y fuese a hablar con su jefe, pero vio que permanecía quieto con las manos metidas en los bolsillos delanteros de su chaqueta con capucha y una especie de estuche negro bajo el brazo, ajeno a los grupos de turistas y mirando al otro lado de la calle, hacia el ayuntamiento y Gareth Tench.

23

—¿Qué has estado haciendo? —preguntó Rebus al llegar.

Pensó que tal vez convendría darle una llave a Siobhan si utilizaban su piso como oficina.

—No mucho —respondió ella, quitándose la chaqueta—. ¿Y tú?

Entraron en la cocina y él enchufó el hervidor y le mencionó la relación de Trevor Guest y el concejal Tench. Siobhan hizo un par de preguntas mirando como echaba el café en polvo en las dos tazas.

—Eso explica el vínculo con Edimburgo —dijo.

—En cierto modo.

—¿Por qué lo dudas?

Él meneó la cabeza.

—Tú misma lo dijiste; y Ellen también. Trevor Guest podría ser la clave. Para empezar, se diferencia de los otros por todas esas heridas... —dijo, dejando la frase en el aire.

—¿Qué ocurre?

Pero Rebus volvió a negar con la cabeza y removió el café con la cucharilla.

—Tench cree que a Trevor le sucedió algo. Se drogaba y bebía bastante... Pero después se larga al norte y acaba en Craigmillar, conoce al concejal y trabaja unas semanas en un asilo de ancianos.

—En las notas no hay ningún dato que indique que hiciera algo antes o después.

—Pero es fácil que ocurra cuando se es ladrón y se necesita dinero.

—A menos que pensara robar en ese centro. ¿Te dijeron en el asilo si había desaparecido dinero?

Rebus negó con la cabeza, pero sacó el teléfono y llamó a la señora

Eadie para preguntárselo. Ella le contestó diciendo que no. Siobhan se había sentado a la mesa del cuarto de estar y examinaba la documentación.

—¿Y el tiempo que vivió en Edimburgo? —preguntó.

—Pedí a Mairie que lo comprobara. No quería que nadie más advirtiera que seguimos trabajando.

—¿Y qué te dijo Mairie?

—Nada determinante.

—Tendremos que recurrir a Ellen.

Rebus sabía que tenía razón; hizo la llamada y previno a Ellen Wylie para que actuara con discreción.

—Si empiezas a buscar con el ordenador se darán cuenta.

—Ya soy mayorcita, John.

—No digo que no, pero el jefe supremo está alerta.

—Pierda cuidado.

Le deseó buena suerte y se guardó el móvil en el bolsillo.

—¿Te encuentras bien? —preguntó a Siobhan.

—¿Por qué?

—Me pareció que estabas ausente. ¿Has hablado con tus padres?

—Desde que se marcharon, no.

—Lo mejor que puedes hacer es entregar esas fotos al fiscal para que le condenen.

Ella asintió con la cabeza, no muy convencida.

—Lo haré, ¿vale? —replicó—. Si alguien hubiese golpeado a quien tú más quieres...

—No hay mucho sitio en la cornisa, Shiv.

—¿En qué cornisa? —replico ella mirándole.

—La cornisa en la que da la casualidad que yo me encuentro siempre. Ya sabes que no te conviene situarte cerca.

—¿Se puede saber qué significa eso?

—Significa que entregues las fotos y lo dejes en manos del juez y el jurado.

—Probablemente tienes razón —añadió ella sin desviar la mirada.

—No hay alternativa —dijo Rebus— que merezca consideración.

—Es cierto.

—O, si quieres, pídeme que le dé una tunda a míster Gorra de Béisbol.

—¿No eres un poco mayor para eso? —comentó ella con una leve sonrisa.

—Probablemente —asintió él—. Pero no me impediría intentarlo.

—Bueno, no hace falta. Yo sólo quería saber la verdad, al pensar que el agresor era uno del cuerpo —añadió ella pensativa.

—Con la semana que hemos tenido, bien podría haberlo sido —dijo él en voz baja acercando una silla y sentándose frente a ella.

—Pero no lo habría soportado, John. Es lo que quiero decir.

Él arrimó hacia sí con gesto aparatoso parte de los papeles.

—¿Lo has descartado ya? —dijo.

—Sí, pero era una opción.

—¿Estás ya menos ofuscada?

Aguardó a que se lo confirmara y vio que asentía débilmente con la cabeza y cogía unos papeles.

—¿Por qué no habrá vuelto a matar?

Rebus tardó un instante en centrarse. Había estado a punto de decirle que había visto a Keith Carberry.

—No tengo ni idea —contestó finalmente.

—Generalmente, le toman gusto rápido, ¿no?

—En teoría.

—¿Y nunca paran?

—Algunos puede que sí. Habrá algo en su interior que... se desconecta —añadió alzando los hombros—. No soy un experto.

—Ni yo. Por eso vamos a ver a alguien que dice serlo.

—¿Qué?

Siobhan miró el reloj.

—Dentro de una hora. Lo que nos da tiempo a pensar las preguntas que queremos plantear.

El Departamento de Psicología de la Universidad de Edimburgo estaba en George Square. Dos lados de la primitiva construcción georgiana habían sido derribados y sustituidos por una serie de cajas de hormigón, pero el Departamento de Psicología era un edificio aparte en medio de dos de aquellos bloques. La doctora Gilreagh tenía un despacho en el último piso con vistas a los jardines.

—Es bonito y tranquilo en esta época del año —comentó Siobhan—, por la ausencia de estudiantes, me refiero.

—Sí, pero en agosto en los jardines se celebran espectáculos del Festival —replicó la doctora.

—Que ofrecen todo un laboratorio humano —añadió Rebus.

Era un despacho pequeño y lleno de luz. La doctora Gilreagh tenía treinta años cumplidos, pelo rubio rizado que le caía hasta la espalda y mejillas chupadas que Rebus interpretó como indicio de su origen irlandés a pesar de su deje local. Al sonreír al comentario que hizo él, su aguileña nariz y la barbilla se acentuaron aún más.

—Por el camino le he explicado al inspector Rebus —dijo Siobhan— que usted está considerada experta en este campo.

—Yo no diría tanto —alegó la doctora Gilreagh—, pero hay buenas perspectivas en el terreno de la investigación sobre perfil de delincuentes. En el aparcamiento de Crichton Street van a construir nuestro nuevo centro de informática, parte del cual se destinará a análisis conductual, lo que sumado a neurociencia y psiquiatría supondrá un enorme potencial —añadió sonriéndoles encantada.

—Pero usted no trabaja para ninguno de esos dos departamentos —no pudo por menos de señalar Rebus.

—Cierto, cierto —asintió ella locuaz y rebulléndose en la silla, como si fuese delito estar quieto. Delante de su rostro bailaban motas de polvo en los rayos de sol.

—¿No podríamos echar la persiana? —preguntó Rebus, entornando los ojos en apoyo a su petición.

Ella se levantó de un salto, se disculpó y bajó la persiana veneciana amarillo claro, un simple toldo transparente que apenas aminoró la intensa luz del cuarto. Rebus miró a Siobhan, como tratando de comentarle que si la doctora Gilreagh estaba confinada en aquel ático por algo sería.

—Explíquele al inspector Rebus sus investigaciones —dijo ella para darle pie.

—Bien —dijo la doctora Gilreagh juntando las manos, estirando la espalda, rebulléndose y lanzando un profundo suspiro—. La pauta conductual de delincuentes no es nada nuevo, pero yo he centrado mis estudios en las víctimas. Profundizando en la conducta de la víctima podemos entender por qué el delincuente actúa de una forma u otra; si lo hizo por impulso o según un enfoque predeterminado.

—Ni que decir tiene —comentó Rebus con una sonrisa.

—Como ya no hay clases y tengo más tiempo para pequeños proyectos personales, me intrigó el pequeño «santuario» —digamos que sería la calificación adecuada— de Auchterarder. Los artículos de prensa eran algo sucintos, pero decidí echar un vistazo, y luego, como si hubiera estado predestinado, la sargento Clarke me pidió una entrevista —añadió con otro hondo suspiro—. En fin, mis conclusiones no están realmente... Quiero decir, que apenas he raspado la superficie.

—Podríamos dejarle las notas del caso, si de algo le sirven —dijo Siobhan—, pero entretanto le agradeceríamos cualquier orientación.

La doctora Gilreagh juntó las manos de nuevo, desplazando partículas de polvo del plano inmediato a su rostro.

—Bien —dijo—, dado que me interesa la victimología...

Rebus trató de intercambiar una mirada con Siobhan, pero ella se abstuvo.

—... he de confesar que ese paraje atizó mi curiosidad. Y les diré por qué. Imagino que habrán considerado la posibilidad de que el asesino viva en las cercanías o conozca desde hace tiempo la zona. —Aguardó hasta que Siobhan asintió con la cabeza—. Y habrán especulado igualmente sobre si el asesino conoce la Fuente Clootie dado que su existencia figura en diversas guías así como en abundantes sitios de Internet.

Siobhan miró de reojo a Rebus.

—En realidad no hemos seguido esa vía de investigación —dijo.

—Aparece en diversos sitios —insistió la doctora Gilreagh—. En New Age y en directorios de paganismo, mitos, leyendas, misterios del mundo... Lo que unido al hecho de que alguien conozca su homónimo de Black Isle permite suponer que haya averiguado la existencia del de Perthshire.

—No creo que esto añada nada a lo que sabemos —dijo Rebus.

Siobhan volvió a mirarle.

—¿Y si la gente que entraba en Vigilancia de la Bestia lo hacía también en sitios relativos a la Fuente Clootie? —dijo.

—¿Cómo podemos saberlo?

—Tiene razón el inspector —terció la doctora Gilreagh— aunque, claro, ustedes tendrán especialistas en informática... Pero, en cualquier caso, hay que considerar que el paraje guarda algún significado para el criminal. —Aguardó y Rebus asintió—. En cuyo caso, tendría también significado para las víctimas...

—¿En qué sentido? —inquirió Rebus entornando los ojos.

—El campo..., los bosques... si bien, cercanos a viviendas. ¿Era el tipo de terreno en que vivían las víctimas?

—No creo —dijo Rebus con un gesto al desgaire—. Cyril Colliar era de Edimburgo, un gorila recién salido de la cárcel. No le veo yo con mochila y una chocolatina de menta.

—Pero Edward Isley anduvo por la M6 —replicó Siobhan— y ése es el distrito de los lagos, ¿no? Además, Trevor Guest vivió un tiempo en Borders...

—Y en Newcastle y Edimburgo —añadió Rebus volviéndose hacia la psicóloga—. Los tres estuvieron en la cárcel, ése es el único factor común.

—Lo que no significa que no haya otros —insistió Siobhan.

—O que sigan una pista errónea —añadió la doctora Gilreagh con una amable sonrisa.

—¿Errónea? —repitió Siobhan.

—Según pautas inexistentes o pautas que el asesino deja a la vista.

—¿Para jugar con nosotros? —aventuró Siobhan.

—Cabe la posibilidad. Hay tantos elementos lúdicos que... —La psicóloga dejó la frase en el aire y frunció el ceño—. Perdonen si les parece frívolo pero es la única palabra que se me ocurre. Se trata de un asesino decidido a que se le detecte, como demuestran los indicios que deja en la Fuente Clootie, y que, inmediatamente después del descubrimiento de esas señales, desaparece como tras una cortina de humo.

Rebus se inclinó hacia delante apoyando los codos en las rodillas.

—¿Quiere decir que las tres víctimas son una cortina de humo? —inquirió.

La psicóloga efectuó un escueto balanceo con los hombros que él interpretó como inhibición.

—¿Una cortina de humo para qué? —insistió.

Ella volvió a repetir el movimiento y Rebus miró exasperadamente a Siobhan.

—Toda esa exhibición falla en algo —comentó finalmente la psicóloga—. Un trozo de cazadora, una camiseta deportiva, unos pantalones de pana... Es inconsistente, ¿comprende? Los trofeos de un asesino en serie normalmente son muy parecidos: sólo camisas o sólo trozos de tela. La colección que deja es desordenada, hay algo que no cuadra.

—Es muy interesante, doctora Gilreagh —dijo Siobhan con voz queda—, pero ¿adónde nos lleva eso?

—Yo no soy policía —contestó la psicóloga—, pero, volviendo al leitmotiv rural y a los indicios, que podrían ser el recurso tradicional de un prestidigitador... me pregunto por qué eligió concretamente a esas víctimas —añadió asintiendo con la cabeza—. Miren, a veces las víctimas se eligen ellas mismas, en el sentido de que responden a las necesidades básicas del asesino. A veces el asunto se reduce a una mujer sola en circunstancias de desamparo, aunque lo más frecuente es que entren otros factores en juego. —Centró su atención en Siobhan—. Cuando hablamos por teléfono, sargento Clarke, mencionó ciertas discrepancias. Esas discrepancias pueden ser de por sí significantes. —Hizo una pausa para dar énfasis—. Pero el examen de las notas del caso podría servirme para establecer una conclusión más firme. Comprendo su escepticismo, inspector —prosiguió mirando a Rebus—, pero, pese a toda evidencia visual, no estoy chalada.

—Estoy seguro de ello, doctora Gilreagh.

La psicóloga juntó las manos y se levantó de la silla dándoles a entender que la entrevista había concluido.

—Y ténganlo en cuenta —dijo—: ruralismo y discrepancias, ruralismo y discrepancias —repitió alzando dos dedos, y a continuación alzó el tercero—. Y tal vez más que nada, intención de que vean lo que no es.

—¿Existe la palabra ruralismo? —preguntó Rebus.

—Ya existe —contestó Siobhan girando la llave de contacto.

—¿Y tú vas a darle las notas?

—Vale la pena.

—¿Porque no tenemos otra cosa?

—A menos que se te ocurra algo mejor.

Pero no era el caso, y Rebus bajó el cristal de la ventanilla para fumar. Pasaron ante el antiguo aparcamiento.

—Informática —musitó él, mientras ella ponía el intermitente derecho en dirección a los Meadows y Arden Street.

—La discrepancia es Trevor Guest —dijo ella al cabo de unos minutos—. Lo dijimos desde el principio.

—¿Y qué?

—Que sabemos que vivió un tiempo en Borders; ahí acaba lo rural.

—Muy alejado de Auchterarder y Black Isle —añadió Rebus.

—Pero le sucedió algo en Borders.

—Sólo tenemos la palabra de Tench.

—Tienes razón —comentó ella.

Rebus miró el número de Hackman y le llamó.

—¿Listo para largarse? —dijo.

—¿Ya me echa de menos? —respondió Hackman al reconocer la voz de Rebus.

—Quería hacerle una pregunta. ¿Dónde vivió Trevor Guest en Borders?

—Se agarra a un clavo ardiendo, ¿eh? —comentó Hackman.

—Algo así —respondió Rebus.

—Bueno, no sé si podré salvarle la vida, pero creo recordar que Guest mencionó Borders en un interrogatorio.

—Aún no hemos visto las transcripciones —dijo Rebus.

—Los de Newcastle siempre tan eficientes. ¿Tiene una dirección de correo electrónico, John?

Rebus se la deletreó.

—Mire en el ordenador dentro de una hora aproximadamente. Pero tenga en cuenta que es fin de semana y en el DIC ya casi no habrá nadie.

—Le agradezco lo que pueda hacer, Stan. Buen viaje. —Rebus cerró el móvil—. Es fin de semana —añadió a Siobhan.

—Sí, mañana sábado —repitió ella.

—Por cierto, ¿vas a ir a ver a T in the Park?

—No estoy segura.

—Pues bien que te esforzaste por conseguir entrada.

—Tal vez aguarde hasta la noche. Aún podré ver a New Order.

—¿Después de trabajar a mogollón todo el sábado?

—¿Estabas pensando en un paseo por la playa de Portobello?

—Depende de Newcastle, ¿no? Hace tiempo que no he viajado a Borders.

Siobhan aparcó y los dos subieron los dos tramos de escalera. El plan era hacer una revisión rápida de las notas, decidir qué podía ser útil para la doctora Gilreagh e ir a una tienda para hacer fotocopias. Acabaron con un montón de dos centímetros.

—Buena suerte —dijo Rebus cuando ella iba por el pasillo.

Oyó un bocinazo abajo: un conductor que no podía salir. Abrió la ventana para que entrara aire y se derrumbó en el sillón. Estaba rendido. Le picaban los ojos y le dolían el cuello y los hombros. Pensó de nuevo en el masaje que Ellen Wylie había insinuado. ¿Lo habría dicho con intención? Daba igual; menos mal que no había sucedido nada. Le apretaba el cinturón. Se aflojó la corbata y se desabrochó dos botones de la camisa. Notó alivio y se aflojó también el cinturón.

—Un chándal es lo que necesitas, gordo —se reprendió a sí mismo.

Chándal y zapatillas. Y ayuda doméstica. De hecho, todo menos *Charlie Is My Darling*.

—Y un poco de autocompasión.

Se restregó una rodilla. Seguía despertándole por las noches un calambre allí. Reuma, artritis, desgaste; sabía que no valía la pena ir al médico; había recurrido a él por la tensión y le había dicho que menos sal y azúcar, reducción de grasas y ejercicio. Y controlar el tabaco y la priva.

La reacción de Rebus fue una pregunta: «¿Sabe lo que es sentirse con ganas de dejar una nota escrita en el tablero del trabajo y quedarse sentado en casa toda la tarde?».

Y obtuvo como respuesta una sonrisa más cansada que la de un alumno de primero en la foto de colegio.

Sonó el teléfono y pensó: «Que le den». Si tan importante era, que le llamaran al móvil. Medio minuto después sonó. Tardó un instante en cogerlo: Ellen Wylie.

—Dime, Ellen —respondió, diciéndose que era mejor no comentarle que hacía muy poco rato había pensado en ella.

—Sólo hubo un incidente durante la estancia de Trevor Guest en nuestra bella ciudad.

—Ilústrame —dijo él reclinándose en el sillón y cerrando los ojos.

—Se enzarzó en una pelea en Radcliffe Terrace. ¿Lo conoce?

—¿Donde ponen gasolina los taxistas? Anoche estuve allí.

—Enfrente hay un pub llamado Swany's.

—He entrado en él varias veces.

—Ahora viene la sorpresa. Bien, Guest estuvo allí, una vez al menos, y un cliente se metió con él y salieron a la calle a pelearse. En la gasolinera había un coche patrulla, seguramente comprando algo. Total, que los dos contendientes acabaron en el calabozo.

—¿Nada más?

—No comparecieron ante el juez. Según los testigos fue el otro cliente el primero en dar un puñetazo. En la comisaría preguntaron a Guest si quería presentar denuncia y él renunció.

—Supongo que no sabrás por qué se peleaban...

—Puedo intentar preguntar a los agentes que los detuvieron.

—No, no creo que tenga importancia. ¿Cómo se llamaba el otro?

—Duncan Barclay. —Hizo una pausa—. Pero no era de allí; dio una dirección de Coldstream. ¿Eso está en las Highlands?

—Te equivocas de meridiano, Ellen —replicó él abriendo los ojos y levantándose—. Está en el centro de Borders. —Rebus le dijo que aguardase un momento a que cogiera papel y bolígrafo y volvió a ponerse al aparato—. Bien, dame los datos.

24

Unos focos iluminaban la zona de salida del campo de golf. Aún no había oscurecido y aquella intensa luz daba al lugar aspecto de escenario de rodaje cinematográfico. Mairie había alquilado tres palos y una bolsa con cincuenta bolas. Los dos primeros puestos estaban ocupados, pero a continuación se veían huecos libres. Eran puntos de salida automáticos y no hacía falta agacharse a poner la bola después de cada tiro. La zona estaba dividida en secciones de cincuenta metros porque allí nadie alcanzaba doscientos cincuenta. En el césped, una máquina parecida a una segadora en miniatura, con el conductor protegido por una tela metálica, recogía las bolas; Mairie vio que la última pista estaba ocupada por alguien con un monitor; el jugador tanteó la bola, efectuó el giro de lanzamiento y la envió a más de setenta metros.

—Mejor —mintió el monitor—, pero procure no flexionar la rodilla.

—¿Me he torcido otra vez? —comentó el alumno.

Mairie dejó la cesta metálica en el césped en la sección contigua y se puso a practicar con unos swings para relajar los hombros. Entrenador y alumno no parecieron muy contentos con su presencia.

—Perdone —dijo el monitor.

Mairie se volvió a mirarle y vio que sonreía desde su sección.

—Esta sección la tenemos alquilada.

—Pero no la usan —replicó Mairie.

—Bueno, pero la hemos pagado.

—Es nuestra —terció en tono irritado el jugador, que en ese momento reconoció a Mairie—. Oh, por Dios bendito.

El monitor se volvió hacia él.

—¿La conoce, señor Pennen?

—Es una maldita periodista —dijo Richard Pennen, y añadió a Mairie—: No sé qué es lo que quiere, pero no hago declaraciones.

—Me parece muy bien —replicó Mairie preparándose para el primer tiro.

La bola voló limpiamente en línea recta hasta el banderín de doscientos metros.

—Muy bien —comentó el monitor.

—Me enseñó mi padre —dijo ella—. Usted es profesional, ¿verdad? —añadió—. Creo haberle visto en algún torneo.

El hombre asintió con la cabeza.

—¿Sería en el Open?

—No llegué —contestó el hombre ruborizándose.

—Si han terminado la conversación... —interrumpió Richard Pennen.

Mairie se encogió de hombros y se preparó para otro tiro. Pennen se dispuso a hacer lo propio, pero renunció.

—Escuche —dijo—, ¿qué demonios quiere?

Mairie no dijo nada hasta que su pelota emprendió el vuelo y aterrizó casi a los doscientos metros, un poco desviada a la izquierda.

—Necesito afinarlo un poco —musitó, y a continuación respondió a Pennen—: Pensé que le interesaría que le hiciera una franca advertencia.

—¿Una franca advertencia a propósito de qué?

—Probablemente no saldrá en el periódico hasta el lunes —musitó ella— y así tendrá tiempo de preparar algún tipo de respuesta.

—¿Quiere provocarme, señorita...?

—Henderson —respondió ella—. Mairie Henderson; esa es la firma que verá el lunes.

—¿Y cómo se titula el artículo? ¿«Pennen Industries garantiza puestos de trabajo en Escocia en el G-8»?

—Ése aparecerá en las páginas de economía —replicó ella—, pero el mío irá en primera y el título depende del jefe de redacción —añadió fingiéndose la pensativa—. ¿Qué le parece «Gobierno y oposición implicados en un escándalo de préstamos»?

Pennen lanzó una risa seca, balanceando el palo con una mano hacia delante y hacia atrás.

—Ésa es su gran exclusiva, ¿verdad?

—Bueno, me atrevería a decir que otras muchas cosas saldrán a la luz: sus manejos en Irak, sus sobornos en Kenia y otros países, pero de momento creo que me centraré en los préstamos. Un pajarito me ha dicho que ha estado financiando tanto a laboristas como a conservadores. Las donaciones se registran mientras que los préstamos pueden hacerse a escondidas. En resumen, dudo mucho que ninguno de los dos partidos sepa que apoya al rival. Claro que yo lo entiendo: Pennen se desgajó del Ministerio de Defensa de acuerdo con las decisiones adoptadas por el último gobierno conservador y los laboristas decidieron no poner trabas a cuenta de los favores que les debían a ambos.

—No hay nada ilegal en los préstamos comerciales, señorita Henderson, secretos o no —alegó Pennen, que seguía balanceando el palo de golf.

—Eso no quita para que sea un escándalo, una vez que se publique en la prensa —replicó Mairie—. Y, como le dije, ¿quién sabe qué más saldrá a la luz?

Pennen golpeó con fuerza en la divisoria con el palo.

—¿Sabe cómo hemos trabajado esta semana firmando contratos por valor de decenas de millones para la industria del Reino Unido, mientras que usted, qué hacía, aparte de remover porquería?

—Todos tenemos nuestro lugar bajo el sol, señor Pennen —replicó ella sonriente—. Ya sé que lo de «señor» será por poco tiempo. Claro, con tanto dinero como ha desembolsado, el título de sir debe de estar al caer. Pero le advierto que cuando Tony Blair descubra que ha financiado a sus contrarios...

—¿Ocurre algo aquí, señor?

Mairie se volvió y vio tres uniformes de policía. El que había intervenido miraba a Pennen y los otros dos, exclusivamente a ella. Y con mala cara.

—Creo que esta mujer se marcha —musitó Pennen.

Mairie miró con parsimonia la divisoria.

—Vaya, ¿tiene una lámpara maravillosa? Cuando yo llamo a la policía, tarda media hora en aparecer.

—Hacemos una patrulla de rutina —dijo el que había hablado.

Mairie le miró de arriba abajo: uniforme sin insignias, la tez morena, pelo a cepillo y mandíbula cuadrada.

—Una pregunta —dijo—. ¿Saben que es delito la suplantación de personalidad de agente de policía?

El jefe frunció el ceño e hizo un ademán para sujetarla, pero Mairie se zafó y echó a correr por el césped hacia la salida, esquivando los tiros de las dos primeras secciones y arrancando gritos de indignación de los jugadores. Llegó a la puerta antes que sus perseguidores. La mujer de la caja le preguntó dónde estaban los palos, pero ella, sin contestar, abrió de golpe otra puerta y salió al aparcamiento, sin dejar de correr hasta su coche y pulsando el mando a distancia. No tenía tiempo de volver la cabeza. Se sentó al volante y bloqueó las portezuelas. Cuando ponía la llave de contacto, un puño golpeó el cristal. El jefe de los uniformados agarró inútilmente el picaporte de la portezuela y luego se situó delante el coche. Mairie le miró al desgaire, haciéndole comprender que le tenía sin cuidado, y pisó el acelerador.

—¡Cuidado, Jacko, la jai está loca!

Jacko tuvo que tirarse a un lado para que no le atropellase. Mairie vio por el retrovisor que se levantaba, al tiempo que un coche paraba a su lado; un vehículo también sin distintivos. Mairie entró a toda velocidad en la carretera: aeropuerto a la izquierda, centro ciudad a la derecha. Mejor la carretera de Edimburgo para darles esquinazo.

«Jacko». Recordaría aquel nombre. Uno de los otros había dicho la «jai», un término que ella sólo había oído en boca de los soldados. Se trataba de ex militares con un bronceado de climas cálidos. Irak; empleados de seguridad privada con uniforme de policía.

Miró por el retrovisor: ni rastro de ellos. Lo que no quería decir que no fueran siguiéndola. Tomó el desvío a la A8 rebasando el límite de velocidad y lanzando ráfagas de prevención a otros automovilistas.

¿Adónde iría? A ellos no les costaría averiguar su dirección; simple bagatela para un hombre como Richard Pennen. Allan estaba ocupado con un trabajo y no volvería hasta el lunes. Bueno, podía ir al *Scotsman* a redactar el artículo; tenía el portátil en el maletero con toda la información, las notas, las citas y el borrador, y podía quedarse en la redacción toda la noche, a base de cafés y algo para picar, aislada del mundo exterior.

Redactando el hundimiento de Richard Pennen.

Fue Ellen Wylie quien dio a Rebus la noticia. Él, a su vez, llamó a Siobhan, quien le recogió en su coche veinte minutos más tarde para ir a Niddrie en silencio cuando ya anochecía. Habían desmontado completamente el campamento en el centro Jack Kane: no quedaban tiendas, duchas ni váteres, la mitad de las vallas habían desaparecido y ahora, en vez de vigilantes, se veían agentes de uniforme, camilleros de ambulancia y los mismos empleados del depósito que habían recogido los restos destrozados de Ben Webster al pie del castillo. Siobhan aparcó junto a la fila de vehículos. Rebus reconoció a algunos agentes de St. Leonard y de Craigmillar, que les saludaron con una inclinación de cabeza.

—No es vuestra demarcación —comentó uno de ellos.

—Pongamos que nos interesa el difunto —replicó Rebus.

Siobhan iba a su lado y se inclinó para decirle algo sin que la pudieran oír.

—No les ha llegado la noticia de que estamos suspendidos de servicio.

Rebus asintió sin decir nada. Llegaron junto a un círculo de agentes de la policía científica agachados en el escenario del crimen. El médico de servicio acababa de certificar la defunción y firmaba los formularios en una carpeta portapapeles. Centelleaban los fogonazos de los flashes de los fotógrafos y se veía el haz de las linternas buscando algún indicio en la hierba. Una docena de agentes uniformados, mientras montaban el cordón de seguridad, mantenían a raya a los curiosos: niños en bicicleta y madres con niños en carrito. No había nada que atrajera tanto a la gente como el escenario de un crimen.

Siobhan comenzó a orientarse.

—Aquí más o menos plantaron mis padres la tienda —dijo.

—Supongo que no dejarían ellos toda esta basura —dijo Rebus dando una patada a una botella de plástico.

Había restos diseminados por el parque: pancartas y octavillas, envases de comida rápida, un pañuelo y un guante, un sonajero y un pañal enrollado. Los de la científica guardaban algunos artículos en bolsas de plásticos por si había restos de sangre o huellas dactilares.

—Me encanta que tengan que analizar el ADN de eso —comentó Rebus señalando con la barbilla un condón usado—. ¿Tú crees que quizá tus padres...?

Siobhan le miró disgustada.

—Yo me quedo aquí —dijo ella.

Él alzó los hombros y siguió acercándose. El concejal Gareth Tench yacía con el tronco en tierra y las piernas dobladas, como si hubiese caído al saltar. Tenía la cabeza vuelta hacia un lado con los ojos abiertos. En la espalda de la chaqueta se apreciaba una mancha oscura.

—¿Apuñalado? —preguntó Rebus al médico.

—Tres veces y en la espalda —confirmó el hombre—. No me han parecido heridas muy profundas.

—No es necesario que lo sean —comentó Rebus—. ¿Con qué tipo de cuchillo?

—Es difícil determinarlo en este momento —contestó el médico mirando por encima de las gafas de media luna—. La hoja tendrá algo más de dos centímetros, o quizás algo menos.

—¿No falta nada?

—Lleva algo de dinero, las tarjetas de crédito y documentación. Gracias a ello se le pudo identificar —dijo el médico con una sonrisa cansina, volviendo la carpeta portapapeles hacia Rebus—. ¿Quiere firmar aquí, inspector...?

—Yo no me encargo del caso, doctor —comentó Rebus alzando las manos.

El médico se volvió hacia Siobhan, pero Rebus negó con la cabeza y se apartó con ella.

—Tres puñaladas —le dijo.

Ella miró la cara de Tench y tembló imperceptiblemente.

—¿Tienes frío? —preguntó Rebus.

—Es él; sí —musitó ella.

—¿Pensabas que era indestructible?

—No —contestó Siobhan, sin poder apartar la vista del cadáver.

—Supongo que debemos informar a alguien —dijo él mirando a su alrededor en busca de un posible candidato.

—¿Informar de qué?

—De que hemos estado dando la vara a Tench. Saldrá a relucir más pronto o más...

Ella le agarró de la mano y le arrastró hacia la pared de hormigón del centro deportivo.

—¿Qué sucede?

Pero ella no contestó hasta que consideró que estaban suficientemente apartados. Aun así, se acercó tanto a él que parecían una pareja a punto de bailar, pero la sombra le velaba el rostro.

—¡Siobhan! —exclamó él.

—¿Sabes quién lo mató? —dijo ella.

—¿Quién?

—Keith Carberry —dijo entre dientes.

Y como Rebus permanecía impasible, alzó el rostro al cielo y cerró los ojos. Él advirtió que tenía los puños cerrados y que estaba en tensión.

—¿Qué ocurre? —preguntó en voz baja—. Siobhan, ¿qué demonios has hecho?

Ella abrió finalmente los ojos, conteniendo las lágrimas y recuperando el ritmo normal de la respiración.

—Esta mañana vi a Carberry y le dijimos... —Hizo una pausa—. Le dije que quería hundir a Gareth Tench —añadió mirando en dirección al cadáver—. Debió de ser su manera de entenderlo.

Rebus aguardó a que le mirara a la cara.

—Yo le vi esta tarde —dijo—. Estaba vigilando a Tench frente al ayuntamiento. Has dicho «le dijimos», Siobhan... —añadió metiendo las manos en los bolsillos.

—¿Ah, sí?

—¿Dónde hablaste con él?

—En los billares.

—¿En los que nos dijo Cafferty? —Vio que asentía con la cabeza—. Y Cafferty estaba allí, ¿verdad? —Leyó la respuesta en sus ojos; sacó las manos de los bolsillos y dio un palmetazo en el muro—. ¡Por Dios bendito! —espetó—. ¿Tú con Cafferty? Siobhan, una vez que te tenga en sus garras no te soltará. Tenías que haberlo visto en todos estos años que me conoces.

—¿Qué hago ahora?

Él reflexionó un instante.

—Si te callas, Cafferty comprenderá que te tiene en su poder.

—Pero si hablo...

—No lo sé —comentó él—. Tal vez vuelvas a vestir el uniforme.

—Mejor será que redacte mi dimisión ahora mismo.

—¿Qué le dijo Cafferty a Carberry?

—Que nos entregara al concejal.

—¿Quién es «nos», Cafferty o la ley?
Ella se encogió de hombros.
—¿Y cómo lo iba a entregar?
—Hostia, John, no lo sé. Tú mismo viste que seguía a Tench.
Rebus miró hacia el escenario del crimen.
—De eso a darle tres puñaladas, media una gran distancia.
—Tal vez no para la mentalidad de Keith Carberry.
Rebus reflexionó un instante sobre el comentario de Siobhan.
—De momento, no hagamos nada —dijo—. ¿Quién más te vio con Cafferty?
—Únicamente Carberry. Había gente en los billares, pero arriba en el despacho sólo estuvimos los tres.
—¿Y tú sabías que Cafferty iba a estar allí? ¿Lo preparaste todo con él? Sin decírmelo —espetó Rebus para desahogar su rabia.
—Cafferty vino a mi casa anoche —confesó Siobhan.
—Dios...
—Es el dueño de los billares y sabía que Carberry iba por allí.
—Tienes que alejarte de él, Shiv.
—Lo sé.
—El mal ya está hecho, pero podemos intentar arreglarlo.
—¿Podemos?
Él la miró.
—Quiero decir «puedo».
—¿John Rebus lo arregla todo? —replicó ella con gesto un tanto adusto—. Yo misma puedo aplicarme el cuento, John. No tienes que hacer siempre de caballero andante.
Rebus puso los brazos en jarras.
—¿Has acabado de hablar con metáforas?
—¿Sabes por qué hice caso a Cafferty? ¿Por qué fui a los billares sabiendo que estaría allí? —replicó ella con voz temblorosa de emoción—. Porque me ofrecía algo que no iba a conseguir con la ley. Tú lo has visto aquí esta semana: cómo actúan los ricos y poderosos y cómo se salen con la suya. Keith Carberry fue a Princes Street aquel día porque pensó que era lo que su jefe quería. Pensó que obtendría la aprobación de Gareth Tench de cuanta violencia apeteciera.
Rebus aguardó a ver si decía algo más y luego le puso las manos en los hombros.

—Cafferty quería eliminar a Gareth Tench —dijo pausadamente— y se sirvió de ti para ello.

—Me dijo que no lo quería muerto.

—Pues a mí me dijo que sí. Y bien explícitamente, a voces.

—No le dijimos a Keith Carberry que lo matase —añadió ella.

—Siobhan —dijo Rebus—, tú misma lo has comentado hace un minuto: Keith hace lo que la gente quiere de él, la gente con poder que tiene cierto dominio en él. Gente como Tench, Cafferty y... tú —espetó señalándola con el dedo.

—¿Así que la culpa es mía? —replicó ella entornando los ojos.

—Todos cometemos errores, Siobhan.

—Ah, bien, muchas gracias —dijo ella girando sobre sus talones y echando a andar por el terreno de juego.

Rebus miró a sus pies, lanzó un suspiro y metió la mano en el bolsillo para sacar el tabaco y el encendedor.

El encendedor estaba vacío. Lo agitó, lo basculó, lo sopló, lo restregó y apenas consiguió una chispa. Se acercó a la hilera de vehículos policiales y pidió fuego a un agente uniformado. El hombre se lo ofreció, y Rebus pensó que bien podía pedirle otro favor.

—Necesito un coche patrulla —dijo mirando los pilotos de posición del coche de Siobhan, que se alejaba en la noche.

No podía creer que Cafferty la tuviera en sus garras. No; no podía creerlo. Ella había querido demostrar algo a sus padres; no simplemente que tuviera éxito en su trabajo, sino algo más importante; que vieran que todo era posible, que había soluciones para todo. Precisamente lo que le había prometido Cafferty.

Con un precio: su precio.

Siobhan había dejado de pensar como un agente de policía para volver a ser la hija de sus padres. Él mismo se había ido apartando de su familia; primero de su mujer y luego de su hermano; marginándolos porque su profesión lo requería, le exigía una dedicación incondicional y no le dejaba sitio para otras cosas... Ahora ya no había remedio.

Pero sí en el caso de Siobhan.

—¿Quiere que le llevemos? —preguntó un agente uniformado a Rebus.

Él asintió con la cabeza y subió al coche patrulla.

Primero pararon en la comisaría de Craigmillar. Tomó una taza de café mientras aguardaba a que se reuniera el equipo del DIC; lógicamente montarían allí la sala de control del homicidio. Efectivamente, los coches comenzaron a llegar. No conocía a los agentes, pero se presentó a uno de ellos.

—Hable con el sargento McManus —dijo el hombre ladeando la cara.

El sargento McManus entraba en aquel momento. Era incluso más joven que Siobhan, quizá no había cumplido aún treinta años; tenía rasgos infantiles, era alto y delgado. Rebus tuvo la impresión de que era del barrio; le dio la mano y se presentó.

—Casi pensaba que era usted un mito —dijo McManus con una sonrisa—. Me dijeron que estuvo destinado a esta comisaría bastante tiempo.

—Cierto.

—Y que trabajó con Bain y Maclay.

—Por mis pecados.

—Bueno, hace tiempo ya que no están aquí, así que no se preocupe. —Caminaban por el largo pasillo de detrás del mostrador de recepción—. ¿Qué se le ofrece, Rebus?

—Sólo quería decirle algo que debe saber.

—¿Ah, sí?

—Últimamente tuve algún enfrentamiento con el difunto.

—¿Ah, sí? —inquirió McManus mirándole.

—Estuve trabajando en el caso de Cyril Colliar.

—¿Se sustenta lo de otras dos víctimas?

Rebus asintió con la cabeza.

—Tench tuvo relación con una de ellas, un tipo que trabajó en un asilo cerca de aquí. Fue Tench quien le procuró el empleo.

—Entiendo.

—Cuando interroguen a la viuda probablemente les dirá que los de homicidios estuvieron en su casa.

—¿Usted?

—Sí, una colega y yo.

Doblaron por un pasillo a la izquierda y Rebus entró tras los pasos de McManus en la sala del DIC, donde ya se congregaba el equipo de agentes.

—¿Hay algo más que crea que debo saber?

Rebus fingió estrujarse el cerebro y, finalmente, negó con la cabeza.

—Nada más —dijo.

—¿Tench era sospechoso?

—Pues no —respondió Rebus—, pero nos preocupaba su relación con un gamberro llamado Keith Carberry.

—Yo conozco a ese Keith —dijo McManus.

—Compareció ante el juez acusado de alteración del orden en Princes Street y a la salida del juzgado el concejal Tench estaba esperándole. Parecían bastante amigos. Por una grabación de las cámaras de vigilancia en la que Carberry golpea a un transeúnte cabía pensar que se trataba de una imputación más grave. A la hora del almuerzo yo estuve en el ayuntamiento hablando con el concejal Tench y al marcharme vi a Carberry observando desde la acera de enfrente.

Rebus concluyó su relato alzando los hombros como dando a entender que no tenía idea de lo que podía significar. McManus le miraba.

—¿Carberry les vio a ustedes dos juntos? ¿Y eso fue a la hora del almuerzo?

—A mí me dio la impresión de que vigilaba al concejal.

—¿No se acercó a preguntárselo?

—Estaba ya en el coche y lo vi por el retrovisor.

McManus se mordisqueó el labio inferior.

—Necesito resolver este caso rápidamente —dijo casi para sus adentros—. Tench gozaba de popularidad porque hizo muchas cosas buenas en esta zona y habrá gente muy soliviantada.

—Sin duda —asintió Rebus—. ¿Conocía al concejal?

—Era amigo de mi tío desde que iban al colegio.

—Usted es del barrio —afirmó Rebus.

—Me crié a la sombra del castillo de Craigmillar.

—O sea, que conocía desde hace tiempo al concejal.

—Hace sus buenos años.

Rebus procuró que la pregunta sonase intrascendente.

—¿Nunca oyó rumores sobre él?

—¿Qué clase de rumores?

—No sé... Lo habitual, asuntos de faldas, dinero que desaparece de las arcas...

—Por favor, aún está tibio —protestó McManus.

—Era un decir —alegó Rebus—. No trato de insinuar nada.

McManus miró hacia su equipo de siete agentes, incluidas dos mujeres, que fingían no escucharles. Se apartó de Rebus y se situó frente a los agentes.

—Hay que ir a su casa y dar la noticia a la familia para que alguien haga la identificación oficial. Después —añadió casi volviéndose hacia Rebus— traemos a Keith Carberry para hacerle unas preguntas.

—¿Como, por ejemplo, «dónde esta el cuchillo, Keith»? —dijo uno de los agentes.

McManus no dijo nada.

—Ya sé que esta semana han estado aquí Bush, Blair y Bono, pero Gareth Tench era un personaje en Craigmillar. Así que hay que esmerarse. Cuantas más casillas podamos rellenar, mejor.

Se oyeron débiles gruñidos. A Rebus le dio la impresión de que McManus gozaba de estima entre sus hombres y que éstos harían de buena gana horas extra.

—¿Hay horas extra? —preguntó uno.

—¿No has tenido bastante con el G-8, Ben? —replicó McManus.

Rebus permaneció indeciso un momento sin saber si decir «gracias» o «buena suerte», pero McManus ya sólo prestaba atención al nuevo caso y se dedicaba a distribuir las tareas.

—Ray, Barbara, comprobad si hay grabación de cámaras de seguridad en los terrenos del centro Jack Kane. Billy, Tom, id a meter prisa a nuestro estimado patólogo, y lo mismo a esos gandules del equipo forense. Jimmy, tú y Kaye id a por Keith Carberry y hacedle sudar en el calabozo hasta que yo vuelva. Ben, tú vienes conmigo a casa del concejal en Duddingston Park. ¿Alguna pregunta?

No hubo preguntas.

Rebus se alejó por el pasillo, rogando al cielo que Siobhan quedase al margen. Pero era una incógnita, porque McManus no le debía ningún favor y Carberry podría cantar, pero sería un inconveniente que podrían subsanar. Él ya iba elucubrando una historia al respecto.

«La sargento Clarke sabía que Keith iba a jugar a los billares de Restalrig. Cuando ella llegó, el propietario, Morris Gerald Cafferty, estaba en el local...»

Dudaba mucho que McManus se lo tragara. Podían negar que hubiese tenido lugar aquella reunión, pero habría testigos. Además, negarlo sólo les serviría si Cafferty colaboraba, y si accedía sería únicamente para comprometer más a Siobhan, y ella hipotecaría su futuro; lo mismo que él. Por eso, en recepción, pidió otro coche patrulla para ir a Merchiston.

Los agentes del coche patrulla era charlatanes, pero no le preguntaron qué iba a hacer allí, pensando, tal vez, que los agentes del DIC podían permitirse una vivienda en aquella zona tranquila de calles bordeadas de árboles con casas de estilo victoriano aisladas por setos y tapias. La iluminación de las calles era discreta, para no turbar el sueño de los residentes, y las amplias calles estaban casi desiertas, sin problemas de aparcamiento, pues, además, cada casa contaba con una amplia entrada propia capaz para media docena de coches. Rebus ordenó al conductor parar en Ettrick Road, para mayor discreción. Los agentes tardaron en arrancar con intención de ver en qué casa entraba, pero él les dijo adiós con la mano y se detuvo a encender un cigarrillo. Uno de los agentes le había obsequiado con una docena de cerillas. Restregó una de ellas contra un muro mientras observaba que el coche patrulla ponía el intermitente derecho al final de la calle. Él giró a la derecha al final de Ettrick Road; no se veía el coche ni podía estar oculto en parte alguna. Tampoco había señal de vida, tráfico ni peatones, ni llegaba ningún ruido desde atrás de las gruesas tapias de piedra. Todo eran ventanales protegidos por contraventanas de madera, y los céspedes para jugar a los bolos y al golf estaban desiertos. Volvió a girar a la derecha, caminó hasta la mitad de aquella calle y se detuvo ante un seto de acebo. El porche de la casa, flanqueado por columnas de piedra, estaba iluminado. Rebus cruzó la cancela abierta y llamó al timbre. Dudó en dirigirse a la parte de atrás, donde, en su última visita, pudo comprobar que había un jacuzzi, pero la gruesa puerta de madera se abrió con una sacudida y ante él apareció un joven con cuerpo de gimnasio y camiseta negra para mayor resalte.

—Ve con cuidado con los anabolizantes —dijo Rebus—. ¿Está el amo en casa?

—No quiere nada de lo que venda.

—Yo vendo salvación, hijo. Todos necesitan un poquito, incluso tú.

Por detrás del joven, Rebus vio un par de piernas femeninas bajando la escalera. Eran unos pies descalzos y unas piernas esbeltas y bronceadas cortadas por el albornoz blanco. La mujer se detuvo y se agachó para ver quién estaba en la puerta. Rebus la saludó con la mano y ella, muy educada, le devolvió el saludo a pesar de no conocerle, y, a continuación, dio media vuelta y subió la escalera.

—¿Trae mandamiento judicial? —preguntó el guardaespaldas.

—Acabáramos —exclamó Rebus—. Mira, tu jefe y yo nos conocemos hace mucho tiempo y ese es el cuarto de estar —añadió señalando una de las numerosas puertas del vestíbulo— donde voy a esperarle.

Dio un paso para entrar, pero el joven se lo impidió poniéndole la palma de la mano en el pecho.

—El jefe está ocupado —dijo.

—Jodiendo con una de sus empleadas —comentó Rebus—, lo que significa que tendré que esperar un par de minutos, y eso contando con que no le dé un ataque cardíaco —añadió mirando aquella mano que le oprimía como una pesa y luego al guardaespaldas—. ¿Te das cuenta de lo que haces? —añadió—. Porque esto lo recordaré cada vez que nos encontremos, hijo, y por muchos fallos de memoria que se me achaquen, tengo ganado un puñado de medallas por saber guardar rencor.

—Y la cuchara de palo de la inoportunidad —ladró una voz desde lo alto de la escalera.

Big Ger Cafferty bajaba ciñéndose con el albornoz su voluminoso físico. Tenía alborotado el poco pelo que le quedaba y rojas las mejillas del sofoco.

—¿Qué cuernos le trae aquí? —gruñó.

—Como coartada es muy floja —replicó Rebus—. Un guardaespaldas y una novia a la que seguramente pagas por horas...

—¿Para qué necesito coartada?

—Lo sabes de sobra. Tienes la ropa en la lavadora, ¿no? Pero la sangre no desaparece tan fácilmente.

—¿Qué bobadas está diciendo?

Pero Rebus advirtió que Cafferty mordía el anzuelo: era el momento de largar carrete.

—Gareth Tench ha muerto —dijo—. Apuñalado por la espalda; tu estilo, lo más probable. ¿Quieres que hablemos delante de Arnie o pasamos al salón?

Cafferty le miró imperturbable. Sus ojos eran dos agujeros negros impenetrables y su boca una línea prieta. Metió las manos en los bolsillos y dirigió al guardaespaldas una imperceptible señal con la cabeza. Éste apartó su mano y Rebus entró tras Cafferty al espacioso estudio. Del techo pendía una araña y junto al ventanal había un piano de cola, con sendos altavoces a cada lado, más el último grito en aparatos de alta fidelidad contra una pared. Los cuadros eran audaces y modernos, con fuertes manchas de color, y sobre la chimenea colgaba un ejemplar enmarcado del libro de Cafferty. Éste se dirigió al mueble bar, dando la espalda a Rebus.

—¿Whisky? —preguntó.

—¿Por qué no? —contestó él.

—¿Apuñalado, ha dicho?

—Tres puñaladas. Junto al centro Jack Kane.

—Asunto del barrio —dijo Cafferty—. ¿Algún atraco malparado?

—Ya sabes que no.

Cafferty se volvió y tendió un vaso a Rebus. Era malta de calidad, oscuro y turbio. Rebus, sin mediar brindis, lo degustó en la boca antes de deglutirlo.

—Tú querías que muriese —prosiguió Rebus, mirando a Cafferty, que daba un sorbito al vaso—. Te oí en persona vociferar y despotricar.

—Fue una reacción impulsiva —admitió Cafferty.

—Un estado en el que habrías sido capaz de cualquier cosa.

Cafferty miró uno de los cuadros hecho con brochazos de blanco sobre un fondo de crudos, grises y rojos.

—No voy a mentirle, Rebus. No lamento que haya muerto. Con ello mi vida será un poco más fácil, pero yo no tengo nada que ver.

—Yo creo que sí.

Cafferty enarcó imperceptiblemente una ceja.

—¿Y qué dice Siobhan?

—Precisamente por ella estoy aquí.

Cafferty sonrió.

—Ya me lo imaginaba —dijo—. ¿Le contó lo de nuestra charla con Keith Carberry?

—Tras la cual dio la casualidad de que yo le vi espiando a Tench.

—Lo haría por propia iniciativa.

—¿No se lo ordenaste tú?

—Pregunte a Siobhan, que estuvo presente.

—Se llama sargento Clarke, Cafferty, y no te conoce como te conozco yo.

—¿Han detenido a Carberry? —preguntó Cafferty dejando de mirar el cuadro.

Rebus asintió despacio con la cabeza.

—Y me apuesto algo a que canta. Así que si tú le dijiste algo al oído...

—Yo no le dije nada. Si afirma lo contrario, miente. Y tengo a la sargento por testigo.

—A ella no la mezcles, Cafferty —comentó Rebus en tono conminatorio.

—¿O...?

Rebus negó terminantemente con la cabeza.

—No la mezcles —repitió.

—Ella me gusta, Rebus. Cuando por fin a usted le llegue la hora de que le arrastren pataleando y llorando a las benévolas sombras crepusculares, creo que quedará en buenas manos.

—Apártate de ella y no le dirijas la palabra —replicó Rebus en un tono casi de plegaria.

Cafferty sonrió satisfecho, apuró el whisky, se pasó la lengua por los labios y lanzó un hondo suspiro.

—Quien debe preocuparle es el chico. Apuesto algo a que hablará. Si lo hace, puede acabar mezclando en el asunto a la sargento Clarke. —Hizo una pausa comprobando que Rebus le prestaba atención—. Claro que podríamos asegurarnos de que no hable...

—Ojalá Tench estuviera vivo —musitó Rebus—, porque ahora sí que le ayudaría a hundirte.

—Rebus, es más veleidoso que un día de verano en Edimburgo. La semana que viene estará lanzándome besitos con la mano —dijo Cafferty poniendo boquita de piñón—. Acaban de suspenderle de servicio. ¿Cree que puede permitirse hacerse más enemigos? ¿Cuánto tiempo hace desde que comenzaron a sobrepasar en número a sus amigos?

Rebus miró a su alrededor.

—No veo yo que tú des muchas fiestas.

—No lo ve porque nunca le invito, salvo a la presentación del libro —replicó Cafferty señalando con la barbilla hacia la chimenea.

Rebus volvió a mirar el libro enmarcado.

Transformación: La vida inconformista de un hombre llamado Mr. Big.

—Yo nunca he oído que te llamaran mister Big —comentó Rebus.

Cafferty se encogió de hombros.

—Fue idea de Mairie, no mía. Tengo que llamarla porque parece que me rehúye. Supongo que no será por intervención suya.

Rebus no replicó.

—Ahora que Tench ha desaparecido, extenderás tus tentáculos por Niddrie y Craigmillar.

—¿Ah, sí?

—Con Carberry y los de su calaña como peones propios.

Cafferty contuvo la risa.

—¿Quiere que tome nota? Me gustaría no olvidar esta conversación.

—Hablaste con Carberry esta mañana y le diste instrucciones, como la única forma de salvar el pellejo.

—Está asumiendo que yo fui el único que habló con ese Carberry —replicó Cafferty sirviéndose un chorro de whisky.

—¿Quién más?

—Tal vez a Siobhan se le fuera la mano. ¿No querrán interrogarla? —añadió Cafferty mostrando la punta de la lengua.

—¿Con quién más hablaste sobre Gareth Tench?

Cafferty agitó el líquido del vaso.

—Se supone que el policía es usted. Yo no puedo estar siempre haciendo su trabajo.

—El día del Juicio se acerca, Cafferty. Para ti y para mí. —Rebus hizo una pausa—. Lo sabes, ¿verdad?

El gángster meneó despacio la cabeza.

—Ya me imagino a nosotros dos en una tumbona; hace calor, sí, pero tenemos bebidas frescas y hablamos de las diferencias que tuvimos en los viejos tiempos cuando se sabía quiénes eran los buenos y quiénes los malos. Algo que deberíamos haber aprendido esta semana es que todo puede cambiar de pronto. Las protestas se apagan, la pobreza se olvida, se refuerzan ciertas alianzas y otras se debilitan. Todos los esfuerzos quedan a un lado y las voces callan. En un santiamén —añadió chasqueando los dedos—. Y todo el afanoso quehacer resulta una minucia sin importancia, ¿no le parece? ¿Y cree que va a acordarse alguien de Gareth Tench dentro de un año? —espetó apurando otra vez el vaso—. Bien, ahora tengo que irme arriba. Entiéndame, no es que no me agraden nuestras charlas —dijo poniendo el vaso en la mesa y dirigiendo un ademán a Rebus para que hiciera lo propio.

Al salir del cuarto apagó la luz y murmuró algo sobre su aportación a la reducción del calentamiento global.

El guardaespaldas continuaba en el vestíbulo, brazos caídos y manos juntas.

—¿Has trabajado alguna vez de gorila? —preguntó Rebus—. Uno de tus colegas llamado Colliar acabó en una mesa de acero inoxidable. Es uno de los incentivos del empleo que desempeñas.

Cafferty subía ya la escalera. A Rebus le alegró ver que tenía que agarrarse al pasamanos para salvar los escalones. Pero la verdad era que él también hacía lo mismo cuando volvía al piso.

El guardaespaldas abrió la puerta y Rebus salió bruscamente, rozándole, sin que el joven se inmutara. Tras oír el portazo a sus espaldas permaneció un instante en el camino de entrada, luego ganó la cancela, la cruzó y cerró de golpe. Frotó otra cerilla, encendió un pitillo andando y se detuvo bajo una de las farolas de discreta potencia. Sacó el móvil y marcó el número de Siobhan, pero no contestaba. Siguió hasta el final de la calle y, cuando regresaba sobre sus pasos, un zorro esquelético salió del camino de entrada de una casa y entró en la contigua. Empezaba a vérselos a menudo en Edimburgo campando sin ningún temor o recato y mirando a los seres humanos con desdén y desagrado. Habían prohibido su caza y los habitantes de las zonas urbanas les dejaban restos de comida. Apenas parecían depredadores, pero lo eran por naturaleza.

Depredadores a los que se daba trato de animales domésticos. Una transformación.

Transcurrió otra media hora hasta que oyó llegar el taxi con su runrún de motor diésel tan característico, como un gorjeo de pájaro. Subió al asiento trasero, cerró la portezuela y dijo al taxista que esperaban a otra persona.

—No recuerdo si se paga al contado o es abono —añadió.

—Es por abono.

—De MGC Holdings, ¿verdad?

—De The Nook —respondió el taxista.

—¿Con destino a?

El taxista se volvió en el asiento.

—Oiga, amigo, ¿qué juego es éste?

—No es ningún juego.

—En la hoja de ruta figura el nombre de una mujer, y si busca una puta llame a uno de esos programas de consolación de la radio.

—Gracias por el consejo —dijo Rebus agazapándose en el rincón.

Se abrió y se cerró la puerta de casa de Cafferty. Oyó un taconeo en la acera y al abrirse la portezuela se esparció el aroma de un perfume.

—Sube —dijo Rebus antes de que la mujer tuviera tiempo de decir nada—. Sólo quiero que me dejes en casa.

La mujer titubeó un instante, pero finalmente entró en el taxi y se sentó lo más distante posible de Rebus. Él vio que el botón rojo estaba encendido y que el taxista podía oír lo que hablaban, pero encontró la llave correspondiente y lo apagó.

—¿Trabajas en The Nook? —preguntó en voz baja—. No sabía que Cafferty echara allí sus zarpas.

—¿A usted qué le importa? —replicó la mujer.

—Es por dar conversación. ¿Eres amiga de Molly?

—No sé quién es.

—Iba a preguntarte cómo estaba. Yo soy el que se llevó al diplomático del local la otra noche.

La mujer le miró despacio.

—Molly está bien —dijo finalmente—. ¿Cómo sabía que no iba a tener que esperar hasta que amaneciera? —añadió.

—Pura psicología —respondió él alzando los hombros—. Nunca me ha parecido que Cafferty sea de los que dejen que la mujer se quede toda la noche.

—Muy listo —comentó ella esbozando una leve sonrisa.

Dentro del taxi era difícil distinguir bien sus rasgos. Iba bien peinada, con labios brillantes de carmín y perfumada; lucía joyas, tacones altos y un abrigo tres cuartos que dejaba ver por la abertura una prenda mucho más corta. Mucho maquillaje y exageradas pestañas.

Rebus probó de nuevo.

—¿Así que Molly está bien?

—Que yo sepa.

—¿Qué tal Cafferty como jefe?

—Bien —le contestó ella volviéndose hacia el cristal de la ventanilla, haciendo que la luz bañara la mitad de su rostro—. Me habló de usted...

—Soy policía.

Ella asintió con la cabeza.

—Cuando oyó su voz en el vestíbulo fue como si cambiara de onda.

—Yo causo ese efecto. ¿Vamos a The Nook?

—Yo vivo en Grassmarket.

—Muy a mano para tu trabajo —comentó Rebus.

—¿Qué es lo que quiere?

—¿Aparte de la carrera a expensas de Cafferty? —dijo Rebus encogiéndose de hombros—. Pues tal vez nada más que averiguar cómo es que hay gente que se acerca a él, porque, la verdad, empiezo a creer que tiene un virus y que afecta a todo lo que toca.

—Usted le conoce hace más tiempo que yo —replicó ella.

—Cierto.

—¿O sea que es inmune?

—No, no soy inmune —contestó él negando con la cabeza.

—A mí, aún no me ha afectado —añadió ella.

—Me alegro... pero el mal no siempre es inmediato.

Giraron hacia Lady Lawson Street y el taxista puso el intermitente derecho. En un minuto llegarían a Grassmarket.

—¿Ha terminado su sermón de buen samaritano? —preguntó ella volviéndose hacia él de frente.

—Allá tú con tu vida...

—Exacto —espetó ella inclinándose hacia la divisoria del taxi—. Pare después del semáforo.

El taxista frenó y comenzó a rellenar el resguardo de abono, pero Rebus le dijo que tenía que llevarle a otro sitio. La mujer se bajó del vehículo y él aguardó a que dijera algo, pero ella cerró con fuerza la portezuela, cruzó la calle y desapareció por un callejón oscuro. El taxista esperó a arrancar hasta ver un rayo de luz al abrirse el portal.

—Con los tiempos que corren, siempre me gusta asegurarme —comentó a Rebus—. ¿Adónde vamos, jefe?

—Dé media vuelta y déjeme en The Nook —dijo Rebus.

Fue un trayecto de dos minutos, al final del cual Rebus dijo al hombre que añadiera veinte libras de propina, firmó con su nombre y le devolvió el albarán.

—¿Está seguro, jefe? —inquirió el taxista.

—No es problema cuando lo paga otro —respondió él bajando.

Los porteros de The Nook le reconocieron, aunque no muy contentos de volver a verle.

—¿Qué, mucho trabajo, muchachos? —dijo Rebus.

—Los días de paga no falta. Y ésta ha sido una buena semana de horas extra.

Rebus comprendió la alusión nada más entrar. Un numeroso grupo de policías bebidos acaparaba a las tres bailarinas en una mesa abarrotada de copas de champán y vasos de cerveza. No eran los únicos en dar la nota, porque al fondo del local una pandilla en despedida de soltero jaleaba también la competición. Rebus no conocía a los agentes pero hablaban con acento escocés; era la última noche en Edimburgo para la abigarrada compañía antes de regresar con sus esposas y novias a Glasgow, Inverness, Aberdeen...

En el pequeño escenario central evolucionaban dos mujeres y una tercera se contorsionaba encima de la barra para fruición de los que bebían allí sentados; se agachó para abrirse de piernas y que uno le metiera un billete de cinco libras en el tanga, recompensándole con un beso en la mejilla picada de viruelas. Sólo había un taburete libre y Rebus lo ocupó. De detrás de una cortina surgieron dos bailarinas que comenzaron a evolucionar entre las mesas. No podía saberse si salían de ejecutar un número de baile privado o de fumarse un cigarrillo. Una de ellas se acercó a Rebus, pero su sonrisa se quebró al verle decir «no» con la cabeza: el camarero le preguntó qué tomaba.

—No tomo —contestó él—. Sólo quiero que me preste el encendedor.

Un par de tacones altos se detuvieron frente a él y la propietaria se agachó contoneándose hasta que los ojos de ambos estuvieron a la misma altura. Rebus encendió morosamente el pitillo, dándole a entender que quería hablar con ella.

—Dentro de cinco minutos tengo un descanso —dijo Molly Clark—. Ronnie —añadió volviéndose hacia el camarero—: ponle una copa a este amigo.

—Muy bien —contestó Ronnie—, lo cargo a tu cuenta.

Ella, sin replicar, se incorporó y se alejó a pasitos hacia el otro extremo de la barra.

—Un whisky, Ronnie, por favor —dijo Rebus guardándose a hurtadillas el encendedor—. Y el agua me la pongo yo.

A pesar de ello, habría jurado que lo que le sirvió de la botella ya tenía su buena adulteración y esgrimió un dedo hacia el camarero.

—Hable con Regulación de Comercio si quiere —se apresuró a contraatacar el hombre.

Rebus dejó la copa a un lado y se dio la vuelta en el taburete como centrando el interés en las bailarinas. ¿Qué es lo que diferenciaba a aquellos hombres?, pensó. Muchos tenían bigote, todos iban con buen corte de pelo; casi todos conservaban la corbata, pero con la chaqueta colgada en el respaldo de la silla, y eran de diversa edad y contextura física, pese a lo cual daba la impresión de que había algo «uniforme» en ellos. Se comportaban como una tribu aparte, distinta al resto y máxime cuando habían estado toda la semana encargados de la capital y se consideraban sus poderosos e invencibles amos.

«Mira mis obras...»

¿Se veía Gareth Tench a sí mismo así también? Rebus pensó que no era tan sencillo. Tench sabía que era falible, pero, pese a ello, no cedía en sus intentos.

Rebus había meditado sobre la inconsistente conjetura de que fuese el asesino y sus «obras» la modesta galería de horrores de Auchterarder. Decidido a librar al mundo de monstruos, Cafferty incluido, la muerte de Cyril Colliar era un envite, y una investigación negligente habría concluido en Cafferty como principal objetivo. Además, Tench conocía a Trevor Guest, le había ayudado y luego, indignado al leer su historial en la página de Internet, debió de sentirse frustrado...

Pero quedaba Fast Eddie Isley, sin vinculación con Tench, y él era la primera víctima poniendo en marcha el asunto. Y ahora Tench había muerto y las culpas recaían sobre Keith Carberry.

«¿Con quién más has hablado de Gareth Tench?»

«El policía es usted.»

Una evasiva que no colaba. Rebus cogió el vaso por hacer algo. Las bailarinas del escenario evolucionaban con cara de aburrimiento deseando moverse entre las mesas de abajo donde los hombres se gastaban la paga por una miradita al sujetador o al exiguo tanga. Seguro que hacían turnos rotativos y les llegaría su momento, pensó. Entraron unos con aspecto de ejecutivos y uno de ellos hizo aspavientos de agobio por la música atronadora. Era gordo y de movimientos torpes, pero allí nadie se reiría de él; era la ventaja de un local como The Nook, donde no existían inhibiciones.

Rebus pensó en la década de los setenta, cuando la mayoría de los bares de Edimburgo tenían un espectáculo de strip-tease con almuerzo y los clientes se tapaban la cara con la pinta de cerveza cuando la bailarina miraba en su dirección. Todo aquel pudor se había desvanecido en pocas décadas. Los ejecutivos comenzaron a jalear al iniciar una de las bailarinas un contoneo frente a la mesa de los policías, mientras la víctima permanecía sentada con las piernas separadas y las manos en las rodillas, sonriente y abochornada.

Molly se acercó a Rebus, que no había advertido que había terminado su número.

—Dos minutos que me ponga un abrigo y nos vemos fuera —dijo ella.

Él asintió con la cabeza como ausente.

—¿En qué piensa? —preguntó ella con curiosidad.

—En cómo ha cambiado esto del sexo con los años. Antes éramos un país muy timorato.

—¿Y ahora?

La bailarina balanceaba las caderas a dos centímetros de la nariz de su víctima.

—Ahora —contestó Rebus—, pues ya ves...

—¿Te lo ponen en la cara? —aventuró ella.

Él asintió con la cabeza y dejó el vaso vacío en la barra.

Ella le ofreció un cigarrillo. Se había puesto un abrigo negro largo de lana y estaba apoyada en la fachada de The Nook, alejada de los porteros para que no oyeran lo que hablaban.

—En el piso no fumabas —comentó Rebus.

—Porque Eric es alérgico al humo.

—De Eric quería hablarte yo —dijo Rebus simulando mirar atentamente la punta del cigarrillo.

—¿Qué pasa? —le preguntó ella cambiando el peso de un pie a otro.

Él advirtió que había cambiado los zapatos de tacones de aguja por zapatillas de deporte.

—La primera vez que hablamos me dijiste que está al corriente de cómo te ganas la vida.

—¿Y?

Rebus alzó los hombros.

—No quiero que lo pase mal y por eso creo que debes dejarle.

—¿Dejarle?

—Para que no tenga que decirle yo que has estado sacándole información y pasándosela a tu jefe. Mira, acabo de hablar con Cafferty y de pronto lo he visto claro. Él sabe cosas que no tenía por qué saber, cosas que provienen directamente del cuerpo, y, ¿quién mejor que Cerebro para saberlas?

Ella lanzó un bufido.

—Usted le llama Cerebro... ¿Por qué no le concede algo más de mérito?

—¿Qué quieres decir?

—Usted cree que yo soy la mala, el gancho que, con mimos, obtiene información del pobre bobo —dijo ella pasándose un dedo por el labio superior.

—Bueno, no sólo eso; a mí me parece que vives con Eric porque Cafferty te lo ordena y... probablemente estimula tu enganche a la cocaína para sacar partido de ello. El día que nos conocimos creí que era puro nerviosismo.

Ella no se molestó en negarlo.

—En cuanto Eric deje de ser útil —prosiguió Rebus— le dejarás tirado como una colilla. Mi consejo es que lo hagas ahora mismo.

—Rebus, le he dicho que Eric no es idiota. Él ha estado constantemente al corriente de todo.

Rebus entornó los ojos.

—En su piso, dijiste que tú habías impedido que aceptara otros trabajos, ¿cómo se lo tomará cuando sepa que fue porque a tu jefe de nada podía servirle en el sector privado?

—Él me cuenta cosas porque quiere y sabe perfectamente adónde van a parar —añadió ella.

—La trampa de la miel —musitó Rebus.

—Una vez que se prueba... —dijo ella en tono irónico.

—Bien, de todos modos, vas a dejarle —insistió Rebus.

—¿Y si no? —replicó ella taladrándole con la mirada—. ¿Irá a contarle algo que él ya sabe?

—Tarde o temprano, Cafferty naufragará. ¿Quieres compartirlo?

—Yo sé nadar bien.

—No es en el agua donde acabarás, Molly. El tiempo que pases en la cárcel arruinará tu figura, te lo aseguro. Escucha, pasar datos confidenciales a un criminal es delito grave.

—Rebus, si me mete en la cárcel, Eric irá detrás. Piénselo.

—Habrá que pagar un precio —dijo Rebus tirando la colilla—. Mañana a primera hora hablaré con él, y más vale que tengas preparadas las maletas.

—¿Y si el señor Cafferty se niega?

—No se negará, porque una vez descubierta tu identidad, el DIC puede pasar información falsa para hacerle picar y echarle el guante.

Ella no apartaba los ojos de él.

—¿Por qué no lo hacen? —preguntó.

—De las operaciones de intoxicación hay que informar a la superioridad y eso sí que sería la ruina de Eric. Tú lárgate y yo le salvo. Tu jefe ya ha destrozado bastantes vidas, Molly. Yo sólo quiero compensarlo en parte —dijo sacando el tabaco del bolsillo y ofreciéndole un cigarrillo—. ¿Qué me dices?

—Es tu turno —dijo uno de los porteros, pulsando el auricular—. Hay tres filas de clientes.

Ella miró a Rebus.

—Es mi turno —repitió, dirigiéndose hacia la puerta de artistas.

Rebus la vio alejarse, encendió otro cigarrillo y decidió que le sentaría bien volver a casa cruzando los Meadows.

Cuando abría la puerta sonó el teléfono. Lo cogió sentado en el sillón.

—Rebus —dijo.

—Soy yo —anunció Ellen Wylie—. ¿Qué demonios ha sucedido?

—¿A qué te refieres?

—Acabo de hablar con Siobhan por teléfono y no sé lo que usted le habrá dicho, pero está fuera de sí.

—Se cree en parte responsable de la muerte de Gareth Tench.

—Yo he intentado decirle que está loca.

—De algo habrá servido —dijo Rebus encendiendo las luces. Quería tenerlas todas; no sólo las del cuarto de estar, sino en la cocina, el baño y el dormitorio.

—Parecía muy cabreada con usted.

—No hace falta que lo digas con tanta alegría.

—¡Me he pasado veinte minutos calmándola! —gritó Wylie—. ¡No intente insinuar que esto me divierte!

—Perdona, Ellen —dijo Rebus serio, sentándose al borde de la bañera con los hombros caídos y el teléfono sujeto con la barbilla.

—Estamos cansados, John, ése es el problema.

—Creo que mi problema es algo peor, Ellen.

—Pues no se preocupe mucho; no es la primera vez.

Él expulsó aire.

—¿Y en qué quedó lo de Siobhan al final? —preguntó.

—A lo mejor mañana se habrá calmado. Yo le dije que fuese a ver T in the Park para desahogarse.

—No es mala idea.

Pero él tenía pensado ir a Borders aquel fin de semana y ahora tendría que hacer el viaje al sur en solitario. A Ellen no podía pedirle que fuera porque no quería que se enterara Siobhan.

—Al menos podemos descartar a Tench como sospechoso —dijo Wylie.

—Tal vez.

—Siobhan me dijo que iban a detener al chico de Niddrie.

—Probablemente ya estará detenido.

—Entonces, ¿no tienen nada que ver con la Fuente Clootie y Vigilancia de la Bestia?

—Pura coincidencia.

—¿Y ahora qué?

—Tu idea de un descanso el fin de semana es lo mejor. El lunes volvemos todos al trabajo, a ver si organizamos bien la investigación.

—¿Así que no me necesita?

—Hay sitio para ti si quieres, Ellen. Tienes cuarenta y ocho horas por delante para pensarlo.

—Gracias, John.

—Pero hazme un favor... Llama a Siobhan mañana y dile que estoy preocupado.

—¿Preocupado y que lo lamenta?

—Díselo como tú creas conveniente. Buenas noches, Ellen.

Cortó la comunicación y se miró en el espejo del cuarto de baño. Le sorprendió no ver quemaduras en carne viva. Era piel casi del color cetrino habitual; necesitaba un afeitado, estaba despeinado y tenía ojeras. Se dio unos palmetazos en las mejillas y fue a la cocina a hacerse un café de sobre —solo, porque la leche estaba agria— y se sentó a la mesa del cuarto de estar. Las mismas caras le miraban desde la pared: Cyril Colliar, Trevor Guest y Edward Isley.

En la tele seguirían hablando de las explosiones de Londres. Los expertos expondrían lo que habría debido hacerse y lo que había que hacer y el resto de las noticias pasaría a un segundo plano. Y a él aún le quedaban aquellos tres homicidios por resolver. Mejor dicho, a Siobhan, ahora que lo pensaba, porque el jefe supremo la había encargado a ella del caso. Y estaba Ben Webster, cada vez más relegado al olvido, desplazado por el ciclo de los informativos.

«Nadie te reprocha que te lo tomes con calma.»

Apoyó la cabeza en los brazos cruzados y vio al bien alimentado Cafferty bajar la escalera de un millón de libras; a Siobhan cayendo en la trampa; a Cyril Colliar haciendo sus maldades, a Keith Carberry haciendo el trabajo sucio y Molly y Eric Bain más trabajo sucio. Cafferty bajando la escalera, perfumado, recién salido de la ducha oliendo a rosas.

Cafferty el gángster conocía el nombre de Steelforth.

Cafferty el autor conocía personalmente a Richard Pennen.

«¿Con quién más...?» «¿Con quién más has hablado?»

Cafferty mostrando la punta de la lengua. «Tal vez la propia Siobhan...»

No, Siobhan no. Rebus había visto su reacción en el escenario del crimen: ella no sabía nada.

Lo que no quería decir que no hubiera deseado que ocurriera, que no hubiese consentido que se produjera mirando un segundo de más a Cafferty a los ojos.

Rebus oyó un avión tomando altura hacia el oeste. No había en Edimburgo muchos vuelos nocturnos, y pensó si no sería Tony Blair o alguno de sus acólitos. Gracias, Escocia, y buenas noches. Los mandatarios del G-8 habrían disfrutado de lo mejor que tenía el país: paisajes, whisky, ambiente y comida. Los canapés hechos polvo cuando explotó el autobús rojo de Londres. Y, entre tanto, había tres muertos malos y un muerto bueno —Ben Webster—, y otro que no tenía muy claro cómo era. Probablemente Gareth Tench actuase con toda buena intención, pero con la conciencia martilleada por plegarse a las circunstancias.

O a lo mejor estaba a punto de arrebatar a Cafferty su marchita corona.

Rebus dudaba mucho que llegara a saberlo. Miró el teléfono que descansaba en la mesa: siete cifras le conectarían con el piso de Siobhan, siete leves pulsaciones en el teclado. ¿Por qué le costaba tanto?

—¿Qué te hace pensar que no está mejor sin ti? —se sorprendió diciendo al objeto plateado.

Éste respondió con un pitido y él alzó la cabeza y lo cogió con ansia, pero el aparato simplemente le prevenía de que estaba agotándose la batería.

—Como la mía —musitó, levantándose despacio en busca del recargador.

Acababa de enchufarlo cuando sonó: Mairie Henderson.

—Buenas noches, Mairie —dijo.

—¿John, dónde estás?

—En casa. ¿Qué ocurre?

—¿Puedo enviarte un correo electrónico? Es el artículo que estoy escribiendo sobre Richard Pennen.

—¿Necesitas mi experiencia como corrector de pruebas?

—Es que quería...

—¿Qué ha ocurrido, Mairie?

—He tenido un tropezón con tres gorilas de Pennen. Iban de uniforme, pero no eran policías.

Rebus se sentó en el brazo del sillón.

—¿Uno de ellos llamado Jacko?

—¿Cómo lo sabes?

—Yo también me lo tropecé. ¿Qué sucedió?

Mairie le explicó el incidente, añadiendo que sospechaba que habían pasado algún tiempo en Irak.

—¿Y ahora tienes miedo y quieres por eso que quede copia de tu artículo? —dijo Rebus.

—Voy a enviar unas cuantas.

—Pero no a otros periodistas, ¿verdad?

—No, prefiero evitar tentaciones.

—Los escándalos no tienen derechos de autor —comentó Rebus—. ¿Quieres llevar las cosas más lejos?

—¿A qué te refieres?

—A que es lo que tú dices: suplantar la personalidad de policía es muy grave.

—Una vez que haya entregado mi copia, no hay peligro.

—¿Estás segura?

—Segura, pero gracias por decírmelo.

—Mairie, si me necesitas, tienes mi número.

—Gracias, John. Buenas noches.

Se cortó la comunicación y Rebus permaneció mirando el teléfono. Volvió a aparecer el icono de «carga» y la electricidad nutrió la batería. Fue a la mesa y enchufó el portátil, conectó el cable al teléfono y obtuvo línea. No dejaba de maravillarle que aquello funcionase. Apareció el mensaje de Mairie. Pulsó «descargar» y lo guardó en un archivo, con esperanzas de volver a encontrarlo. Tenía otro mensaje: de Stan Hackman.

«Más vale tarde que nunca. Aquí estoy de nuevo en Newcastle y listo para una singladura por clubs nocturnos. Nada más quería darle una información sobre Trev. En las notas del interrogatorio figura que estuvo viviendo cierto tiempo en Coldstream; pero no se especifica por qué ni cuánto tiempo. Espero que le sirva. Su amigo, Stan.»

Coldstream; el mismo lugar del hombre con quien se había peleado en el Swany's de Radcliffe Terrace.

«Ajá», pensó Rebus, diciéndose que aquello merecía un trago.

SÁBADO 9 DE JULIO

25

Hacía tan sólo una semana que Rebus había cruzado los Meadows y se había encontrado con toda aquella multitud vestida de blanco.

Era mucho tiempo en términos políticos, como solía decirse. La vida continuaba. Las hordas de gente que aquel día viajaron al norte irían hoy a las afueras de Kinross para ver a T in the Park. Los amantes del deporte se encaminarían más al oeste, hasta el Loch Lomond, a ver las finales del campeonato escocés de Open Golf. Rebus contaba con que su viaje al sur le llevara menos de dos horas, pero antes tenía que desviarse un par de veces; la primera a Slateford Road. Permaneció sentado en el coche con el motor en marcha mirando a las ventanas del antiguo almacén rehabilitado, casi seguro de que aquellas que no tenían echadas las cortinas eran las del piso de Eric Bain. Puso de nuevo el CD de Elbow, en donde el cantante comparaba a los líderes del mundo libre con niños tirando piedras. Estaba a punto de salir del coche cuando vio aparecer a Bain andando aturdido de vuelta de la tienda de la esquina; iba despeinado y sin afeitar y con la camisa fuera de los pantalones, con un cartón de leche y una cara atolondrada que en cualquier otra persona Rebus habría achacado al cansancio. Bajó el cristal de la ventanilla y tocó el claxon. Bain tardó un par de segundos en reconocerle y en cruzar la calle, hasta acercarse al coche.

—Ah, pues sí que eres tú —dijo Rebus.

Bain no replicó, asintió con la cabeza, ausente.

—¿Ya te ha dejado?

La pregunta tuvo el efecto de centrar la atención de Bain.

—Con una nota diciendo que enviará a alguien a recoger sus cosas.

Rebus asintió con la cabeza.

—Sube, Eric —dijo—. Tenemos que hablar.

—¿Cómo lo sabías? —replicó Bain sin moverse.

—Eric, si preguntas por ahí, te dirán que yo soy la persona menos indicada para dar consejos sobre una relación. —Rebus hizo una pausa—. Por otro lado, no podíamos consentir que estuvieras pasándole información a Big Ger Cafferty.

—¿Tú...? —exclamó Bain mirándole.

—Hablé anoche con Molly. Si se ha largado, eso quiere decir que prefiere seguir trabajando en The Nook a seguir contigo.

—Yo no... no creo que... —Bain abrió exageradamente los ojos como si hubiese recibido una inyección de cafeína.

Apretó los dientes con rabia y el cartón de leche se le cayó de las manos y fue a buscar el cuello de Rebus. Él dobló el tronco hacia el asiento del pasajero, zafándose con una mano del ataque de Bain y buscando con la otra el botón de la ventanilla. Subió el cristal y atrapó a Bain, se desplazó al asiento del pasajero, salió del coche y dio la vuelta. Bain ya sacaba los brazos de la portezuela y al volverse recibió de Rebus un rodillazo en la entrepierna que le hizo caer de rodillas sobre el charco de leche. Rebus le propinó un directo en la barbilla, tumbándole de espaldas, y se montó encima de él agarrándole de la camisa.

—Tú lo has querido, Eric. Un solo movimiento y escupes los hígados. Según tu «novia» te encantaba pasar información aun sabiendo que no se te preguntaba por simple curiosidad. Eso te hacía sentirte importante, ¿verdad? Sí, es la razón por la que la mayoría de los confidentes empiezan a delatar.

Bain no ofrecía resistencia alguna, con excepción de un temblor de hombros que fue cediendo. La verdad era que sollozaba, con la cara salpicada de leche, como un niño que ha perdido su juguete preferido. Rebus se puso en pie y se alisó el traje.

—Levántate —ordenó.

Pero Bain parecía contento de estar tendido en el suelo y tuvo que levantarle él.

—Mírame, Eric —añadió sacando un pañuelo del bolsillo y tendiéndoselo—. Ten, límpiate la cara.

Bain hizo lo que le decía y se limpió unos mocos en forma de burbuja que pendían de su nariz.

—Escúchame bien —dijo Rebus—. El trato que hice con ella fue que si se marchaba no ocurriría nada. Es decir, que yo no iría a Fettes a contarlo y tú conservarías el empleo. ¿Me oyes? —añadió Rebus ladeando la cabeza hasta que Bain le miró a la cara.

—Empleos hay muchos.

—¿De informática y tecnología en la empresa privada? Sí, claro, están deseando dárselos a uno que no es capaz de guardar secretos con una de alterne.

—Yo la amo, Rebus.

—Puede, pero ella jugaba contigo como Clapton con la guitarra de seis cuerdas... ¿De qué te ríes?

—Yo me llamo así por él... Mi padre lo admira mucho.

—¿En serio?

Bain alzó la vista al cielo, recuperando poco a poco el ritmo normal de respiración.

—Yo creía de verdad que ella...

—Cafferty te estaba manipulando, Eric. Punto. Pero ten bien en cuenta una cosa... —añadió aguardando a que le mirara—. No la busques ni te acerques a The Nook bajo ningún concepto. Ella va a enviar a alguien a recoger sus pertenencias porque sabe perfectamente cómo se hacen las cosas —sentenció Rebus cortando el aire con un golpe de kárate para mayor énfasis.

—Tú la viste aquel día en mi piso, Rebus... Tengo que haberle gustado un poco cuando menos.

—Aférrate a esa idea si quieres, pero no vayas a preguntárselo. Si me entero de que intentas ponerte en contacto con ella, ten la seguridad de que hablo con Corbyn.

Bain musitó algo que Rebus no entendió. Le dijo que lo repitiese y Bain le taladró con la mirada.

—Al principio no era por Cafferty —dijo.

—Lo que tú digas, Eric. Pero al final todo fue por él. De eso no te quepa la menor duda.

Bain calló un instante y miró a la calzada.

—Tendré que ir otra vez a por leche —dijo.

—Mejor será que te laves antes. Escucha, yo tengo que salir de Edimburgo. Tú dedica el día a pensártelo. ¿Te parece que te llame mañana y me digas lo que has decidido?

Bain asintió despacio con la cabeza y tendió a Rebus su pañuelo.

—Quédatelo. Y busca un amigo con quien desahogarte.

—En Internet.

—Lo que sea —dijo Rebus dándole una palmadita en el hombro—. ¿Te encuentras ya bien? Yo tengo que irme.

—No te preocupes.

—Estupendo. —Rebus lanzó un profundo suspiro—. No voy a disculparme por esto, Eric, pero lamento haberte hecho daño.

Bain volvió a asentir con la cabeza.

—Soy yo quien...

Pero Rebus le hizo guardar silencio.

—No se hable más. Sobreponte y adelante. Date una ducha y como si nada.

—No te creas que es tan fácil —replicó Bain despacio.

Rebus asintió con la cabeza.

—De todos modos, por algo se empieza.

Siobhan dedicó casi tres cuartos de hora a darse un buen baño. Generalmente sólo disponía de tiempo para una ducha por la mañana, pero aquel día decidió cuidarse echando mano de casi un tercio de la botella de espuma Space NK, preparándose un zumo natural de naranja, música de la BBC 6 en su radio digital y desconectando el móvil. Tenía la entrada para T in the Park en el sofá del cuarto de estar, junto a una lista de cosas que necesitaba: agua mineral y algo para picar, el chubasquero y protector solar (nunca se sabía). Por la noche había estado a punto de llamar a Bobby Greig para ofrecerle la entrada, pero ¿a cuento de qué? Si no iba al concierto, se quedaría tumbada en el sofá viendo la tele. Ellen Wylie la había llamado a primera hora para decirle que había hablado con Rebus.

—Dice que lo lamenta.

—¿Que lamenta qué?

—Pues todo y nada.

—Ah, muy bonito que te lo diga a ti, y no a mí.

—Ha sido culpa mía —añadió Ellen—. Yo le dije que debería dejarte en paz un par de días.

—Gracias. ¿Cómo está Denise?

—Sigue en cama. Bien, ¿qué plan tienes hoy? ¿Dar saltos hasta sudar en Kinross o prefieres que vayamos a algún sitio y olvidemos penas?

—Tendré en cuenta el ofrecimiento, pero creo que tienes razón; Kinross es tal vez lo que necesito.

No se quedaría hasta muy tarde. Aunque era una entrada válida para dos días, ya había pasado tiempo de sobra al aire libre. Pensó si aún andaría por allí el camello de Stirling. Quizás esta vez cediera a la tentación e infringiera otra regla. Ella conocía a muchos compañeros que fumaban y había oído de algunos que incluso tomaban cocaína los fines de semana. Cualquier cosa con tal de relajarse. Se hizo una composición de lugar y pensó que convenía llevar un par de condones por si acababa en la tienda de alguien. Conocía a dos mujeres policía que iban al festival y le habían dicho que se pondrían en contacto por medio de un mensaje de texto. Eran dos buenas piezas encaprichadas por los solistas de Killers y de Keane, y ya estaban en Kinross para coger sitio en primera fila.

—Mándanos un mensaje en cuanto llegues —le dijeron a Siobhan—. Porque si tardas a lo mejor nos encontramos ya en estado lamentable.

«Que lo lamenta... Por todo y por nada.»

Pero ¿qué tenía que lamentar Rebus? ¿Había estado él en el Bentley GT escuchando el plan de Cafferty? ¿Había subido la escalera con Keith Carberry para ser testigo de cómo le conminaba Cafferty? Cerró los ojos y hundió la cabeza en el agua de la bañera.

«La culpa es mía», se dijo. Las palabras le resonaban dentro de la cabeza. Gareth Tench, tan vivo, con su vozarrón, carismático como buen comediante, ahuyentando «por azar» a Carberry y sus colegas como demostrando que dominaba la situación. Una bravuconada fingida, una astucia para ganar subvenciones para sus electores. Exuberante e incansable... y ahora frío y desnudo en un frigorífico del depósito municipal, convertido en objeto de incisiones y datos estadísticos.

Alguien le había dicho en cierta ocasión: basta con una hoja de tres centímetros. Tres simples centímetros de acero podían desbaratar todo un mundo.

Emergió a la luz del día, escupiendo y apartándose el pelo y las pompas de jabón de la cara. Le pareció oír el teléfono, pero no; era el crujido de una tabla del suelo del piso de arriba. Rebus le había dicho que se mantuviera lejos de Cafferty, y tenía razón. Si se descuidaba con Cafferty, saldría perdiendo. Pero ya estaba perdida, ¿no?

—Y no tiene ninguna gracia —musitó poniéndose en cuclillas, estirando el brazo y cogiendo una toalla.

No tardó mucho en llenar la bolsa, la misma que había llevado a Stirling; aunque no fuese a pasar la noche fuera, metió el cepillo y la pasta dentífrica. Tal vez en el coche siguiera carretera adelante. Y si se acababa la tierra tomaría el transbordador a Orkney. Es lo que tenía el coche, que daba ilusión de libertad; la publicidad jugaba siempre con ese concepto de aventura y descubrimiento, pero en su caso se trataba más bien de «huida».

—No lo haré —se dijo ante el espejo del cuarto de baño con el cepillo en la mano.

Lo mismo le había dicho a Rebus, asegurándole que sabría arrostrar las consecuencias. Pero en el caso de Cafferty era mucho arriesgar.

Sabía los pasos que había que dar: ir a ver a James Corbyn, explicarle en qué lío se había metido y acabar volviendo a vestir el uniforme.

—Soy una buena agente —se dijo al espejo, tratando de imaginarse cómo se lo explicaría a su padre; su padre, que tan orgulloso estaba de ella; y su madre, que le había dicho que no tenía importancia.

Que no importaba que la hubieran golpeado.

¿Y por qué a ella le importaba tanto? Realmente, no por la rabia de pensar que hubiera sido otro policía, sino por demostrar que cumplía con su profesión.

—Soy una buena agente —repitió en voz baja y a continuación, limpiando el vaho del espejo, añadió—: Contra toda evidencia.

Segundo y último desvío: la comisaría de Craigmillar. McManus ya estaba trabajando.

—Muy concienzudo —dijo Rebus entrando en el DIC.

Allí no había nadie más. McManus iba vestido de modo informal con camisa deportiva y vaqueros.

—¿Qué le trae por aquí? —preguntó McManus humedeciéndose un dedo y pasando una página del informe que estaba leyendo.

—¿Son los resultados de la autopsia? —dijo Rebus.

—Sí; acabo de llegar —contestó McManus asintiendo con la cabeza.

—Siempre lo mismo —comentó Rebus—. El sábado, con la muerte de Ben Webster, me encontraba en la misma situación que usted.

—No es de extrañar que el profesor Gates estuviera disgustado; dos sábados seguidos...

Rebus se había acercado a la mesa de McManus.

—¿Hay conclusiones?

—Cuchillo de sierra con una anchura de hoja de siete octavos de pulgada. Gates dice que se usa mucho para cocinar.

—Exacto. ¿Sigue Keith Carberry detenido?

—Ya conoce el reglamento, John. Transcurridas seis horas, o hay cargos imputables, o a la calle.

—¿Quiere decir que no le imputan nada?

McManus alzó la vista del informe.

—Él ha negado su intervención y tiene la coartada de que se encontraba jugando al billar; hay siete u ocho testigos.

—Seguro que todos ellos son buenos amigos suyos.

McManus se encogió de hombros.

—En la cocina de su madre hay muchos cuchillos, pero no falta ninguno. Nos los llevamos todos para hacer un análisis.

—¿Y la ropa de Carberry?

—Se ha examinado también y no hay restos de sangre.

—Lo que quiere decir que queda descartada; como el cuchillo.

McManus se recostó en la silla.

—¿Quién lleva la investigación, Rebus?

Rebus alzó las manos en gesto conciliador.

—Sólo pensaba en voz alta. ¿Quién interrogó a Carberry?

—Yo personalmente.

—¿Cree que es culpable?

—El chico se mostró sinceramente sorprendido cuando le dijimos que Tench había muerto. Pero en el fondo de sus repugnantes ojos azules me pareció detectar algo.

—¿El qué?

—Miedo.

—¿Por estar detenido?

McManus negó con la cabeza.

—Miedo a decir algo.

Rebus se dio la vuelta para que McManus no detectara nada en sus ojos. Decía que Carberry no había sido... ¿Volvía eso a convertir a Cafferty en sospechoso? ¿Estaba el joven asustado por lo mismo y, creyendo que Cafferty se había cargado a Tench, pensaba que iba a ser el próximo?

—¿Le preguntó por qué espiaba al concejal?

—Declaró que le esperaba para darle las gracias.

—¿De qué? —inquirió Rebus volviéndose otra vez hacia McManus.

—Por su apoyo moral al pagarle la fianza por alteración del orden.

—¿Usted se lo cree? —replicó Rebus con un bufido.

—No necesariamente, pero no existía motivo para mantenerle detenido. —McManus hizo una pausa—. El caso es que, cuando le dijimos que podía irse, le vimos titubeante, aunque procuró disimularlo. Salió de aquí mirando a derecha e izquierda como temiéndose algo y echó a correr como una liebre. —McManus hizo otra pausa—. ¿Entiende lo que quiero decir, Rebus?

Rebus asintió con la cabeza.

—Más liebre que zorro.

—Sí, algo así... Lo cual me hace pensar si no me oculta algo.

—Para mí sigue siendo sospechoso.

—En eso, de acuerdo —comentó McManus levantándose de la silla y mirando a Rebus fijamente—. Pero ¿es solamente él a quien hay que interrogar?

—Los concejales tienen enemigos —sentenció Rebus.

—Según la viuda, Tench le incluía a usted entre ellos.

—Esa mujer se equivoca.

McManus ignoró su respuesta y se limitó a cruzarse de brazos.

—Y cree también que vigilaban su casa y que no era Keith Carberry. La descripción que dio fue de un hombre canoso con un cochazo. ¿No le parece que podría ser Big Ger Cafferty?

Rebus alzó los hombros.

—Otra historia que me ha llegado —añadió McManus acercándose a Rebus— se refiere a usted y a un hombre que corresponde a esa misma descripción, haciendo acto de presencia en una reunión del centro parroquial hace unos días. El concejal tuvo unas palabras con ese tercer hombre. ¿Algo que explicarme, Rebus?

Lo tenía tan cerca que Rebus notó su respiración en la mejilla.

—En casos como éste corren muchos rumores —replicó.

McManus se limitó a sonreír.

—Yo nunca he tenido un caso como éste, Rebus. Gareth Tench era querido y apreciado y hay muchos amigos suyos indignados por su muerte que piden explicaciones. Y algunos muy influyentes se han ofrecido a ayudarme en lo que sea.

—Enhorabuena.

—Y es una oferta difícil de rehusar —prosiguió McManus—. Es decir, que quizá sea una oportunidad única —añadió retrocediendo un paso—. Por tanto, inspector Rebus, a la vista de la situación, ¿hay algo que quiera decirme?

No había manera de implicar a Cafferty sin enredar a Siobhan y, por tanto, previamente tenía que estar seguro de que no resultara afectada.

—Creo que no —respondió Rebus cruzando los brazos, al tiempo que McManus asentía con la cabeza.

—Prueba de que me oculta algo.

—¿Ah, sí? —replicó Rebus metiendo las manos en los bolsillos—. ¿Y usted a mí? —añadió volviéndole la espalda camino de la puerta, dejándole con la duda de en qué momento exactamente había decidido cruzarse de brazos.

Era un día agradable para ir en coche, a pesar de que la mayor parte del viaje lo había hecho a la zaga de un camión. Fue al sur hasta Dalkeith y de allí a Coldstream. En Dun Law, la carretera cruzaba un parque eólico y era la primera vez que Rebus veía aquellas aspas. Había ovejas y vacas pastando y faisanes y liebres atropellados en el asfalto. Las aves de presa surcaban el cielo, posándose en las vallas. Ochenta kilómetros después llegaba a Coldstream y, tras cruzar el pueblo y un puente, se vio de pronto en Inglaterra. Un indicador le informó que estaba sólo a noventa kilómetros de Newcastle. Dio la vuelta en el aparcamiento de un hotel, volvió a cruzar la frontera y aparcó junto al bordillo. Había una comisaría enmascarada como una de tantas casas con tejado a dos aguas y una puerta azul, con un letrero indicando que sólo abría en días laborables de nueve a doce. En la calle principal de Coldstream proliferaban los bares y las tiendas y coches de excursionistas llenaban en su mayor parte el poco espacio de la calzada. Un autobús de Lesmahagow descargaba su locuaz contingente de turistas frente al Ram's Head, pero él les tomó la delantera y pidió medio whisky del mejor. Miró a su alrededor y vio que habían juntado las mesas para el almuerzo. En la barra había bocadillos y pidió uno de queso y escabeche.

—Tenemos también sopa de pollo con puerros —dijo la camarera.

—¿De lata?

La mujer chasqueó la lengua.

—¿Cree que pretendo envenenarle?

—Pues sírvamela —añadió él sonriendo.

Mientras la mujer hacía el pedido a la cocina, Rebus estiró la espalda, flexionando hombros y cuello.

—¿Adónde va usted? —preguntó la mujer de vuelta a la barra.

—Aquí —contestó él, pero antes de que pudiera entablar conversación comenzaron a entrar los pasajeros del autobús.

La mujer volvió a dar una voz a la cocina y salió una camarera libreta en mano.

El propio cocinero, rubicundo y orondo, sirvió la sopa a Rebus, poniendo los ojos en blanco al ver tanta gente.

—Adivine cuántos querrán empanada —comentó.

—Todos —dijo Rebus.

—¿Y canapés de queso de cabra?

—Ninguno —añadió Rebus desenrollando la servilleta de papel y sacando la cuchara.

La tele transmitía un partido de golf. A Rebus le pareció que en Loch Lomond hacía viento. Buscó en vano la sal y la pimienta, pero pudo comprobar que la sopa no lo necesitaba. Un hombre con camisa blanca de manga corta ocupó la barra a su lado y se enjugó la cara con un pañuelo. Llevaba el poco pelo que tenía aplastado hacia atrás.

—Qué calor —dijo.

—¿Ésos son suyos? —preguntó Rebus señalando el barullo de las mesas.

—Más bien soy «yo» suyo —respondió el hombre—. Nunca he visto pasajeros más sabidillos en conducir —añadió balanceando la cabeza.

Imploró a la camarera una pinta de zumo de naranja con gaseosa y mucho hielo. Ella se la sirvió con un guiño, dándole a entender que era por cuenta de la casa. Rebus sabía cómo funcionaba el asunto: el conductor que llevaba allí turistas, bebía siempre de balde. El hombre debió de leerle el pensamiento.

—Así es la vida —comentó.

Rebus asintió con la cabeza. ¿Podía acaso decirse que el G-8 no funcionaba por el estilo? Preguntó al conductor cómo era Lesmahagow.

—Es un lugar que merece la pena por la excursión a Coldstream —dijo mirando de reojo a los turistas, que discutían a propósito de la distribución de las sillas—. Le juro que hasta la ONU tendría lío con esta gente —añadió dando un buen trago a la bebida—. No estaría usted en Edimburgo la semana pasada, ¿verdad?

—Trabajo allí.

El conductor fingió torcer el gesto.

—Yo tuve veintisiete turistas chinos que llegaron en tren de Londres el sábado por la mañana. ¿Cree que pude acercarme a la estación a recogerlos? Y una mierda. ¿Y sabe dónde se alojaban? En el Sheraton de Lothian Road. Había más medidas de seguridad que en la cárcel de Barlinnie. Y luego, el martes, ya a medio camino de Rosslyn Chapel, advertí que había recogido por error a un delegado japonés —añadió conteniendo la risa.

Rebus le secundó, sintiéndose profundamente relajado.

—¿Así que ha venido a pasar el día? —preguntó el hombre. Rebus asintió con la cabeza—. Hay buenos recorridos a pie, si le gusta el paseo, aunque no me parece la clase de persona...

—Es buen psicólogo.

—Por mi trabajo —dijo el hombre acompañándose de un breve gesto de la cabeza—. ¿Ve ese grupo? Ahora mismo podría decirle quiénes me darán propina al final del viaje, e incluso cuánto.

Rebus hizo un gesto de admiración.

—¿Quiere tomar otra? —le preguntó al ver vacío el vaso del conductor.

—Mejor que no. Tendría que hacer una parada para mear a media tarde y seguro que la mayor parte de los viajeros harían lo mismo, y luego se tarda media hora en tenerlos a todos a bordo. Encantado de conocerle —añadió tendiéndole la mano.

—Igualmente —contestó él estrechándosela.

Se dirigió a la salida mientras dos ancianas le llamaban y le saludaban con la mano, pero el hombre fingió no advertirlo. Rebus pensó que bien podía tomarse otro medio. La conversación le había animado porque era entrar en contacto con otra vida, un mundo que discurría casi paralelo al que habitaba él.

El mundo corriente y moliente. En el que se conversaba por puro gusto, sin motivaciones ni secretos. La normalidad.

La camarera se lo sirvió en otro vaso.

—Parece que ya está más animado que cuando entró —comentó—. No sabía si iba a darme un puñetazo o lanzarme un beso.

—Gracias a la terapia —dijo él alzando el vaso.

La camarera de mesas ya había anotado lo que querían los turistas y se dirigía veloz a la cocina antes de que nadie cambiara de idea.

—¿Y qué le trae por Coldstream? —prosiguió la de la barra.

—Soy oficial de policía de Lothian y Borders y estoy indagando el asesinato de un tal Trevor Guest. Era de Tyneside, pero vivió por aquí hace unos años.

—No me suena el nombre.

—A lo mejor usaba otro —dijo Rebus enseñándole una foto de Guest cuando compareció ante el tribunal.

La mujer la examinó acercando el rostro, por la coquetería de no ponerse las gafas, y negó con la cabeza.

—Lo siento, amigo —dijo.

—¿Hay alguien más a quien preguntar? ¿Tal vez el cocinero...?

La mujer cogió la foto y cruzó la puerta batiente hacia el estruendo de cacerolas y recipientes y volvió menos de medio minuto después a devolverle la foto.

—La verdad es que Rab sólo lleva aquí desde otoño —dijo—. ¿Ha dicho que era de Tyneside? ¿Y por qué vino aquí?

—Puede que en Newcastle no se sintiera seguro —contestó Rebus—, dado que no siempre estuvo en paz con la ley.

Ahora le resultaba más que evidente que lo que había provocado aquel cambio en Guest debió de suceder en Newcastle. Y al huir de allí lo mejor era evitar la A1, de la que se podía salir en Morpeth, tomando una carretera que llevaba directamente a aquel lugar.

—Supongo que sería mucho preguntar si recuerda algo de hace cuatro o cinco años. ¿No hubo una oleada de robos en algunas casas?

La mujer negó con la cabeza mientras unos turistas se acercaban a la barra con una lista.

—Tres cervezas pequeñas, una cerveza con gaseosa, Arthur, mira a ver si es grande o pequeña, un ginger ale, un abocado con gaseosa, pregunta si quiere el abocado con hielo. ¡Arthur, no, espera, son dos cervezas pequeñas y una clara grande!

Rebus apuró su bebida y dijo a la mujer que volvería. Era verdad;

si no en aquel viaje, en otro. Trevor Guest le había arrastrado hasta allí, pero si volvía sería por el Ram's Head. Hasta que no estuvo en la calle no se percató de que no había preguntado nada sobre Duncan Barclay. Pasó por delante de un par de tiendas y al llegar a la de prensa se detuvo, entró y enseñó la foto de Trevor Guest. El dueño negó con la cabeza y añadió que era del pueblo. Rebus le dijo el nombre de Duncan Barclay y el hombre asintió.

—Se fue de aquí hace unos años. Se ha ido mucha gente joven.

—¿Sabe adónde?

El hombre volvió a negar con la cabeza. Rebus le dio las gracias y continuó su recorrido. Entró a una tienda de comestibles, pero sin resultado; la joven dependienta le dijo que sólo trabajaba los sábados y que a lo mejor tenía más suerte el lunes. Lo mismo en todas las otras de aquella acera: antigüedades, peluquería, salón de té, tienda de beneficencia de artículos de segunda mano. Sólo otra persona más conocía a Duncan Barclay.

—Todavía se le ve por aquí.

—Entonces, no se ha ido a vivir lejos —dijo Rebus.

—Creo que a Kelso.

Era el pueblo más próximo. Rebus se detuvo un instante bajo el sol vespertino preguntándose por qué notaba aquel bullir de la sangre. Lógico: estaba trabajando, entregado al tenaz oficio del policía tradicional; era casi como estar de vacaciones. Pero en ese momento vio que le quedaba por comprobar otro pub mucho menos acogedor que el otro.

Era un local bastante más rudimentario que el Ram's Head, con suelo de linóleo rojo desgastado y quemado por las colillas, una diana destartalada adonde lanzaban dardos dos clientes no menos destartalados, y tres jubilados con gorra jugando al dominó en la mesa de un rincón. Todo ello envuelto en una neblina de humo de tabaco. La pantalla del televisor parecía que sangraba, e incluso desde la entrada Rebus tuvo el convencimiento de que los urinarios estarían atascados. Sintió un desánimo, pero se dijo que probablemente aquel era un local más en consonancia con Trevor Guest. El problema es que allí eran escasas las posibilidades de que contestaran a sus preguntas de buena gana. El camarero tenía una nariz como un tomate aplastado, una auténtica cara de borracho surcada de cicatrices y marcas, recuerdo de a saber qué escabrosas circunstancias nocturnas. Rebus sabía que su propio rostro era también reflejo de algunas andanzas suyas. Se acercó a la barra endureciendo el empaque.

—Una grande de la fuerte —dijo con el tabaco ya en la mano. Allí no podía pedir una caña—. ¿Ha visto a Duncan últimamente? —preguntó al camarero.

—¿A quién?

—A Duncan Barclay.

—No me suena ese nombre. ¿Se ha metido en algún lío?

—No realmente. —No había hecho más que una pregunta y ya le habían calado—. Soy inspector de policía —añadió.

—No me diga.

—Tengo que hacer unas preguntas a Duncan.

—No vive aquí.

—Se marchó a Kelso, ¿verdad?

El camarero se encogió de hombros.

—¿A qué tasca va ahora?

El camarero seguía sin mirarle a la cara.

—Míreme —insistió Rebus—, no estoy para bromas. ¿Me oye?

Se oyó el rascar de las sillas en el suelo al levantarse los jubilados. Rebus se volvió a medias hacia ellos.

—¿Aún quieren jaleo a su edad? —preguntó con una sonrisa—. Pues sepan que estoy investigando tres asesinatos —añadió alzando tres dedos— y si quieren que los incluya en el sumario, acérquense. —Hizo una larga pausa hasta que se sentaron—. Buenos chicos —comentó, y añadió dirigiéndose al camarero—: ¿Dónde puedo encontrarle?

—Pregunte a Debbie, que tuvo un rollo con él —musitó el camarero.

—¿Y dónde encuentro a esa Debbie?

—Trabaja los sábados en la tienda de comestibles.

Rebus permaneció impasible y sacó la manoseada foto de Trevor Guest.

—Estuvo por aquí hace años —admitió el camarero—, pero me dijeron que se largó al sur.

—Le engañaron; se fue a Edimburgo. ¿Cómo se llamaba?

—Le gustaba que le llamasen Clever Boys; no sé por qué.

Probablemente por la canción de Ian Dury, pensó Rebus.

—¿Venía a beber aquí?

—Pero no por mucho tiempo porque le prohibí la entrada por intentar dar un puñetazo a uno.

—¿Y vivía aquí?

El camarero negó con la cabeza despacio.

—Creo que en Kelso —contestó—. En Kelso, seguro —añadió asintiendo con la cabeza.

Lo que significaba que Guest había mentido a la policía de Newcastle. Aquello comenzaba a darle mala espina. Salió del pub sin molestarse en pagar. Le había resultado bastante bien. Fuera, tardó unos minutos en recobrar la calma y se dirigió a la tienda de comestibles para hablar con la dependienta de los sábados: Debbie. Ella advirtió que se había enterado y comenzó a dar otra versión, pero él le plantó la mano ante la cara para hacerla callar y, acto seguido, apoyó los nudillos en el mostrador.

—Bien, ¿qué puedes decirme de Duncan Barclay? —preguntó—. Me lo cuentas aquí o en una comisaría de Edimburgo. Elige.

La joven sólo acertó a ruborizarse. De hecho, se puso como un tomate.

—Vive en un chalé de Carlingnose Lane.

—¿En Kelso?

Ella asintió levemente con la cabeza y se llevó una mano a la frente como si se sintiera mareada.

—Pero suele estar en el bosque mientras hay luz —dijo.

—¿En qué bosque?

—En el que hay detrás del chalé.

Bosque... ¿Qué había dicho la psicóloga? El bosque puede tener su importancia.

—Debbie, ¿cuánto tiempo hace que le conoces?

—Hace tres... casi cuatro años.

—¿Es mayor que tú?

—Tiene veintidós años.

—Y tú, ¿dieciséis, diecisiete?

—Voy a cumplir diecinueve.

—¿Estáis liados?

No era la pregunta más adecuada: la joven enrojeció aún más. Rebus no había visto aquel rojo carmesí ni en las grosellas.

—Somos amigos... Últimamente no le veo mucho.

—¿A qué se dedica?

—A la talla de madera; hace cuencos y objetos que vende a galerías de Edimburgo.

—Es un artista, ¿eh? ¿Y se le da bien?

—Es estupendo.

—¿Y usa herramientas bien afiladas?

La joven fue a contestar pero se contuvo.

—¡Él no ha hecho nada! —exclamó.

—¿He dicho yo eso? —replicó Rebus fingiéndose el ofendido—. ¿Qué te lo hace pensar?

—¡Él desconfía!

—¿De mí? —dijo Rebus desconcertado.

—¡De la policía!

—Ha tenido líos antes, ¿verdad?

La joven negó despacio con la cabeza.

—Usted no lo entiende —dijo con voz queda, con lágrimas en los ojos—. Él dijo que no le...

—¿Debbie...?

La joven rompió a llorar, levantó la tabla del mostrador y salió con los brazos por delante. Rebus extendió los suyos, pero ella pasó por debajo y corrió hacia la puerta, que, al abrirse, lanzó un quejido de campanillas.

—¡Debbie! —gritó él, pero cuando salió a la calle vio que ella ya iba casi por la esquina.

Rebus lanzó una maldición en voz baja y, al reparar en que había a su lado una mujer con una cesta de mimbre vacía en los brazos, alcanzó con la mano el letrero de ABIERTO y le dio vuelta: CERRADO.

—El sábado, sólo se despacha medio día —dijo.

—¿Desde cuándo? —espetó la mujer indignada.

—Bueno —replicó él—, pues sírvase usted misma y deje el dinero en el mostrador —añadió echando a correr.

Siobhan se sentía de más en aquel jolgorio: la multitud saltaba y la empujaba, coreaba las canciones desafinando y banderas de todas las naciones le tapaban la vista. Veía gamberros de ambos sexos sudorosos lanzando tacos y bailando al estilo escocés con universitarios pijos también de ambos sexos, compartiendo con ellos latas de cerveza espumosa y de sidra barata; el suelo estaba lleno de restos resbaladizos de pizza y se encontraba a cuatrocientos metros del escenario. Y había colas interminables para los servicios. Sonrió nostálgica pensando en su pase privilegiado pare Empuje Final. Había enviado un mensaje a sus amigas, pero no le habían contestado. Allí todo el mundo parecía feliz y eufórico, pero ella no se ambientaba y no dejaba de pensar en Cafferty, Gareth Tench, Keith Carberry, Cyril Colliar, Trevor Guest y Edward Isley.

El jefe de la policía le había encomendado un caso importante con el que habría dado un buen paso en el escalafón, pero lo había descuidado por la agresión a su madre, y sus intentos de descubrir al agresor habían acaparado todo su tiempo llevándola peligrosamente al terreno de Cafferty. Sabía que tenía que centrarse y motivarse de nuevo. El lunes se reanudaría la investigación, seguramente dirigida por el inspector jefe Macrae y el inspector Derek Starr, con un equipo nuevo y bien nutrido.

Y ella estaba con suspensión de servicio. Lo único que podía hacer era localizar a Corbyn, disculparse y convencerle de que la reintegrase. Él seguramente le haría jurar que no iba a consentir que interviniera Rebus y que rompiese los vínculos con él. La idea le dio qué pensar. Sesenta contra cuarenta a que aceptaba si se lo pedía.

Un nuevo grupo salió al escenario principal y aumentaron los decibelios. Miró el móvil por si tenía mensajes de texto.

Sólo una llamada perdida. Comprobó el número: Eric Bain.

—Lo que me faltaba —musitó, sin leer el mensaje que había dejado y guardándose el móvil en el bolsillo.

Sacó otra botella de agua del bolso. Sintió el olor dulzón del hachís, pero no veía al camello de Campamento Horizonte. Los jóvenes del escenario tocaban con ganas, pero en el sonido dominaban los agudos. Se fue alejando. Había parejas tumbadas en el césped besuqueándose o mirando a las estrellas embobadas y sonrientes. Se percató de que seguía andando, sin voluntad de detenerse, hacia donde había dejado el coche. Faltaban horas para la actuación de New Order pero no volvería a verlos. ¿Qué le esperaba en Edimburgo? Quizá llamar a Rebus para decirle que comenzaba a olvidar o tal vez buscar una vinatería para tomarse una botella de chardonnay frío, con la libreta y el bolígrafo preparando el borrador de lo que pensaba decirle al jefe supremo el lunes por la mañana.

«Si le permito reintegrarse al servicio es para que prescinda totalmente de su compañero... ¿Entendido, sargento Clarke?»

«Entendido, señor. Le quedo muy agradecida.»

«¿Acepta las condiciones, sargento Clarke? Basta con que diga sí.»

Pero no era tan sencillo.

Otra vez en la M90, ahora rumbo al sur. Veinte minutos después estaba en el puente Forth. Ya no registraban los vehículos como en los días anteriores al G-8. En las afueras de Edimburgo, Siobhan se percató de que Cramond quedaba de paso y decidió acercarse a casa de Ellen Wylie para darle las gracias por haberle aguantado despotricar el día anterior. Dobló a la izquierda en Whitehouse Road y aparcó delante de la casa. No contestaban al timbre y llamó al móvil de Ellen.

—Soy Shiv —dijo cuando descolgó—. Venía a gorrearte un café.

—Estamos paseando.

—Oigo ruido de agua... ¿Estáis detrás de la casa?

Se hizo un silencio.

—Mejor si pasas más tarde.

—Es que estoy aquí mismo.

—Ah, yo más bien había pensado en una copa en Edimburgo; las dos.

—Ah, muy bien —dijo Siobhan, pero frunciendo el ceño.

Fue como si Wylie lo viera.

—Escucha —añadió—, si quieres un café rápido. Nos vemos dentro de cinco minutos.

En lugar de esperar, Siobhan fue hasta el final de los jardines de los adosados y siguió una breve senda que conducía al río Almond. Ellen y Denise habían continuado hasta el molino en ruinas y regresaban. Ellen la saludó con la mano, pero Denise no parecía estar por la labor, aferrada al brazo de su hermana.

«Las dos.»

Denise Wylie era más baja y delgada que su hermana. Por su extremismo de quinceañera y el prurito del peso, le había quedado una figura de anoréxica; su cutis era macilento y el pelo pardusco y lacio. No miró a Siobhan a la cara.

—Hola, Denise —comentó ella, recibiendo un solo gruñido por respuesta.

Ellen, por el contrario, se mostró extrañamente eufórica y parlanchina mientras volvían a la casa.

—Entremos por el jardín —dijo en tono taxativo— y pongo el hervidor, o ¿quieres un grog? Ah, no, que tienes que conducir... Así que, el concierto, ¿no valía mucho? ¿O al final no fuiste? Yo ya no tengo edad para ir a conciertos, aunque haría una excepción con Coldplay, pero con mi buen asiento, porque todo el rato en el césped como un espantapájaros... ¿Te vas arriba, Denise, y te llevo yo una taza de té? —dijo saliendo de la cocina con un plato de mantecadas que puso en la mesa—. ¿Estás bien, Shiv? Ya tengo el agua puesta a hervir. No recuerdo con qué lo tomas...

—Sólo con leche —contestó Siobhan mirando a la ventana del dormitorio—. ¿Se encuentra bien Denise?

En aquel momento vieron a la hermana de Wylie detrás de la ventana y, al percatarse de que Siobhan miraba también, ella abrió los ojos desmesuradamente y corrió las cortinas de golpe. Aunque hacía un calor pegajoso, tenía la ventana cerrada.

—Está bien —contestó Wylie con un leve ademán quitándole importancia.

—¿Y tú?

—¿Yo? —repitió Wylie con una risa nerviosa.

—Da la impresión de que habéis tomado dos productos del botiquín totalmente discordantes.

Wylie respondió con otra risa seca y entró a la cocina. Siobhan se levantó despacio, la siguió y se detuvo en el umbral.

—¿Se lo has dicho? —preguntó.

—¿El qué? —dijo Wylie abriendo la nevera, cogiendo la leche y, acto seguido, buscando una jarrita.

—Lo de Gareth Tench. ¿Sabe que ha muerto? —añadió Siobhan con las palabras casi estrangulándosele en la garganta.

«Tench engaña a su mujer.»

«Tengo una compañera, Ellen Wylie, cuya hermana...»

«Más sensible que la mayoría...»

—Oh, Dios, Ellen —dijo estirando el brazo y apoyándose en el marco de la puerta.

—¿Qué sucede?

—Me entiendes, ¿verdad? —añadió Siobhan casi en un susurro.

—No sé a qué te refieres —contestó Wylie, toqueteando la bandeja y poniendo y quitando los platillos.

—Mírame a los ojos y dime que no sabes a qué me refiero.

—No tengo la menor idea de qué...

—Te digo que me mires a los ojos.

Ellen Wylie lo hizo con no poco esfuerzo, manteniendo los labios firmemente apretados.

—Me pareciste tan rara al teléfono —añadió Siobhan— y ahora todo ese tejemaneje y Denise que se encierra en su cuarto.

—Márchate.

—Piénsatelo, Ellen. Pero antes de irme quiero pedir disculpas.

—¿Disculpas?

Siobhan asintió con la cabeza sin dejar de mirar a Wylie.

—Fui yo quien se lo comentó a Cafferty y a él no le resultaba difícil averiguar la dirección. ¿Estabas tú en casa? —Vio como Wylie bajaba la cabeza—. Claro, vino aquí, ¿verdad? —insistió Siobhan—. Vino aquí y le dijo a Denise que Tench seguía casado. ¿Seguía saliendo con él?

Wylie negó despacio con la cabeza y por sus mejillas cayeron lágrimas hasta las baldosas del suelo.

—Ellen, cuánto lo siento...

Estaba allí en la encimera, al lado del fregadero: el soporte de los cuchillos con un espacio vacío. La cocina estaba impecable y no había indicios de que hubiera estado lavando nada.

—No puedes detenerla —dijo Ellen Wylie sollozando y negando con la cabeza.

—¿Te enteraste esta mañana cuando se levantó? Se sabrá enseguida, Ellen —dijo Siobhan—. Si sigues negándolo, os hundiré a las dos —añadió, recordando las palabras de Tench: «La pasión es una bestia al acecho en algunos hombres». Sí, y en algunas mujeres.

—No puedes detenerla —repitió Ellen Wylie, ahora en tono apagado de resignación.

—La ayudarán —añadió Siobhan avanzando unos pasos en la reducida cocina y dándole a Ellen Wylie un apretón en el brazo—. Habla con ella y dile que no se preocupe, que tú la apoyarás.

Wylie se restregó la cara con el brazo limpiándose las lágrimas.

—No tienes pruebas —murmuró según lo que tenía pensado decir; el guión por si llegaba el caso.

—¿Acaso son necesarias? —replicó Siobhan—. Quizá sea mejor que hable yo con Denise...

—No, por favor —replicó Wylie negando de nuevo con la cabeza y taladrándola con la mirada.

—¿Qué posibilidades hay de que no la viera nadie, Ellen? ¿No aparecerá en alguna grabación de cámaras de seguridad? ¿Crees que no descubrirán la ropa que llevaba y el cuchillo que ha tirado? Si yo investigara el caso, enviaría un par de hombres rana al río. Tal vez por eso fuisteis allí de paseo, para recogerlo y hacerlo desaparecer mejor.

—Oh, Dios —dijo Wylie con voz quebrada.

Siobhan le dio un apretón y notó que comenzaba a temblar y que estaba al borde de un ataque de nervios.

—Tienes que ser fuerte por ella, Ellen. Aguanta un poco más; tienes que aguantar —añadió Siobhan pensando a toda velocidad mientras le friccionaba la espalda.

Si Denise era capaz de matar a Gareth Tench, ¿de qué no sería capaz? Advirtió la tensión de Ellen Wylie y se apartó de ella, mirándose las dos a los ojos.

—Sé lo que estás pensando —dijo Wylie pausadamente.

—¿Ah, sí?

—Pero Denise casi no miró Vigilancia de la Bestia. Era yo la que estaba interesada, no ella.

—Y eres quien intenta encubrir al asesino de Gareth Tench, Ellen. ¿Quieres que sea a ti a quien interroguemos?

La voz de Siobhan se había endurecido, igual que el rostro de Wylie, que de inmediato quebró una agria sonrisa.

—¿Eso es cuanto se te ocurre, Siobhan? Puede que no seas tan inteligente como la gente cree. El jefe supremo te habrá encomendado el caso, pero las dos sabemos que es de John Rebus... aunque me imagino que tú te apuntarás los laureles, suponiendo que lo resuelvas. Pues adelante, presenta una acusación contra mí si quieres —añadió tendiendo las muñecas para que la esposara, pero como Siobhan permaneció inmutable, estalló despacio en una risa fría—. No eres tan inteligente como la gente cree —repitió.

«No tan inteligente como la gente cree.»

26

Rebus se encaminó sin pérdida de tiempo a Kelso, que estaba sólo a doce kilómetros, sin ver rastro de Debbie al salir del pueblo. Claro que podía haberse puesto ya en contacto por teléfono con Barclay. De haber prestado atención, el campo le habría parecido esplendoroso. Aceleró al dejar atrás el indicador de bienvenida al pueblo y dio un frenazo al ver al primer peatón. Era una mujer vestida con traje sastre de tweed que paseaba un perro de ojos saltones.

—¿Sabe dónde está Carlingnose Lane? —preguntó.

—Pues no, lo siento —contestó la mujer, que aún se disculpaba cuando él ya había vuelto a arrancar.

Las tres primeras personas a quienes preguntó al llegar al centro de Kelso le ofrecieron media docena de posibilidades: cerca de Floors Castle, del campo de rugby, el campo de golf y la carretera de Edimburgo.

Finalmente, Floors Castle estaba en la carretera a Edimburgo. Su gran muralla perimetral se extendía cientos de metros. Vio los indicadores del campo de golf y a continuación un parque con postes de rugby, pero las casas que lo bordeaban eran muy nuevas; finalmente, unas colegialas que paseaban el perro le indicaron el sitio.

Era detrás de las casas nuevas.

El Saab se quejó al reducir a primera y Rebus notó que el motor hacía un ruido raro. Carlingnose Lane era una hilera de chalés ruinosos. Los dos primeros estaban remozados y tenían una mano de pintura. El camino no iba más allá del último de los muros enjalbegados, ya amarillentos. Un cartel manual rezaba: SE VENDE ARTESANÍA LOCAL. En el pequeño jardín delantero vio restos de troncos. Rebus detuvo el coche ante la verja de cinco barrotes, pasada la cual, una senda cruzaba un prado hacia un bosque. Llamó a la puerta de Barclay y miró por la ventana; vio un cuarto de estar con una cocinita anexa sucia, donde habían suprimido parte del muro de atrás e instalado puertas acristaladas de salida a un jardín trasero que estaba tan vacío y descuidado como el delantero. Alzó la mirada y vio un poste de suministro de electricidad. No había antena de televisión ni aparato a la vista en el interior.

Ni teléfono. El chalé de al lado sí que tenía un cable que iba hasta el poste telefónico.

«No obsta para que tenga móvil», se dijo Rebus. De hecho, sería lo más probable porque de algún modo tendría que estar en contacto con las galerías de Edimburgo. Junto al chalé había un viejo Land Rover que no parecía utilizarse mucho y cuyo capó estaba frío; pero del contacto colgaba la llave, lo que significaba que allí no había riesgo de robo o era indicio de un primer paso para la huida. Rebus abrió la portezuela del conductor, cogió la llave y se la guardó en el bolsillo; se acercó al prado y encendió un pitillo. Si Debbie había avisado a Barclay, lo habría hecho a pie o con otro vehículo; y habría vuelto al pueblo.

Cogió el móvil. La señal de cobertura era una barra. Lo inclinó y desapareció. Se subió a la verja y probó de nuevo. Cobertura cero.

Pensó que aún había luz de sobra para un paseo por el bosque. No hacía frío y se oía gorjeo de pájaros y el rumor del tráfico. Vio en lo alto un avión con su reluciente tren de aterrizaje. «Voy al encuentro de un desconocido en el quinto pino y sin cobertura —pensó—. Un hombre que se peleó con otro y que está avisado de que llega la policía, a la que tanto detesta...»

—Estupendo, John —dijo en voz alta, algo jadeante, en la cuesta que acababa en el lindero del bosque.

No sabía qué árboles eran aquellos: marrones y con hojas; luego no eran coníferas. Esperaba oír ruidos de hacha o motosierra... No. No, eso no. No le seducía la idea de encontrarse con Barclay esgrimiendo una herramienta de aquellas. No sabía si acaso llamarle a voces; se aclaró la garganta, pero eso fue todo. Ahora que estaba a más altura, a lo mejor el móvil... Cobertura cero.

Desde luego, la panorámica era magnífica. Hizo un alto para recobrar aliento, pensando en que ojalá viviera para recordar aquel paisaje. ¿Por qué le molestaría a Duncan Barclay la presencia de la policía? Bueno, ya se lo preguntaría si le encontraba. Se internaba en el bosque;

pisaba humus blando y tenía la impresión de que caminaba por una especie de senda, invisible para quien no la conociera, entre árboles jóvenes y tocones, apenas sin matorrales. El lugar le recordaba el paraje de la Fuente Clootie. No hacía más que mirar a derecha e izquierda y detenerse de vez en cuando prestando oído. Allí estaba, él solo.

De pronto surgió otra senda de anchura suficiente para un vehículo. Se agachó: las huellas de las ruedas eran de al menos varios días. Lanzó un leve bufido.

—De caballo no son —musitó incorporándose y sacudiéndose el barro de los dedos.

—No precisamente —repitió una voz de hombre.

Rebus se volvió y finalmente lo vio. Estaba sentado en un árbol caído con las piernas cruzadas, a unos metros de la senda; con cazadora y pantalón verde oliva.

—Buen camuflaje —dijo Rebus—. ¿Es usted Duncan?

Duncan Barclay le dirigió una leve inclinación de cabeza. Rebus se acercó. Era rubio y de rostro pecoso. Mediría un metro ochenta y era musculoso. Sus ojos eran del mismo color claro que la cazadora.

—Usted es policía —dijo Barclay.

A Rebus ni se le ocurrió negarlo.

—¿Le avisó Debbie?

—¿Cómo iba a hacerlo? —replicó Barclay estirando los brazos—. Yo soy un ludita en ese aspecto y muchos otros.

Rebus asintió con la cabeza.

—Ya he visto que no hay teléfono ni televisión en el chalé.

—Y pronto no habrá ni chalé, porque el promotor le tiene echado el ojo. Así que me veré en el campo y luego en el bosque... Sabía que vendría —dijo tras una pausa mirando a Rebus—. No usted, concretamente; alguien de la policía.

—¿Por qué?

—Por Trevor Guest —contestó el joven—. No sabía que había muerto hasta que lo leí en el periódico. Pero al ver que el caso lo llevaba la policía de Edimburgo, me imaginé que algo saldría a relucir en los archivos.

Rebus asintió con la cabeza y sacó el tabaco.

—¿Le importa que...?

—Mejor que no; y los árboles piensan igual.

—¿Son amigos suyos? —preguntó Rebus, guardándose la cajetilla—. ¿Así que se enteró de lo de Trevor Guest?

—Por los periódicos. —Se quedó pensativo—. ¿Fue el miércoles? Yo no compro periódicos. Entiéndame, no tengo tiempo para eso; pero vi los titulares del *Scotsman* y leí que había acabado con él una especie de asesino en serie.

—Un asesino, sí —dijo Rebus.

Retrocedió un paso al ponerse Barclay de pie; pero el joven se limitó a hacerle seña de que le siguiera y echó a andar.

—Venga conmigo y se lo enseñaré —dijo.

—¿El qué?

—Lo que le ha traído aquí.

Rebus hizo un alto, pero, finalmente, continuó andando hasta dar alcance a Barclay.

—¿Eso está muy lejos, Duncan? —preguntó.

Barclay negó con la cabeza y siguió caminando a buen paso.

—¿Pasa mucho tiempo en el bosque?

—Todo el que puedo.

—Me refiero a otros bosques, no sólo en éste.

—En él encuentro trozos y piezas.

—¿Trozos y...?

—Ramas, troncos caídos.

—¿Y la Fuente Clootie?

—¿Por qué lo pregunta? —replicó Barclay volviéndose.

—¿Ha estado allí?

—Creo que no —contestó Barclay deteniéndose tan súbitamente que Rebus estuvo a punto de adelantarle.

El joven abrió los ojos exageradamente y se dio con la palma de la mano en la frente. Rebus advirtió sus uñas melladas y las cicatrices de los dedos propias de un artesano.

—¡Dios bendito, ya entiendo lo que piensa! —dijo Barclay con un grito ahogado.

—¿Y qué es lo que pienso, Duncan?

—¡Cree que yo lo hice yo!

—¿Y es verdad?

—Santa madre de Cristo... —Barclay negó enérgicamente con la cabeza y continuó caminando casi más deprisa.

—Me intriga esa pelea de usted y Trevor Guest —dijo Rebus jadeante—. He venido a recopilar datos.

—¡Pero cree que yo le maté!

—Bueno, ¿lo mató?

—No.

—Pues no tiene nada que temer —dijo Rebus mirando alrededor, casi desorientado. Sabría volver siguiendo la senda de vehículos, pero ¿encontraría el desvío que llevaba al prado y la civilización?

—Es increíble que piense eso —dijo Barclay meneando de nuevo la cabeza—. Yo doy vida a la madera inerte. Para mí el mundo vivo es lo más importante.

—Trevor Guest no va a regresar en forma de cuenco.

—Trevor Guest era un animal —espetó Barclay, deteniéndose de nuevo en seco.

—¿No forman parte los animales del mundo vivo? —inquirió Rebus sin aliento.

—Sabe perfectamente que no lo he dicho en ese sentido —replicó Barclay oteando a su alrededor—. Bien lo decía el *Scotsman*... Estuvo en la cárcel, por robo y violación.

—Agresión sexual, más concretamente.

Barclay continuó hablando sin hacer caso de la observación.

—Lo encarcelaron porque dio la casualidad de que lo detuvieron por un delito, pero hacía tiempo que era un animal —añadió el joven internándose en el bosque, con Rebus a la zaga, intentando expulsar de su mente imágenes de terror de *Blair Witch*.

El terreno descendía más y más. Ahora sí que se encontraban bien lejos del camino que llevaba a la civilización. Miró a su alrededor en busca de una posible arma, se agachó y cogió una rama que, al sacudirla, se le deshizo en la mano. Estaba podrida.

—¿Qué es lo que va a enseñarme? —preguntó.

—Paciencia. Un minuto más —comentó Barclay alzando un dedo—. Oiga, no sé cómo se llama.

—Rebus. Inspector Rebus.

—Yo hablé con sus compañeros cuando los hechos, ¿sabe? Quise que indagaran sobre Trevor Guest, pero creo que no hicieron nada. Yo era un muchacho, y ya me llamaban «raro». Coldstream es un pueblucho, inspector. Cuando no se es como ellos es difícil fingir.

—Sí, claro —comentó Rebus en lugar de preguntarle: «¿Qué demonios me está contando?».

—Ahora me va mejor. La gente ve lo que hago y aprecia el mérito de mi trabajo.

—¿Cuándo vino a vivir a Kelso?

—Llevo aquí tres años.

—Pues ya debe de gustarle...

Barclay miró a Rebus y sonrió.

—Me da conversación, ¿no es eso? ¿Está nervioso?

—No me gustan los juegos —contestó Rebus.

—Pero yo sí sé a quien le gustan: al que dejó esos trofeos en la Fuente Clootie.

—En eso estamos de acuerdo —dijo Rebus, que estuvo a punto de caer y se arañó el tobillo.

—Tenga cuidado —dijo Barclay sin detenerse.

—Gracias —añadió Rebus cojeando tras él.

Pero el joven volvió a detenerse. Había una cadena y más abajo, al final, un chalé moderno.

—El paisaje es espléndido —comentó Barclay—. Y este lugar es bonito y tranquilo. Hay que llegar en coche por ahí —añadió señalando con el dedo la ruta— desde la carretera principal. Aquí es donde murió la mujer —dijo volviéndose de cara a Rebus—. Yo la vi en el pueblo y hablé con ella y fue una verdadera conmoción enterarnos de lo ocurrido. —Su mirada se hizo más penetrante al ver que Rebus no entendía—. Hablo del señor y la señora Webster —añadió entre dientes—. Sí, él murió después, pero aquí es donde fue asesinada su esposa. Ahí dentro —espetó señalando el chalé.

Rebus sintió falta de saliva. ¿La madre de Ben Webster? Sí, claro: aquellas vacaciones en un chalé de Borders. Recordaba las fotos del informe que había recopilado Mairie.

—¿Quiere decir que la mató Trevor Guest?

—Él vino a vivir aquí unos meses antes y desapareció inmediatamente después. Algunos de los que bebían con él dijeron que era por un problema con la policía de Newcastle. A mí Trevor me acosaba por la calle porque yo era un jovenzuelo de pelo largo y pensaba que sabría dónde encontrar droga. —Hizo una pausa—. Luego, fui una noche con un amigo a Edimburgo a tomar una copa y me lo encontré.

Como había comunicado mis sospechas a la policía, al verle pensé que la investigación había sido una chapuza... —añadió mirando a Rebus con severidad—. ¡No lo investigaron!

—¿Se lo encontró en aquel pub? —inquirió Rebus pensando a toda velocidad, palpitándole las sienes.

—Sí, y perdí los estribos. Tuve que desahogarme. Cuando después me enteré de que lo habían matado... sentí aún mayor desahogo, como si se hubiera hecho justicia, pues el periódico decía que había estado en la cárcel por robo y violación.

—Agresión sexual —replicó Rebus con voz débil. Una de tantas inexactitudes.

—Eso fue lo que hizo aquí. Entró a robar y mató a la señora Webster.

Y luego huyó a Edimburgo, con súbito arrepentimiento y dispuesto a ayudar a los ancianos y a los débiles. Gareth Tench tenía razón: algo le había sucedido a Trevor Guest. Algo que había cambiado su vida.

De dar crédito a lo que contaba Duncan Barclay.

—Él no la violó —replicó Rebus.

—¿Cómo dice?

Rebus carraspeó y escupió saliva pastosa.

—La señora Webster no fue violada.

—No, porque era ya mayor, pero la de Newcastle era jovencita.

Efectivamente. Ya lo había dicho Hackman: «Le gustaban más bien jovencitas».

—Ya veo que le pesaba esta historia —dijo Rebus.

—¡Y aún no me cree!

—Discúlpeme —añadió Rebus recostándose en un árbol y pasándose la mano por el pelo. Estaba sudando.

—Yo no puedo ser sospechoso —prosiguió Barclay— porque no conozco a las otras dos víctimas. Son tres muertos, no uno —añadió con énfasis.

—Exacto, no uno solo.

Un asesino a quien le gustan los juegos. Rebus pensó en la doctora Gilreagh: «Ruralismo y discrepancias».

—Supe que era una mala persona —dijo Barclay— desde el primer día que lo vi en Coldstream.

Trevor Guest, el asesino de la madre de Ben Webster.

El padre murió de pena, es decir, que Guest había matado a un matrimonio, fue a la cárcel por otro delito y había quedado en libertad. Y poco después el diputado Ben Webster muere al caer desde las murallas del castillo de Edimburgo.

«¿Ben Webster?»

—¡Duncan! —se oyó gritar a lo lejos desde lo alto de la pendiente.

—¡Debbie, estoy aquí! —exclamó Barclay comenzando a subir la cuesta.

Rebus le siguió con gran esfuerzo. Cuando él llegó a la pista de vehículos, Barclay y Debbie estaban abrazados.

—He venido a avisarte —oyó que decía la joven con la cara hundida en la cazadora de él—. No he encontrado a nadie que me trajera y como sabía que él vendría a por ti —dejó la frase en el aire al ver a Rebus, dando un grito y separándose de Barclay.

—Tranquila —dijo él—. El inspector y yo hemos estado hablando y creo que me ha hecho caso —añadió mirando a Rebus.

Rebus asintió con la cabeza y metió las manos en los bolsillos.

—Pero de todos modos tendrá que venir a Edimburgo —dijo— para que quede grabado cuanto me ha dicho, ¿sabe?

—Después de tanto tiempo será un placer —contestó Barclay con una sonrisa de desgana.

Debbie se alzó sobre la punta de los pies rodeándole la cintura con un brazo.

—No me dejes aquí. Yo voy contigo —dijo.

—El caso es que el inspector —dijo Barclay mirando a Rebus de reojo— me cree sospechoso, y tú serías mi cómplice.

La joven le miró estupefacta. Estrechó con más fuerza a Barclay y exclamó:

—¡Duncan es incapaz de hacer mal a nadie!

—Ni a una cochinilla del bosque, diría yo —añadió Rebus.

—El bosque me ha protegido —dijo Barclay mirando a Rebus—. Por eso la rama que cogió antes se le deshizo en la mano —añadió con un guiño, y le dijo a Debbie—: ¿Seguro que quieres que nuestra primera cita formal sea en una comisaría de Edimburgo?

La joven respondió alzándose de nuevo sobre la punta de los pies y dándole un beso en la boca. De pronto, los árboles se mecieron movidos por la brisa.

—Volvamos al coche, muchachos —ordenó Rebus dando unos enérgicos pasos por la senda, hasta que Barclay le advirtió que aquel no era el camino.

Siobhan se dio cuenta de que aquel no era el camino.

No es que no fuera el camino, sino que dependía de adónde fuese; y ése era el problema: no se decidía. Probablemente iría a casa, pero, ¿qué le esperaba allí? Como ya estaba en Silverknowes Road, continuó hasta Marine Drive y estacionó junto al bordillo.

Había más coches aparcados por ser un lugar concurrido los fines de semana para contemplar las vistas al Firth of Forth. Había gente paseando el perro y comiendo bocadillos. Un helicóptero que ascendía para efectuar uno de sus recorridos turísticos le recordó de pronto el que les llevó a Gleneagles. Un año, el día del cumpleaños de Rebus, ella le regaló un billete para aquel recorrido, pero pensaba que no había llegado a utilizarlo.

Estaría a la espera de noticias sobre Denise y Gareth Tench. Ellen Wylie había prometido llamar a Craigmillar para que fuesen a su casa a tomarle declaración, lo que no impidió que ella reclamara el mismo trámite en cuanto salió del adosado de Cramond, casi decidida a ordenar que las detuvieran a las dos. Aún resonaba en sus oídos aquella risa de Wylie, algo más que simple producto de la histeria. Natural, tal vez, dadas las circunstancias, pero de todos modos... Cogió el móvil, respiró hondo y marcó el número de Rebus. Le contestó una grabación con voz de mujer: «En este momento no podemos atender su llamada. Por favor, pruebe más tarde».

Miró la pantalla de cristal líquido y recordó que Eric Bain le había dejado un mensaje.

—A ver qué quiere —musitó pulsando teclas.

—Siobhan, soy Eric —sonó la voz borrosa—. Molly me ha dejado y, Dios, no sé... —ruido de tos—. Quisiera que tú... ¿cómo te lo explicaría? —Otra tos seca como si se sintiera mal. Siobhan miró el paisaje sin verlo—. Mierda... He tomado... he tomado... muchas...

Siobhan lanzó una maldición para sus adentros y giró la llave de contacto, puso la marcha y arrancó a toda velocidad con las luces largas puestas y tocando el claxon en los semáforos rojos. Pidió una ambulancia sin soltar el volante, diciéndose que todavía dominaba la situación, y doce minutos después frenaba frente a la casa de Bain sin mayores males que un arañazo en la carrocería y un retrovisor lateral tocado. Otra visita al taller del mecánico amigo de Rebus.

No tuvo que llamar a la puerta de Bain porque estaba abierta. Entró corriendo en el piso y le encontró tendido en el cuarto de estar con la cabeza apoyada en un sillón. Vio una botella vacía de Smirnoff y un frasco de paracetamol también vacío.

Le tomó el pulso y comprobó que estaba tibio y con respiración débil pero acompasada; tenía el rostro sudoroso y la entrepierna mojada por haberse orinado. Pronunció su nombre varias veces, dándole bofetadas y abriéndole los párpados.

—¡Vamos, Eric, despierta! ¡Despierta, Eric! —exclamó zarandeándole—. ¡Tienes que levantarte, Eric! ¡Vamos, gandul de mierda! —No podía con él y era imposible levantarlo. Comprobó si tenía algo en la boca que impidiera la respiración y volvió a zarandearle—. Eric, ¿cuántas has tomado? ¿Cuántas pastillas, Eric?

Era buena señal que hubiese dejado la puerta abierta en previsión de que entraran. Y la había llamado. ¡La había llamado a ella!

—Siempre fuiste un peliculero, Eric —rezongó Siobhan, apartándole el pelo de la frente. El cuarto era puro desorden—. ¿Y si vuelve Molly y ve cómo tienes el piso? Levántate ahora mismo.

Bain parpadeó y lanzó un profundo gruñido, al tiempo que se oía ruido en la puerta y entraban dos médicos con uniforme verde, uno de ellos con una caja de instrumental.

—¿Qué ha ingerido?

—Paracetamol.

—¿Cuánto tiempo hace?

—Un par de horas.

—¿Cómo se llama?

—Eric.

Siobhan se puso en pie y se apartó para hacerles sitio. Los médicos comprobaron la reacción pupilar con un instrumento.

—¿Me oye? —preguntó uno de ellos—. ¿Puede decir sí con la cabeza? Pruebe a mover los dedos. ¡Eric! Me llamo Colin y estoy aquí para ayudarle. ¿Eric? Diga que sí con la cabeza si me oye. Eric...

Siobhan contemplaba la escena con los brazos cruzados hasta que Eric, con una convulsión, comenzó a vomitar; uno de los médicos le dijo que mirase por el piso y comprobase si había indicios de que hubiera ingerido algo más.

Al salir del cuarto, Siobhan pensó si no se lo habría dicho para ahorrarle la desagradable escena. En la cocina no había nada; todo estaba impecable, salvo que se había dejado fuera de la nevera un cartón de leche, y al lado el tapón de la Smirnoff. Fue al cuarto de baño. El botiquín estaba abierto y en el lavabo, tirados, unos sobrecitos sin abrir de algo para la gripe, que ella puso en el armarito, donde había un frasco de aspirinas también sin empezar. Por lo que, tal vez, el paracetamol estaría empezado y no habría ingerido tantas pastillas como ella pensaba.

En el dormitorio seguían las cosas de Molly, pero tiradas por el suelo, como si Eric hubiese pensado vengarse en ellas, y una foto de la pareja fuera del marco pero ilesa, como si hubiera sido incapaz de romperla.

Volvió a informar a los médicos. Eric ya no vomitaba, pero el cuarto era una peste.

—Bueno, ha echado setenta centilitros de vodka —dijo el llamado Colin—, mezclados con unas treinta pastillas.

—Lo ha arrojado casi todo —añadió su colega.

—Entonces, ¿está fuera de peligro? —preguntó ella.

—Todo depende de la fase de intoxicación. ¿Dijo que fue hace dos horas?

—Él me llamó hace dos... hace casi tres horas. —Ellos la miraron—. Es que no leí el mensaje hasta... pocos segundos antes de llamar a urgencias.

—¿Cuál era su estado cuando hizo la llamada?

—Hablaba con dificultad.

—Vaya —comentó el hombre mirando a su colega—. ¿Cómo lo bajamos?

—Sujeto a la camilla.

—Es que la escalera tiene recodos.

—Pues dame otra solución.

—Voy a llamar pidiendo ayuda —añadió Colin poniéndose en pie.

—Yo podría sujetarle las piernas —dijo Siobhan—. No teniendo que hacer maniobras con la camilla, en la escalera hay sitio.

—Buena idea —dijeron mirándose.

El teléfono de Siobhan comenzó a sonar, y cuando iba a desconectarlo vio que marcaba las iniciales JR. Salió al pasillo y contestó.

—No te lo vas a creer —dijo precipitadamente, oyendo simultáneamente que Rebus decía exactamente las mismas palabras.

27

Decidió ir a St. Leonard. Allí había menos posibilidades de que le viera nadie. En el mostrador de recepción no parecían saber que estaba suspendido de servicio, pues no le preguntaron para qué quería un cuarto de interrogatorio y le cedieron un uniformado que hiciera de testigo en la grabación que iba a efectuar.

Duncan Barclay y Debbie Glenister se sentaron juntos con sendas latas de coca-cola y diversas chocolatinas de la máquina expendedora. Rebus abrió un paquete de cintas de casete y puso dos en la máquina. Barclay preguntó por qué dos.

—Una para ti y otra para nosotros —contestó Rebus.

El interrogatorio fue sencillo, el agente no entendía nada y Rebus, tras ponerle en antecedentes, le preguntó si podía disponer transporte para la pareja.

—¿Hasta Kelso? —replicó él estupefacto.

Debbie se cogió del brazo de Barclay y comentó que podían ir a algún bar de Princes Street. Barclay no parecía muy decidido pero acabó por ceder. Cuando se disponían a marchar, Rebus le dio cuarenta libras.

—Aquí son más caras las consumiciones —dijo—. Tómalo como un préstamo. La próxima vez que vengas a Edimburgo me traes un frutero de los tuyos.

Barclay aceptó los billetes.

—Inspector, ¿todo lo que me ha preguntado le servirá de algo? —dijo el joven.

—Más de lo que cree, señor Barclay —contestó Rebus estrechándole la mano.

Se retiró a un despacho de la planta de arriba. St. Leonard era su comisaría antes del traslado a Gayfield Square y sus estanterías, el depósito de ocho años de homicidios resueltos... Le sorprendió que no quedara ninguna señal de aquello, ninguna marca visible de su presencia ni de todos aquellos casos enrevesados que tan bien recordaba. No había nada en aquellas paredes desnudas y la mayoría de las mesas no se utilizaban y ni siquiera tenían silla. Antes de St. Leonard su destino había sido la comisaría de Great London Road y anteriormente la de High Street. Hacía treinta años que era policía y pensaba que ya poco le quedaba por ver.

Hasta aquel caso que tenía entre manos.

En una pared, había un gran tablero blanco de anotaciones con rotulador. Lo limpió con toallas de papel del lavabo; no salía bien la tinta porque era reseca de hacía semanas: el planteamiento de la Operación Sorbus. Allí habrían estado los agentes apoyados en las mesas y sentados tomando café mientras el jefe les instruía sobre lo que se avecinaba.

Todo lo que él acababa de borrar.

Buscó en los cajones de las mesas más a mano un rotulador y comenzó a escribir en el tablero a partir de arriba, con líneas oblicuas hacia los lados; hizo un subrayado doble en algunas palabras, rodeó otras con un círculo, marcó unas cuantas con signos de interrogación y cuando terminó se apartó para contemplar su organigrama de los crímenes de la Fuente Clootie. Siobhan le había enseñado a hacer aquel tipo de mapas. Ella rara vez resolvía un caso sin recurrir a ellos, aunque generalmente los guardaba en el cajón o en la cartera, sacándolos para repasar algo o reflexionar sobre una pista inexplorada o alguna relación que mereciera más examen. ¿Por qué lo hacía? Pensando que él se reiría de ella. Pero en un caso tan complicado como aquél, el organigrama era la herramienta idónea, porque mediante el análisis se disipaba la complejidad y se veía el núcleo.

Trevor Guest.

La discrepancia: aquella agresión física extrañamente sañuda. La doctora Gilreagh les advirtió que buscaran indicios y que los interpretaran correctamente. Aquel caso no era más que una artimaña de prestidigitación. Rebus sentó sus posaderas en una mesa que crujió discretamente; balanceó levemente las piernas en el aire y apoyó la palma de las manos en la superficie a ambos lados. Se inclinó ligeramente, miró el tablero con flechas, subrayados e interrogantes y comenzó a pensar el modo de resolver las incógnitas. Comenzaba a vislumbrar el conjunto y lo que el asesino trataba de enmascarar.

Hecho lo cual, salió del DIC y de la comisaría a tomar el aire; cruzó la calle y se dirigió a la tienda más próxima, aunque comprendió que no necesitaba nada; pero compró tabaco, un encendedor y chicle. Más el *Evening News*. Y decidió llamar a Siobhan al hospital para preguntarle si iba a estar mucho rato allí.

—Aquí estoy —le dijo ella, dándole a entender que estaba en St. Leonard—. ¿Dónde demonios andas tú?

—Nos habremos cruzado. —El dependiente de la tienda le llamó al verle abrir la puerta, y Rebus hizo una mueca de disculpa y sacó el dinero del bolsillo. ¿Dónde demonios tenía el...? Le debió de dar a Barclay los últimos dos billetes de veinte libras. Sacó toda la calderilla y la echó sobre el mostrador.

—No suficiente para cigarrillos —dijo el anciano asiático.

Rebus se encogió de hombros y devolvió la cajetilla.

—¿Dónde estás? —le preguntó Siobhan.

—Comprando chicle.

Y un encendedor, podría haber añadido. Pero tabaco no.

Se sentaron con sendas tazas de café de sobre, en silencio durante un par de minutos hasta que Rebus preguntó por Bain.

—Lo irónico del caso —dijo ella— es que, a pesar de la cantidad de pastillas que tragó, de lo que se quejó al volver en sí fue de dolor de cabeza.

—De todos modos, es culpa mía —dijo Rebus, explicándole su conversación con Bain y la charla con Molly la noche anterior.

—Así que, después de nuestra bronca junto al cadáver de Tench, ¿fuiste a un club de destape? —replicó Siobhan.

Rebus se encogió de hombros, pensando en que había hecho bien en no contarle su visita a casa de Cafferty.

—Bueno —continuó Siobhan con un suspiro—, ya que estamos en plan de autocrítica...

Ella contó a su vez lo de Bain, T in the Park y Denise y Wylie, tras lo cual se hizo otro largo silencio. Rebus iba por el quinto chicle y, aunque no tenía ganas de tomar un café, necesitaba algún exutorio para el desasosiego que le invadía.

—¿Crees que Ellen habrá entregado a su hermana? —preguntó finalmente.

—¿Qué otra cosa iba a hacer?

Él alzó los hombros y ella cogió el teléfono y llamó a Craigmillar.

—Habla con el sargento McManus —dijo Rebus.

Ella le miró como diciendo: «¿Cómo demonios lo sabes?». Él decidió que era el momento de levantarse y buscar una papelera donde tirar la bolita de chicle insípido. Tras hablar por teléfono, Siobhan se acercó a él, ante el tablero.

—Están allí las dos y McManus va a interrogar a Denise con cierto miramiento. Dice que podría alegar el eximente de crueldad mental. —Hizo una pausa—. ¿Cuándo hablaste tú con él exactamente?

Rebus esquivó la cuestión señalando al tablero.

—¿Ves lo que he hecho, Shiv? Como si hubiera arrancado una página de tu libro, por así decir —añadió dando unos golpecitos en el tablero con los nudillos—. Y todo gira en torno a Trevor Guest.

—¿Teóricamente? —añadió ella.

—La evidencia viene después —dijo él señalando con el dedo la cronología de los asesinatos—. Digamos que Trevor Guest mató a la madre de Ben Webster. De hecho, no hace falta tenerlo en cuenta, basta que quien mató a Guest lo crea así. El asesino teclea el nombre de Guest en un buscador, encuentra Vigilancia de la Bestia y eso le da la idea de actuar imitando a un asesino en serie. Y según esa orientación, la policía se desvive buscando donde no es. El asesino sabe lo del G-8 y decide dejar unas pistas en aquel paraje ante nuestras narices, convencido de que las encontraremos; el asesino no es suscriptor de Vigilancia de la Bestia y sabe que no tiene nada que temer, porque nos romperemos los cascos siguiendo la pista de los suscriptores y alertando a los delincuentes; y, con el G-8 y todo lo demás, lo más probable es que la investigación acabe en una maraña difícil de desentrañar. Recuerda lo que dijo Gilreagh de que la «prestidigitación» hacía agua. Y tenía razón, porque el asesino sólo iba a por Trevor Guest. Únicamente Trevor Guest —repitió señalando el nombre en el tablero—. El hombre que había destrozado a la familia Webster. Ruralismo y discrepancias, Siobhan, para llevarnos al huerto.

—Pero ¿cómo iba a saberlo el asesino? —inquirió Siobhan.

—Por tener acceso a la investigación del caso y posiblemente estudiándola minuciosamente. Yendo a Borders a preguntar y tomar nota de los comentarios de la gente.

Ella estaba a su lado mirando el tablero.

—¿Quieres decir que a Cyril Colliar y Eddie Isle los mató para despistar?

—Y dio resultado. Si hubiésemos hecho una indagación completa a lo mejor no habríamos detectado la relación con Kelso —dijo Rebus con una breve risa seca—. Creo recordar que lancé un bufido cuando Gilreagh comenzó a hablar del campo y bosques profundos cerca de núcleos habitados. «¿Es el tipo de terreno donde vivían las víctimas?» Dio en el clavo, doctora —añadió en voz queda.

Siobhan pasó el dedo por el nombre de Ben Webster.

—¿Y él se mató por eso?

—¿Qué quieres decir?

—Pues que al final no pudo aguantar el remordimiento de haber matado a tres hombres, cuando bastaba con uno y, sometido a una gran presión por el G-8, habiendo identificado el trozo de la cazadora de Cyril Colliar... pensó que íbamos a echarle el guante y le entró pánico. ¿No es así como lo ves?

—Yo no estoy seguro de que supiera lo del trozo de cazadora —replicó Rebus despacio—. ¿Y cómo iba a obtener la heroína de las inyecciones letales?

—¿Y a mí me lo preguntas? —replicó Siobhan sarcástica.

—Porque eres quien acusa a un hombre inocente, sin acceso a archivos policiales ni a drogas duras —dijo Rebus relacionando el nombre de Ben Webster con el de su hermana—, mientras que Stacey...

—¿Stacey?

—Es policía encubierta. Probablemente conoce a traficantes, ha pasado los últimos meses infiltrada en grupos anarquistas y me dijo que ahora tienden a estar fuera de Londres, en Leeds y Manchester, y en Bradford. Guest murió en Newcastle, Isley en Carlisle; dos lugares no lejos de los Midlands en coche. Siendo policía, tendría acceso a cualquier tipo de información.

—¿Stacey es la asesina?

—Gracias a tu maravilloso método —dijo Rebus dando una palmada al tablero— es la conclusión obvia.

Siobhan negó despacio con la cabeza.

—Pero si estaba... Nosotros mismos hablamos con ella.

—Sí, es lista —asintió Rebus—. Muy lista. Y ahora está en Londres.

—No tenemos pruebas... ni la menor evidencia.

—No; hasta cierto punto. Si escuchas la cinta de Duncan Barclay le oirás decir que ella estuvo en Kelso el año pasado, preguntando. Incluso habló con él. Y él le mencionó a Trevor Guest. Tenía fama de allanador de moradas y anduvo por la zona en la misma época que mataron a la señora Webster. —Rebus alzó los hombros como para apoyar las evidencias—. A los tres les agredieron por detrás, Siobhan, con un fuerte golpe para que no pudieran reaccionar, como lo haría una mujer. —Hizo una pausa—. Y, además, su nombre. Gilreagh dijo que podía ser algo relacionado con árboles.

—Stacey no es nombre de árbol.

Rebus negó con la cabeza.

—Pero Santal sí. Significa madera de sándalo. Yo creía que era simplemente el nombre de un perfume, y resulta que es un árbol... —Meneó la cabeza pensando en el enrevesado montaje de Stacey Webster—. Y dejó la tarjeta del banco de Trevor Guest —añadió— porque quería estar segura de que nos constaba el nombre para despistarnos. Una fantástica cortina de humo, como dijo Gilreagh.

Siobhan volvió a fijar su atención en el tablero buscando fallos en el organigrama.

—Entonces, ¿qué le ocurrió a Ben? —preguntó al fin.

—Puedo decirte lo que pienso.

—Adelante —dijo ella cruzando los brazos.

—Los vigilantes del castillo creyeron ver a un intruso. Yo imagino que sería Stacey. Ella sabía que su hermano estaba allí y estaría deseando contárselo. Debió de enterarse a través de Steelforth de que estábamos investigando y pensó que había llegado el momento de compartir la noticia de sus hazañas con su hermano. Para ella la muerte de Guest era el final del duelo, y por Dios que se aseguró de que pagara sus crímenes mutilando su cuerpo. Se recreó en el alarde de burlar la guardia del castillo y tal vez envió un mensaje a Ben para que saliera a verse con ella. Le contó todo...

—¿Y él se tira al vacío?

Rebus se rascó la nuca.

—Yo creo que ella es la única que puede aclarárnoslo. De hecho, si actuamos bien, Ben Webster va a ser el factor crucial para obtener una confesión. Piensa lo mal que debe de sentirse ella habiendo muerto toda su familia, cuando, además, lo único que iba a servirle para estar más unida a su hermano, según ella, fue la causa de su muerte. Y toda la culpa es suya.

—Pues supo ocultarlo divinamente.

—Sí, tras las máscaras que utiliza —asintió Rebus—. Las diversas facetas de personalidad.

—No te pases —replicó Siobhan—, que empiezas a hablar igual que Gilreagh.

Rebus se echó a reír, pero reprimió su desahogo inmediatamente y volvió a rascarse la cabeza y a pasarse la mano por el pelo.

—¿Crees que tiene sentido?

Siobhan infló las mejillas y expulsó aire.

—Tengo que pensarlo un poco más. Quiero decir que, expuesto de este modo en el tablero, sí que veo que tiene cierto sentido. Pero no sé cómo podremos probar nada.

—Empezaremos con lo que ocurrió con Ben.

—Muy bien, pero si ella lo niega, nos quedamos en la inopia. Tú mismo acabas de decirlo, John; ella se escuda en diversas máscaras y en cuanto le mencionemos a su hermano puede adoptar una de ellas.

—Hay un modo de averiguarlo —dijo Rebus, que tenía en la mano la tarjeta de Stacey con el número del móvil.

—Piénsalo bien —le previno Siobhan—, porque en cuanto la llames la estarás poniendo en guardia.

—Pues vamos a Londres.

—¿Y estamos seguros de que Steelforth nos dejará hablar con ella?

Rebus reflexionó un instante.

—Claro, Steelforth... —dijo con voz queda—. Es curioso lo rápido que la mandó volver a Londres, ¿no? Como si supiera que andábamos tras sus pasos.

—¿Tú crees que él lo sabe?

—En el castillo había cámaras de seguridad y él me dijo que no aparecía nada en la grabación, pero ahora que lo pienso...

—No podremos lograr que nos deje verla —alegó Siobhan—. Que

uno de sus agentes sea un asesino, y máxime que se haya cargado a su hermano, no es muy buena publicidad para su departamento.

—Lo que significa que estará dispuesto a negociar.

—¿Y qué es lo que vamos a negociar con él exactamente?

—El control —respondió Rebus—. Nosotros dejamos en sus manos la solución y si se niega, vamos a ver a Mairie Henderson.

Siobhan reflexionó casi un minuto sobre las alternativas y en ese momento vio que Rebus abría los ojos exageradamente.

—Y ni siquiera hace falta ir a Londres —dijo.

—¿Por qué no?

—Porque Steelforth no está allí.

—¿Dónde está?

—A dos pasos de nosotros —contestó Rebus, comenzando a borrar el tablero.

A dos pasos; es decir, un cuarto de hora en coche en dirección oeste.

Durante el trayecto se dedicaron a repasar la hipótesis de Rebus. Trevor Guest se larga de Newcastle; tal vez por alguna deuda de droga; el mejor destino: un viaje rápido al campo; busca pero no encuentra droga y, sin dinero, recurre a su especialidad: el robo en las casas. Pero la señora Webster está dentro y él la mata. Huye presa del pánico a Edimburgo y allí serena su culpabilidad trabajando con ancianos, con gente como la mujer que ha asesinado. No ha habido agresión sexual porque a él le gustan jovencitas.

Mientras, Stacey Webster, conmocionada por la muerte de su madre, cae en el desconsuelo al morir poco después su padre. Gracias a sus conocimientos policiales sigue la pista del culpable, pero está en la cárcel. No tarda en salir. Dado el tiempo que dedica a su venganza, encuentra a Guest en Vigilancia de la Bestia, junto con otros como él, y elige a sus víctimas según una distribución geográfica de fácil acceso para ella según sus misiones. Por su caracterización de joven contracultural tiene acceso a la heroína. ¿Hizo confesar a Guest antes de matarlo? Es una cuestión sin importancia, porque por entonces ya ha matado a Eddie Isley. Añade una tercera víctima para reforzar la idea de un asesino en serie y hace un alto, sin grandes remordimientos, porque según su punto de vista lo que ha hecho es limpiar de escoria la sociedad. Los planes del SO12 para el G-8 la llevan a la Fuente Clootie y considera que es el paraje idóneo; alguien irá allí y descubrirá las señales, y para mayor seguridad deja entre ellas un nombre..., el único nombre que importa. No la descubrirán. Es el crimen perfecto. O casi...

—Tengo que admitir que es plausible —dijo Siobhan.

—Porque es lo que sucedió. Piensa que la verdad casi siempre tiene sentido, Siobhan.

Circularon a buena velocidad por la M8 y entraron en la A82. El pueblo de Luss estaba junto a la carretera en la orilla oeste del Loch Lomond.

—Aquí rodaron *Take the High Road* —comentó Rebus.

—Es una de las pocas series que no he visto.

Por el carril contrario pasaban coches y más coches.

—Hoy debe de haber acabado el partido —comentó Siobhan—. Tendremos que volver mañana.

Pero Rebus no se daba por vencido. El club de golf de Loch Lomond era exclusivamente para socios, y por la celebración del Open se habían reforzado las medidas de seguridad, por lo que los vigilantes de la entrada verificaron minuciosamente sus respectivos carnés de policía y examinaron los bajos del coche con un espejito acoplado a un mango.

—Después de lo del jueves no se puede correr riesgos —comentó el vigilante devolviéndoles los carnés—. En la sede del club les darán razón del comandante Steelforth.

—Gracias —dijo Rebus—. Por cierto, ¿quién va ganando?

—Hay empate entre Tim Clark y Maarten Lafeber, a menos de quince. Tim dio menos de seis golpes hoy. Pero Monty está bien clasificado con menos de diez. Mañana será apoteósico.

Rebus dio las gracias al vigilante y puso la marcha del Saab.

—¿Te has enterado de algo? —preguntó a Siobhan.

—Sólo sé que Monty es Colin Montgomery.

—Estás tan informada como yo sobre el tradicional deporte real.

—¿Tú no has jugado nunca?

Rebus negó con la cabeza.

—Sería incapaz de ponerme esos jerséis de colores pastel.

Cuando aparcaron y bajaron del coche, pasaron a su lado media docena de espectadores comentando los acontecimientos de la jornada. Uno vestía un jersei con cuello de pico color rosa y los otros, color amarillo, anaranjado y azul celeste.

—¿No ves lo que te decía? —comentó Rebus.

Siobhan asintió con la cabeza.

La sede del club era una mansión de estilo regional escocés llamada Rossdhu, ante la que había estacionado un Mercedes plateado con el conductor dormitando al volante. Rebus lo recordó de Gleneagles: era el chófer de Steelfroth.

—Gracias, Manitú —dijo alzando la vista al cielo.

Un caballero no muy alto con gafas y enorme bigote, consciente de su importancia, salió a su encuentro. Llevaba colgada del cuello una serie de pases plastificados y tarjetas de identidad que sonaban al compás de sus pasos; ladró una palabra que sonó como «sectario» y que Rebus optó por interpretar como secretario, al tiempo que estrechaba una mano huesuda que apretaba con ahínco. Pero él al menos recibió ese saludo, porque a Siobhan la miró como a un florero.

—Queremos hablar con el comandante David Steelforth —dijo él—. No creo que esté confraternizando con el vulgo.

—¿Steelforth? —repitió el secretario quitándose las gafas y limpiándolas en su jersei granate—. ¿Es socio?

—Ahí está su chófer —dijo Rebus señalando el Mercedes.

—Pennen Industries —terció Siobhan.

El secretario volvió a ponerse las gafas y respondió a Rebus:

—Ah, sí, el señor Pennen tiene una carpa para invitados —dijo mirando su reloj de pulsera—. Probablemente estén a punto de marcharse.

—¿Le importa que lo comprobemos?

El secretario torció el gesto, les dijo que esperasen y volvió a entrar en la sede. Rebus miró a Siobhan esperando algún comentario.

—Un burócrata estúpido —dijo ella.

—¿No pides hoja de reclamaciones?

—¿Tú has visto a alguna mujer desde que hemos entrado?

Rebus miró a su alrededor y comprobó que tenía razón; al oír un motor eléctrico volvió la cabeza: era un cochecito de golf, que apareció por detrás de la casa conducido por el secretario.

—Suban —les dijo.

—¿No podemos ir a pie? —preguntó Rebus.

El secretario negó con la cabeza y repitió lo dicho. En la parte posterior había dos asientos de espaldas al conductor.

—Suerte tienes de no ser muy gruesa —dijo Rebus a Siobhan.

El secretario les previno de que se agarrasen bien antes de poner la máquina en marcha a poco más que la velocidad de un peatón.

—Uf —exclamó Siobhan con gesto de decepción.

—¿Sabes que el jefe supremo es aficionado al golf?

—No me extrañaría.

—Con la suerte que hemos tenido esta semana, seguro que en cualquier momento nos lo cruzamos.

Pero no fue así. En el campo de golf sólo quedaban algunos rezagados, las tribunas estaban vacías y el sol ya se ponía.

—Esto es una maravilla —no pudo por menos de comentar Siobhan mirando las montañas al otro lado del Loch Lomond.

—Me recuerda cuando era niño —añadió Rebus.

—¿Venías aquí de vacaciones?

Rebus negó con la cabeza.

—Nuestros vecinos; y nos enviaban siempre una tarjeta postal.

Se dio la vuelta lo mejor que pudo y vio que se acercaban a un campamento de carpas rodeado de cordón de seguridad con toldos blancos, música de gaitas y rumor fuerte de conversaciones. El secretario disminuyó la marcha, detuvo el vehículo y señaló con la barbilla una de las carpas más grandes con ventanas de plástico transparente, donde criados de librea servían champán y ostras en bandejas de plata.

—Gracias por traernos —dijo Rebus.

—¿Les espero?

Rebus negó con la cabeza.

—Sabremos volver. Muchas gracias.

—Policía de Lothian y Borders —dijo Rebus a los vigilantes mostrándoles el carné.

—Su jefe de división está en la carpa del champán —dijo solícito uno de los vigilantes.

Rebus miró a Siobhan. Se acabó la suerte de la semana... Cogió una copa de champán y se abrió paso entre los invitados. Creyó reconocer algunas caras de Prestonfield y delegados del G-8, gente con la que Richard Pennen trataba de hacer negocios. Joseph Kamweze, el diplomático de Kenia, cruzó la mirada con él y rápidamente le volvió la espalda perdiéndose entre los grupos.

—Esto es como las Naciones Unidas —comentó Siobhan, que atraía miradas masculinas.

Había pocas mujeres, pero las presentes eran todas «de adorno»: larga melena, vestido ceñido y corto y sonrisa estándar; ellas se considerarían «modelos» en vez de «azafatas», mujeres contratadas un día para aportar al festejo lustre y lámpara de cuarzo.

—Tendrías que haberte arreglado —dijo Rebus en tono de reprimenda a Siobhan—. Un poco de maquillaje nunca está de más.

—Mira el Karl Lagerfeld éste... —replicó ella.

Rebus le dio unos golpecitos en el hombro.

—Nuestro anfitrión —dijo señalando con una inclinación de cabeza en dirección a Richard Pennen.

Allí estaba, con el mismo peinado impecable, relucientes gemelos y grueso reloj de pulsera. Pero algo había cambiado; su rostro no parecía tan bronceado ni su prestancia tan imperturbable, y, al reír algo que le dijo uno que hablaba con él, echó la cabeza hacia atrás con evidente exageración y abrió demasiado la boca para la carcajada. Fingía. Su interlocutor pareció darse cuenta y le observó intrigado. Los lacayos de Pennen —uno a cada lado, como en Prestonfield— parecían también inquietos por la torpeza de su jefe en representar su papel. Rebus pensó un instante en acercarse a él y preguntarle qué tal iban las cosas, por el gusto de comprobar su reacción. Pero Siobhan le tocó en el brazo para llamar su atención hacia otro lugar.

David Steelforth salía de la carpa del champán en animada charla con el jefe de policía James Corbyn.

—Hostia —dijo Rebus, y tras un profundo suspiro añadió—: De perdidos al río.

Vio que Siobhan no se decidía y se volvió hacia ella.

—Más vale que te lo pienses unos minutos dándote una vuelta.

Pero ella ya había adoptado la decisión y fue la primera en encaminarse hacia los dos jefes.

—Perdonen que les interrumpa —dijo.

Rebus iba a la zaga.

—¿Qué demonios hacen ustedes dos aquí? —farfulló Corbyn.

—Yo no me pierdo nunca el champán gratis. Supongo que usted tampoco, señor —dijo Rebus alzando la copa.

El rostro de Corbyn enrojeció ostensiblemente.

—Yo soy un invitado —replicó.

—Nosotros también, señor, en cierto modo —terció Siobhan.

—¿Ah, sí? —inquirió Steelforth risueño.

—Señor, la investigación de un asesinato —dijo Rebus— es como un pase de VIP.

—De supervips —añadió Siobhan.

—¿Quiere decir que Ben Webster fue asesinado? —preguntó Steelforth clavando los ojos en Rebus.

—No exactamente —respondió Rebus—, pero tenemos idea de la causa. Y parece estar relacionada con la Fuente Clootie —añadió mirando a Corbyn—. Después se lo explicaremos, señor, pero ahora tenemos que hablar con el comandante Steelforth.

—Ya lo hará en otro momento —espetó Corbyn.

Rebus dirigió de nuevo la mirada a Steelforth, quien volvió a sonreír, esta vez a Corbyn.

—Creo que será mejor que escuche lo que el inspector y su colega tengan que decirme.

—Muy bien —dijo el jefe de la policía—. Hágalo.

Rebus intercambió despacio una mirada con Siobhan, que Steelforth interpretó de inmediato mientras tendía con parsimonia su copa a Corbyn.

—Vuelvo enseguida, señor jefe de la policía. Estoy seguro de que sus oficiales se lo explicarán a su debido tiempo.

—Más les valdrá —comentó Corbyn muy serio, clavando la mirada en Siobhan.

Steelforth le dio unos golpecitos en el brazo tranquilizándole y se alejó seguido por los dos hasta llegar al cordón de piquetes blancos, donde se detuvieron. Steelforth dio la espalda a los invitados y miró al campo de golf, donde los empleados se afanaban aplanando terrones y rastrillando los búnkeres. Metió las manos en los bolsillos.

—¿Qué es lo que tienen? —preguntó displicente.

—Lo sabe perfectamente —respondió Rebus—. Cuando le mencioné la relación entre Webster y la Fuente Clootie usted ni se inmutó, lo que me hace pensar que ya sospechaba algo. Al fin y al cabo, Stacey Webster es agente de su departamento. Probablemente la estaría controlando, intrigado por sus frecuentes viajes al norte, a ciudades como Newcastle y Carlisle. Y por otro lado, me pregunto qué es lo que vio en las grabaciones de seguridad aquella noche en el castillo.

—Hable ya —dijo Steelforth entre dientes.

—Creemos que Stacey Webster es el asesino en serie —terció Siobhan—. Quería cargarse a Trevor Guest, pero no dudó en matar a otros dos para encubrir el hecho.

—Y cuando fue a contárselo a su hermano —continuó Rebus—, a él no le pareció bien. Y tal vez saltó o quizá le horrorizó la perspectiva de que se descubriera... y ella decidió que había que silenciarlo —añadió alzando los hombros.

—¡Pura fantasía! —comentó Steelforth sin mirarlos a la cara—. Si son buenos policías, tendrán que presentar una conclusión irrebatible.

—No nos será difícil, ahora que sabemos lo que buscamos —replicó Rebus—. Naturalmente, para el SO12 será demoledor...

Steelforth torció el gesto y se dio la vuelta mirando a la fiesta.

—Hasta hace cosa de una hora —dijo pausadamente— les habría dicho que se fueran a hacer gárgaras. ¿Saben por qué?

—Porque Pennen le había ofrecido un trabajo —dijo Rebus, y Steelforth enarcó una ceja—. Razonamiento fundado —añadió Rebus—. Es a él a quien ha estado protegiendo en todo momento, y debía de existir un motivo.

Steelforth asintió despacio con la cabeza.

—Pues sí, tiene razón.

—¿Y ahora ha cambiado de parecer? —inquirió Siobhan.

—No tienen más que ver cómo actúa. Se está desmoronando, ¿no creen?

—Como una estatua en el desierto —comentó Siobhan mirando a Rebus.

—El lunes iba a presentar mi dimisión —dijo Steelforth entristecido—. Que se fuera al diablo el Departamento Especial.

—Puede decirse que ya se ha ido, visto que uno de sus representantes mata a derecha e izquierda —terció Rebus.

Steelforth seguía mirando a Richard Pennen.

—Es curioso cómo funcionan a veces las cosas... El menor fallo hace que toda la estructura se venga abajo.

—Como sucedió con Al Capone —añadió Siobhan—, a quien sólo consiguieron echar el guante por no pagar impuestos, ¿no fue así?

Steelforth hizo caso omiso del comentario y se volvió hacia Rebus.

—La grabación de las cámaras de seguridad no era concluyente —dijo.

—¿Se veía a Ben Webster con alguien?

—Diez minutos después de recibir una llamada en el móvil.

—¿Tenemos que comprobar la grabación de la compañía telefónica o cabe suponer que era Stacey?

—Ya digo que la grabación de la cámara no era concluyente.

—¿Qué se veía?

Steelforth se encogió de hombros.

—A dos personas hablando... Mucha gesticulación, evidentemente por una discusión. Y al final una que agarra a la otra, pero no se ve bien y está muy oscuro.

—¿Y?

—A continuación sólo se ve a una persona —contestó Steelforth taladrando a Rebus con la mirada—. Yo creo que en ese instante él deseó que sucediera.

Se hizo un silencio que rompió Siobhan.

—Y lo han metido todo bajo la alfombra para que no trascienda... del mismo modo que despachó a Stacey Webster a Londres.

—Bueno, sí... Sería una suerte que pudieran hablar con la sargento Webster.

—¿Qué quiere decir?

Steelforth se volvió hacia Siobhan.

—No hemos vuelto a saber nada de ella desde el miércoles. Parece ser que tomó por la noche el exprés hasta Euston.

—¿El día de las bombas de Londres? —inquirió Siobhan entornando los ojos.

—Será un milagro identificar a todas las víctimas.

—¡No diga chorradas! —exclamó Rebus arrimando su rostro al de él—. ¡La está encubriendo!

Steelforth se echó a reír.

—Usted ve conspiraciones por doquier, Rebus, ¿verdad?

—Usted sabía lo que había hecho. ¡Lo de las bombas es la coartada perfecta para borrarlo todo!

El rostro de Steelforth se endureció.

—Ha muerto —dijo—. Adelante; recoja cuanta evidencia pueda; no creo que llegue muy lejos.

—Le caerá un volquete de mierda encima —le previno Rebus.

—¿Ah, sí? —replicó Steelforth alzando la barbilla apenas a unos centímetros del rostro de Rebus—. A la tierra le viene bien un poco de estiércol de vez en cuando, ¿no cree? Ahora, si me permiten, voy a emborracharme del todo a cuenta de Richard Pennen.

Se alejó, sacando las manos de los bolsillos, y recuperó la copa que le sostenía Corbyn. El jefe de la policía dijo algo con un ademán en dirección a los dos agentes de Lothian y Borders, Steelforth negó con la cabeza, se inclinó hacia Corbyn y murmuró unas palabras que hicieron que el jefe de la policía echara hacia atrás la cabeza como presagio de una sonora risotada.

28

—En definitiva, ¿qué es lo que hemos conseguido? —preguntó Siobhan una vez más.

Habían regresado a Edimburgo y estaban en un bar de Broughton Street cerca de su casa.

—Tú entrega las fotos del parque de Princes Street y tu amigo rapado tendrá la pena de cárcel que merece —dijo Rebus.

Ella le miró y forzó una carcajada.

—¿Y ya está? Cuatro personas muertas por culpa de Stacey Webster, ¿y eso es todo?

—Tenemos salud —replicó Rebus— y todo un bar pendiente de nosotros.

Algunos clientes desviaron la mirada.

Ella había tomado ya cuatro gin tonics y Rebus una cerveza y tres Laphroaigs en el compartimento que ocupaban en aquel local lleno y animado, hasta que comenzaron a hablar de los tres asesinatos, la muerte no aclarada, puñaladas, delincuentes sexuales, George Bush, el Departamento Especial, los disturbios de Princes Street y Bianca Jagger.

—Tenemos que recapitular el caso —dijo Rebus.

Ella replicó con una pedorreta.

—¿Y de qué nos serviría si es imposible probar nada? —inquirió.

—Hay mucha evidencia circunstancial.

Siobhan lanzó un bufido y comenzó a contar con los dedos.

—Richard Pennen, SO12, el gobierno, Cafferty, Gareth Tench, un asesino en serie, el G-8... En principio nos parecían relacionados. ¡Sí, claro, relación la hay! —añadió mostrándole siete dedos. Como Rebus no replicó, bajó las manos y se miró los dedos—. ¿Cómo puedes tomártelo con tanta tranquilidad?

—¿Quién dice que esté tranquilo?

—O sea que te refrenas.

—Tengo mi experiencia.

—Pues yo no —replicó ella negando con la cabeza grotescamente—. En estas circunstancias me dan ganas de gritarlo a los cuatro vientos.

—Yo diría que hemos dado los pasos previos.

Siobhan miró su vaso medio vacío.

—¿Así que la muerte de Ben Webster no tenía nada que ver con Richard Pennen?

—Nada —contestó Rebus.

—Pero a él también le ha hundido, ¿no?

Rebus asintió escuetamente con la cabeza. Ella musitó algo, él no lo entendió y le pidió que lo repitiera.

—Ni Dios ni amo. No dejo de darle vueltas en la cabeza desde el lunes, suponiendo que sea cierto... ¿A quién recurrir? ¿Quién manda?

—Siobhan, no me considero capaz de responder a eso.

Ella torció el gesto, como quien confirma algo sospechado. Sonó su móvil anunciando un mensaje. Pero Siobhan simplemente miró la pantalla.

—Qué éxito tienes hoy —comentó Rebus, pero ella negó con la cabeza—. A ver si lo adivino, ¿no será Cafferty?

Siobhan le miró furiosa.

—Y si fuera, ¿qué? —espetó.

—Más vale que cambies de número.

Siobhan asintió con la cabeza.

—Pero sólo después de haberle mandado un buen mensaje de texto diciendo lo que pienso de él. ¿Es mi ronda? —añadió mirando la mesa.

—Tal vez si comemos algo...

—¿No has tenido bastante con las ostras de Pennen?

—Es un alimento poco sustancial.

—En esta calle hay un restaurante barato.

—Lo sé.

—Sí, claro que lo sabes. Llevas toda tu vida yendo allí.

—Casi toda mi vida —puntualizó él.

—Nunca hemos tenido una semanita como ésta —añadió ella para motivarle.

—Nunca —asintió él—. Acábate la copa y vamos a ese restaurante.

Ella asintió con la cabeza cogiendo el vaso crispada.

—El miércoles mis padres fueron a cenar a un restaurante indio y yo sólo les acompañé a los postres.

—Puedes ir a verlos a Londres.

—Estaba pensando cuánto vivirán —añadió ella con los ojos casi bañados en lágrimas—. ¿Se supone que es esto la raigambre escocesa, John? ¿Tomarse unas copas y ponerte sensiblera?

—Es nuestra condena mirar siempre al pasado —dijo él.

—Y luego va una al DIC y es todavía peor. La gente muere y nosotros rebuscamos su vida sin poder cambiar nada —sentenció Siobhan sin fuerza para alzar el vaso.

—Podemos darle una patada a Keith Carberry —propuso Rebus.

Ella asintió despacio con la cabeza.

—O, ya puestos, a Big Ger Cafferty... o a quien nos parezca. Somos dos —dijo él inclinándose ligeramente tratando de mirarla a los ojos—. Dos contra la naturaleza.

Ella le miró taimada.

—¿Es la letra de una canción? —aventuró.

—El título de un álbum de Steely Dan.

—¿Sabes que siempre me ha intrigado de dónde tomaron el nombre? —dijo ella reclinándose en el asiento.

—Te lo diré cuando estés sobria —añadió Rebus apurando la copa.

Rebus notó que los miraban mientras la ayudaba a levantarse y salían del bar. Hacía un viento frío y comenzaba a lloviznar.

—Quizá fuera mejor ir a tu casa y encargar la comida por teléfono —sugirió él.

—¡No estoy tan borracha!

—Vale; muy bien.

Comenzaron a subir la cuesta uno al lado del otro sin decirse nada. Era la noche del sábado y la ciudad había vuelto a la normalidad: quinceañeros a tope de bebida en sus coches recargados; dinero en busca de sitios para gastarlo y el ronroneo del motor diésel de los taxis. En un momento dado, Siobhan se cogió del brazo de Rebus y dijo algo que él no entendió.

—Ese «bien» que has dicho —repitió— no es cierto. Es sólo metafórico... porque es inútil hacer nada.

—Pero ¿de qué hablas? —replicó él con una sonrisa.

—De nombrar a los muertos —contestó ella apoyando la cabeza en su hombro.

EPÍLOGO

29

El lunes por la mañana cogió el primer tren hacia el sur. Partió de Waverley a las seis y llegó a King's Cross poco después de las diez. A las ocho llamó a Gayfield Square para decir que estaba enfermo, lo que no andaba muy lejos de la realidad. Pero si le hubiesen preguntado qué tenía, no habría sabido qué alegar.

—Gastándose las horas extra —comentaría el sargento del mostrador.

Rebus fue al vagón restaurante a desayunar, después volvió a ocupar su asiento y leyó el periódico para abstraerse de sus compañeros de viaje. Enfrente, en la mesa, un joven de aspecto hosco seguía con la cabeza el ritmo de la guitarra eléctrica que escuchaba por sus auriculares; a la oficinista que iba a su lado le molestaba ostensiblemente la falta de espacio para extender sus papeles y el otro asiento contiguo estuvo libre hasta Cork.

Hacía años que no viajaba en un tren, repleto de turistas con sus equipajes, niños que lloriquean, gente con el día libre y gente de vuelta al trabajo a Londres. Después de Cork llegó Doncaster y luego Peterborough. El gordinflón que ocupó el asiento vacío se quedó dormido tras decir que tenía reserva de ventanilla, pero que no le importaba ocupar el asiento de pasillo si Rebus quería cambiar.

—Pues muy bien —dijo él.

El quiosco de prensa de Waverley acababa de abrir minutos antes de la salida del tren y Rebus compró el *Scotsman*. El artículo de Mairie aparecía en primera página; no era el principal y estaba lleno de vocablos como «presunto», «posible» y «potencialmente», pero el titular alegró el corazón de Rebus:

EMPRESARIO ARMAMENTISTA ENVUELTO EN ENTRESIJOS GUBERNAMENTALES.

Era una buena andanada y seguro que Mairie se reservaba unas cuantas más.

Iba sin equipaje porque pensaba regresar en el último tren del día; cabía la posibilidad de tomar coche cama y seguramente lo haría, porque así podría preguntar al personal si alguno había hecho el servicio del expreso de Edimburgo el miércoles. Si el personal de ferrocarriles no se lo desmentía, él sería el último que había visto a Stacey Webster. Si aquella noche la hubiera seguido a la estación de Waverlery, podría haber comprobado si efectivamente tomaba el tren. Pero, en realidad, podía estar en cualquier parte, incluso oculta en algún lugar hasta que Steelforth le procurase una nueva identidad.

Rebus imaginaba que no le resultaría difícil emprender una nueva vida. Por la noche había pensado en las diversas personalidades de la agente encubierta: policía, Santal, hermana, asesina; realmente cuadrofénica, como el álbum de The Who. El domingo, Kenny, el hijo de Mickey, había llegado a su casa en el BMW para decirle que tenía algo para él en el asiento de atrás. Bajó a verlo y era la colección de música de Mickey: álbumes, casetes, compactos y vinilos de 45 rpm.

—Papá te los dejó en el testamento —dijo Kenny.

Después de subirlos al piso y de que Kenny se tomase un vaso de agua, Rebus le dijo adiós con la mano, miró el regalo y se puso en cuclillas junto a las cajas a ver qué había: un mono de *Sergeant Pepper*, *Let It Bleed* con el póster de Ned Nelly, muchos de Kinks y Taste y Free, algunos de Van Der Graf y Steve Hillage; más un par de cintas de ocho pistas, *Killer* de Alice Cooper y un álbum de los Beach Boys. Era un tesoro de recuerdos. Rebus olió las portadas y su aroma le retrotrajo a otra época. Había vinilos pequeños de los Hollies, alabeados por haberlos dejado en el tocadiscos demasiado tiempo después de una fiesta, un ejemplar de *Silver Machine* en el que Mickey había escrito: «Propiedad de Michael Rebus. ¡Ojo!».

Y *Quadrophenia*, por supuesto, con las esquinas desgastadas y el vinilo rayado pero audible.

Sentado en el tren, Rebus recordó las últimas palabras de Stacey antes de salir disparada a los servicios: «No le dijo que lo sentía». Él pensó que se refería a Mickey, pero ahora comprendía que también lo decía por ella y por Ben. ¿Sentiría haber matado a tres hombres? ¿Sentiría habérselo dicho a su hermano? Y Ben, dándose cuenta de que tendría que denunciarla, sintiendo en su espalda la dura muralla, imaginando el vacío inmediato... Rebus pensó en las memorias de Cafferty. *Transformación*. Sí, era un título que podrían usar muchos para su autobiografía. La gente que conoces siempre es igual por fuera —pelo canoso o un michelín en la cintura—, pero nunca se sabe cómo es por dentro.

Justo después de Doncaster sonó su móvil y despertó al que roncaba suavemente a su lado. Era el número de Siobhan, pero como él no respondió, ella le envió un mensaje de texto, que Rebus no leyó hasta después de acabar el periódico y aburrirse con el paisaje.

«Dónde estás. Corbyn quiere hablarnos. Qué le digo. Llámame».

Rebus no podía llamarla desde el tren, porque se imaginaría adónde iba. Para retrasar lo inevitable dejó pasar media hora y envió un mensaje.

«Enfermo en cama llamo después.»

No acababa de dominar los mensajes de texto. Siobhan respondió al instante.

«¿Resaca?»

«Las ostras de Loch Lomond», contestó él.

Apagó el móvil para ahorrar batería y cerró los ojos en el momento en en que anunciaban «Londres-King's Cross, próxima y última parada».

«Próxima y última», repitió el altavoz.

Habían anunciado las estaciones del metro que estaban cerradas. La oficinista de rostro severo consultó su plano acercándoselo a los ojos. En las afueras de Londres, Rebus reconoció algunas de las estaciones que cruzaba el tren. Los viajeros habituales comenzaron a ponerse en pie y a recoger sus cosas; la oficinista guardó en el bolso en bandolera portátil, papeles, agenda y plano, y el gordinflón se levantó y dirigió a Rebus una reverencia como si hubieran tenido una prolongada e intensa conversación. Él, sin verdadera prisa, fue uno de los últimos en bajar del tren y cruzar el andén esquivando a los empleados del equipo de limpieza.

En Londres hacía más calor y era más pegajoso que el de Edimburgo. Le sobraba la chaqueta. Salió andando de la estación; no necesitaba taxi ni coger el metro. Encendió un pitillo, sumergido en el ruido y la polución del tráfico. Expulsó un anillo de humo y sacó un papel del bolsillo. Era un plano copiado de un callejero de la A a la Z que le había dado el comandante David Steelforth, a quien había llamado el domingo por la tarde para decirle que se tomarían con calma los asesinatos de la Fuente Clootie y que le comunicarían lo que averiguasen antes de trasladar el caso al fiscal, si es que se llegaba a eso.

—Ah, bien —dijo Steelforth en tono cauto, con el ruido de fondo del aeropuerto de Edimburgo, porque el comandante regresaba a Londres.

Rebus, que acababa de contarle una sarta de mentiras, le pidió un favor.

Resultado: un nombre, una dirección y un plano.

Steelforth incluso le pidió disculpas por los matones de Pennen, explicándole que tenían orden de vigilarle aunque sin llegar a aquellos extremos. «De eso no me enteré hasta más tarde. Es tan difícil controlar a esos hombres...», fue su explicación.

Controlar...

Rebus pensó otra vez en el concejal Tench tratando de encauzar a toda una comunidad e incapaz de eludir su propio destino.

Calculó que habría andado menos de una hora. Y hacía buen día. Una de las bombas había explosionado en un tren del metro entre King's Cross y Russell Square y otra, en un autobús de Euston a Russell Square. Los tres lugares estaban señalados en el plano. El coche cama habría llegado a Euston hacia las siete de la mañana.

Explosión del metro: a las 8:50.

Explosión del autobús: a las 9:47.

No podía creerse que a Stacey Webster le hubiese afectado ni remotamente ninguna de las dos. El maquinista del tren dijo que habían tenido suerte porque en los tres últimos días el servicio terminaba en Finsbury Park. Rebus difícilmente podía creer que Finsbury Park fuese extrapolable.

Cafferty estaba solo en el salón de billares y cuando entró Siobhan no alzó la vista hasta después de intentar hacer doblete. Pero falló.

Dio la vuelta a la mesa poniendo tiza en el taco y soplando el exceso en la punta.

—Conoce bien el juego —comentó Siobhan.

Él lanzó un gruñido, se inclinó sobre el taco y volvió a fallar.

—Pero juega fatal —añadió ella—. Igual que en todo.

—Muy buenos días, sargento Clarke. ¿Es una visita de cortesía?

—¿Le parece una visita de cortesía?

Cafferty alzó la vista hacia ella.

—No ha respondido a mis mensajes.

—Tendrá que irse acostumbrando.

—Eso no cambia lo que ocurrió.

—¿Y qué es lo que ocurrió, exactamente?

Cafferty reflexionó un instante.

—¿Que los dos conseguimos lo que queríamos? —dijo—. Sí, ahora tiene mala conciencia —añadió apoyando el taco en el suelo—, pero los dos logramos lo que queríamos —repitió.

—Yo no quería que Gareth Tench muriera.

—Pero sí que recibiera un castigo.

Ella dio dos pasos hacia él.

—No intente hacerme creer que actuó por favorecerme.

Cafferty chasqueó la lengua.

—Siobhan, tiene que comenzar a saber disfrutar de estos pequeños triunfos. La vida no ofrece muchos; se lo digo por experiencia.

—Metí la pata, Cafferty, pero he aprendido la lección. Se ha divertido bastante muchos años a costa de John Rebus, pero a partir de ahora tiene otro enemigo al acecho.

Cafferty contuvo la risa.

—¿Usted? —preguntó apoyándose en el taco—. Pero, Siobhan, admita que formamos buen equipo. Imagínese cómo podríamos dominar Edimburgo entre los dos, con intercambio de información, propinas y tratos. Yo seguiría con mis negocios y usted con ascensos rápidos. ¿No es en definitiva lo que queremos los dos?

—Lo que yo quiero —replicó Siobhan marcando las palabras— es no saber nada de usted hasta verle en el banquillo de los acusados desde el estrado de testigos.

—Bueno, pues buena suerte —dijo Cafferty volviendo a contener una risita y centrando su atención en la mesa de billar—. Mientras, ¿le apetece darme una paliza al billar? Nunca se me ha dado bien este maldito juego.

Cuando se volvió a mirar vio que ella se marchaba y la llamó:

—¡Siobhan! ¿Recuerda la escena, arriba en mi oficina, nosotros dos y ese mequetrefe de Carberry y el momento en que empezó a achantarse? Lo leí en sus ojos cuando usted le miró.

Ella abrió la puerta y se volvió.

—¿Leyó qué, Cafferty?

—Que comenzaba a disfrutar de la situación —respondió él relamiéndose—. Sí, vi que decididamente comenzaba a gustarle.

Siobhan salió a la calle oyendo las carcajadas de Cafferty.

Pentonville Road y luego Upper Street. Era más lejos de lo que pensaba. Se detuvo en un café frente al metro de Highbury e Islington, comió un bocadillo y hojeó el *Evening Standard*. Nadie hablaba inglés en aquel café y cuando pidió la consumición les costó entenderle. Pero el bocadillo era bueno.

Al salir notó las escoceduras de la planta de los pies. Dobló en St. Paul's Road hacia Highbury Grove, y enfrente de unas canchas de tenis vio la calle que buscaba y encontró el bloque que quería con el número y el timbre. No había nombre, pero lo pulsó.

No contestaron.

Miró el reloj y apretó otros botones hasta que alguien respondió.

—¿Diga? —oyó decir a una voz entre chasquidos del intercomunicador.

—Tengo un paquete para el número nueve —dijo Rebus.

—Éste es el dieciséis.

—¿Se lo puedo dejar a usted?

—Pues no.

—¿Y en la puerta del nueve?

La voz profirió una maldición pero sonó el zumbador de la puerta y Rebus entró. Subió la escalera hasta el apartamento 9. Tenía mirilla. Arrimó el oído a la madera y retrocedió un paso para observar la puerta: era sólida, con media docena de cerrojos y marco de hierro de refuerzo.

«¿Quién vivirá en un apartamento como éste? —pensó—. David, a ti te toca decidir.» Era la frase de anuncio de un programa de televisión titulado *Por el ojo de la cerradura*. La diferencia era que Rebus sabía quién vivía allí porque había recibido la información recopilada por David Steelforth. Llamó a la puerta con poco entusiasmo y volvió a bajar la escalera. Cortó la tapa de la cajetilla, la introdujo entre la puerta y el marco para impedir que se cerrara y salió a la calle a esperar.

Esperar era lo suyo.

Había doce espacios de aparcamiento para los vecinos, protegidos por su respectivo poste metálico. El Porsche Cayenne plateado se detuvo y el conductor se bajó a quitar el candado para meter el coche; dio la vuelta al vehículo silbando alegremente y dando una patada a los neumáticos tal como lo hacen los tíos. Limpió con la manga una mota de polvo de la carrocería y lanzó las llaves al aire, recogiéndolas al vuelo y guardándoselas en el bolsillo, del que sacó otro manojo. Le sorprendió ver la puerta sin cerrar en el preciso momento que su rostro chocaba contra ella empujado por detrás y entraba, por efecto del fuerte impulso, hasta la escalera. Rebus no le dio la menor oportunidad. Le agarró del pelo y le estampó la cara contra la pared de cemento, que quedó manchada de sangre. Con un rodillazo en la espalda, Jacko quedó tendido en el suelo, aturdido y semiinconsciente. Rebus le propinó un puñetazo en la nuca y otro en la mandíbula. «El primero por cuenta mía y el segundo por cuenta de Mairie Henderson», se dijo.

Examinó de cerca la cara del hombre: con cicatrices, pero de alguien bien alimentado, fuera del ejército hacía un tiempo, engordando a cuenta del sector privado. Vio que se le vidriaban los ojos y se le cerraban poco a poco. Aguardó un instante por si era fingido, pero el cuerpo de Jacko estaba totalmente desmadejado. Comprobó si el pulso le latía y podía respirar sin trabas, le colocó las manos a la espalda y le puso las esposas de plástico que llevaba preparadas, comprobando que quedaran bien cerradas.

Se puso en pie, le retiró del bolsillo las llaves del coche y salió a la calle, asegurándose de que no pasaba nadie; se acercó al Porsche, arañó un lateral con la llave de contacto, abrió la portezuela del conductor, dejó puesta la llave en el encendido y la portezuela abierta. Hizo una pausa para recobrar aliento y se encaminó a la vía principal. Tomaría el primer taxi o autobús que pasara. Si cogía el tren a las cinco en King's Cross estaría en Edimburgo antes de que cerraran los bares. Tenía billete abierto para cualquier tren. Por menos de lo que le había costado habría podido tomar un avión a Ibiza.

Pero también en Edimburgo le quedaban cosas por hacer.

La suerte le acompañaba: apareció un taxi negro con la luz amarilla encendida. En el asiento de atrás, Rebus metió la mano en el bolsillo, comentó al taxista que le llevara a Euston —King's Cross quedaba a dos pasos— y sacó una hoja de papel y un rollo de cinta adhesiva. Desdobló la hoja y la examinó: toscas pero servirían. Eran dos fotos de Santal/Stacey; una de ellas era la del fotógrafo amigo de Siobhan y la otra de un periódico. Encima de ellas había escrito con rotulador negro DESAPARECIDA subrayado dos veces, más un mensaje al pie que le había parecido aceptable al sexto intento:

«Mis dos amigas, Santal y Stacey, han desaparecido tras las explosiones de las bombas. Llegaron a Euston aquel día por la mañana en el expreso de Edimburgo. Si alguien las ha visto o sabe algo de ellas, se ruega que llame. Quiero saber si están fuera de peligro.»

Sin firma: sólo el número de móvil. En el bolsillo llevaba otras seis copias. Ya había dado parte de ellas como personas desaparecidas al registro de la Policía Nacional, con las dos identidades, estatura, edad, color de los ojos y algún dato más. Al cabo de una semana la descripción aparecería en los refugios para los sin techo y en la guía de ofertas de trabajo. Y cuando Eric Bain saliera del hospital, Rebus le pediría consejo sobre portales de Internet. Quizás, incluso, podrían colgar una página. Si estaba viva era localizable. Rebus no pensaba renunciar a ello.

De momento, ni mucho menos.

AGRADECIMIENTOS

No existe ninguna Fuente Clootie en Auchterarder, pero la de Black Isle bien vale una visita para quien guste de curiosidades siniestras.

Tampoco existe el pub Rams's Head en Coldstream, pero se puede comer una empanada de carne decente en el Besom.

Quedo agradecido a Dave Henderson por haber puesto generosa y ampliamente a mi disposición su archivo fotográfico, y a Jonathan Emmans por presentármelo.